João Mattar

Bacharel em Filosofia pela PUC-SP
Bacharel em Letras e Doutor em Literatura pela USP
Pós-graduado em Administração de Empresas pela FGV-EAESP
Pós-doutorado pela Stanford University — Califórnia
Membro do Centro de Estudos do Pragmatismo — PUC-SP
Contato com o autor: jmattar@editorasaraiva.com.br

FILOSOFIA E ÉTICA NA ADMINISTRAÇÃO

2006

www.saraivauni.com.br

Editora Saraiva

Editora Saraiva

Av. Marquês de São Vicente, 1697 – CEP: 01139-904
Barra Funda — Tel.: PABX (0XX11) 3613-3000
Fax: (11) 3611-3308 — Televendas: (0XX11) 3613-3344
Fax Vendas: (0XX11) 3611-3268 — São Paulo - SP
Endereço Internet: http://www.editorasaraiva.com.br

Filiais:

AMAZONAS/RONDÔNIA/RORAIMA/ACRE
Rua Costa Azevedo, 56 — Centro
Fone/Fax: (0XX92) 3633-4227 / 3633-4782 — Manaus

BAHIA/SERGIPE
Rua Agripino Dórea, 23 — Brotas
Fone: (0XX71) 3381-5854 / 3381-5895 / 3381-0959 — Salvador

BAURU/SÃO PAULO
(sala dos professores)
Rua Monsenhor Claro, 2-55/2-57 — Centro
Fone: (0XX14) 3234-5643 — 3234-7401 — Bauru

CAMPINAS/SÃO PAULO
(sala dos professores)
Rua Camargo Pimentel, 660 — Jd. Guanabara
Fone: (0XX19) 3243-8004 / 3243-8259 — Campinas

CEARÁ/PIAUÍ/MARANHÃO
Av. Filomeno Gomes, 670 — Jacarecanga
Fone: (0XX85) 3238-2323 / 3238-1331 — Fortaleza

DISTRITO FEDERAL
SIG Sul Qd. 3 — Bl. B — Loja 97 — Setor Industrial Gráfico
Fone: (0XX61) 3344-2920 / 3344-2951 / 3344-1709 — Brasília

GOIÁS/TOCANTINS
Av. Independência, 5330 — Setor Aeroporto
Fone: (0XX62) 3225-2882 / 3212-2806 / 3224-3016 — Goiânia

MATO GROSSO DO SUL/MATO GROSSO
Rua 14 de Julho, 3148 — Centro
Fone: (0XX67) 3382-3682 / 3382-0112 — Campo Grande

MINAS GERAIS
Rua Além Paraíba, 449 — Lagoinha
Fone: (0XX31) 3429-8300 / 3429-8310 — Belo Horizonte

PARÁ/AMAPÁ
Travessa Apinagés, 186 — Batista Campos
Fone: (0XX91) 3222-9034 / 3224-9038 / 3241-0499 — Belém

PARANÁ/SANTA CATARINA
Rua Conselheiro Laurindo, 2895 — Prado Velho
Fone: (0XX41) 3332-4894 — Curitiba

PERNAMBUCO/ ALAGOAS/ PARAÍBA/ R. G. DO NORTE
Rua Corredor do Bispo, 185 — Boa Vista
Fone: (0XX81) 3421-4246 / 3421-4510 — Recife

RIBEIRÃO PRETO/SÃO PAULO
Av. Francisco Junqueira, 1255 — Centro
Fone: (0XX16) 3610-5843 / 3610-8284 — Ribeirão Preto

RIO DE JANEIRO/ESPÍRITO SANTO
Rua Visconde de Santa Isabel, 113 a 119 — Vila Isabel
Fone: (0XX21) 2577-9494 / 2577-8867 / 2577-9565 — Rio de Janeiro

RIO GRANDE DO SUL
Av. Ceará, 1360 — São Geraldo
Fone: (0XX51) 3343-1467 / 3343-7563 / 3343-2986 / 3343-7469
Porto Alegre

SÃO JOSÉ DO RIO PRETO/SÃO PAULO
(sala dos professores)
Av. Brig. Faria Lima, 6363 — Rio Preto Shopping Center — V. São José
Fone: (0XX17) 227-3819 / 227-0982 / 227-5249 — São José do Rio Preto

SÃO JOSÉ DOS CAMPOS/SÃO PAULO
(sala dos professores)
Rua Santa Luzia, 106 — Jd. Santa Madalena
Fone: (0XX12) 3921-0732 — São José dos Campos

SÃO PAULO
Av. Marquês de São Vicente, 1697 — Barra Funda
Fone: PABX (0XX11) 3613-3000 / 3611-3308 — São Paulo

ISBN 85-02-04292-0

CIP – Brasil Catalogação na Fonte
Sindicato Nacional dos Editores de Livros, RJ

Mattar Neto, João Augusto
Filosofia e ética na administração / João Mattar. – São Paulo : Saraiva, 2006.

Bibliografia
ISBN 85-02-04292-0

1. Administração — Aspectos morais e éticos 2. Administração — Filosofia 3. Conhecimento — Teoria 4. Filosofia — História 5. Lógica 6. Linguagem — Filosofia I. Título.

03-5508 CDD-658.001

Índice para catálogo sistemático:

1. Administração : Filosofia e ética 658.001

Diretor editorial: Henrique Farinha
Gerente editorial: Henrique Félix
Editores: Marcio Coelho
Rita de Cássia da Silva
Produção editorial: Viviane Rodrigues Nepomuceno
Marketing editorial: Diana Alcantara Nastri Cerveira
Aquisições: Eduardo Villela Meirelles Viegas
Coordenadora de revisão (heliográfica): Livia M. Giorgio
Capa: Antonio Roberto Bressan
Projeto gráfico: Hamilton Olivieri Jr.
Diagramação: Edsel Moreira Guimarães

1ª edição
1ª tiragem: 2004
2ª tiragem: 2006

Sobre o autor

João Mattar é bacharel em Letras pela Universidade de São Paulo (USP), bacharel em Filosofia pela Pontifícia Universidade Católica de São Paulo (PUC-SP), doutor em Literatura pela USP e pós-graduado em Administração pela Escola de Administração de Empresas de São Paulo da Fundação Getulio Vargas (FGV-EAESP).

Entre 1994 e 1998, no Centro Universitário Ibero-Americano — São Paulo, foi professor e coordenador de pós-graduação e pesquisa, tendo sido o responsável pelo projeto e implementação de cursos de pós-graduação *lato* e *stricto sensu* da instituição.

De 1998 a 1999, cursou um pós-doutorado interdisciplinar na Stanford University — Estados Unidos, desenvolvendo atividades em diferentes áreas: participou de grupos de estudo (como o *Philosophical Reading Group*), ministrou aulas e palestras, organizou eventos (como a *Brazilian Music Week*), formou e se apresentou com o *Stanford Guitar Ensemble* (quarteto de violões), cursou disciplinas em diversos departamentos (Ciência da Computação e Matemática, Filosofia, Literatura Comparada etc.), dentre outras atividades. Como pesquisador visitante na Stanford University, desenvolveu pesquisas que foram publicadas e apresentadas em congressos internacionais.

Atualmente, faz parte da Comissão Editorial e do Conselho Científico da Revista de Filosofia *Cognitio*, editada pela PUC-SP, e é membro do Centro de Estudos do Pragmatismo, na mesma instituição. É, também, diretor da Newmed.

É autor de diversos livros, artigos e traduções, dentre os quais se destaca a obra *Metodologia Científica na Era da Informática*, publicada pela Editora Saraiva.

Prefácio

De despretensiosa apostila utilizada para ministrar a disciplina filosofia em cursos de administração, que se transformou em livro (com o apoio do prof. dr. Julio Gregorio Garcia Morejón, presidente do Centro Universitário Ibero-Americano) e ganhou o Prêmio Clio da Academia Paulistana da História, em 1999, na categoria "História da Filosofia Administrativa", *Filosofia e Ética na Administração* é resultado da ampliação e revisão de uma obra lançada anteriormente: *Filosofia e Administração*.

Ao longo dos anos de vida do livro *Filosofia e Administração*, recebi vários e-mails e cartas de leitores e professores, além dos inúmeros comentários feitos em sala de aula pelos alunos, que, em muitos casos, foram incorporados a esta obra. Tive também a oportunidade de desenvolver o tema deste livro em diversas palestras em faculdades e universidades no Brasil e no exterior, além de me corresponder com alguns autores e pesquisadores que se interessam pelo assunto. Entre eles, gostaria de destacar o contato com o professor Christopher Hodgkinson, autor de *Administrative philosophy: values and motivations in administrative life* e *Proposições para uma filosofia da administração*, que gentilmente me convidou a continuar esta pesquisa e debater algumas das teses aqui defendidas como *visiting scholar* na Universidade de Vitória (Canadá), o que ainda não foi possível e a quem, então, deixo uma homenagem.

Há muitas diferenças pontuais entre os dois livros, que não convém aqui listar nem comentar. O capítulo sobre teoria do conhecimento foi desmembrado em três, e o capítulo sobre estética foi excluído, pois não se ajustava ao tema central e ao tom do livro.

Após a publicação de *Filosofia e Administração*, tive acesso a vários textos (em geral novos, mas em alguns casos desconhecidos) que de alguma forma abordavam relações entre esses dois campos de conhecimento, tentativas de aproximar o universo da administração de Platão[1], de Aristóteles[2], de Foucault[3], do pragmatismo[4], da filosofia oriental (inúmeras) etc., nem todas aproveitáveis, mas cujos *insights* e momentos de acerto foram incorporados a este livro.

Mas o grande *boom* de publicações, no final do século passado e início deste século, deu-se em ética na administração, em que filosofia e teoria da administração passaram a flertar com alguma profundidade. A principal mudança nesta obra ocorre justamente na discussão sobre ética administrativa, tanto que mereceu um novo item e é responsável, ainda, pela escolha do título do livro. Aliás, entre as edições destas duas obras ocorreu talvez aquilo de mais terrível que minha geração teve a infelicidade de presenciar, o maior atentado terrorista da história: aviões norte-americanos de turismo foram usados como mísseis contra o próprio país, matando milhares de pessoas e destruindo as torres gêmeas do World Trade Center. Acontecimento que deixou perplexo o mundo e gerou uma reflexão global sobre política, ética e o destino da própria humanidade. E cabe lembrar que há não muito tempo, no final da Segunda Guerra Mundial, em Hiroshima, morreram 300 mil pessoas com uma bomba atômica, e durante a Guerra foram barbaramente assassinados 6 milhões de judeus — o que minha geração não presenciou.

O trabalho de revisar e, é claro, modificar um livro já publicado envolve um grande plano de reformulação do texto já escrito, que em muitos casos não é concluído. É importante, então, deixar registrado os pontos em que planejei modificações, mas não obtive êxito. Esses "fracassos" ficam assim registrados para mim mesmo, como indicações para futuras revisões, e para os leitores, como sugestões de linhas de pesquisa. Desconfio de que é possível abordar filosoficamente o tema da comunicação em administração, partindo da bibliografia contemporânea de administração sobre o assunto. Desconfio também de que é possível relacionar, com bastante sucesso, a teoria semiótica e a teoria do marketing. E, por fim, desconfio de que possa ser proveitoso relacionar a filosofia oriental e a administração ocidental. Esses temas são trata-

[1] KLEIN, Sherwin. *Business ethics*: reflections from a Platonic point of view. New York: Peter Sang, 1993.

[2] SOLOMON, Robert C. Corporate roles, personal virtues: an aristotelean approach to business ethics. In: DONALDSON, Thomas; WERHANE, Patricia H. (Ed.). *Ethical issues in business*: a philosophical approach. 5th ed. Upper Saddle River: Prentice-Hall, 1996. p. 45-59.

[3] MCKINLAY, Alan; STARKEY, Ken (Ed.). *Foucault, management and organization theory*: from panopticon to technologies of self. London: Sage, 1998.

[4] FONTRODONA, Juan. *Pragmatism and management inquiry*: insights from the thought of Charles S. Peirce. Westport: Quorum Books, 2002; NASHER, F. Byron. *Learning to read the signs*: reclaiming pragmatism in business. Boston: Butterworth-Heinemann, 1997; ROSENTHAL, Sandra B.; BUCHHOLZ, Rogene A. *Rethinking business ethics*: a pragmatic approach. New York: Oxford University Press, 2000; BUCHHOLZ, Rogene A.; ROSENTHAL, Sandra B. *Business ethics*: the pragmatic path beyond principles to process. Upper Saddle River: Prentice-Hall, 1998.

dos muito brevemente neste livro e não foram mais desenvolvidos seja porque não encontrei a inspiração e a bibliografia necessárias, seja porque o texto já publicado resistiu às mudanças.

Desde a publicação de *Filosofia e Administração*, meu momento de maior fôlego filosófico ocorreu como *visiting scholar* na Universidade de Stanford, no Philosophical Reading Group. Lá, tive o prazer de "filosofar" em grupo por um ano, e aqui fica também um agradecimento ao seu coordenador, o prof. dr. Hans Ulrich Gumbrecht.

No Grupo de Estudos do Pragmatismo, na PUC-SP, encontrei também um ambiente acolhedor e desafiador, de interação entre pesquisadores brasileiros e estrangeiros, e agradeço também a seu coordenador, o prof. dr. Ivo Assad Ibri.

Muitas vezes, tive a sensação de que revisar e ampliar um texto escrito há anos é mais difícil e desafiador do que redigir um novo livro, do zero. O ânimo e o estímulo para este árduo trabalho deve-se principalmente à acolhida da Editora Saraiva, nas pessoas de Flávia Helena Dante Alves Bravin, Karina Maria Ramos Guimarães e Henrique Farinha.

Durante o período de pesquisas para a redação desta obra, passei um e-mail para uma lista eletrônica da qual participo, solicitando indicações de bibliografia sobre ética (e filosofia) e administração. Recebi apenas uma resposta, irônica, dando gargalhadas e dizendo que eu estava louco. Filosofia e administração (assim como ética da administração) não são temas que se prestam a risadas, e espero que este livro venha a sacramentar ainda mais essa perspectiva.

João Mattar

Introdução

A filosofia volta, aos poucos, a ser ministrada no ensino fundamental, médio e superior. Depois de passar um período praticamente banida do ensino brasileiro, já que não interessava a um regime militar que seus cidadãos fossem instigados a pensar, a sociedade recomeça a sentir a necessidade de filosofar.

Hoje, a filosofia consta como matéria obrigatória, de formação básica e instrumental, no currículo mínimo dos cursos de graduação em administração. Ou seja, todos os cursos de administração do país têm como uma de suas disciplinas a filosofia. Todos os administradores que nosso país vem formando filosofam por pelo menos um ano.

Mesmo fora do universo da administração, observamos um movimento de renascimento do interesse pela filosofia, até do ponto de vista do apelo mercadológico e do consumo. Lançado em 1991, *O mundo de Sofia*, romance da história da filosofia escrito pelo professor de filosofia norueguês Jostein Gaarder, tornou-se significativamente um *best-seller* mundial, vendendo milhões de exemplares. No Brasil, permaneceu por várias semanas em primeiro lugar como o livro mais vendido entre 1995 e 1996.

Entretanto, apesar de todo esse "entusiasmo", dois problemas básicos têm funcionado como barreiras no retorno do espaço da reflexão aos cursos de administração: a dificuldade em encontrar professores adequadamente preparados para tal missão e (pasmem!) a resistência dos próprios alunos. **Entusiasmo** vem do grego *enthousiasmós*, que significa "ter um deus dentro de si". Nesse caso, parece não ter havido ainda o encontro com nossos deuses; não parece que já sejamos capazes de identificar e reconhecer os nossos deuses; eles ainda nos são estranhos.

De um lado, a filosofia resiste, por sua característica de disciplina aberta, a se deixar aplicar a alguma área específica. Se temos nos currículos de administração disciplinas como psicologia aplicada ou sociologia aplicada, se encontramos em livrarias livros com esses títulos, que podem servir de texto-base para esses cursos, é difícil imaginarmos um curso de filosofia aplicada.

De outro lado, entretanto, um programa de filosofia para alunos de administração não pode simplesmente ignorar seu público-alvo e ser todo elaborado como se procurássemos formar um grupo de filósofos. Insistir no estudo da filosofia antiga, centrar o curso na diferenciação das correntes filosóficas, preparar as aulas como um curso de história da filosofia ou um panorama geral da filosofia, ou mesmo repetir a sempre frustrante tentativa de dar uma definição ao termo **filosofia** e apontar suas diferenças em relação às ciências, são equívocos que não podem ser cometidos pelos professores. De um professor de filosofia para futuros administradores exigem-se conhecimentos bastante vastos e diversificados: informática, marketing, teoria geral de administração, psicologia etc., caso contrário seu esforço estará fadado ao insucesso. Pierre Lévy, um dos autores que será bastante citado em nosso texto, é ainda mais radical nesse ponto:

> Que o filósofo ou o historiador devam adquirir conhecimentos técnicos antes de falar sobre o assunto, é o mínimo. Mas é preciso ir mais longe, não ficar preso a um 'ponto de vista sobre...' para abrir-se a possíveis metamorfoses *sob o efeito* do objeto. A técnica e as tecnologias intelectuais em particular têm muitas coisas para ensinar aos filósofos sobre a filosofia e aos historiadores sobre a história[1].

A filosofia, como ciência-mãe, deve servir de elemento de ligação e aglutinação entre os diversos campos de conhecimento com que o estudante de administração travará contato ao longo de sua formação. Deve possibilitar a relação entre disciplinas aparentemente tão díspares e conhecimentos dispersos, como direito e estatística, matemática e sociologia, psicologia e contabilidade etc. O professor de filosofia deve assumir função similar à desempenhada pelo dirigente ou executivo nas organizações modernas, entendidas por Pierre Lévy como redes de conversações:

> Pedidos e compromissos, ofertas e promessas, assentimentos e recusas, consultas e resoluções se entrecruzam e se modificam de forma recorrente nestas redes. Todos os membros da organização participam da criação e da manutenção deste processo de comunicação. Portanto, não são meras informações que transitam na rede de conversação, mas sim *atos de linguagem*, que comprometem aqueles que os efetuam frente a si mesmos e aos outros. Em particular, as promessas devem ser mantidas. Nesta perspectiva ecológica, o trabalho do dirigente ou do executivo não consiste em 'resolver problemas' ou em 'tomar decisões' sozinho. Ele anima e mantém a rede de conversas onde são trocados os compromissos. Ele coordena as ações.

[1] LÉVY, Pierre. *As tecnologias da inteligência*: o futuro do pensamento na era da informática. Tradução Carlos Irineu da Costa. Rio de Janeiro: Editora 34, 1993. p. 11.

> Irá, sobretudo, tentar discernir, durante sua atividade comunicativa, as *novas possibilidades* que poderiam abrir-se à comunidade e ameaçariam reorientar algumas de suas finalidades, gerando assim novos circuitos de conversa[2].

Chester Barnard, executivo e genial teórico da administração, a quem nos parece não foi dada merecida posição de destaque na história da teoria da administração, também será aqui bastante estudado. Em sua obra essencial *The functions of the executive*, publicada por Harvard pela primeira vez em 1938, Barnard definia da seguinte maneira essa função do executivo como elemento de comunicação:

> A coordenação de esforços, essencial para um sistema de cooperação, requer [...] um sistema organizacional de comunicação. Tal sistema de comunicação implica centros ou pontos de interconexão, e só pode operar se esses centros são ocupados por pessoas que são chamadas 'executivos'. Pode-se dizer, portanto, que a função dos executivos é servir como canais de comunicação, na medida em que comunicações devam passar por intermédio de posições centrais[3].

Henry Mintzberg define o administrador como o "centro nervoso" da organização. Fala também de dez papéis desempenhados pelo administrador, que se dividiriam em interpessoais (símbolo, líder e ligação), informacionais (monitor, disseminador e porta-voz) e decisionais (empresário, solucionador de problemas, alocador de recursos e negociador). Na maioria desses papéis, o administrador serve de ponte[4].

No ensino de filosofia para administradores, entretanto, essa ponte só poderá ser realizada se o professor possuir conhecimento, mesmo que mínimo, de uma diversidade de disciplinas. E, para o funcionamento eficaz da organização universitária, esse conhecimento não é exigido apenas dos professores de filosofia, mas também dos demais, das outras disciplinas. Vejamos um exemplo.

Durante uma de nossas aulas de filosofia, discutíamos os problemas jurídicos que podem advir das terceirizações. Pode-se caracterizar excepcionalmente uma relação de vínculo empregatício entre o funcionário de uma empresa "terceira" e a empresa que contrata seus serviços. Uma empresa X resolve terceirizar suas atividades de vigilância e contrata a empresa Y, especializada nesses serviços. Um

---

[2] LÉVY, 1993, p. 65. Essa passagem é um comentário sobre o livro de Terry Winogard e Fernando Flores, *Understanding computers and cognition*.

[3] BARNARD, Chester Irving. *The functions of the executive*. 30th. anniversary ed. Cambridge: Harvard University Press, 1968. p. 215. As traduções dos textos de Barnard são todas nossas. Existe uma edição em português da Editora Atlas, lançada em 1971, traduzida por Flávio Moraes de Toledo Piza e com revisão técnica de Lea Maria da Rocha, hoje esgotada, que apresenta seriíssimos problemas de tradução.

[4] MINTZBERG, Henry. *The nature of managerial work*. New York: HarperCollins, 1973, passim.

vigilante é funcionário da empresa de vigilância Y, mas trabalha na empresa X, com horário de entrada e saída, respondendo às suas normas, encontrando na empresa X um supervisor hierárquico de quem recebe ordens. Formalmente, o vigilante tem vínculo empregatício apenas com a empresa Y. Imaginemos que a empresa Y, por algum motivo, encerre suas atividades fraudulentamente, deixe de recolher os encargos trabalhistas do vigilante e/ou possua os mesmos sócios que a empresa X. Pode haver, nesse caso, problemas para a empresa X. Ela pode ser acionada pelo vigilante, com a argumentação de que a sua relação de emprego, na verdade, se estabeleceu com ela, empresa X (apesar de os documentos indicarem relação formalizada apenas com a empresa Y). Pode-se argumentar que o contrato entre as empresas X e Y foi apenas forjado; que ambas tiveram vantagens financeiras com esse contrato, mas o próprio vigilante foi prejudicado; que o valor estipulado no documento estava abaixo do mercado, e, assim, seus direitos trabalhistas deixaram de ser pagos pela empresa X — é ela que os deveria ao vigilante. Enfim, discutíamos essa questão em uma aula de filosofia, e então sugeri aos alunos que a discussão fosse estendida à aula de direito, que o professor de direito fosse consultado. O objetivo era claro: gerar a comunicação entre as disciplinas, um debate mais amplo. E qual foi a resposta do professor de direito aos alunos? Que nada disso existia, que o contrato de trabalho do vigilante com a empresa Y era o que realmente valia, que o vigilante não tinha nenhum direito de processar a empresa X e, finalmente, uma pergunta: "Mas o que terceirização tem que ver com filosofia?". Enfim, uma resistência à curiosidade infinita do filósofo, à própria proposta de nosso curso de filosofia. Uma mensagem para o filósofo: cada macaco no seu galho.

Isso, porém, mostra-se contrário ao "espírito filosófico" — o filósofo sempre foi um xereta, e xerife nenhum consegue reprimir sua curiosidade. Mas se mostra também contrário ao "espírito científico" ("o homem movido pelo espírito científico deseja saber, mas para, imediatamente, melhor questionar"[5]) e ao próprio "espírito pedagógico" contemporâneo: a transmissão do saber, hoje, não se limita apenas à transmissão de informações, mas engloba também a aprendizagem dos procedimentos capazes de melhorar a habilidade de conectar campos que a educação tradicional isolava. No modelo de universidade estabelecido no século XIX, e ainda hoje predominante em muitos aspectos, cada ciência ocupa seu lugar em um sistema, e a intromissão de uma ciência no campo de outra tendia a provocar confusões e ruídos no sistema; as colaborações entre os campos de saber distintos só podiam ocorrer

[5] BACHELARD, Gaston. *A formação do espírito científico*: contribuição para uma psicanálise do conhecimento. Tradução Estela dos Santos Abreu. Rio de Janeiro: Contraponto, 1996. p. 21.

em nível especulativo, na cabeça dos filósofos[6]. Nos modelos contemporâneos de educação, a interdisciplinaridade tornou-se um conceito praticamente indispensável. É interessante notar como as palavras de McLuhan já apontavam nessa direção, há muitas décadas:

> Na educação, a divisão convencional do currículo em matérias já está tão superada quanto o *trivium* e o *quadrivium*[7] medievais na época do Renascimento. Qualquer matéria examinada em profundidade logo se relaciona a outras matérias. [...] A continuar em seus padrões atuais de desrelações fragmentadas, os currículos de nossas escolas não farão senão garantir a formação de cidadãos incapazes de entender o mundo cibernético em que vivem[8].

A idéia das disciplinas separadas e incomunicáveis baseia-se numa filosofia da especialização, que surgiu motivada por situações históricas e econômicas, hoje superadas:

> Há milhares de anos atrás, o homem, coletor de comida, assumiu tarefas posicionais ou relativamente sedentárias. Começou a especializar-se. O desenvolvimento da escrita e da imprensa marcou fases importantes desse processo. Tornaram-se extremamente especializados em separar os papéis do conhecimento dos papéis da ação, embora às vezes pudessem dar a impressão de que 'a pena era mais poderosa do que a espada'. Mas com a eletricidade e a automação, a tecnologia dos processos fragmentados de repente fundiu-se com o diálogo humano e com a necessidade de levar em consideração integral a unidade humana. De repente, os homens passaram a ser nômades à cata de conhecimento — nômades como nunca, informados como nunca, livres como nunca do especialismo fragmentário, mas envolvidos como nunca no processo social total; com a eletricidade, efetuamos a extensão de nosso sistema nervoso central, globalmente, inter-relacionando instantaneamente toda a experiência humana[9].

Mary Parker Follett, outra teórica da administração injustiçada e esquecida nos meios acadêmicos, utiliza-se de uma interessante expressão, nesse sentido, quando estuda a psicologia do controle nas organizações administrativas: *undepartmentalized thinking* (pensamento "desdepartamentalizado"). Deveríamos

[6] LYOTARD, Jean-François. *A condição pós-moderna*. Tradução José Bragança de Miranda. 2. ed. Lisboa: Gradiva, 1989. p. 106-107.

[7] Forma como eram agrupadas as disciplinas na Idade Média, que comentaremos mais à frente (N.A.).

[8] McLUHAN, Marshall. *Os meios de comunicação como extensões do homem*. Tradução Décio Pignatari. 7. ed. São Paulo: Cultrix, 1993. p. 389.

[9] Ibid., p. 401-402.

"desdepartamentalizar" nosso pensamento, em relação a todos os problemas que enfrentássemos[10]. Follett desenvolverá então a noção de totalidade, sistema ou conjunto. Mas essa totalidade não significa apenas a soma das partes, um conjunto que incluísse todos seus elementos, mas também a relação entre essas partes, relação dinâmica, que modifica continuamente as partes e o próprio todo. Não é apenas a totalidade da situação que interessa a Follett, mas a natureza dessa totalidade. Natureza que implica uma relação funcional entre as partes, um processo contínuo.

George Elton Mayo, o pai da escola das relações humanas na administração, utilizará um conceito semelhante, de "situação total". Chester Barnard desenvolve, em seu livro publicado em 1938, a idéia de que uma das características essenciais do executivo é o que ele denomina "*art of sensing the whole*" (a arte de sentir o todo), a capacidade de sentir uma situação em sua totalidade, para orientar a tomada de decisões. Idéia que se aproxima do que Idalberto Chiavenato denomina "habilidade conceitual", a habilidade essencial para o administrador, principalmente nos níveis de alta direção[11]. Vejamos como Barnard expõe o conceito:

> O controle, do ponto de vista da eficácia da organização com um todo, nunca é sem importância, e às vezes é de uma importância crítica; mas é em conexão com a eficiência, que em última análise engloba a eficácia, que o ponto de vista do todo é necessariamente dominante. Sob algumas condições simples, em pequenas organizações, isso é uma questão de senso comum — por exemplo, no governo de algumas pequenas cidades ou na administração de alguns pequenos negócios. Mas em geral esse não é o caso. O senso comum do todo não é óbvio e, de fato, em geral não está efetivamente presente. O controle é dominado por um aspecto particular — o econômico, o político, o religioso, o científico, o tecnológico —, com o resultado de que a eficiência não fica assegurada, e o fracasso advém ou ameaça perpetuamente. Sem dúvida, o desenvolvimento de uma crise, devida ao tratamento desequilibrado de todos os fatores, é a ocasião para a ação corretiva por parte dos executivos que possuem a arte de sentir o todo. Uma concepção do todo formal e ordenada raramente está presente, e talvez seja mesmo raramente possível, com exceção de alguns poucos homens com gênio executivo ou de algumas poucas organizações

[10] The psychology of control, passim. In: *Dynamic administration*: the collected papers of Mary Parker Follett. Ed. Henry C. Metcalf, L. Urwick. New York: Harper & Brothers, [194-]. p. 183-209. Follett desenvolve a noção de "situação global" em "O processo de controle", em GRAHAM, Pauline (Org.). *Mary Parker Follett*: profeta do gerenciamento. Tradução Eliana Chiocheti e Maria Luiza de Abreu Lima. Rio de Janeiro: Qualitymark, 1997. p. 227-241.

[11] CHIAVENATO, Idalberto. *Teoria geral da administração*: abordagens prescritivas e normativas da administração. 4. ed. São Paulo: McGraw-Hill, 1993. v. 1, p. 4-5.

executivas em que as pessoas são profundamente sensíveis e bem integradas. Mesmo a noção que está aqui em questão parece raramente ser enfatizada, seja em estudos práticos ou científicos[12].

O estudo de filosofia, da forma proposta em nosso livro, associado ao "espírito pedagógico" que defendemos, procura auxiliar os futuros administradores a desenvolver sua capacidade de sentir a totalidade. Entretanto, devido a todas as dificuldades já apresentadas, muitas faculdades e universidades que ensinam administração, hoje, têm optado por um curso de história da filosofia, condensado e congelado em muitas apostilas e em livros e manuais, já reconhecidos como de muito boa qualidade. Com a discussão de um ou outro período mais profundamente, de um ou outro filósofo com mais atenção, de um ou outro texto com mais privilégios. Mas esse método acaba por determinar uma matéria quase sempre deslocada, incomunicável com as demais, e sem sentido para a formação de um administrador.

Sem dúvida, muitos considerarão nossa posição um tanto quanto ingênua e até mesmo pretensiosa. "Afinal", dirão, "a filosofia constitui um campo de conhecimento em si mesmo, seu estudo tem sentido para todas as pessoas, em qualquer curso, sem que seja necessário (e até mesmo possível) aplicá-la a algum outro campo do conhecimento". Não haveria pontos de contato entre a atividade do administrador e a filosofia; não seria de nenhum proveito, do ponto de vista prático, o estudo da filosofia para um administrador. Estaríamos, apenas, "forçando a barra". O consultor e administrador de empresas Roberto de Mello e Souza discute essa questão no capítulo "Estudar filosofia?" de seu livro *O executivo filósofo*:

> No meu primeiro livro de teoria administrativa, publicado em 1973, defendia (como defendendo continuo) a necessidade de o administrador de empresas cultivar-se intelectualmente, evitar a obsessiva, a constrangedora verticalização na especialidade. Sugeria aos executivos que lessem. Lessem 'não exclusivamente o livro de texto, a prosa técnica mas também a ficção, o conto, o romance, o ensaio, a poesia, o teatro, a biografia, a correspondência, a história do homem, da civilização, da natureza, as belas-letras, as humanidades'.
>
> A certa altura do livro, depois de citar um trecho do *Cimetière Marin* de Paul Valéry, devaneava: 'Quem sabe se, espicaçado pela curiosidade, um dos meus leitores resolva ler o *Cimetière* e por causa dele resolva saber quem foi Zenão e encontre dois, um de Eléia, discípulo de Parmênides, e outro de Cítia, pai do estoicismo e termine se interessando por história da filosofia que tanto distrai, ensina e forma'.
>
> Essa afirmação despertou a curiosidade de alguns amigos, provocou agradáveis discussões e terminou por se transformar num desafio, risonho e bem-humorado,

[12] BARNARD, 1968, p. 238-239.

> às vezes meio malicioso mas sempre cordial: que eu tentasse, num próximo trabalho, esclarecer como pode a Filosofia aproveitar a um homem prático, por exemplo, um dirigente de empresas; e se é possível, sem escolaridade volumosamente adequada, começar, já maduro, a estudar Filosofia com proveito.
>
> Este trabalho destina-se pois a cumprir tão amável tarefa[13].

E Roberto de Mello e Souza, levando em conta essa discussão, dá a seguinte justificativa para seu livro:

> Para tema, escolhi algumas notas sobre História da Filosofia cujo estudo tanto me tem alegrado, formado e desenvolvido, me tem ensinado literalmente a *pensar* melhor e, portanto, a enxergar mais claramente meu mundo de administrador profissional, a tomar decisões mais adequadas, a ter mais equilíbrio, a ser mais criativo, a julgar com mais sabedoria[14].

Roberto defende a idéia (que é um dos fundamentos do nosso próprio texto) de que o executivo, no mundo moderno, precisa ampliar seus horizontes intelectuais, para não correr o risco de se tornar apenas um técnico, em vez de um verdadeiro administrador. Entretanto, com uma metodologia e uma crença frontalmente distintas das nossas, escreve um livro fundamentado basicamente na filosofia dos pré-socráticos[15]. Em seu texto, ele não se preocupa mais em traçar relações entre os campos da filosofia e da administração, propondo que o estudo puro da filosofia, principalmente a grega, no caso, possa ter por si só sentido e valor para o administrador. Filosofar, em sua própria pureza, seria já um exercício proveitoso para o executivo. E esse filosofar não precisaria ter como objeto a própria administração. Não se trata, então, de um *executivo filósofo*, poderíamos dizer, mas sim de um executivo ao qual é oferecida, como complemento de sua formação, a filosofia. A ambição do executivo filósofo não se realizaria, do nosso ponto de vista, no final do livro de Roberto de Mello e Souza.

Gilles Deleuze e Félix Guattari expõem também seu desacordo com nossa posição, mesmo antes da publicação de nosso texto:

> Mais perto de nós, a filosofia cruzou com muitos novos rivais. Foram a princípio as ciências do homem, e notadamente a sociologia, que desejava substituí-la. Mas como a filosofia tinha cada vez mais desconhecido sua vocação de criar conceitos, para se refugiar nos Universais, não se sabia mais muito bem qual era a questão. Tratava-se de

[13] MELLO E SOUZA, Roberto de. *O executivo filósofo*. São Paulo: Duas Cidades, 1992. p. 19-20.

[14] Ibid., p. 15.

[15] Denominação dada aos primeiros filósofos gregos, que estudaremos mais à frente.

> renunciar a toda criação do conceito em proveito de uma ciência estrita do homem, ou, ao contrário, de transformar a natureza dos conceitos, transformando-os ora em representações coletivas, ora em concepções do mundo criadas pelos povos, suas forças vitais, históricas e espirituais? Depois foi a voga da epistemologia, da lingüística, ou mesmo da psicanálise — e da análise lógica. De provação em provação, a filosofia enfrentaria seus rivais cada vez mais insolentes, cada vez mais calamitosos, que Platão ele mesmo não teria imaginado em seus momentos mais cômicos. Enfim, o fundo da vergonha foi atingido quando a informática, o marketing, o *design*, a publicidade, todas as disciplinas da comunicação, apoderaram-se da própria palavra conceito, e disseram: é nosso negócio, somos nós os criativos, nós somos os *conceituadores*! Somos nós os amigos do conceito, nós os colocamos em computadores. Informação e criatividade, conceito e empresa: uma abundante bibliografia já... O marketing reteve a idéia de uma certa relação entre o *conceito* e o *acontecimento*; mas eis que o conceito se tornou o conjunto das apresentações de um produto (histórico, científico, artístico, sexual, pragmático...) e o acontecimento, a exposição que põe em cena apresentações diversas e a 'troca de idéias' à qual supostamente dá lugar. Os únicos acontecimentos são as exposições, e os únicos conceitos, produtos que se pode vender. O movimento geral que substituiu a Crítica pela promoção comercial não deixou de afetar a filosofia. O simulacro, a simulação de um pacote de macarrão tornou-se o verdadeiro conceito, e o apresentador-expositor do produto, mercadoria ou obra de arte, tornou-se o filósofo, o personagem conceitual ou o artista. Como a filosofia, essa velha senhora, poderia alinhar-se com os jovens executivos numa corrida aos universais da comunicação para determinar uma forma mercantil do conceito, MERZ? Certamente, é doloroso descobrir que 'Conceito' designa uma sociedade de serviços e de engenharia informática. Mas, quanto mais a filosofia tropeça com rivais imprudentes e simplórios, mais ela os encontra em seu próprio seio, pois ela se sente preparada para preencher a tarefa, criar conceitos, que são antes meteoritos que mercadorias. Ela tem ataques de riso que acabam com suas lágrimas. Assim, pois, a questão da filosofia é o ponto singular onde o conceito e a criação se remetem um ao outro[16].

O texto de Deleuze e Guattari serve ao mesmo tempo como introdução e conclusão de nosso trabalho: deve ser retomado passo a passo, a todo momento, debatido e revisto. Rico e crítico, serve como guia (às avessas) de nosso trajeto. Sabemos da abertura e amplitude da obra dos dois, que não são "filósofos" no sentido restrito do termo. Entretanto, na citação acima, durante o desesperado exercício de definição do terreno próprio da filosofia, observamos claramente certo ressentimen-

[16] DELEUZE, Gilles; GUATTARI, Félix. *O que é a filosofia?* Tradução Bento Prado Jr. e Alberto Alonso Muñoz. Rio de Janeiro: Editora 34, 1992. p. 18-20.

to, certo medo do contato da filosofia com outros campos do conhecimento (campos aliás essenciais para a formação do administrador), certo "não me toque", um pré-conceito do "ambiente simplório da administração de empresas" que, se não impossibilita a comunicação entre essas diversas disciplinas, ao menos introduz obstáculos para a exploração de suas intersecções.

Discordamos dessas posições, e, por isso, decidimos conscientemente correr riscos, com o apoio de alguns departamentos do Centro Universitário Ibero-Americano, principalmente na figura de seus coordenadores, os professores Roberto de Almeida, Haroldo Leitão Camargo e Lucília Santos Siqueira, além da colaboração de outros professores. As barreiras que diferenciam esses campos de conhecimento, com que o administrador tem de lidar, não são claras (talvez pudéssemos dizer "filamentos", em vez de "barreiras"), e os momentos em que esses filamentos são mais frágeis, quando esses campos de conhecimento se tocam e se interpenetram, talvez sejam os mais ricos e férteis para nós, e se ofereçam como objetos para nosso curso de filosofia "aplicada". Objetos que, como todo objeto da filosofia, oferecem-se mas não se entregam, seduzem mas fogem, apresentam-se mas, na verdade, têm de ser construídos. A idéia de "construção" será essencial em nosso texto, e teremos a oportunidade de explicá-la e discuti-la várias vezes.

Colocamo-nos, portanto, naqueles limites pedregosos entre os diversos campos de conhecimento, justamente nas fronteiras entre as disciplinas. Em alguns momentos deste livro, parece, entretanto, que não conseguimos sair do terreno da própria filosofia. O fantasma Deleuze-Guattari manifesta-se nesses momentos, como que se materializa. Em outros momentos, parece que abandonamos totalmente a filosofia. Chamamos de "Filosofia e Ética na Administração" um passeio entre os dois campos de conhecimento, sem que apontássemos muitas relações entre ambos. Saltar de um para outro, com a ingenuidade e a felicidade de uma criança, isso sim estaríamos fazendo. De qualquer forma, os alunos têm funcionado como nosso ponto de equilíbrio — e mesmo de maturidade. Inúmeras correções foram feitas nestes anos, seguindo principalmente suas sugestões, assim como a análise dos resultados alcançados pelo curso. Além disso, os conhecimentos na área de administração progridem num ritmo tão veloz quanto (ou mesmo mais rapidamente do que) o conhecimento filosófico — daí a necessidade constante de rever nosso curso. E são os alunos que nos transmitem, como *feedback*, a segurança para prosseguirmos o trabalho.

Nesse percurso de tentativas e erros, nesse esforço para encontrar (ou construir) os pontos de contato entre campos de conhecimento aparentemente tão distintos, a descoberta de alguns autores foi essencial. Chester Barnard e Mary Parker Follett escreveram no começo do século passado sobre administração, mas são normalmente excluídos do *ranking* oficial dos cursos de Teoria da Administração, ou pelo menos muito pouco estudados. Funcionaram em nosso percurso também como pontos de apoio. Neles encontramos pérolas, canais de comunicação evidentes e transparentes, leves. Teremos a oportunidade de destacá-los, em vários momentos de nosso livro, mas os dois merecem outro trabalho, no sentido de recuperá-los para o universo da filosofia e da administração. Até mesmo de tradução, pois apenas Barnard tem um livro traduzido para o português, já esgotado há bastante tempo[17].

O segundo problema que a filosofia encontra, em um curso de Administração, é ainda mais grave, e parece paradoxal em virtude do que acabamos de afirmar. Tenho repetidamente perguntado aos meus alunos o que eles acham da disciplina filosofia em sua formação, e a resistência é sempre muito grande. Parece algo meio fora de foco, deslocado, absurdo, um administrador estudar filosofia. Afinal, a administração não deve estar, sempre, atenta ao mercado? E o filósofo não vive no mundo da lua, nas nuvens? Diz-se que o filósofo grego Tales de Mileto caminhava olhando para o céu, tropeçou e caiu num poço. Uma criada o teria então ridicularizado, pois como poderia alguém se propor a estudar os astros se nem mesmo para a terra, para o caminho que percorre, consegue olhar?

Sobre isso são interessantes as palavras de Marshall E. Dimock, no início de seu livro *Filosofia da administração*, que desmentem essa visão sobre a figura do filósofo:

> Vários homens de negócios já diziam, na década de 1930, que os executivos de alto nível são pagos para serem filósofos, e que esses homens procuram descobrir a razão por que as instituições sobrevivem e prosperam, ou definham e declinam. Esses mesmos homens já me disseram inúmeras vezes, durante meus estudos, que o filósofo da instituição é o homem mais prático e também o mais necessário da organização[18].

Na verdade, o filósofo lunático, totalmente desvinculado do mundo da administração, é em geral a imagem inicial de alguns alunos, mas no decorrer do curso essa resistência se transforma, parecendo no final haver a compreensão da função do estudo da filosofia em sua formação acadêmica. *Trabalhar com essa resistência é uma obrigação do professor*: ela deve tornar-se objeto de estudo da filosofia, deve ser discutida logo nas primeiras aulas, trazida à tona, tornada consciente, para que se possa enfrentá-la. É essencial explicitar a proposta da disciplina, obter a confiança dos alunos e discutir suas idéias, como pré-requisito para o sucesso do curso. É preciso psicanalisar a dificuldade, poderíamos dizer.

Essa resistência pode também ser relacionada ao espanto que o discurso filosófico gera nos leitores que se iniciam no estudo da filosofia. Há na filosofia um

---

[17] Quando estava sendo terminada a primeira edição deste livro, saiu publicado em português *Mary Parker Follett:* profeta do gerenciamento, organizado por Pauline Graham (Qualitymark, 1996), tradução de uma coleção de ensaios de Follett, e cada ensaio seguido por um texto-comentário de um especialista contemporâneo.

[18] DIMOCK, Marshall E. *Filosofia da administração*. Tradução Diógenes Machado e Arnaldo Carneiro da Rocha Netto. Rio de Janeiro: Fundo de Cultura, 1967. p. 16-17.

ritmo incômodo, diferente do ritmo prático e objetivo do mundo no qual vive o administrador. Muitos alunos costumam afirmar, após as primeiras leituras de textos filosóficos, que não entenderam nada, que tudo é muito difícil. Que *entenderam, mas não compreenderam*, paródia dos próprios alunos de uma expressão famosa, tema de um programa humorístico de televisão no Brasil. Parece que nunca saímos do lugar em filosofia, que caminhamos sempre em círculos[19], que se afirma e depois se nega tudo[20], que tudo se passa no mundo da subjetividade.

Sem dúvida a dificuldade inicial é normal, mas a resistência a tentar superá-la aponta para certa passividade intelectual, até mesmo para o medo do novo, para o receio de abandonarmos nossas convicções pessoais e nos entregarmos ao *discurso do outro*, permitindo o questionamento de nossas verdades mais íntimas e intuitivas. Como afirma Bachelard, é preciso psicanalisar essas "verdades":

> A razão é uma atividade psicológica essencialmente politrópica: procura revirar os problemas, variá-los, ligar uns aos outros, fazê-los proliferar. Para ser racionalizada, a experiência precisa ser inserida num jogo de *razões múltiplas*.
>
> Tal teoria da *racionalização discursiva e complexa* tem, contra si, as convicções primeiras, a necessidade de certeza imediata, a necessidade de *partir* do certo e a doce crença na recíproca, que pretende que o conhecimento do qual se partiu era certo. Por isso, é grande nosso mau humor quando vêm mexer no *tesouro pueril* obtido por nosso esforço escolar![21]
>
> [...]
>
> Contra a adesão ao 'fato' primitivo, a psicanálise do conhecimento objetivo é especialmente difícil. Parece que nenhuma experiência nova, nenhuma crítica pode dissolver certas afirmações primeiras. No máximo, as experiências primeiras podem ser retificadas e explicitadas por novas experiências. Como se a observação primeira pudesse fornecer algo além de uma *oportunidade* de pesquisa![22].

Algo que se nota claramente nos alunos, ao se iniciarem nos cursos universitários, é a inconsciência da diferença entre o seu próprio discurso e o discurso dos

19 Bachelard tem uma definição muito bonita para esse movimento: "O espírito científico deve formar-se enquanto se reforma". BACHELARD, 1996, p. 29.

20 Bachelard também faz uma brilhante reflexão sobre essa resistência ao ritmo do que chama de espírito científico: "Para o espírito pré-científico, a unidade é um princípio sempre desejado, sempre realizado sem esforço. Para tal, basta uma maiúscula. As diversas atividades naturais tornam-se assim manifestações variadas de uma só e única Natureza. Não é concebível que a experiência se contradiga ou seja compartimentada. O que é verdadeiro para o grande deve ser verdadeiro para o pequeno, e vice-versa. À mínima dualidade, desconfia-se de erro. Essa necessidade de unidade traz uma multidão de falsos problemas". Ibid., p. 107.

21 BACHELARD, 1996, p. 51.

22 Ibid., p. 52.

outros. Tudo se passa como se a pluralidade de discursos se resumisse a um *continuum*, no qual houvesse um acordo maior, um ponto de vista comum, uma continuidade entre o que eu falo e penso, de um lado, e o que todos os outros falam e pensam, de outro lado. A própria forma do falar deve ser igual[23]. Nada deve nem pode prejudicar essa harmonia. E por isso a atividade de desenvolver um trabalho científico, em que se utilizem citações, referências a outros textos e comentários, torna-se em geral tão árdua, cansativa e dolorosa para os alunos, mesmo no último ano do curso: não há consciência da diferença entre o *eu falar* e os *outros falarem*, não há consciência da diferença de grau entre o *meu discurso* e o *discurso dos outros*, nem mesmo entre a diversidade dos discursos dos outros — por isso as técnicas de citações, notas de rodapé, referências bibliográficas etc. não fazem sentido, parecem apenas "frescuras" de acadêmicos, e é necessário um longo aprendizado para compreender sua verdadeira função[24]. *Estabelecer um diálogo entre diferentes pontos de vista*: em geral, os alunos não conseguem compreender que esta é uma das funções de um texto. E reproduzem discursos alheios, crentes que eles próprios estejam a falar. Por isso mesmo, neste livro insistimos nas notas de rodapé, referências, citações: para que muitos falem.

É preciso esforço (como em qualquer aprendizado, em qualquer ciência, em qualquer disciplina) para o progresso no estudo da filosofia. Esforço associado à paciência. Mas a própria paciência, por osmose, projeta no seu objeto de trabalho alguns aspectos emocionais. É necessário superar esses aspectos emocionais para a continuidade do progresso científico. Bachelard expõe esse conceito numa passagem muito bonita, em que associa o conhecimento a diversas sensações geradas pelo trabalho paciente:

> Todo trabalho paciente e cadenciado, que exige longa seqüência de operações monótonas, induz o *homo faber* a sonhar. Ele incorpora, então, sua fantasia e seus cantos à matéria elaborada; ele valoriza a substância que foi trabalhada por tanto tempo. O esforço parcial e o gesto elementar já não delineiam os limites geométricos do objeto; é o conjunto dos gestos ritmados, é a cadência que se torna conhecimento claro e alegre. A jovialidade do boticário mexendo o pilão no almofariz já demonstra

---

23 Durante uma palestra na Semana da Tradução do Centro Universitário Ibero-americano, em 1996, o tradutor de *O mundo de Sofia*, João Azenha Júnior, fez uma observação, procurando dar conta do sucesso comercial do livro: "O autor conseguiu transformar o discurso hermético da filosofia em algo acessível a um público mais amplo". Sem dúvida isso é verdade, mas à custa justamente, dentre outras coisas, da redução da pluralidade dos discursos — todos os filósofos falam, no livro, a linguagem de um só autor, quase não há citações, referências, reproduções dos discursos dos próprios filósofos.

24 Uma discussão mais aprofundada sobre citações, notas de rodapé e referências bibliográficas pode ser encontrada em meu livro *Metodologia científica na era da informática*. São Paulo: Saraiva, 2002.

> o apreço sincero que ele tem por suas pílulas. Toda a imensa sobrecarga do sonho, toda a valorização das substâncias pelo tempo passado em sua preparação, tudo isso precisa ser expurgado do pensamento científico. Para conseguir psicanalisar o conhecimento objetivo, é indispensável desvalorizar o produto do trabalho paciente[25].

Ou seja: é preciso esforço e paciência, mas nem o esforço nem a paciência garantem o progresso ou geram conhecimento. Isso incomoda o estudante, pois muitas vezes, mesmo com esforço e paciência, a filosofia continua sendo um bicho-de-sete-cabeças. O raciocínio é então o seguinte: como eu me esforcei, mas não obtive resultados, o problema não deve estar em mim, mas no meu objeto de estudo. Esse estranho objeto chamado filosofia. E esta exige esforço associado não apenas à paciência, mas também à autopermissão da entrega para o outro. Para Bachelard, "O educador deve procurar, portanto, destacar sempre o observador de seu objeto, defender o aluno da massa de afetividade que se concentra em certos fenômenos rapidamente simbolizados e, de certa forma, *muito interessantes*"[26]. Justamente essa "massa de afetividade" acaba por defender o estudante de filosofia da "entrega para o outro". Acaba por mantê-lo uno consigo mesmo, por substituir a "viagem".

Além disso, a filosofia não se ensina dogmaticamente, não é possível progredir na disciplina sem que haja participação ativa dos estudantes. É absolutamente contrário ao espírito filosófico que o professor escreva uma afirmação no quadro-negro, solicite que aquela informação seja copiada e decorada, e depois pergunte algo referente a ela em uma prova. Por isso, nas provas de filosofia deve ser permitida aos alunos, sempre, a consulta a qualquer tipo de material, pois as respostas não se encontram no material, mas precisam ser construídas pelo próprio estudante, com base nesse material, sobre questões que não são retiradas diretamente dele, mas de outro lugar. Aliás, sempre lhe será permitida a consulta e exigida a construção na atividade de administrador.

Ainda assim ocorrem as "colas" nas provas de filosofia — o que denuncia a falta de coragem para pensar e se expressar. Justamente num dos poucos momentos em que é dada ao aluno a liberdade de pensar, de se exprimir, no momento em que lhe é dada a palavra, ele abdica desse direito e simplesmente copia um texto de algum livro ou apostila, ou de algum colega, sem o mínimo esforço nem mesmo de compreendê-lo, quanto mais de criticá-lo. Ou seja, *o indivíduo anula a própria individualidade, resiste à oportunidade de se*

[25] BACHELARD, 1996, p. 154.

[26] Ibid., p. 67-68.

diferenciar, prefere a segurança de permanecer membro anônimo do rebanho. Não assume responsabilidades nem por seu pensamento, nem por seu discurso. Na verdade, não chegam nem mesmo a existir o *seu pensamento* e o *seu discurso*.

É preciso, especialmente em filosofia, ler e reler os textos para que a compreensão seja pouco a pouco construída — e a *consciência da possibilidade e necessidade da construção, tanto do raciocínio quanto da expressão*, é talvez o maior trunfo do estudo da filosofia. Mas essa consciência exige esforço, voltamos a repetir, e é como resistência ao esforço que classificamos a resistência à disciplina filosofia. O texto seguinte, do filósofo alemão Hegel, exprime muito bem essa idéia, e de certa forma resume nossa discussão até aqui:

> Constitui um obstáculo ao estudo da filosofia [...] a presunção — que não raciocina — das verdades feitas. Seu possuidor não acha preciso retornar sobre elas, mas as coloca no fundamento, e acredita que não só pode exprimi-las, mas também julgar e condenar por meio delas. [Vendo as coisas] por esse lado, é particularmente necessário fazer de novo do filosofar uma atividade séria. Para se ter qualquer ciência, arte, habilidade, ofício, prevalece a convicção da necessidade de um esforço complexo de aprender e de exercitar-se. De fato, se alguém tem olhos e dedos e recebe couro e instrumentos, nem por isso está em condições de fazer sapatos. Ao contrário, no que toca à filosofia, domina hoje o preconceito de que qualquer um sabe imediatamente filosofar e julgar a filosofia, pois tem para tanto padrão de medida na sua razão natural — como se não tivesse em seu pé a medida do sapato[27].

Podemos pensar a filosofia *aplicada* à administração como a própria teoria da administração voltando-se reflexivamente sobre si própria e seu conteúdo de conhecimentos elaborados e conceituados, ou em via de elaboração, a fim de aferi-los, compreender o processo de sua elaboração e conceder-lhe segurança e orientação adequada para a utilização prática a que se destinam[28]. Uma meta-administração, poderíamos dizer, ou a administração estudada por meio de um espírito crítico, não dogmático. Ou ainda, como complemento, a própria reflexão filosófica, mais pura e

---

27 HEGEL, Georg Wilhelm Friedrich. *Fenomenologia do espírito*. Tradução Paulo Meneses. 2. ed. Petrópolis: Vozes, 1992. parte I, p. 58-59.

28 Aproveitamos aqui as palavras de Caio Prado Jr: "[...] a Filosofia tem suas origens e ponto de partida quando o pensamento investigador do Homem se volta reflexivamente sobre si próprio e seu conteúdo de conhecimentos já elaborados e conceituados, ou em via de elaboração, a fim de aferi-los, compreender o processo de sua elaboração, conceder-lhe segurança e orientação adequada para a utilização prática a que se destinam". *O que é filosofia*. 23. ed. São Paulo: Brasiliense, 1995. p. 30. (Primeiros Passos, 37).

independente, menos aplicada, auxiliando quando possível nesse intento. Isso se justifica ainda mais quando pensamos na teoria da administração, um conjunto de conhecimentos bastante novos, do ponto de vista histórico, e que, como ocorre com os conhecimentos emergentes, passou por diversos processos de reelaboração e reorientação, tendo afinal suas bases fundamentais constantemente alteradas. Com a recente importância da globalização na economia mundial, e mesmo do desenvolvimento da informática, novamente a teoria da administração sofre profundas modificações estruturais, que necessitam ser avaliadas pela reflexão acurada de suas bases conceituais. O que, aliás, em geral sempre falta à teoria, especificamente à da administração: maior rigor conceitual, espírito crítico mais aguçado, auxílio do espírito filosófico. É interessante notar que um ponto negativo geralmente identificado em grandes pensadores da administração, pela literatura administrativa acadêmica, é que seus textos são muito abstratos. *Abstração*, para uma corrente dominante na teoria da administração, é sinônimo de fraqueza e falta de objetividade, mortais para o administrador[29]. Mas o próprio Peter Drucker, *best-seller* contemporâneo e pai da administração por objetivos, arrisca uma comparação entre as figuras do gerente e do intelectual, uma funcionando como o complemento da outra na atividade administrativa:

> A sociedade pós-capitalista é, ao mesmo tempo, uma sociedade do conhecimento e de organizações, cada uma dependendo das outras mas muito diferente em conceitos, pontos de vista e valores. Em sua maioria ou totalidade, as pessoas instruídas irão praticar seus conhecimentos como membros de organizações. Portanto, elas terão que estar preparadas para viver e trabalhar simultaneamente em duas culturas — a do 'intelectual', que focaliza palavras e idéias, e a do 'gerente', que focaliza pessoas e trabalho.
>
> Os intelectuais vêem a organização como uma ferramenta; ela possibilita que eles pratiquem sua *téchnë*, seu conhecimento especializado. Os gerentes vêem o conhecimento como um meio que serve ao fim do desempenho organizacional. Ambos estão certos. Eles são opostos, mas se relacionam entre si como pólos, não como contradições. E certamente necessitam um do outro: o cientista de pesquisa

---

[29] Na introdução de Kenneth R. Andrews para *The functions of the executive*, por exemplo, aponta-se como a principal fraqueza do livro, "amplamente notada por críticos e leitores", seu estilo abstrato e difícil (p. xii) — mas o próprio Barnard afirma que esse nível de discurso é o mais apropriado para a discussão científica. John Sheldrake, por sua vez, encerra sua avaliação da obra de Barnard ironizando: "Barnard colocou a maior ênfase na boa comunicação e enxergou sua manutenção como a função central do executivo. Ironicamente, em termos de comunicação, seus próprios escritos são extremamente difíceis de ler e são mais bem absorvidos em pequenas porções". *Management theory*: from taylorism to japanization. London: International Thomson Business Press, 1996. p. 126. É claro que Sheldrake faz aqui uma confusão entre a comunicação em administração e o estilo de um autor, mas, além disso, ignora o poder de comunicação de um texto um pouco mais abstrato do que em geral encontramos em teoria da administração.

> necessita do gerente de pesquisa, assim como este necessita dele. Se um se sobrepuser ao outro, não haverá desempenho e a frustração será geral. Se o mundo do intelectual não for contrabalançado pelo gerente, ele se tornará um mundo no qual todos 'cuidam dos seus afazeres' mas ninguém realiza nada. O mundo do gerente, a menos que seja contrabalançado pelo intelectual, transforma-se na estupidificante burocracia do 'Homem da Organização'. Mas se os dois se equilibrarem, haverá criatividade e ordem, realização e missão[30].

O engenheiro e matemático brasileiro Newton da Costa, em seu *Ensaio sobre os fundamentos da lógica*, diferencia dois tipos de racionalidade (e, por extensão, dois modelos de objetividade): o especulativo e o científico. Em nosso texto, trabalharemos sem dúvida com a filosofia especulativa. Mas nos interessam também, sobremaneira, a ciência e a filosofia da ciência, pelo menos em dois sentidos. Em primeiro lugar, por lidarmos com uma metodologia científica, útil ao futuro administrador, que deve trabalhar, durante sua formação e atividade profissional, com conhecimentos que se propõem científicos, como as Matemáticas, a Estatística, a Contabilidade, a Economia, entre outros; em segundo lugar, por tomarmos a ciência como objeto de estudo (o que interessa ao administrador, pois a administração pode também ser vista como ciência e, conseqüentemente, pode ser tomada como objeto do filosofar científico).

Este livro não fará exatamente isso, porque a própria filosofia resiste, muitas vezes, como que buscando preservar um espaço de especulação desinteressada, descompromissada da realidade. Mas se utilizará, de um lado, de alguns *conceitos* importantes na teoria da administração (marketing, missão, liderança, informação, comunicação), da própria linguagem da administração, discutindo esses conceitos e avaliando-os, sempre que possível, do ponto de vista filosófico; de outro lado, vai se utilizar da reflexão filosófica para investigar *objetos* geralmente abordados pela própria teoria da administração (ou às vezes significativamente marginalizados por ela); e, além disso, utilizará alguns tópicos, alguns *filósofos*, algumas épocas, algumas questões da filosofia que possam servir de auxílio para a atividade do administrador. Ou seja, a reflexão filosófica, aplicada a objetos da administração e à sua teoria, será organizada para fundamentar um curso de filosofia ministrado a alunos de administração. Respeitados, assim, tanto o caráter abstrato da filosofia quanto as necessidades objetivas e concretas da administração. O objetivo final, se podemos assim dizer, seria o de desenvolver aqueles três pontos que os professores vivem apontando como a grande deficiência dos estudantes: *a capacidade de ler, raciocinar e se expressar*. Objetivo similar ao que Pascal Ide se propõe em seu *A arte de pensar* — e poderíamos fazer nossas as suas palavras (apesar de nossos caminhos, para alcançar o mesmo objetivo, serem bastante diferentes):

[30] DRUCKER, Peter Ferdinand. *A sociedade pós-capitalista*. Tradução Nivaldo Montingelli Jr. 4. ed. São Paulo: Pioneira, 1993. p. 169.

> A ambição desta obra não é tornar você mais erudito, e sim mais inteligente, isto é, fazer frutificar sua inteligência. Não se trata de acrescentar um livro à sua biblioteca, mas de fazer você ler os livros que já estão nela e, antes de mais nada, se for preciso, dar-lhe o gosto dessa leitura. O homem, muito freqüentemente, dá a impressão de que sua inteligência é um veículo que, tendo esquecido que possui cinco marchas, se arrasta em primeira. Foi repetido nos últimos anos que exploramos apenas 10% de nosso cérebro; seria mais correto dizer 10% de nosso espírito. De fato, todos nascemos com uma inteligência, mas ninguém nasce com o manual de instruções para utilizá-la. Cabe à educação fornecê-lo. Mas jamais vi, nem na escola nem na faculdade, um curso intitulado *Arte de pensar* ou *Como administrar recursos intelectuais*. É lamentável. Este livro gostaria, no limite das competências de seu autor, de preencher essa lacuna[31].

A expressão "administrar recursos intelectuais" é sugestiva, pois inclui a própria idéia de administração aplicada à inteligência. Mas esse objetivo não se concretiza no final da leitura de nosso texto, após a acumulação de certa quantidade de conhecimentos sobre os filósofos, e sim durante a própria leitura, e o exercício constante e repetitivo do filosofar. Num movimento de eterno retorno, poderíamos dizer. Por isso também a reflexão filosófica pura pode ser, dentro de alguns limites, útil ao administrador. Não há em filosofia uma matéria que se completa no final e, por isso mesmo, nos exames finais de filosofia, não faz sentido exigir que o aluno estude a matéria dada no ano todo — em cada questão, em cada pequeno detalhe, na resposta a qualquer pergunta, pode-se medir o grau de desenvolvimento do estudante. Como afirma Miguel Reale: "[...] os problemas da Filosofia são de tal ordem que tratar de um deles implica, no fundo, a consideração dos demais"[32]. Não interessa que o aluno decore informações, mas sim que saiba decifrá-las, trabalhá-las e exprimi-las. E esse saber não se adquire na última semana de aula, relendo a matéria do ano todo, mas ao longo do curso, com o acompanhamento de um orientador, o professor. Não há, portanto, possibilidade de refazer o caminho com um esforço retroativo final, pois não há em filosofia um final ao qual se deva chegar ou de onde se possa retornar ao começo. O filosofar é uma experiência única, que não pode ser copiada nem alienada — aliás, como o são a ciência e a própria administração:

> Não se pode *completar* uma experiência que não se recomeçou, pessoalmente, de ponta a ponta. Não se *possui* um bem espiritual quando não foi ele adquirido inteiramente por esforço pessoal. O primeiro sinal da certeza científica é o fato de ela poder ser revivida tanto em sua análise quanto em sua síntese[33].

[31] IDE, Pascal. *A arte de pensar*. Tradução Paulo Neves. São Paulo: Martins Fontes, 1995. p. VII.

[32] REALE, Miguel. *Filosofia do direito*. 17. ed. São Paulo: Saraiva, 1996. p. 40.

[33] BACHELARD, 1996, p. 166.

O pensamento do filósofo alemão Hegel, como veremos, insiste bastante nesse ponto.

Este livro, por tudo o que já foi escrito, interessa não apenas aos alunos de administração e professores de filosofia, mas aos administradores, aos alunos e professores de outras disciplinas, e mesmo a um público bastante amplo e diversificado. Além de sua função educacional, teórica, técnica e acadêmica, tem um valor pessoal, de testemunho e desafio existencial. Afinal, minha formação acadêmica em filosofia e letras serviu de base para o desempenho da minha carreira de administrador de empresas e empresário, e essa formação foi completada apenas posteriormente, com estudos de pós-graduação em administração de empresas. A possibilidade de auxiliar os que se propõem a *ensinar* filosofia para administradores, de testemunhar o efetivo interesse desse estudo para o dia-a-dia do administrador, de aprofundar conceitualmente a abordagem de alguns tópicos de teoria da administração, e a oportunidade de relacionar esses dois campos de conhecimento e esses dois universos movem todo o livro.

Adam Schaff, em uma citação que repetiremos em nosso texto, utiliza-se da idéia de um *homem universal*, personagem central na nova sociedade que se forma no fim do milênio. Um personagem que deve fugir ao estereótipo do trabalhador especializado, assim como o executivo filósofo de Roberto de Mello e Souza. É nesse administrador universal que acreditamos, é para auxiliar a formar tal profissional que este livro está voltado:

> O homem universal, ou aquele que está munido de uma instrução completa e em condições de mudar de profissão e, portanto, também de posição no interior da organização social do trabalho, representou até hoje uma idéia utópica. Hoje ela se tornou realidade e, em certo sentido, uma necessidade[34].

[34] SCHAFF, Adam. *A sociedade informática*: as conseqüências sociais da segunda revolução industrial. Tradução Carlos Eduardo Jordão Machado e Luiz Arturo Obojes. 4. ed. São Paulo: Ed. Unesp, 1995. p. 125.

Sumário

Capítulo 1

INTRODUÇÃO À FILOSOFIA

Capítulo 2

LÓGICA

Capítulo 3

FILOSOFIA DA LINGUAGEM

Capítulo 4

TEORIA DO CONHECIMENTO

Capítulo 5

ÉTICA, FILOSOFIA POLÍTICA E FILOSOFIA DO DIREITO

Capítulo 6

FILOSOFIA DA ADMINISTRAÇÃO

NO SITE

Recursos disponíveis para o professor:

Banco de testes,
Manual do Professor e
Transparências

Capítulo 1

INTRODUÇÃO À FILOSOFIA

"A Filosofia fala grego."[1]

1.1 Noções Gerais de História da Filosofia

1.1.1 O Nascimento da Filosofia — Mitos *versus* Lógos

"A única coisa de que precisamos
para nos tornarmos bons filósofos é a capacidade
de nos admirarmos com as coisas."

Essa observação é repetida, em letras maiúsculas, em uma das primeiras cartas que Sofia encontra em sua caixa de correio, no início de *O mundo de Sofia*[2], e serve para introduzir a discussão sobre o nascimento da filosofia. O termo **filosofia** vem do grego: *philía*, quer dizer amizade; *phílos*, amigo ou amante; *sophía*, sabedoria, conhecimento, saber; *sophós*, sábio. O filósofo seria o amigo da sabedoria; a filosofia indicaria amor ao saber[3].

Filosofia, em grego, significa amor ao saber.

Hoje há certa segurança em afirmar que a filosofia nasceu entre o fim do século VII e o início do século VI a.C., na Grécia Antiga.

---

[1] CHÂTELET, François (Dir.). A filosofia pagã. In: *História da filosofia*: idéias, doutrinas. Tradução Maria José de Almeida. 2. ed. Rio de Janeiro: Zahar, 1981. v. 1, p. 17.

[2] Aristóteles, em sua obra intitulada *Metafísica*, afirma que os homens chegam a filosofar pelo "espanto" e pela "admiração" (*tò thaumázein*, em grego).

[3] É interessante citar aqui as palavras do filósofo alemão G. W. F. Hegel, no século XIX: "Colaborar para que a filosofia se aproxime da forma da ciência — da meta em que deixe de chamar-se *amor* ao saber para ser saber *efetivo* —, é isto o que me proponho." *Fenomenologia do espírito*. Tradução Paulo Meneses. 2. ed. Petrópolis: Vozes, 1992. parte I, p. 23.

A filosofia nasce na Grécia, no fim do século VII a.C.

Nesse momento, mito e religião cedem lugar à razão. Pela comparação dos significados de duas palavras gregas, *mýthos* e *lógos*, percebe-se o sentido dessa transição. Os mitos eram a explicação para a realidade que os gregos possuíam. A palavra *mýthos* não tinha, originariamente, o significado de lenda ou fábula que hoje tem. Aos poucos a palavra *mýthos* vai perdendo o sentido de explicação da realidade e outra palavra vem tomar o seu lugar: *lógos*. Existem centenas de termos registrados em português que terminam com o sufixo *logia*. Esse sufixo vem do grego *lógos* e tem em português o sentido de "tratado", "estudo", "ciência", "que estuda", "que trata". Em grego, quando *lógos* passa a assumir o sentido de explicação da realidade, *mýthos* passa a significar "fábula".

Mas o que essa discussão filológica tem de interessante para nós? Muito! Essa forma de pensar que nos parece única, natural, normal — a razão, o pensamento racional — surge em certo momento histórico. A razão tem um nascimento, começa a existir, não existiu desde sempre, como forma de explicar a realidade. As reflexões que podemos fazer com base nessa constatação são riquíssimas, e as perguntas, infinitas: se a razão nasce, não poderá também morrer? Não poderá surgir, em algum momento da história da humanidade, outra forma de pensamento que venha substituir o pensamento racional? Podemos explicar tudo por meio da lógica e da ciência? Além da mitologia, não existiriam outras formas de compreender o mundo? A própria mitologia não poderia, ainda hoje, ser fonte de conhecimento? Por que a razão nasce nesse momento histórico específico, a Grécia Antiga? Quais as diferenças entre esse pensamento racional, que começa a se estabelecer na Grécia, e a mitologia? E assim por diante.

Para Marshall McLuhan, uma das revoluções que teria acompanhado o surgimento do pensamento racional na Grécia seria o **processo de alfabetização**:

> O mito, à semelhança do aforismo e da máxima, é característico da cultura oral, pois, até que a alfabetização privasse a linguagem de sua ressonância multidimensional, cada palavra era em si própria um mundo poético, uma 'divindade momentânea', ou uma revelação, como parecia aos homens não-alfabetizados[4].

[4] McLUHAN, Marshall. *A galáxia de Gutenberg*: a formação do homem tipográfico. Tradução Leônidas Gontijo de Carvalho e Anísio Teixeira. 2. ed. São Paulo: Nacional, 1977. p. 50.

Na Grécia, uma mentalidade mitopoética é substituída por uma mentalidade teorizante, positiva e abstrata[5]. Determinada forma de inteligência, associada à memória e à audição, é superada por outra, agora apoiada na escrita[6]. Essa nova forma de inteligência, racional, fundará a história, a dialética, o devir e a linearidade. Veremos aqui como isso ocorre e também o que significam essas palavras. Mas que nova forma de inteligência é essa, que surge associada à escrita?

Na Grécia Antiga, estabelecem-se e desenvolvem-se formas de pensar **racionais** e **científicas**, que passam a competir com a **religião** e a **mitologia**.

Como a comunicação oral exige a presença dos interlocutores, daqueles que falam, o discurso oral é indissociável do momento de sua produção. Ou seja: na situação da comunicação oral, o momento em que ocorre a produção dos discursos (as falas) é essencial e faz parte integrante da própria situação. Não existe comunicação, a não ser naquele instante. Assim, numa sociedade oral e primitiva não é possível haver diálogo ou discurso se não houver pelo menos uma pessoa ouvindo.

Assim como na comunicação oral, tanto a teoria quanto a escrita produzem discursos, que são a própria teoria ou o texto escrito. Em ambos os casos, entretanto, esses discursos libertam-se da situação em que são produzidos e passam a ter existência autônoma. Eles não dependem mais do momento em que foram produzidos. Podem ser, até mesmo, criados aos poucos, em momentos diversos. Pode existir comunicação na leitura de um texto escrito, por exemplo, sem que o escritor esteja presente. Pode-se estudar uma teoria sem que seu autor esteja à nossa frente. A escrita e a teoria permitem e geram essa desvinculação entre o momento de sua produção e o discurso produzido. A situação de comunicação pode repetir-se indefinidamente, e não é mais necessário que as mesmas pessoas a presenciem, no mesmo local, para que a comunicação se efetive.

[5] "O nascimento da filosofia aparece, por conseguinte, solidário de duas grandes transformações mentais: um pensamento positivo, excluindo toda forma de sobrenatural e rejeitando a assimilação implícita estabelecida pelo mito entre fenômenos físicos e agentes divinos; um pensamento abstrato, despojando a realidade dessa força de mudança que lhe conferia o mito, e recusando a antiga imagem da união dos opostos em benefício de uma formulação categórica do princípio de identidade." VERNANT, Jean Pierre. *Mito e pensamento entre os gregos*: estudos de psicologia histórica. Tradução Haiganuch Sarian. Rio de Janeiro: Paz e Terra, 1990. p. 358.

[6] "O mito codifica sob forma de narrativa algumas das representações que parecem essenciais aos membros de uma sociedade. Dado o funcionamento da memória humana, e na ausência de técnicas de fixação da informação como a escrita, há poucas possibilidades que outros gêneros de organização das representações possam transmitir conhecimentos de forma duradoura." LÉVY, Pierre. *As tecnologias da inteligência*: o futuro do pensamento na era da informática. Tradução Carlos Irineu da Costa. Rio de Janeiro: Editora 34, 1993. p. 82.

O alfabeto e a **escrita** têm importância decisiva no nascimento da filosofia.

A necessidade de demonstração por meio da teoria toma, paulatinamente, na Grécia, o lugar do poder de revelação dos mitos. Como afirma Châtelet, "o *dizer* invocativo ou mesmo simplesmente declarativo da poesia e da religião é cada vez mais vivamente colocado em questão pela tentativa filosófica de *demonstração*"[7]. Essa necessidade de demonstração e de linearidade pode ser associada à escrita, enquanto na cultura oral a noção de tempo circular e de eterno retorno era essencial, já que qualquer proposição que não fosse periodicamente retomada e repetida em voz alta estava condenada a desaparecer[8].

Pierre Lévy traça uma interessante relação entre a agricultura e a escrita, que convém aqui reproduzir, pois pode até ser estendida ao trabalho do administrador:

> Quando uma comunidade de camponeses semeia o campo, está confiando sua vida à terra e ao tempo. A colheita só irá ocorrer após diversas lunações. A invenção da agricultura, elemento fundamental daquilo a que chamamos de revolução neolítica, é também a exploração de uma nova relação com o tempo. Não que os homens do paleolítico tenham desconhecido o ato de postergar ou a previsão de eventos a longo prazo. Mas, com a agricultura, é a própria sobrevivência da comunidade que passa a depender da lenta maturação dos grãos no solo, da existência de estoques enquanto se espera a colheita.
>
> A escrita foi inventada diversas vezes e separadamente nas grandes civilizações agrícolas da Antigüidade. Reproduz, no domínio da comunicação, a relação com o tempo e o espaço que a agricultura havia introduzido na ordem da subsistência alimentar. O escriba cava sinais na argila de sua tabuinha assim como o trabalhador cava sulcos no barro de seu campo. É a mesma terra, são instrumentos de madeira parecidos, a enxada primitiva e o cálamo distinguindo-se quase que apenas pelo tamanho. O Nilo banha com a mesma água a cevada e o papiro. Nossa *página* vem do latim *pagus*, que significa o campo do agricultor.
>
> Caçando ou colhendo, obtêm-se imediatamente as presas ou colheita desejadas. O fracasso e o sucesso são decididos na hora. A agricultura, pelo contrário, pressupõe uma organização pensada no tempo delimitado, todo um sistema do atraso, uma especulação sobre as estações. Da mesma forma, a escrita, ao intercalar um intervalo de tempo entre a emissão e a recepção da mensagem, instaura a comunicação diferida, com todos os riscos de mal-entendidos, de perdas e erros que isto implica. A escrita aposta no tempo[9].

[7] CHÂTELET, 1981, v. 1, p. 13.
[8] LÉVY, 1993, p. 83.
[9] Ibid., p. 87-88.

Hagège, por sua vez, faz uma *leitura comercial* do aparecimento da escrita:

> [...] o nascimento da escrita parece ligado ao desenvolvimento de uma contabilidade cada vez mais envolvente, tornada necessária pela gestão das riquezas acumuladas. Tal como o dinheiro resulta de uma substituição das coisas por sinais, assim a escrita, no Próximo Oriente, é uma invenção de mercadores. [...] Porque a escrita é um instrumento de poder, na medida em que permite enviar ordens às províncias distantes e anotar a lei pela qual todos se regem[10].

A questão da continuidade ou descontinuidade entre mito e filosofia gera ainda hoje polêmica. Percebe-se que nascem na Grécia Antiga um espírito de observação e um poder de raciocínio inexistentes nas civilizações anteriores. As noções de **experiência** e **razão** teriam surgido com a civilização grega. E, conseqüentemente, também os fundamentos de boa parte do pensamento ocidental. Junto com a filosofia nasce e desenvolve-se espantosamente a ciência teórica. Mas não se sabe ainda, com certeza, quanto de originalidade e quanto de herança do Oriente a filosofia grega possui.

Muitos afirmam que a filosofia grega, na verdade, formou-se pela mescla de idéias vindas do Oriente. Antes dos gregos existiram povos como os egípcios, sumérios, babilônios, assírios, caldeus, persas, hebreus, hititas, egeus, lídios e fenícios. Todas as religiões e mitos orientais anteriores aos gregos possuem beleza e riqueza indescritíveis[11], além de que observamos inúmeros pontos de contato entre a filosofia grega e essas religiões e mitos orientais. Afinal, seria a filosofia invenção grega ou herança bárbara? Milagre grego ou tradição oriental?

De outro lado, podemos questionar até que ponto essa ruptura *mýthos/lógos* representa, realmente, a passagem de um estado para outro. Até que ponto não temos aqui simples gradação, mudança quase imperceptível de perspectiva? Até que ponto a filosofia realmente supera a mitologia?

---

[10] HAGÈGE, Claude. *O homem dialogal*: contribuição lingüística para as Ciências Humanas. Tradução Isabel St. Aubyn. Lisboa: Ed. 70, 1990. p. 69-70.

[11] Como sugestão sobre esse tema, leia a monumental obra *História das crenças e idéias religiosas*, de Mircea Eliade, traduzida para o português pela editora Zahar, em vários volumes.

> [...] o pensamento, por volta do século V antes de nossa era, passa do reinado do mito ao império da lógica filosófica: mas essa passagem significa precisamente que já havia, de um lado, uma lógica do mito e que, de outro lado, na realidade filosófica ainda está incluído o poder do lendário[12].

Não havia também ciência no Egito Antigo? Sabemos que a matemática, a astronomia, a engenharia e a medicina tiveram progressos consideráveis na civilização egípcia. Sabemos também que os egípcios desenvolveram uma interessante filosofia ética e política. Não poderíamos ainda identificar um pensamento racional em algumas civilizações mesopotâmicas? Os caldeus desenvolveram a astronomia. Na Pérsia, surge uma filosofia denominada zoroastrismo. Os hebreus, por sua vez, também desenvolveram a filosofia.

Além disso, o próprio mito teria também características racionais. Para Marshall McLuhan, o terror seria o estado normal de toda sociedade oral, já que nela tudo afetaria tudo o tempo todo[13]. Com a mitologia, esse terror é de alguma forma domado. O mito tem em si mesmo um valor social de ordenação, em parte semelhante às funções da razão nascente: "Como todo conhecimento, o mito pretende ser uma forma de controle sobre a realidade externa e interna do homem. Ao dar certa organização e harmonia a essas realidades, o mito encontra para o homem um lugar no Universo, constrói algumas certezas, acalma a angústia de viver"[14].

Na realidade, essa função original dos mitos (a que os mitos desempenhavam numa sociedade como a Grécia arcaica, antes ainda de passarem a ser entendidos como fábulas, antes de deixarem de ser sérios) perdeu-se praticamente por completo nas sociedades industriais. Nas sociedades ocidentais contemporâneas, observamos a ausência de mitos e o esvaziamento dos ritos: fatos e personagens rotulados de míticos são construções da mídia, sem o significado coletivo, especulativo e inconsciente dos mi-

[12] CHÂTELET, 1981, v. 1, p. 21.

[13] McLUHAN, 1977, p. 59.

[14] FRANCO JÚNIOR, Hilário. *A Eva barbada*: ensaios de mitologia medieval. São Paulo: Edusp, 1996. p. 40.

tos, e sem o poder de regulação de tensões e canalização das violências do derramamento de sangue dos sacrifícios rituais, que impedem (ou minimizam) o derramamento cotidiano[15].

Sabe-se também que, paralelamente ao crescimento da filosofia e do processo de civilização na Grécia, sobrevivem ainda superstições que, aos olhos dos ocidentais de hoje, parecem totalmente primitivas. Na celebração do casamento de Dioniso com a rainha de Atenas, uma velha estátua de madeira do deus passava a noite no leito da rainha para garantir, por exemplo, a fertilidade dos campos. Durante a Festa das Flores, os gregos refugiavam-se em seus lares e fechavam os deuses em seus templos, pois "ouviam" os mortos correndo pelas ruas. Em caso de peste ou morte, praticava-se o bode expiatório, em que algumas pessoas eram sacrificadas. Acreditava-se que o sangue menstrual funcionava como fertilizante para os campos. Os filhos eram às vezes abandonados ou mesmo vendidos a traficantes de carne humana[16].

De qualquer maneira, a falta de documentação do período anterior aos primeiros filósofos facilita a opção dos historiadores da filosofia de fixarem seu berço na Grécia. Determinada conjuntura histórica possibilitou o surgimento do espírito filosófico na Grécia Antiga. É importante citar, nesse processo, a decadência da civilização dos aqueus, baseada em clãs, substituída lentamente pela *polis* (cidade-estado) grega, em que o poder da palavra escrita passa a ser essencial.

Na Grécia Antiga, a uma explicação do mundo por meio da religião e dos mitos é contraposta uma nova forma de explicação, de lidar com a admiração com as coisas. A observação da realidade e a estruturação do pensamento e da linguagem passam a ser mais importantes do que a genealogia dos deuses. Marilena Chaui ilustra muito bem esses movimentos de transição e ruptura ao diferenciar os conceitos de **teogonia**, **cosmogonia** e **cosmologia**. A teogonia narraria, por meio das relações sexuais entre os deuses, o nascimento dos próprios deuses, dos titãs, dos heróis, dos homens e das coisas do mundo natural. A cosmogonia, por sua vez, narraria a geração da ordem do mundo pela ação e pelas relações sexuais entre forças vitais, que seriam entidades concretas e divinas. Já a cosmologia seria

15 FRANCO JÚNIOR, 1996, p. 43.

16 BONNARD, A. *A civilização grega*. Lisboa: Ed. 70, 1980. p. 7-10.

a explicação da ordem do mundo e do universo pela determinação de um *princípio original e racional*, que seria origem e causa das coisas e de sua ordenação.

A gradação entre esses conceitos é interessantíssima. De *teós* (deus, divindade) passa-se ao *kósmos* (universo). Ou seja: não se fala mais dos deuses, mas sim do próprio universo, da natureza. Mas, se já se fala do universo, isso se dá ainda no nível da *gonía*, do canto. *Gónos* significa "órgãos genitais". Canta-se o universo, mas ainda por intermédio da família dos deuses. Quando surge a cosmologia, os deuses já não são mais nem o objeto do canto nem a forma de explicação do objeto. Explica-se o *kósmos*, mas agora por meio de lógica própria; busca-se a explicação do *kósmos* não mais nos deuses, mas no próprio cosmo. Surge, para falar do *kósmos*, uma explicação científica (*logia*), para substituir a explicação divina (*gonía*). A ordem, ou o cosmo, deixa, portanto, de ser o efeito de relações sexuais entre entidades e forças vitais, deixa de ser uma genealogia para tornar-se o desdobramento racional e inteligível de um princípio originário[17].

1.1.2 Filosofia Antiga

> "Parece ser a filosofia o único segmento da civilização grega que se incorporou, virtualmente intato, à cultura moderna."[18]

Filosofia Antiga é o título que costumamos utilizar quando nos referimos à filosofia do período greco-romano. Já antes do início do pensamento filosófico, na Grécia, as riquíssimas obras de Hesíodo (os poemas épicos *Teogonia* e *Os trabalhos e os dias*) e Homero (*Ilíada* e *Odisséia*) tendem a aproximar os deuses dos homens, num movimento de racionalização do divino. Os deuses homéricos, que viviam no Monte Olimpo, possuíam uma série de características antropomórficas. Com Hesíodo e Homero a mitologia grega torna-se registrada e pode então ser estudada e criticada. São interessantes, nesse sentido, as palavras seguintes de Huizinga:

---

[17] CHAUI, Marilena de Souza. *Introdução à história da filosofia*: dos pré-socráticos a Aristóteles. São Paulo: Brasiliense, 1994. v. 1, p. 32-33.

[18] BURNS, Edward McNall. *História da civilização ocidental*. 2. ed. Rio de Janeiro: Globo, 1966. v. 1, p. 191-192.

> No mito vivo, não existe qualquer distinção entre o jogo e a seriedade. Só quando o mito se torna mitologia, ou seja, literatura, transmitida como uma forma tradicional por uma cultura que, entretanto, mais ou menos se separou da imaginação primitiva, poderá então ser aplicada ao mito a distinção entre o jogo e a seriedade, e isto em seu detrimento. Há uma curiosa fase intermediária, que foi conhecida pelos gregos, em que o mito é ainda sagrado e conseqüentemente deve ser sério, mas é por todos considerado expressão de uma linguagem do passado. [...] Já desde Homero o palco da crença é o passado. Apesar disso, o mito, após haver perdido seu valor como instrumento adequado da compreensão do universo pelo homem, continua desempenhando a função de exprimir o divino em linguagem poética, o que é alguma coisa mais do que uma função estética, pois na realidade é uma função litúrgica. Quando Platão ou Aristóteles pretendem fazer-nos chegar ao âmago de sua filosofia e exprimem-se de maneira mais vigorosa, utilizam a forma do mito: no caso de Platão é o mito da caverna, no de Aristóteles, o mito do amor que todas as coisas dedicam ao imóvel motor do mundo[19].

O homem primitivo utilizava-se de uma escrita pictográfica (os petróglifos, desenhos gravados nas pedras), em que não existia uma intenção estética (ou artística) nem lógica (no sentido de registro do pensamento), mas sim mágica. O alfabeto fonético, em que se passa a representar não mais imagens, mas sons (ou fonemas), e que é provavelmente herança dos fenícios, virá modificar radicalmente a história do pensamento na Grécia. Deve-se notar, entretanto, a quase inexistência de bibliotecas na Grécia Antiga. O livro só passará de sagrado a profano em Roma, onde as bibliotecas assumirão grande importância[20].

Reproduzimos a seguir o início da história dos deuses, na *Teogonia* de Hesíodo, em que se traça a árvore genealógica das divindades gregas:

> Sim bem primeiro nasceu Caos, depois também Terra de amplo seio, de todos sede irresvalável sempre, dos imortais que têm a cabeça do Olimpo nevado, e Tártaro nevoento no chão de amplas vias, e Eros: o mais belo entre Deuses imortais, solta-membros, dos Deuses todos e dos homens todos ele doma no peito o espírito e a prudente vontade.

---

19 HUIZINGA, Johan. *Homo ludens*: o jogo como elemento da cultura. Tradução João Paulo Monteiro. 4. ed. São Paulo: Perspectiva, 1996. p. 144-145.

20 MARTINS, Wilson. *A palavra escrita*: história do livro, da imprensa e da biblioteca. 2. ed. il., rev. e atual. São Paulo: Ática, 1996. p. 77.

Do Caos Érebos e Noite negra nasceram.

Da Noite aliás Éter e Dia nasceram, gerou-os fecundada unida a Érebos em amor.

Terra primeiro pariu igual a si mesma Céu constelado, para cercá-la toda ao redor e ser aos Deuses venturosos sede irresvalável sempre.

Pariu altas Montanhas, belos abrigos das Deusas ninfas que moram nas montanhas frondosas.

E pariu infecunda planície impetuosa de ondas o Mar, sem o desejoso amor. Depois pariu do coito com Céu: Oceano de fundos remoinhos[21].

É também importante observar que o pensamento grego, principalmente pela influência do filósofo alemão Friedrich Nietzsche, pode ser estudado por meio de uma dualidade fundamental: o *espírito apolíneo* e *o dionisíaco*. Apolo, ou Febo, era o deus da retidão, da luz e da claridade; Dionísio, ou Baco, era o deus da alegria e do vinho. A fluência entre o espírito de Apolo (racional) e de Dionísio (trágico) delimitarão, assim, o campo do pensamento grego. É interessante, ainda, citar a interpretação de Marshall McLuhan sobre os efeitos da alfabetização na sociedade grega, que pode ser associada com a concepção dualista de Nietzsche:

Carothers salienta que, antes da escrita fonética separar, como veio a separar, em dois mundos à parte, o pensamento da ação, não havia alternativa senão considerar todo homem responsável por seus pensamentos tanto quanto por seus atos. A grande contribuição de Carothers consistiu em assinalar a ruptura entre o mundo mágico da audição e o mundo neutro da visão, e mostrar como, dessa cisão, surgiu o indivíduo destribalizado. Segue-se, portanto, que o homem letrado, desde seu aparecimento, quando o encontramos no mundo grego, é um homem dividido, partido, esquizofrênico, como todo letrado ou alfabetizado tem sido desde a invenção do alfabeto fonético. A mera escrita, contudo, não tem a força peculiar da tecnologia fonética para destribalizar o homem. Uma vez generalizado o alfabeto fonético e abstraído o significado do som da palavra, traduzindo-se o som em um código visual, viram-se os homens às voltas com uma experiência nova que os transformou. Nenhum modo pictográfico ou ideogrâmico ou hieroglífico de escrever tem a força *destriba-*

21 HESÍODO. *Teogonia*: a origem dos deuses. Estudo e tradução Jaa Torrano. 3. ed. São Paulo: Iluminuras, 1995. p. 111-113 (citação reorganizada em prosa). Para quem se sensibiliza com o texto citado, sugerimos a leitura deste livro, visto que o brilhante estudo inicial do tradutor facilita bastante o acompanhamento de todo o poema de Hesíodo.

> *lizante* do alfabeto fonético. Nenhuma outra espécie de escrita, salvo a fonética, chegou jamais a desprender o homem do domínio possessivo de total interdependência e inter-relação que é o do mundo auditivo. Desse mundo ressonante e mágico de relações simultâneas que é o espaço oral e acústico existe apenas um caminho para a liberdade e independência do homem destribalizado. Esse caminho é *via* alfabeto fonético, o qual conduz imediatamente os homens a graus diversos de esquizofrenia dualista[22].

Quase todos os filósofos pré-socráticos encontram-se ainda envolvidos por uma cultura pré-alfabetizada.

1.1.2.1 Pré-Socráticos

Os filósofos pré-socráticos são assim denominados não apenas porque vivem e desenvolvem seu pensamento antes de Sócrates (isso não ocorre com todos os pré-socráticos), mas principalmente porque possuem uma unidade temática: a *physis*[23]. Em geral escrevem por aforismos ou máximas, de forma profética, e suas preocupações básicas são com a origem e o destino do universo[24], e as transformações das substâncias. São observadores e estudiosos da natureza, e por isso em geral lembrados como *physiologoi*, "filósofos da natureza", mas seus pensamentos estão ainda mesclados com concepções metafísicas e mesmo místico-religiosas. Para alguns filósofos modernos, como Nietzsche e Heidegger, a riqueza maior de toda a história da filosofia está nos pré-socráticos.

É uma experiência poética e filosófica riquíssima e profunda a meditação sobre o texto dos pré-socráticos. Possuímos hoje apenas fragmentos de suas obras e pouquíssimas informações confiáveis sobre a vida deles, o que impossibilita uma maior compreensão de seu

---

[22] McLUHAN, 1977, p. 45-46.

[23] Para os gregos, a física, ou cosmologia, não tem o mesmo sentido da palavra "física" na ciência contemporânea. Em grego, *physis* ou natureza tinham três sentidos principais: 1) processo de nascimento, surgimento, crescimento (sentido derivado do verbo *phýomai*); 2) disposição espontânea e natureza própria de um ser; características naturais e essenciais de um ser; aquilo que constitui a natureza de um ser; 3) força originária criadora de todos os seres, responsável pelo surgimento, transformação e perecimento deles. A *physis* é o fundo inesgotável de onde vem o *kósmos*; e é o fundo perene para onde regressam todas as coisas, a realidade primeira e última de todas as coisas. CHAUI, 1994, p. 357.

[24] "É a força da *physis*, em sua permanência e na diversidade de suas manifestações, que toma o lugar dos antigos deuses; pelo poder de vida e princípio de ordem que encobre, ela própria assume todos os caracteres do divino." VERNANT, 1990, p. 378.

pensamento[25]. Citaremos brevemente os filósofos pré-socráticos mais importantes e faremos alguns comentários gerais sobre suas idéias. Os complementos ao nome dos filósofos referem-se às cidades em que nasceram.

Tales de Mileto (século VI a.C.)

Os **pré-socráticos** são em geral considerados os primeiros filósofos ocidentais.

Assim como Anaximandro e Anaxímenes, é considerado monista, ou seja, para esses pensadores a origem da realidade se reduz a apenas um elemento. Para Tales, a água seria o princípio de todas as coisas. Todo ser proviria do estado de umidade, e a própria Terra flutuaria sobre a água. É em geral tido como o primeiro filósofo, como afirma Hegel:

> A proposição de Tales de que a água é o absoluto ou, como diziam os antigos, o princípio, é filosófica; com ela, a Filosofia começa, porque através dela chega à consciência de que o um é a essência, o verdadeiro, o único que é em si e para si. Começa aqui um distanciar-se daquilo que é em nossa percepção sensível; um afastar-se deste ente imediato — um recuar diante dele[26].

Anaximandro de Mileto (século VI a.C.)

O elemento que determinaria a origem do universo, para Anaximandro, seria o *ápeiron*[27], o indeterminado, infinito, indefinido ou ilimitado. Aqui já se percebe uma diferença essencial na cosmologia: a origem do universo não é mais um elemento sensível, material, observável, mas é agora um elemento intelectual.

Anaxímenes de Mileto (século VI a.C.)

O elemento que determinaria a origem do universo, para Anaxímenes, seria o ar (*pneuma*). As coisas nasceriam do ar e a ele retornariam quando se corrompessem, por diversos processos, como a rarefação e a condensação. O ar seria um princípio ao mesmo tempo invisível e físico, intelectual e sensível. O sopro da respiração seria

[25] Em português, uma obra essencial é: SOUZA, José Cavalcante de (Seleção de textos e supervisão). *Os pré-socráticos*: fragmentos, doxografia e comentários. 2. ed. São Paulo: Abril Cultural, 1978. (Os Pensadores). Nela, além de uma breve mas excelente introdução, são agrupados, para cada filósofo, além dos próprios fragmentos, comentários das mais diversas fontes, desde Aristóteles até Hegel, Nietzsche e Heidegger.

[26] Apud SOUZA, 1978, p. 9.

[27] *Peras*, em grego, significa fronteira, limite, extremidade.

identificado com a vida, em seu sentido mais amplo, e o cosmo seria criado e mantido por um movimento de respiração gigante.

Pitágoras de Samos (ca. 550-ca. 500 a.C.)

O pitagorismo foi, além de escola filosófica, também uma seita política, religiosa e moral. Para os pitagóricos, o número serviria de explicação do universo. A matemática, assim como a geometria, torna-se elemento essencial para a compreensão do mundo. Deve-se destacar o caráter formal e abstrato do número, em comparação com outros elementos concretos adotados como princípios da realidade pelos pré-socráticos (ar, terra etc.). Entretanto, é também importante lembrar que a concepção dos números e da unidade, para os pitagóricos, é distinta da nossa concepção atual[28]. A música era também essencial para Pitágoras e seus seguidores, e as suas relações com a aritmética, a arquitetura e a astronomia foram bastante exploradas, sendo a noção de harmonia chave nessas relações. A crença na imortalidade da alma (metempsicose) também marca o movimento.

Heráclito de Éfeso (século VI-V a.C.)

O fogo é o elemento primordial para Heráclito. A tensão, o combate entre os opostos, a mudança e a dialética são os princípios do universo (ao contrário, por exemplo, da harmonia pitagórica), enquanto o *lógos* (ou razão) governa o mundo e mantém sua ordem. A noção de devir, de vir a ser, é essencial em seu pensamento. "Não se pode banhar duas vezes no mesmo rio", porque tanto o rio como nós mesmos estamos em constante mutação, nunca somos os mesmos — esse é um pensamento de Heráclito que sobrevive até hoje. O homem é também objeto de sua filosofia, mais do que em qualquer outro pré-socrático, a ponto de podermos considerá-lo o primeiro "antropólogo"[29].

Parmênides de Eléia (século V a.C.)

Sua obra, escrita em versos, mas em estilo diferente dos mitos, afirma a identidade entre o ser e o pensamento. Daí por que possamos falar, com Parmênides, de ontologia (lógica do ser). O

---

[28] Para um estudo dessas diferenças, veja CHAUI, 1994, p. 55-65.

[29] JAEGER, Werner Wilhelm. *Paidéia*: a formação do homem grego. Tradução Artur M. Parreira. 2. ed. São Paulo: Martins Fontes, 1989. p. 154-157.

ser para Parmênides é uno, inalterável, eterno, imóvel e indivisível. Tudo o que existe sempre existiu, e nada pode transformar-se em algo diferente de si mesmo. A mudança e a diversidade seriam apenas ilusões dos sentidos. Parmênides opõe decisivamente razão e verdade (*alétheia*) à percepção e opinião (*dóxa*). Para Aristóteles, ele teria sido o fundador da lógica, pois constrói seu pensamento sobre os princípios da identidade e da contradição. A coerência do pensamento fundar-se-ia sobre a concepção da realidade imutável: "Parmênides é o primeiro pensador que levanta conscientemente o problema do método científico e o primeiro que distingue com clareza os dois caminhos principais que a filosofia posterior há de seguir: a percepção e o pensamento"[30]. Ele é considerado o principal representante da filosofia do Ser, que se opõe à filosofia do Devir de Heráclito. A oposição entre o pensamento de Parmênides (ou dos eleatas) e Heráclito talvez seja a mais rica e importante entre os pré-socráticos, instauradora e definidora de diversas questões que marcariam posteriormente a filosofia ocidental. Para Bréhier,

> Com Parmênides, vemos surgir duas correntes opostas no pensamento grego: de um lado, o positivismo jônio, intuitivo, experimental, ignorando a matemática física, inimigo confesso dos mitos, das tradições religiosas e dos novos cultos de iniciação, por cuja razão é pouco popular e nada faz para sê-lo; de outro lado, o racionalismo de Parmênides e Pitágoras, que tenta construir o real pelo pensamento, tendendo para a dialética, pouco simpático à experiência direta. E, por essa razão, tratando-se de coisas sensíveis, amigo dos mitos, disposto a dar grande atenção ao problema do destino, naturalmente popular e afeito à propaganda. A solidariedade íntima do racionalismo com a imaginação mítica contra o positivismo parece ser o traço saliente desse período[31].

Zenão de Eléia (século V a.C.)

Zenão defende, assim como Melisso de Samos, também o monismo e o imobilismo do ser. É conhecido por suas aporias[32] para defender

[30] JAEGER, 1989, p. 151.

[31] BRÉHIER, Émile. *História da filosofia*. São Paulo: Mestre Jou, 1977. t. 1. A Antigüidade e a Idade Média. fasc. 1. Introdução — Período helênico, p. 57.

[32] Dificuldade racional insolúvel, impossibilidade de concluir, deduzir ou inferir. Zenão desenvolverá alguns raciocínios para mostrar que deles decorrem aporias, desqualificando-os então pelas conseqüências que eles geram, método que foi batizado de "raciocínio por absurdo".

as teses de Parmênides ao criticar o pluralismo. Pode ser considerado o fundador da dialética, no sentido de confrontar teses opostas, de refutar as teses de uma pessoa partindo dos princípios admitidos como verdadeiros pela própria pessoa. Como afirma Hegel: "A característica de Zenão é a dialética. Ele é o mestre da escola Eleática; nela seu puro pensamento torna-se o movimento do conceito em si mesmo, a pura alma da ciência — é o iniciador da dialética"[33]. Segundo Zenão, tanto as noções de pluralidade quanto de movimento seriam contraditórias, portanto, impensáveis, o que justificaria a unidade do Ser.

Empédocles de Agrigento (século V a.C.)

Empédocles é considerado pluralista, pois para ele a origem do universo seria determinada por quatro elementos, ou "raízes": água, ar, terra e fogo. As transformações da natureza seriam, na verdade, movimentos de combinação e separação entre esses elementos. Além dos elementos naturais, existiriam também as forças naturais. O amor (*Philía*) e o ódio (*Neikos*) seriam as forças responsáveis pelos processos de união e separação entre as raízes. Freud, por exemplo, declara sua dívida com a filosofia de Empédocles na estruturação de sua teoria dos instintos de vida (Eros) e de morte (Tânatos) como base da *psique*. A máxima de Lavoisier, "Na natureza nada se cria, nada se perde, tudo se transforma", encontra eco em Empédocles:

> [...] não há criação de nenhuma dentre todas (*as coisas*) mortais nem algum fim em destruidora morte, mas somente mistura e dissociação das (*coisas*) misturadas é o que é, e criação isto se denomina entre homens[34].

A teoria do conhecimento e a fisiologia exercem também papel de destaque no pensamento de Empédocles.

Anaxágoras de Clazômena (500-428 a.C.)

A substância, para Anaxágoras, seria divisível ao infinito. Também pluralista, afirma que vários elementos são responsáveis pela origem do universo e utiliza-se da idéia de partículas minúsculas e invisíveis, as "sementes" (*spérmata*). O *Nous* (razão, espírito ou inteligência) regeria a combinação entre esses elementos. O *Nous* seria ilimitado, eterno, governaria a si próprio e a nada se misturaria.

---

[33] Apud SOUZA, 1978, p. 198.

[34] Apud SOUZA, 1978, p. 222.

Leucipo de Mileto e Demócrito de Abdera (século V a.C.)

Leucipo e Demócrito são considerados atomistas, pois admitem o átomo (partículas indivisíveis e invisíveis) como os elementos primordiais do universo. Os átomos estariam em constante movimento, entrando em colisão, ora se unindo, ora se separando. O funcionamento do universo seria puramente mecânico, sem nenhuma força influindo sobre os átomos — por isso esses filósofos são chamados de materialistas. É importante notar que o significado dos átomos para os gregos antigos, e mesmo os pressupostos sobre os quais as idéias dos atomistas são desenvolvidas, estão bastante distantes do sentido desse termo para a ciência moderna. Como afirma Jean Brun: "Seria anacronismo grosseiro, que alguns historiadores parecem, por vezes, não hesitar em cometer, ver na visão atomista de Leucipo e Demócrito uma concepção científica de tipo moderno e assente em pontos de partida herdados de uma observação experimental"[35]. As técnicas, as artes e a ética também foram preocupações dos atomistas.

1.1.2.2 Os Sofistas

> "O sistema grego de educação superior, tal como os sofistas o estruturaram, impera atualmente em todo o mundo civilizado."[36]

A partir dos sofistas, o homem substitui a Natureza como objeto principal da reflexão filosófica. A filosofia torna-se antropológica, podemos dizer. A crítica social e as discussões sobre as relações entre o homem e o Estado tornam-se primordiais, principalmente na democracia da cidade de Atenas, no século V a.C. Política, ética e teoria do conhecimento passam a dominar agora a filosofia, em contraposição ao espírito de investigação da natureza dos pré-socráticos. Como afirma Jaeger, "a sofística não é um movimento científico, mas sim a invasão do espírito da antiga física e 'história' dos Jônios por outros interesses da vida e sobretudo pelos problemas pedagógicos e sociais que surgiram em conseqüência da transformação do estado econômico e so-

---

[35] BRUN, Jean. *Os pré-socráticos*. Tradução Armindo Rodrigues. Lisboa: Ed. 70, 1968. p. 93-94. (Biblioteca Básica de Filosofia, 1).

[36] JAEGER, 1989, p. 255.

cial"[37]. Dessas transformações sociais podemos lembrar o grau de desenvolvimento jurídico e artístico alcançado pelos gregos nessa época. As tragédias de Sófocles (por exemplo, *Édipo Rei*), Ésquilo (como *Prometeu acorrentado*) e Eurípides (por exemplo, *Medéia*) são até hoje encenadas por todo o mundo como clássicos de muito sucesso. Já na própria Grécia, a tragédia assume caráter social, de cerimônia cívica, em comparação com as características religiosas anteriores. A própria comédia (principalmente com Aristófanes) assume poder de crítica social. Surge também nessa época a história científica, em substituição ao saber mitológico. E o direito torna-se essencial, como princípio fundado na lei, em sentido universal e abstrato.

Os sofistas são muitas vezes classificados como céticos, porque desprezavam as discussões filosóficas que consideravam desnecessárias, para as quais não se poderiam encontrar respostas ou soluções. Para muitos, eles fundam na filosofia um reino de relativismo filosófico e subjetivismo, pois o homem passa a ser a medida de todas as coisas[38], da própria natureza e de todos os valores. Daí surge a idéia, um tanto quanto antagônica, de que com os sofistas inicia-se o verdadeiro humanismo ocidental. Historicamente, a interpretação da importância dos sofistas tem variado bastante, e em geral eles têm sido relegados a um plano secundário na história da filosofia. Podemos encontrar desde leituras extremamente negativas dos sofistas, que buscam desqualificar sua filosofia (como a do próprio Sócrates, que observaremos a seguir) até leituras bastante positivas (como a de Jaeger, de quem retiramos várias citações destes parágrafos). Chamamos ainda hoje de sofista, em português, aquele que argumenta com sofismas (já Aristóteles assim pensava).

Entre os sofistas mais conhecidos que viveram no século V a.C., podemos citar Protágoras, Górgias, Hípias, Pródico, Crítias, Antifonte e Trasímaco. Assim como no caso dos pré-socráticos, também possuímos apenas fragmentos de suas obras, o que torna difícil uma abordagem profunda de seu pensamento. Eles viajaram por toda a Grécia, fazendo conferências e fundando uma forma de ensino itinerante e remunerada. São os primeiros professores de que temos notícia, na História, e prezavam a erudição. Essa nova forma de educação, que

[37] JAEGER, 1989, p. 241.

[38] É de Protágoras a conhecida máxima "O homem é a medida de todas as coisas".

se inicia com os sofistas, deveria acompanhar o homem desde criança até a idade adulta. A dialética, a poesia, a música, a retórica e a gramática ocupam aí lugar de destaque.

Os sofistas também abrem os horizontes da filosofia, que se constituía como uma seita intelectual fechada, já que a democracia grega exigia melhor preparação intelectual de seus governantes. Devido a esse objetivo inicial (a educação dos líderes políticos), e apesar dele, não apenas os nobres ou os governantes, mas todos os cidadãos livres da *polis*, passam agora a ter direito à educação. Como afirma Jaeger: "É com eles que a *paidéia*, no sentido de uma idéia e de uma teoria consciente da educação, entra no mundo e recebe um fundamento racional"[39]. Nesse sentido, por mais estranho que pareça, o desenvolvimento da medicina acaba participando decisivamente da construção do conceito de "natureza humana" e, por conseqüência, da democratização do ensino, ajudando a destruir a idéia de nobreza sangüínea:

> Em lugar do sangue divino aparece o conceito geral da natureza humana com todos os acidentes e ambigüidades individuais, mas também com toda a amplitude superior da sua envergadura. Foi um passo de incalculáveis conseqüências, que não teria sido possível sem a ajuda da nova ciência médica. A Medicina permanecera largo tempo no estado de arte de curar, mesclada de exorcismos e de superstições populares. O progresso do conhecimento da natureza entre os Jônios e o estabelecimento de uma ciência empírica influenciaram a arte de curar e levaram os médicos a realizar observações científicas do corpo humano e seus fenômenos. O conceito de natureza humana, que tão freqüentemente achamos nos sofistas e nos seus contemporâneos, nasceu no domínio da medicina científica. Transpôs-se da totalidade do universo para a individualidade humana o conceito de *physis*, que recebeu, assim, um matiz peculiar. O Homem está submetido a certas regras que a natureza prescreve e cujo conhecimento é necessário para viver corretamente com boa saúde e para sair da enfermidade. Cedo se passa do conceito médico de *physis* humana, como organismo físico dotado de determinadas qualidades, ao conceito mais amplo da natureza humana, tal qual o encontramos nas teorias pedagógicas dos sofistas. Significa agora a totalidade do corpo e da alma e, em particular, os fenômenos internos do Homem. [...] A idéia de natureza humana, como é agora concebida pela primeira vez, não é, de per si, evidente e natural. É uma descoberta essencial do espírito grego. Só por ela é possível uma verdadeira teoria da educação[40].

[39] JAEGER, 1989, p. 241.

[40] Ibid., p. 247-248. Convém lembrar da importância de Hipócrates de Cós, nos séculos V e IV a.C., no sentido de refutar as explicações sobrenaturais das doenças, creditando-as a causas naturais.

1.1.2.3 Sócrates

> "Quando os sofistas proclamavam a equivalência de todas as opiniões e sustentavam os pontos de vista mais contraditórios, Sócrates (469-399 a.C.) opôs aos sofistas algo que é permanente e constante: — *o conceito*, algo revelado pelo homem, mas que não pode ser medido pelo homem. Elevando-se ao plano dos conceitos, Sócrates contrapunha às opiniões contingentes as *categorias da ciência*."[41]

Sócrates é uma das figuras de maior importância e talvez a mais polêmica e enigmática da filosofia ocidental, mesmo sem nada ter escrito. Nasceu em 469 a.C., em Atenas. Sua filosofia, seus ensinamentos e sua vida nos são transmitidos por seus discípulos, principalmente por intermédio dos Diálogos de Platão. Isso nos traz, novamente, muita dificuldade em precisar o sentido de sua filosofia, tanto que podemos falar de vários Sócrates: o Sócrates histórico, que teria realmente existido; o Sócrates platônico, personagem dos Diálogos de Platão; o Sócrates personagem de Aristófanes etc.[42]. Para Nietzsche, por exemplo, com Sócrates começaria a decadência da filosofia ocidental. "Conhece-te a ti mesmo" e "Quanto mais sei, mais percebo que nada sei" são geralmente considerados ensinamentos de Sócrates. É incrível a semelhança histórica que o filósofo grego apresenta com a figura de Jesus Cristo. É condenado à morte, após julgamento em Atenas, por impiedade, por corromper a juventude com seu pensamento e por introduzir novas divindades e não venerar os deuses da cidade. Morre após tomar um cálice de cicuta na frente de seus discípulos. A *Defesa de Sócrates*, um dos Diálogos escritos por Platão, seu discípulo, é um dos documentos jurídicos, sociológicos, psicológicos, filosóficos e poéticos mais belos e importantes de que temos registro em todos os tempos. Trata-se da reprodução de sua defesa diante da Assembléia ateniense que acabou por condená-lo à morte. A serenidade que Sócrates demonstra em todo o processo é impressionante. Após a defesa e a análise da votação, Sócrates dirige suas palavras contra os que o acusaram:

> [...] talvez imagineis, senhores, que me perdi por falta de discursos com que vos poderia convencer, se na minha opinião se devesse tudo fazer e dizer

---

41 REALE, Miguel. *Filosofia do direito*. 17. ed. São Paulo: Saraiva, 1996. p. 54-55.

42 Para uma discussão completa desse assunto, veja MAGALHÃES-VILHENA, Vasco de. *O problema de Sócrates*: o Sócrates histórico e o Sócrates de Platão. Lisboa: Fundação Calouste-Gulbenkian, 1984.

> para escapar à justiça. Engano! Perdi-me por falta, não de discursos, mas de atrevimento e descaro, por me recusar a proferir o que mais gostais de ouvir, lamentos e gemidos, fazendo e dizendo uma multidão de coisas que declaro indignas de mim, tais como costumais ouvir dos outros. Ora, se antes achei que o perigo não justificava nenhuma indignidade, tampouco me pesa agora da maneira por que me defendi; ao contrário, muito mais folgo em morrer após a defesa que fiz, do que folgaria em viver após fazê-la daquele outro modo. Quer no tribunal, quer na guerra, não devo eu, não deve ninguém lançar mão de todo e qualquer recurso para escapar à morte. Com efeito, é evidente que, nas batalhas, muitas vezes se pode escapar à morte arrojando as armas e suplicando piedade aos perseguidores; em cada perigo, tem muitos outros meios de escapar à morte quem ousar tudo fazer e dizer. Não se tenha por difícil escapar à morte, porque muito mais difícil é escapar à maldade; ela corre mais ligeira que a morte. Neste momento, fomos apanhados, eu, que sou um velho vagaroso, pela mais lenta das duas, e os meus acusadores, ágeis e velozes, pela mais ligeira, a malvadez. Agora, vamos partir; eu, condenado por vós à morte; eles, condenados pela verdade a seu pecado e a seu crime. Eu aceito a pena imposta; eles igualmente. Por certo, tinha de ser assim e penso que não houve excessos[43].

Sócrates posiciona-se contra os sofistas, buscando valores absolutos por meio de uma forma de conhecimento científica. O processo de questionamento a que expõe seus interlocutores, em seus diálogos filosóficos, é denominado **maiêutica**, e talvez seja sua maior herança para a filosofia. Sócrates, ao contrário dos sofistas, utiliza-se de um método pelo qual não se propõe a ensinar, mas apenas a aprender, por meio de perguntas. Podemos dizer que, com Sócrates, a linguagem torna-se fundamento do discurso filosófico, apesar da importância também da ética e da lógica em seu pensamento. A filosofia passa a ser encarada, em sua essência, como um método lingüístico de construção conceitual[44]. Os Diálogos platônicos são riquíssimos exercícios de metalinguagem — as próprias idéias e as palavras são tomadas como objetos do filosofar. A linguagem passa a ser um dos assuntos centrais do discurso filosófico.

---

[43] PLATÃO. Defesa de Sócrates. Tradução Jaime Bruna. In: PESSANHA, José Américo Motta (Sel. textos). *Sócrates*. 2. ed. São Paulo: Abril Cultural, 1980. p. 25. (Os Pensadores).

[44] É interessante notar que, mais de 20 séculos depois, Deleuze e Guattari definem a filosofia como "a arte de formar, de inventar, de fabricar conceitos". DELEUZE, Gilles; GUATTARI, Félix. *O que é a filosofia?* Tradução Bento Prado Jr. e Alberto Alonso Muñoz. Rio de Janeiro: Ed. 34, 1992. p. 10. Veremos também a importância da construção do "conceito" na filosofia hegeliana.

Deve-se registrar que, paralelamente à importância de Sócrates, nesse período desenvolvem-se três outras escolas filosóficas na Grécia, em geral agrupadas sob o nome de escolas socráticas, que muitas vezes divergem da filosofia de Sócrates: a escola megárica (de Mégara, fundada por Euclides, que trouxe importantes contribuições para o desenvolvimento da lógica), a escola cínica e a escola cirenaica. Essas escolas terão vida longa e prolongarão sua influência até o período posterior a Platão e Aristóteles.

1.1.2.4 Platão

> Mais de dois mil anos já se passaram desde o dia em que Platão ocupava o centro do universo espiritual da Grécia e em que todos os olhares convergiam para a sua Academia, e ainda hoje se continua a definir o caráter de uma filosofia, seja ela qual for, pela sua relação com aquele filósofo.[45]

Platão (ca. 428-347 a.C.) nasceu em Atenas. Em 387 a.C., funda sua famosa Academia, que pode ser encarada como a primeira universidade da história da humanidade.

Contra a instabilidade da percepção e do mundo sensível, o discípulo de Sócrates opõe e privilegia o mundo ideal e inteligível. Como afirma Châtelet, "Platão não quer saber do utilitarismo, do convencionalismo, do relativismo fundamentais dos sofistas. Não é o homem em sociedade que o interessa, mas o divino no homem"[46]. O mundo das idéias, das formas e dos conceitos passa a ser primordial em sua filosofia. "Idealismo platônico", "espiritualismo" ou "realismo das essências", assim nos referimos muitas vezes à sua obra. Filosofia e dialética aí se identificam, como processo, na busca dos valores absolutos. Marilena Chaui dá uma série de definições para a dialética, ao se referir a Platão, que convém aqui registrar:

> 1) a arte de conduzir uma discussão para captar as contradições e os desvios que perturbam o caminho da chegada a uma definição coerente e universal sobre uma coisa; 2) o método científico para desenvolver o conhecimento por meio de perguntas e respostas; isto é, para buscar aquilo que não se sabe; 3) o método para apreender intelectual e conceitualmente uma realidade, captando sua essência ou forma ou idéia; 4) o método pelo qual o *lógos* (a razão ou o pensamento) entra em contato direto e imediato com seu objeto, que nada

[45] JAEGER, 1989, p. 401.

[46] CHÂTELET, 1981, v. 1, p. 21.

> possui de sensível ou empírico; 5) uma atividade que se realiza em duas etapas: a primeira, inferior, opera com as contradições das opiniões e crenças; a segunda, superior ou verdadeira dialética, opera desfazendo as hipóteses (em geral hipóteses matemáticas) para alcançar o incondicionado, a idéia pura, captando o *lógos* de uma essência (*ousía*), isto é, a forma ou idéia (*êidos*); 6) difere da matemática porque esta, além de operar hipotética e dedutivamente, opera com relações entre elementos, enquanto a dialética superior alcança a essência mesma da coisa (a bondade, a beleza, a justiça, a virtude, o amor etc.); 7) como verdadeira dialética ou dialética superior, uma atividade que somente pode ser exercitada por aqueles que conhecem a matemática, pois seu ponto de partida são as hipóteses ou proposições matemáticas (par, ímpar, linha, ponto, superfície, sólidos, axiomas, postulados, definições, teoremas). Isto não significa que os objetos ou idéias da dialética superior sejam os mesmos que os da matemática e sim que somente quem aprendeu a pensar matematicamente está preparado para pensar dialeticamente. A matemática é o treino intelectual para a dialética superior. Em outras palavras, somente quem aprendeu a pensar por meio de definições rigorosas, teoremas e problemas, por meio de deduções rigorosas, está preparado para a dialética superior; 8) sobretudo, a dialética é uma técnica perfeita da alma, comparável à medicina para o corpo. Uma técnica é um saber especializado capaz de concretizar algo que existia apenas potencialmente numa coisa qualquer. A medicina é a técnica que concretiza a possibilidade de saúde para um corpo doente; a dialética, a técnica que concretiza a possibilidade do conhecimento verdadeiro para a alma ignorante. A *téchne* concretiza uma *dýnamis*. A *dýnamis* (potencialidade) da alma é o conhecimento; a dialética, a *téchne* que atualiza o que era apenas possibilidade. Por isso, a dialética difere da retórica, pois em vez de violentar a alma, opera para que esta se realize plenamente[47].

Assim como em Sócrates, a maiêutica é o método filosófico por excelência. Em Platão, o método segue algumas etapas definidas: das imagens atinge-se uma definição, mesmo que provisória; procede-se então à divisão dialética, que busca a espécie e o gênero próprios do objeto procurado; e finalmente atinge-se a ciência (ou *epistéme*), ou seja, chegamos agora à definição mais perfeita do objeto.

Sua obra consta basicamente de Diálogos, além de 13 cartas. Na verdade, apesar da tradição sofística e de Sócrates, é com Platão que os diálogos tornam-se verdadeiramente gênero lite-

[47] CHAUI, 1994, p. 194.

rário. Eles se constituem como um drama, em que o local e a época onde se desenvolvem são indicados. A discussão ou dialética é a alma dos diálogos. Platão é o primeiro filósofo do qual possuímos, ainda hoje, uma obra substancial, o que nos possibilita analisar e estudar seu pensamento como um todo. Entretanto, pelo próprio caráter literário de sua filosofia, é difícil resgatarmos um sistema filosófico de todos os seus diálogos. Como afirma Bréhier, diante da extraordinária complexidade de formas, drama e comédia, dialética, discursos continuados e mitos, que, segundo as épocas, estão diferentemente dosados e, ademais, apresentam suas próprias modificações, é impossível fazer abstração para bem avaliar a filosofia platônica[48].

A interpretação de sua obra pela História da Filosofia é, assim como no caso dos sofistas e do próprio Sócrates, também polêmica. Hauser, por exemplo, vê na filosofia de Platão excessivo conservadorismo, a favor de uma minoria política, e rejeição à própria arte[49]. Movimentos denominados neoplatônicos (que procuram ressuscitar a filosofia de Platão) surgem em diversos momentos da história do pensamento e são essenciais para a compreensão da filosofia medieval e mesmo do Renascimento. A filosofia platônica (e o neoplatonismo) influenciam, por exemplo, o Simbolismo, movimento literário do fim do século XIX. Alguns mitos, como o da Caverna e do Fedro, possuem caráter universal, funcionando como símbolos coletivos, e são ainda hoje lembrados por toda a filosofia e literatura mundiais. Realçam, basicamente, a diferença entre o mundo sensível, das aparências, e o mundo inteligível, das idéias.

Segue a exposição de Platão, no livro VII da *República*, do mito da Caverna:

> — [...] Suponhamos uns homens numa habitação subterrânea em forma de caverna, com uma entrada aberta para a luz, que se estende a todo o comprimento dessa gruta. Estão lá dentro desde a infância, algemados de pernas e pescoços, de tal maneira que só lhes é dado permanecer no mesmo lugar e olhar em frente; são incapazes de voltar a cabeça, por causa dos grilhões; serve-lhes de iluminação um fogo que se queima ao longe, numa eminência, por detrás

[48] BRÉHIER, 1977, t. 1, fasc. 1, p. 94.

[49] HAUSER, Arnold. *História social da literatura e da arte*. Tradução Walter H. Geenen. 4. ed. São Paulo: Mestre Jou, 1982. t. 1, p. 142-145.

deles; entre a fogueira e os prisioneiros há um caminho ascendente, ao longo do qual se construiu um pequeno muro, no gênero dos tapumes que os homens dos "robertos" colocam diante do público, para mostrarem as suas habilidades por cima deles.

[...]

— Visiona também ao longo deste muro, homens que transportam toda a espécie de objetos, que o ultrapassam: estatuetas de homens e de animais, de pedra e de madeira, de toda a espécie de lavor; como é natural, dos que os transportam, uns falam, outros seguem calados.

— Estranho quadro e estranhos prisioneiros são esses de que tu falas — observou ele.

— Semelhantes a nós — continuei —. Em primeiro lugar, pensas que, nestas condições, eles tenham visto, de si mesmo e dos outros, algo mais que as sombras projetadas pelo fogo na parede oposta da caverna?

— Como não — respondeu ele —, se são forçados a manter a cabeça imóvel toda a vida?

— E os objetos transportados? Não se passa o mesmo com eles?

— Sem dúvida.

— Então, se eles fossem capazes de conversar uns com os outros, não te parece que eles julgariam estar a nomear objetos reais, quando designavam o que viam?

— É forçoso.

— E se a prisão tivesse também um eco na parede do fundo? Quando algum dos transeuntes falasse, não te parece que eles não julgariam outra coisa, senão que era a voz da sombra que passava?

— Por Zeus, que sim!

— De qualquer modo — afirmei — pessoas nessas condições não pensavam que a realidade fosse senão a sombra dos objetos.

— É absolutamente forçoso — disse ele.

— Considera pois — continuei — o que aconteceria se eles fossem soltos das cadeias e curados da sua ignorância, a ver se, regressados à sua natureza, as coisas se passavam deste modo. Logo que alguém soltasse um deles, e o forçasse a endireitar-se de repente, a voltar o pescoço, a andar e a olhar para a luz, ao fazer tudo isso, sentiria dor, e o deslumbramento impedi-lo-ia de fixar os objetos cujas sombras via outrora. Que julgas tu que ele diria, se alguém afirmasse que até então ele só vira coisas vãs, ao passo que agora estava mais perto da realidade e via de verdade, voltado para objetos mais reais? E se ainda, mostrando-lhe cada um desses objetos que passavam, o forçassem com perguntas a dizer o que era? Não te parece que ele se veria em dificuldades e suporia que os objetos vistos outrora eram mais reais do que os que agora lhe mostravam?

— Muito mais — afirmou.

— Portanto, se alguém o forçasse a olhar para a própria luz, doer-lhe-iam os olhos e voltar-se-ia, para buscar refúgio junto dos objetos para os quais podia olhar, e julgaria ainda que estes eram, na verdade, mais nítidos do que os que lhe mostravam?

— Seriam assim — disse ele.

— E se o arrancassem dali à força e o fizessem subir o caminho rude e íngreme, e não o deixassem fugir antes de o arrastarem até à luz do Sol, não seria natural que ele se doesse e agastasse, por ser assim arrastado, e, depois de chegar à luz, com os olhos deslumbrados, nem sequer pudesse ver nada daquilo que agora dizemos serem os verdadeiros objetos?

— Não poderia, de fato, pelo menos de repente.

[...]

— Imagina ainda o seguinte — prossegui eu —. Se um homem nessas condições descesse de novo para o seu antigo posto, não teria os olhos cheios de trevas, ao regressar subitamente da luz do Sol?

— Com certeza.

— E se lhe fosse necessário julgar daquelas sombras em competição com os que tinham estado sempre prisioneiros, no período em que ainda estava ofuscado, antes de adaptar a vista — e o tempo de se habituar não seria pouco — acaso não causaria o riso, e não diriam dele que, por ter subido ao mundo superior, estragara a vista, e que não valia a pena tentar a ascensão? E a quem tentasse soltá-los e conduzi-los até cima, se pudessem agarrá-lo e matá-lo, não o matariam?

— Matariam, sem dúvida — confirmou ele.

— Meu caro Gláucon, este quadro — prossegui eu — deve agora aplicar-se a tudo quanto dissemos anteriormente, comparando o mundo visível através dos olhos à caverna da prisão, e a luz da fogueira que lá existia à força do Sol. Quanto à subida ao mundo superior e à visão do que lá se encontra, se a tomares como a ascensão da alma ao mundo inteligível, não iludirás a minha expectativa, já que é teu desejo conhecê-la. O Deus sabe se ela é verdadeira. Pois, segundo entendo, no limite do cognoscível é que se avista, a custo, a idéia do Bem; e, uma vez avistada, compreende-se que ela é para todos a causa de quanto há de justo e belo; que, no mundo visível, foi ela que criou a luz, da qual é senhora; e que, no mundo inteligível, é ela a senhora da verdade e da inteligência, e que é preciso vê-la para se ser sensato na vida particular e pública[50].

---

[50] PLATÃO. *A República*. Tradução e notas de Maria Helena da Rocha Pereira. 4. ed. Lisboa: Fundação Calouste-Gulbenkian, 1983. p. 317-321.

Listamos a seguir os Diálogos de Platão:

- **Apologia:** defesa de Sócrates diante de um tribunal ateniense até sua condenação à morte.
- **Cármides:** discussão sobre a *sophrosyne* (prudência ou sabedoria), ideal grego que significa aceitar os limites da natureza humana e restringir os impulsos para a liberdade irrestrita e os excessos, obedecendo às leis da harmonia e da proporção.
- **Crátilo:** sobre a origem da linguagem e o processo de derivação de palavras gregas.
- **Crítias:** diálogo inacabado que conta a história da fabulosa ilha de Atlântida.
- **Críton:** Críton, velho amigo de Sócrates, tenta convencê-lo a fugir da prisão, o que Sócrates recusa porque não seria correto defender-se do mal fazendo o mal e quebrando as leis.
- **Eutidemo:** contra a erística, isto é, o discurso estéril e sem busca da verdade.
- **Eutifron:** buscando o significado da piedade, esse diálogo descreve Sócrates pouco antes de seu julgamento.
- **Fédon:** relato das últimas horas de Sócrates, que discute a imortalidade da alma[51].
- **Fedro:** considerado um dos grandes diálogos platônicos, aborda o amor, a beleza, o pensamento, a escrita e a retórica.
- **Filebo:** contrasta a sabedoria e o prazer.
- **Górgias:** discussão sobre que tipo de vida um homem deveria ter para ser feliz, dentre outros temas, em que Sócrates mostra-se mais disposto a "ensinar" o que sabe.
- **Hípias Maior:** discute a beleza.
- **Hípias Menor:** discute a ação de fazer o mal voluntaria e involuntariamente, traçando um retrato negativo do sofista.
- **Ion:** conversa sobre a arte grega.
- **Laques:** discussão sobre o que significa a coragem, um dos diálogos platônicos mais fáceis de ler.
- **Leis:** o último diálogo escrito por Platão, que não conta com a presença de Sócrates, discute em 12 livros a política e as leis do ponto de vista mais concreto.

---

[51] Rachel Gazolla de Andrade trata do conceito de alma na obra de Platão, em *Platão*: o cosmo, o homem e a cidade. Petrópolis: Vozes, 1993.

- **Lisis:** discussão sobre o que significa a amizade, em um dos diálogos mais ilustrativos do método socrático.
- **Menexeno:** diálogo cuja autoria é bastante questionada, faz uma revisão da história de Atenas em tom satírico.
- **Mênon:** busca da essência da virtude e da possibilidade de ela ser ensinada.
- **Parmênides:** um dos diálogos mais difíceis de serem lidos, discute questões metafísicas. Para o filósofo alemão G. W. F. Hegel, trata-se da maior obra-prima da dialética antiga[52].
- **Político:** discute o papel do político, do governo e das leis.
- **Protágoras:** discussão sobre o ensino da virtude, esse diálogo fornece interessante descrição da vida na Grécia Antiga.
- **República:** o mais conhecido diálogo platônico, aborda a justiça, a ética e a política. Nesse diálogo, dividido em dez livros, Platão desenvolve sua filosofia política, descrevendo um Estado ideal, em que os governantes deveriam tornar-se filósofos[53].
- **Simpósio (ou Banquete):** junto com a *República* é considerado o mais importante diálogo de Platão, discutindo o amor e fornecendo um retrato detalhado de Sócrates.
- **Sofista:** discussão sobre a verdade e a falsidade, propondo um retrato extremamente negativo do sofista.
- **Teeteto:** discussão sobre o que é o conhecimento.
- **Timeu:** trata da origem do universo e da constituição física (e metafísica) da natureza e da realidade. A física e a cosmologia platônicas aqui expostas exerceram grande influência na Antigüidade e na Idade Média.

---

52 HEGEL, Georg Wilhelm Friedrich. *Fenomenologia do espírito*. Tradução Paulo Meneses. 2. ed. Petrópolis: Vozes, 1992. parte I, p. 61.

53 "Platão não separa 'moral' e 'política'. O pensamento grego clássico, em geral, não dissocia, como o faz o espírito moderno inspirado pela visão do mundo hebraico-cristã, os problemas colocados pela conduta individual e os levantados pela organização sociopolítica. O que nós hoje chamamos o *sujeito* é por ele considerado não como uma interioridade fechada sobre si mesma e que tem, aliás, um destino histórico-político, mas como um ser, sem dúvida individual, mas indissoluvelmente ligado ao seu estatuto de cidadão e de elemento do *cosmo*. Ele estabelece uma correspondência de estrutura entre a ordem (ou a desordem) da alma, a da Cidade e a do mundo. E, por fim, é em função desta última que as duas restantes se devem organizar." CHÂTELET, François. *Platão*. Tradução Sousa Dias. Porto: Rés, [19--]. p. 62.

A leitura dos Diálogos de Platão, ainda hoje, mostra-se crítica e reveladora em face dos problemas que enfrentamos. Sherwin Klein, por exemplo, acredita que a filosofia platônica possa servir de fundamento teórico para a administração moderna[54]. Na verdade, é com Platão que a racionalidade ocidental efetivamente se constitui e ainda hoje serve de base para a política, a administração, as ciências e o nosso dia-a-dia. Após as religiões, os mitos, as epopéias, os aforismos dos pré-socráticos e até mesmo os sofistas, tanto Sócrates quanto Platão, e posteriormente Aristóteles, fundam o filosofar racional, praticamente como o conhecemos ainda em nossos tempos. Como afirma Châtelet:

> [...] Ora, acontece — por razões e causas históricas que não temos que analisar aqui — que a filosofia assim definida, na medida em que determinou o que é e o que deve ser a razão como critério e como juiz, constitui o fundamento da civilização na qual, hoje, participamos. Com efeito, o universo científico, técnico e administrativo que é o nosso surge como a prática, a realização desse princípio de racionalidade de que a filosofia nascente, com Platão, havia determinado a significação e o estatuto. Certo, a noção de razão sofreu, desde o século IV antes da nossa era, mutações profundas: foi enriquecida com determinações novas pela tradição hebraico-cristã, pela descoberta no século XVII e no século XVIII dos processos próprios à experimentação física, pela consciência tomada no século seguinte do caráter fundamentalmente histórico da existência humana. Mas estas transformações e estes enriquecimentos desenham-se no interior de um mesmo quadro, o de um pensamento que se quer submetido ao que a filosofia de Escola chama *o princípio de razão suficiente* e de que Platão deu a primeira formulação exaustiva.
>
> Tudo se passa como se tivesse sido dado a Platão elaborar a *lógica da razão* e à nossa civilização industrial *organizar-lhe a prática*[55].

Pretendemos, daqui para a frente, acompanhar os desdobramentos da evolução desse conceito de razão, dessa racionalidade que marca nossa civilização. E de forma crítica, já que no próprio percurso da filosofia essa noção de razão é violentamente criticada (Nietzsche talvez seja o filósofo mais destacado nesse sentido). Acrescentaremos ao raciocínio de Châtelet algumas etapas novas, como as transformações pelas quais passamos no fim do século XX, em função

[54] KLEIN, Sherwin. *Business ethics*: reflections from a Platonic point of view. New York: Peter Lang, 1993.

[55] CHÂTELET, [19--], p. 33.

das revoluções tecnológicas e principalmente do desenvolvimento da informática; da sociedade industrial, hoje passamos a uma sociedade do conhecimento e da informação. Muitos dos valores questionados por Platão, em seus *Diálogos*, e retomados por toda a tradição filosófica durante os séculos que se seguiram, passam a ser agora novamente colocados em questão por meio de outras perguntas, outros métodos, outras perspectivas e outras expectativas. De qualquer forma, convém lembrar que a leitura desses *Diálogos* constitui-se numa experiência única e valiosa, não só para o administrador de empresas como para qualquer ser humano de nosso tempo.

1.1.2.5 Aristóteles

Aristóteles (384-322 a.C.) nasceu em Estagira, no norte da Grécia, e era filho de um médico. Com 17 anos foi para Atenas estudar na Academia de Platão, aí permanecendo por quase vinte anos. Depois de abandonar a cidade, retorna a Atenas, aos 49 anos, onde funda sua própria escola filosófica.

Uma das curiosidades do pensamento de Aristóteles é a sua paixão pelas classificações. Animais, vegetais, minerais, virtudes, paixões, faculdades psicológicas e intelectuais, nada escapa à sua vontade de classificar e, por conseqüência, descobrir leis entre os objetos classificados. Assistimos, pela primeira vez na filosofia, a uma ambição enciclopédica de agrupar a totalidade dos saberes. Sua obra aborda todos os campos do conhecimento, catalogando sempre o máximo de informações e opiniões já existentes sobre os mais diversos assuntos. O objeto de sua filosofia não é apenas o homem, mas o Universo, até mesmo em seus processos naturais. Daí o porquê de uma física, uma geografia, uma astronomia, uma medicina e uma biologia aristotélicas. Com Aristóteles, filosofia e ciência natural se reencontram. A psicologia, a metafísica, a lógica, a teoria do conhecimento, a linguagem, a teoria literária, a retórica, a ética e a política são também essenciais em seu pensamento, e o filósofo grego será retomado quando abordarmos alguns desses temas.

Provavelmente perdemos muitas das obras de Aristóteles, apesar de ainda hoje nos restarem dezenas de livros escritos pelo filósofo grego. Boa parte desses livros são, na realidade, anotações para suas aulas, e mesmo anotações de seus alunos. Estão agrupados sob o mesmo título textos escritos em datas bastante distantes. É incrível o destino que sua obra teve, desde a época em que seus discípulos esconderam sua parte mais importante, em Atenas, passando pela formação do *Corpus Aristotelicus*, em Roma, pelas traduções dos árabes (principalmente de Averróis), pela censura da Igreja, pela interpretação de São Tomás de Aquino, até as leituras mais recentes de Kant, Hegel e Heidegger. Em *O nome da rosa*, de Umberto Eco, adaptado com grande sucesso para o cinema, um livro de Aristóteles sobre a "Comédia" (que várias evidências indicam realmente ter sido escrito, apesar de desaparecido) é encontrado num mosteiro, mas posteriormente queimado. A justificativa para a destruição do livro é que o "riso" acaba por tirar o temor do homem. Rindo, o homem não temeria nem mesmo a Deus, não havendo, a partir de então, mais necessidade da fé.

Aristóteles critica o mundo das idéias de Platão, defendendo que as idéias não possuem existência anterior à experiência.

A crítica de Aristóteles à teoria das idéias de Platão é essencial. As idéias para Aristóteles, apesar da existência real (não sendo apenas produções da mente humana), não preexistiriam ao seu objeto. Dito de outra forma, as idéias não existiriam antes da experiência, como pensava Platão. Assim, os sentidos voltam a ser importantes, em comparação com o privilégio dado por Platão à razão. As idéias teriam sua origem na própria experiência, para Aristóteles. A terceira faculdade, a imaginação, serviria de ponte entre a sensibilidade e a razão. Em sua obra intitulada *Metafísica*, Aristóteles abordará as questões relativas ao Ser — ontologia.

Aristóteles destaca também a importância de pensar os seres constituídos de matéria e forma. As substâncias adquiririam diferentes formas, moldando os seres. O universal corresponderia à forma (*êidos*), e o individual e mutável à matéria[56]. Tanto a

[56] Os conceitos de "ato" e "potência", assim como os de causa, em Aristóteles, são essenciais para a melhor compreensão dos conceitos de forma e matéria. "Aristóteles cria dois conceitos fundamentais de sua metafísica e de sua física: o ato (*enérgeia*) e a potência (*dýnamis*). A forma é ato ou atualidade; é a *enérgeia*, a essência da coisa tal como ela é aqui e agora. A matéria é potência ou potencialidade, o que a coisa pode vir a ser no tempo, a *dýnamis*. Quando uma matéria recebe uma forma, não a recebe inteiramente pronta, acabada, atualizada, mas a recebe inacabada, como uma possibilidade, como uma potencialidade que deve ser atualizada. Por exemplo, quando o macho e a fêmea se unem, surge na matéria a forma do feto, que é o ser futuro *em potência*; esta potência deverá ser atualizada no tempo pela *dýnamis* da matéria, até que se torne uma criança, depois um adolescente e depois um adulto, realizando inteiramente a forma potencial. A criança é ato e, em potência, é jovem; o jovem é ato e, em potência, adulto. Cada ser surge, portanto, com a forma atual (o que o ser é) e com a forma potencial (o que o ser deverá ser) e cabe à causa eficiente — à *dýnamis* — atualizar a forma potencial, de tal modo que um ser não muda de forma, mas passa da forma menos perfeita ou acabada para a forma mais perfeita ou acabada. A matéria é passiva: recebe a forma atual e a potencial e é 'puxada' pela causa final para atualizar a forma potencial." CHAUI, 1994, p. 284. Veremos como os conceitos de ato e potência serão essenciais, por exemplo, na discussão ética da filosofia existencialista de Sartre.

forma quanto a matéria estariam no próprio objeto, no próprio mundo sensível, e não em outro mundo, como o das idéias de Platão. Separar forma de matéria seria, então, um exercício intelectual; daí a importância da lógica para Aristóteles, ao estudar as leis do pensamento.

Podemos dizer que Aristóteles é o fundador da lógica formal como ciência. Seu sucessor como diretor do Liceu e principal editor de sua obra, Teofrasto, contribuiu também para o desenvolvimento da lógica, apesar de suas obras não terem sobrevivido. Com Aristóteles, a dialética já não é mais o método primordial para a compreensão do real. Para o estagirita, a lógica não podia ser incluída em nenhuma ciência, pois não possuía objeto de investigação definido, caracterizando-se como um instrumental que serviria a todas as ciências. Por isso, seria formal, já que não estudaria nenhum conteúdo específico, mas apenas as regras do raciocínio. O estudo das ciências deveria começar pela lógica.

Outro ponto interessante, em Aristóteles, são as dez categorias que ele identifica nos seres: substância, quantidade, qualidade, relação, lugar, tempo, posição, posse, ação e paixão. As categorias seriam propriedades dos seres, as quais também o pensamento utilizaria para conhecê-los. São, portanto, ao mesmo tempo, características dos objetos e do pensamento, do mundo e da própria linguagem, como predicados de um sujeito. Segue a exposição de Aristóteles sobre as dez categorias:

> As palavras sem combinação umas com as outras significam por si mesmas uma das seguintes coisas: o quê (a substância), o quanto (quantidade), o como (qualidade), com que se relaciona (relação), onde está (lugar), quando (tempo), como está (estado), em que circunstância (hábito), atividade (ação) e passividade (paixão). Dizendo de modo elementar, são exemplos de substância, homem, cavalo; de quantidade, de dois côvados de largura, ou de três côvados de largura; de qualidade, branco, gramatical; de relação, dobro, metade, maior; de lugar, no Liceu, no Mercado; de tempo, ontem, o ano passado; de estado, deitado, sentado; de hábito, calçado, armado; de ação, corta, queima; de paixão, é cortado, é queimado.
>
> Nenhum destes nomes em si mesmo e por si mesmo é afirmativo ou assertivo. As afirmações e as negações só se produzem quando eles são combinados entre si. Toda a asserção, afirmativa ou negativa, deve ser verdadeira

ou falsa, enquanto as palavras não combinadas, por exemplo, homem, branco, corre, vence, não podem ser nem verdadeiras nem falsas[57].

As categorias teriam ainda duas propriedades lógicas: extensão (o conjunto de objetos designados pela categoria) e compreensão (o conjunto de propriedades que a categoria determina). Assim, as categorias podem ser classificadas em: gêneros (extensão maior e compreensão menor — por exemplo, animal), espécies (extensão e compreensão médias — por exemplo, homem) e indivíduo (extensão menor e compreensão maior — por exemplo, Sócrates). Aristóteles realiza também extensos estudos sobre a proposição, o juízo e os silogismos, que serão essenciais em nossa abordagem da lógica e filosofia da linguagem.

Aristóteles desenvolve também uma teoria da virtude (*aretê*), que será utilizada como referencial teórico para uma corrente contemporânea de Ética na Administração, da qual um dos principais representantes é o filósofo inglês Alasdair MacIntyre. A ética da virtude implicaria o cultivo de traços de caráter como uma das principais funções morais, qualidades que as pessoas possuiriam e que seriam externalizadas por meio de suas ações diárias. A pessoa virtuosa, segundo Aristóteles, seria aquela que buscasse a moderação entre os extremos, evitando tanto o vício do excesso quanto seu oposto, mediante uma sabedoria prática baseada na experiência e em grande habilidade de julgamento.

Por fim, cabe dizer que Aristóteles introduz também, em sua *Ética a Nicômaco* e na *Metafísica*, outra interessante distinção: de um lado a *poiesis*, arte ou técnica, como a agricultura, a navegação, a pintura, a escultura, a arquitetura, a tecelagem, o artesanato, a poesia, a retórica etc., ou seja, ações que têm como fim a produção de uma obra; de outro lado a *práxis*, ou ações que têm um fim em si mesmas, como a economia, a ética e a política. A política seria, dentre essas ações, a mais nobre. O indivíduo e o Estado são, em Aristóteles, assim como em Platão, pensados como inseparáveis um do outro. A ciência, ou *epistéme*, por sua vez, não se caracterizaria como ação,

[57] ARISTÓTELES. *Organon*. Tradução Pinharanda Gomes. Lisboa: Guimarães, 1985. v. 1, p. 47. Wittgenstein, no aforismo 3.144 de seu *Tractatus logico-philosophicus*, traça uma feliz diferenciação entre nomes e proposições: "Nomes são como pontos, proposições são como flechas, elas têm sentido". WITTGENSTEIN, Ludwig. *Tractatus logico-philosophicus*. Tradução Luiz Henrique Lopes dos Santos. 2. ed. rev. ampl. São Paulo: Edusp, 1994. p. 151.

mas como conhecimento; ciência e filosofia não eram, tampouco, pensadas separadamente. Para Aristóteles, assim como para toda a Antigüidade e ainda pelos vários séculos seguintes, os temas das ciências modernas estavam englobados pela filosofia natural. O filósofo e o cientista eram em geral a mesma pessoa; a filosofia e a ciência possuíam uma unidade que começava a se desfazer, pouco a pouco, até se romper por completo na modernidade.

1.1.2.6 Período Helenístico e Romano

Quando a Grécia é derrotada pela Macedônia (338 a.C.), já enfraquecida principalmente pela Guerra do Peloponeso entre Atenas e Esparta (493 a 479 a.C.), dois fenômenos aparentemente contraditórios marcarão decisivamente o desenvolvimento da filosofia ocidental: de um lado a *polis* grega perde sua hegemonia, e de outro o pensamento grego expande-se para além de suas fronteiras. Esse período é chamado de helenístico, e nele os ideais gregos mesclam-se a elementos orientais. Os movimentos filosóficos que surgem nesse momento caracterizam-se basicamente por preocupações éticas com o ser humano como ser individual, e não mais político. Além disso, a partir de então as ciências (principalmente a astronomia, a matemática, a medicina, a geografia e a física) passam a ter desenvolvimento autônomo em relação à reflexão filosófica. Ocorre grande desenvolvimento do comércio, e o misticismo e as religiões orientais exercem grande influência nessa época.

Para o **epicurismo** (escola fundada por Epicuro — ca. 341-270 a.C.), a serenidade e o prazer, entendido como ausência de perturbação e de dor, seriam as finalidades máximas do homem. A sensação é destacada como fonte para obter o conhecimento. Cultuar o espírito e a virtude e buscar o autodomínio seriam os meios para viver com prazer.

Enquanto o **epicurismo** privilegia a serenidade e o prazer, e o **estoicismo** privilegia a justiça e o dever, o **ceticismo** defende a impossibilidade do conhecimento.

Para o **estoicismo**, fundado por Zenão de Citium (334-262 a.C.), justiça e dever são os valores mais importantes para o ser humano. A moral é a preocupação maior do movimento. O estoicismo é também importante no desenvolvimento da lógica.

Para o **ceticismo**, não é possível para o homem chegar ao conhecimento.

Esses movimentos filosóficos exercerão influência até mesmo no Império Romano, mesclados às vezes às escolas socráticas menores e a movimentos de renascimento da filosofia de Pitágoras e Platão (principalmente por intermédio de Plotino[58]), além da influência que a filosofia oriental exercerá durante esse período. O ecletismo é uma importante característica da filosofia da época. Paralelamente, desenvolve-se o cristianismo, que será essencial para determinar o pensamento filosófico na Idade Média. Os romanos destacaram-se particularmente nas artes, principalmente na escultura e na arquitetura, além do importante legado que nos deixaram no campo do direito.

Augusto[59] e seus sucessores permitiram que alguns eminentes juristas (Gaio, Ulpiano, Papiniano, Paulo e outros) emitissem minuciosas opiniões (*responsa*) sobre os processos em julgamento nos tribunais. Essas *responsas* formaram a ciência e a filosofia do direito. O direito romano era dividido em três grandes ramos: *jus civile* (lei de Roma e de seus cidadãos), *jus gentium* (lei comum a todos os homens, sem considerar sua nacionalidade; autorizava a escravidão e a propriedade privada, e definia os princípios da compra e venda, das sociedades e do contrato; aplicava-se especialmente aos habitantes estrangeiros do império) e *jus naturale* (mais uma filosofia, com influências do estoicismo e sua concepção de uma ordem racional da natureza, que seria a corporificação da justiça e do direito; afirmava a igualdade dos homens por natureza, e de alguns direitos naturais que os governos não teriam autoridade para transgredir; essas leis antecederiam ao próprio Estado; surge aqui, na verdade, a concepção de uma **justiça abstrata como princípio legal**; podemos destacar como seus representantes Cícero[60] e Sêneca[61])[62].

1.1.3 Filosofia Medieval

> "O pensamento medieval distingue-se radicalmente do pensamento da Grécia antiga, como também do pensamento moderno e contemporâneo, pois a preponderância do cristianismo como estrutura religioso-sociopolítica estabelece os parâmetros dentro dos quais a Filosofia pode e deve desenvolver-se."[63]

A Idade Média foi, por muito tempo, e ainda é hoje, entendida como a "Idade das Trevas". A expressão indica que,

---

58 Ca. 204-270. Filósofo egípcio, formado em Alexandria, que leciona em Roma entre 245 e 268.

59 Também conhecido por Otávio, imperador de 31 a.C. a 14 d.C, que realizou importantes reformas.

60 Marco Túlio Cícero, orador e escritor, que viveu no século I a.C.

61 3 a.C.-65.

62 BURNS, 1966, v. 1, p. 240-242.

63 GILES, Thomas Ransom. *Curso de iniciação à filosofia*. São Paulo: EPU, 1995. v. 1, p. 58.

nesse período da História mundial, não se teria produzido nada de muito importante, não apenas em filosofia, mas nas artes em geral, quando comparado com a Grécia e Roma antigas, de um lado, e a Idade Moderna, de outro. Entretanto, estudos demonstram que, na realidade, não se trata de um período tão "pobre" intelectual e artisticamente, além de que a própria continuidade do que se chama Idade Média tem sido questionada. Fala-se costumeiramente até de movimentos de renascença (durante o reinado de Carlos Magno e no século XII) em plena Idade Média:

> Na realidade o período medieval abarca, na Europa Ocidental, duas civilizações tão diversas uma da outra quanto a Grécia de Roma, ou a Renascença dos séculos XIX e XX. A primeira dessas civilizações, que começou mais ou menos em 400, quando se completou virtualmente o processo da decadência de Roma, e se prolongou até 800, é a dos começos da Idade Média. Somente esse período é que se caracterizou pela maioria dos atributos comumente designados como 'medievais'. A cultura dos começos da Idade Média representou sem dúvida, em certos aspectos, uma volta ao barbarismo. O intelecto não só estagnou mas até mergulhou em abismos profundos de ignorância e credulidade. A atividade econômica baixou aos níveis primitivos de troca direta e ruralismo, enquanto o ascetismo mórbido e o desprezo por este mundo substituía as atitudes sociais normais. Com a Renascença carolíngia do século IX iniciou-se, no entanto, uma nova vida da Europa. O espírito humano alçou-se a píncaros magníficos na literatura, na filosofia e na arte. Daí surgiu outra das grandes culturas da história, caracterizada ao mesmo tempo pelo progresso intelectual e por um alto grau de prosperidade e liberdade. Na verdade, esta civilização medieval posterior, que durou até o fim do século XIII, teve mais pontos de semelhança com a idade moderna do que muita gente pensa[64].

Hauser, em *História social da literatura e da arte*, divide a Idade Média em três períodos: a economia natural da Idade Média primitiva, a cavalaria galante da alta Idade Média e a cultura burguesa urbana da última parte da Idade Média[65].

De qualquer forma, com a destruição do Império Romano e as invasões bárbaras, há alteração radical em nossa Histó-

[64] BURNS, 1966, v. 1, p. 256.

[65] HAUSER, 1982, p. 181.

ria, tanto em termos de organização sociopolítica (com o feudalismo) como no âmbito intelectual. A cultura urbana transforma-se em cultura rural e os castelos (depois as cortes e os mosteiros) substituem as cidades como centros culturais. A filosofia grega, já diluída no Império Romano, como que desaparece do cenário da Idade Média, no sentido de que pouquíssimas traduções dos gregos são legadas a esse período, apesar do neoplatonismo que o marcará.

Na Idade Média, as artes eram divididas em **trívio** (gramática, dialética e retórica) e **quadrívio** (aritmética, geometria, música e astronomia).

Na Idade Média, as artes eram divididas em trívio (liberais): gramática, dialética[66] e retórica; e quadrívio (matemáticas): aritmética, geometria, música e astronomia. Mas esses conhecimentos eram considerados profanos, já que a Idade Média foi dominada pela teologia. A Igreja torna-se a instituição detentora do saber, e a fé estabelece-se como o padrão de conhecimento.

Para realizar divisão no espírito filosófico da época, podemos falar de uma teologia sob o regime da gramática (século IX), em que esta era considerada importante para a melhor compreensão das escrituras; uma teologia sob o regime da dialética (século XI), principalmente no estilo de Pedro Abelardo; e uma teologia sob o regime da filosofia (século XIII)[67]. Mas a reflexão filosófica aparece na Idade Média quase sempre determinada em função da teologia, ligada ou subordinada a ela. O conhecimento na Idade Média é de natureza filológica, ou seja, todas as artes e técnicas servem para auxiliar a leitura das Escrituras, para desvendar a palavra de Deus por trás das palavras das Escrituras. A própria realidade era reflexo da mente divina. A verdade estava escrita no mundo e deveria ser desvendada por trás das Escrituras.

Convém lembrar que, paralelamente ao desenvolvimento do espírito medieval "oficial", várias outras manifestações culturais sobrevivem na Idade Média: as civilizações sarracena (muçulmana) e

[66] Alguns nomes foram importantes no estudo da lógica (que se confunde com o estudo da dialética), após a Grécia Clássica e antes da Idade Média, e dentre eles podemos citar os megáricos e estóicos, Cícero (século I a.C.), Galeano (século II), Porfírio (ca. 232-305 a.C.) e Boécio (Anício Manlio Severino, ca. 470-525).

[67] NASCIMENTO, Carlos Arthur. *O que é filosofia medieval*. São Paulo: Brasiliense, 1992. (Primeiros Passos, 261).

bizantina[68] (cristã) — em que os conhecimentos ditos "profanos" encontram-se bem difundidos; uma cultura dita "popular"; certa mitologia; o folclore; as superstições; as ciências ocultas, como a alquimia; a música secular distinta do canto gregoriano (mais rítmica, cantada com acompanhamento instrumental, representada no fim da Idade Média pelos trovadores) etc. A riqueza dessa cultura "popular" teria sido abafada pelo poder do cristianismo, e hoje a redescobrimos, em vários estudos, como se realizássemos um trabalho arqueológico de escavação e desenterrássemos toda forma de vida e de expressão que não nos tivesse sido contada, que não tínhamos permissão de registrar. Como se na Idade Média houvesse história subterrânea, reprimida em sua fala. O cantochão, ou canto gregoriano, por exemplo, nos foi legado em partituras, mas o mesmo não ocorre com a música profana. O *Decameron*, de Giovanni Boccaccio (1313-1375), registra, por exemplo, um mundo de exuberância carnal e anticlerical que não aparece no discurso oficial da Idade Média. Algumas dessas histórias foram reproduzidas por Pier Paolo Pasolini, num filme com o mesmo nome, que até para os padrões morais do início do século XXI mostra-se libertino.

---

[68] "Embora a história bizantina tenha abrangido um período equivalente ao da Idade Média, o padrão cultural era bem diferente ao que dominava na Europa Ocidental. A civilização bizantina possuía um caráter muito mais pronunciadamente oriental. Não só Constantinopla entestava com o Oriente, mas também grande parte dos territórios do Império se localizava fora da Europa. Os mais importantes dentre eles eram: a Síria, a Ásia Menor, a Palestina e o Egito. Além disso, elementos gregos e helenísticos entraram na formação da cultura bizantina em porção maior do que aconteceu na Europa Ocidental. A língua predominante do estado oriental era o grego, ao mesmo tempo que se caracterizavam como profundamente helenísticas as tradições literárias, artísticas e científicas. Por último, o cristianismo do Império Bizantino diferia do da Europa Latina por ser mais místico, abstrato e pessimista, e por estar mais completamente sujeito ao controle político." BURNS, 1966, v. 1, p. 284. Uma das contribuições mais importantes da civilização bizantina foi a codificação das leis romanas, durante o reinado de Justiniano, por meio de uma comissão de juristas supervisionados por seu ministro Triboniano, surgindo então o *Corpus Juris Civilis*, ou "corpo do direito civil". "Embora se conservasse, na verdade, grande parte da antiga teoria, foram introduzidas algumas mudanças fundamentais. Em primeiro lugar, o *jus civile* alcançara uma completa desnacionalização jamais conhecida nos tempos romanos e tornara-se aplicável aos cidadãos das mais diversas nacionalidades. O *jus naturale* era agora tido como divino e, portanto, superior a todos os decretos dos homens — uma concepção que estava destinada a ter larga aceitação na filosofia medieval posterior. Houve também uma tendência dos juristas de Justiniano a falar do imperador como o único legislador, na suposição de que o povo entregara todo o seu poder a ele. Em outras palavras, o direito clássico romano estava sendo revisado para atender às necessidades de um monarca oriental cuja soberania só era limitada pela lei de Deus." NASCIMENTO, 1992, p. 293. Foi o *Corpus Juris*, de Justiniano, que serviu de ponte entre o Direito romano, a segunda metade da Idade Média e a Idade Moderna.

Podemos falar de folclore e superstição na Idade Média apenas porque temos um modelo ou padrão (o discurso do cristianismo) ao qual podemos opô-los, e contra os quais funcionavam como resistência cultural. Hilário Franco Júnior, por exemplo, divide os "mitos" medievais (e aqui os mitos bíblicos são incluídos) em diferentes tipos: etiológicos (que tratavam da origem do mundo, do homem, dos fenômenos naturais e sociais), hierofânicos (que narravam as manifestações de personagens divinas ou semidivinas, heróis e feiticeiros), messiânicos (que apresentavam personagens históricas ou imaginárias como salvadoras da sociedade cristã), escatológicos (que criticavam o presente histórico, descrevendo fenômenos e/ou personagens ligados ao Fim dos Tempos) e edênicos (que falavam do Éden perdido ou de um Paraíso a ser recuperado e/ou conquistado)[69].

Santo Agostinho (354-430) buscou conexão entre a filosofia clássica e o cristianismo. Influenciado por Plotino, foi propagador do neoplatonismo na época medieval. Retoma em suas *Confissões*, por exemplo, a teoria da reminiscência de Platão. Suas idéias de que o homem é um pecador por natureza foram extremamente importantes na Reforma, influenciando Lutero e Calvino. *Cidade de Deus* é sua outra obra-prima.

John Scotus Erígena (ca.810-ca.877), em *A divisão da natureza*, busca também a fusão do cristianismo com o espírito neoplatônico, assim como Santo Anselmo de Canterbury (1033-1109) procura o equilíbrio entre fé e razão.

O nominalista Pedro Abelardo (1079-1142), autor de *Dialética*, estabelece um método de dúvida e questionamento de argumentos baseados na autoridade, fundamentado no trívio, que se tornará essencial na filosofia medieval. Segundo Carlos Arthur Nascimento, as "questões", no estilo de Abelardo, vão se tornar peça indispensável do método de trabalho intelectual nas universidades do século XIII. Tudo será "posto em questão"[70]. Sobre as universidades medievais, Huizinga afirma:

> Todo o funcionamento da Universidade medieval era eminentemente agonístico e lúdico. As intermináveis querelas, correspondendo às atuais discussões científicas e filosóficas em revistas etc., o solene cerimonial que ainda hoje é uma

[69] FRANCO JÚNIOR, 1996, p. 22.

[70] NASCIMENTO, 1992, p. 36.

> característica tão importante na vida universitária, o agrupamento dos especialistas em *nationes*, as divisões e subdivisões, os cismas, os abismos intransponíveis entre as diversas orientações, todos estes fenômenos são próprios da esfera da competição e das regras lúdicas[71].

Pedro Lombardo, em *Os quatro livros das sentenças*, propõe um novo método de leitura das escrituras. Na catedral de Chartres estudam-se as escrituras com base no quadrívio. A abadia de São Vítor também se destaca nesse período, principalmente como movimento místico.

Quando se firma a escolástica, com São Tomás de Aquino (1225-1274), discípulo de Alberto Magno e o mais importante filósofo-teólogo medieval, o cenário da Idade Média está modificado. Já se lêem diversas traduções dos gregos, particularmente de Aristóteles, por intermédio dos árabes; a liberdade de espírito e de pensamento surge nas universidades no século XIII, representando o deslocamento dos centros de estudo das abadias para as catedrais e as cidades; começam a surgir as primeiras monarquias nacionais; ressurgem e desenvolvem-se as cidades; alguns movimentos realizam reformas no catolicismo, como o cluniacense, cartuxo e cisterciense; as ordens de frades (principalmente a dos Franciscanos, fundada por São Francisco de Assis, e a dos Dominicanos, fundada por São Domingos de Gusmão) pregam a simplicidade e acabarão por influenciar o próprio ambiente universitário. Tudo isso põe em xeque a doutrina cristã, não apenas na forma de sua interpretação (para a qual a gramática e a dialética serviam), mas também em seu conteúdo. Nessa época são figuras de destaque: João Fidanza, ou Boaventura (1221-1274), Alberto Magno (ca. 1193-1280), Siger de Brabante (ca. 1235-1281) e Roger Bacon (1214-1294), entre outros. Além do próprio Tomás de Aquino, autor da *Suma teológica*, que busca a unificação da filosofia com a teologia, do pensamento de Aristóteles com as Escrituras, valorizando o mundo sensível como fonte de conhecimento.

A querela dos universais talvez seja uma das questões mais relevantes na Idade Média, e pode ser tomada como referência para boa parte da discussão filosófica moderna e contemporânea. Seu início remonta a Porfírio (234-305), neoplatônico que, em introdução às *Categorias*, de Aristóteles, faz as seguintes perguntas: (a) São os gêneros e

[71] HUIZINGA, 1996, p. 174.

as espécies realidades subsistentes em si mesmas ou simples concepções do espírito? (b) Admitindo que sejam realidades substanciais, são eles corporais ou incorporais? (c) Sendo incorporais, são eles separados das coisas sensíveis ou subsistem apenas nas coisas sensíveis e implicados nelas? Posteriormente, Pedro Abelardo acrescentará uma quarta questão: (d) É necessário que os gêneros e as espécies tenham alguma coisa que se lhes sujeite pela denominação ou, se essas coisas denominadas fossem destruídas, poderia, ainda, o universal consistir apenas na significação da intelecção? Por exemplo, a palavra "rosa", quando nenhuma rosa mais existisse à qual esse termo pudesse ser aplicado?[72]. Ou seja, os universais, os conceitos que nos permitem utilizar, por exemplo, a palavra "homem" para nos referirmos a todos os homens, e não apenas a um homem individual, teriam existência objetiva, para além da mente do sujeito que se utiliza da linguagem?

A corrente realista respondia a essa questão afirmando que os universais tinham algum tipo de existência na realidade, além do próprio pensamento. Já os nominalistas afirmam que os universais são apenas características da linguagem, do pensamento, e não possuem existência na própria realidade. Só os indivíduos existem para os nominalistas. Os conceitos teriam apenas existência mental, subjetiva, e não objetiva.

Essa discussão arrasta-se, desde então, por toda a reflexão ocidental. Retomá-la-emos mais à frente, quando tratarmos de filosofia da linguagem. Contemporaneamente, Hauser procura uma explicação social e mais ampla, tanto quanto radical, para a discussão sobre os universais:

> O problema à volta do qual girou a querela dos universais, não é apenas o problema central da filosofia, nem apenas o problema filosófico por excelência, onde as oposições fundamentais em filosofia — entre empirismo e idealismo, relativismo e absolutismo, individualismo e universalismo, historicismo e anti-historicismo — não passam de variantes; é também algo mais do que um problema meramente filosófico. É, de fato, o resumo dessas questões vitais, que se levantam logo que qualquer espécie de cultura atinge certo desenvolvimento e acerca das quais o indivíduo, logo que tome consciência de si próprio como

72 NASCIMENTO, Carlos Arthur Ribeiro do. A querela dos universais revisitada. In: *Cadernos PUC*. São Paulo: Educ, [19--]. n. 13, Filosofia. p. 38-39. Nesse texto, Carlos Arthur analisa as posições de Abelardo (1079-1142), Tomás de Aquino (1224/25-1274), Duns Scott (1265-1308) e Guilherme de Ockham (ca.1285-1349/50) em face das questões dos universais.

ser espiritual, é chamado a decidir. O nominalismo moderado, que não nega a realidade das idéias, mas que as considera inseparáveis dos fatos apreensíveis pelos sentidos, é a chave de todo o dualismo gótico, tanto para os impulsos do conflito na estrutura econômica e social da época, como para as contradições mais íntimas entre os elementos idealistas e naturalistas da sua arte. A doutrina nominalista representa aqui o mesmo papel que o movimento sofista representou na história da arte e da cultura antigas. Cada um é a doutrina filosófica típica de uma época antitradicional e de espírito mais ou menos liberal. Ambas são filosofias de uma época de esclarecimentos, residindo a sua essência no fato de tratarem como valores relativos, deste modo mutáveis e transitórios, *standards* até então considerados eternos e universalmente válidos. Recusam-se a admitir qualquer validade absoluta, independente das condições individuais.

A transformação das bases filosóficas das concepções medievais pela substituição de uma metafísica nominalista por uma metafísica realista só pode ser explicada em referência ao seu fundo sociológico. O realismo era apropriado a uma ordem social essencialmente não democrática, a uma hierarquia na qual só contavam os grandes, as organizações absolutistas que transcendiam o individual e confinavam a vida dentro do âmbito da Igreja e do Feudalismo, sem permitir qualquer liberdade de movimentos. Por outro lado, o nominalismo refletia a dissolução das formas autoritárias da comunidade e o triunfo de uma vida social edificada fora das infinitas gradações individuais, baseada na subordinação incondicional do indivíduo. O realismo é a expressão de um conservantismo estático; o nominalismo a de um aspecto progressivo, dinâmico e liberal. O nominalismo, que reclama para cada objeto em particular uma parcela de existência, corresponde a uma ordem de vida em que mesmo os elementos das mais baixas camadas têm a sua possibilidade de acesso[73].

Em 7 de março de 1277, o bispo de Paris, Estêvão Tempier, condena 219 teses sobre os mais diversos assuntos, o que se constitui num marco simbólico na Idade Média. Duns Scott (1266-1308) e o nominalista Guilherme de Ockham (ca. 1290-1349) são figuras de destaque a partir de então, que exercitam a separação entre filosofia e teologia, e lançam as bases para o progresso científico da Idade Moderna. Lógica, teoria do conhecimento e filosofia da linguagem tornam-se domínios primordiais na reflexão filosófica. É possível agora estudos que acabarão por resultar na mecânica e na dinâmica, e que apresentam relações com a obra de Galileu. Isso

[73] HAUSER, 1982, p. 319-320.

ocorre paralelamente à decadência da teologia e à peste negra, o que aos poucos vai desestruturando o universo medieval e construindo os fundamentos para o Renascimento.

Embora não se constitua propriamente como obra filosófica, devemos destacar a importância da *Divina comédia*, de Dante Alighieri, como representação magnífica das tensões e contradições do espírito medieval.

1.1.4 Filosofia Moderna e Contemporânea

> [...] o livro facilmente e abundantemente reproduzido significava a possibilidade, desde então irrefreável e infinita, do livre exame, do espírito científico e objetivo, da discussão inesgotável de todos os problemas, da vida individual então possível para cada um. O mundo moderno começava.[74]

1.1.4.1 O Renascimento

O Renascimento, assim como a Idade Média, não pode ser tomado como um momento histórico uno e claramente demarcado. O nominalismo medieval, por exemplo, tem sido destacado como essencial para o espírito naturalista e científico do Renascimento. A civilização sarracena e a bizantina (cujos monges e sábios trazem seus manuscritos helênicos para o Ocidente após a tomada de Constantinopla pelos turcos, renovando assim o interesse pelos estudos clássicos nos mosteiros e nas catedrais), o desenvolvimento do comércio, o crescimento das cidades, as universidades e suas bibliotecas, o surgimento da impressão tipográfica, entre outros fatos em geral tidos como determinantes do espírito renascentista, anunciam-se todos na segunda parte da Idade Média.

A utilização do papel como substituto do pergaminho pode ser destacada como uma das mais importantes inovações do Renascimento:

> A introdução e a vulgarização do papel na Europa decidiu dos destinos da nossa civilização porque ele vinha responder às necessidades que todos sentiam de um material barato, praticamente inesgotável, capaz de substituir com infinitas vantagens o precioso pergaminho. A 'democratização' da cultura é, antes de mais nada, o resultado dessa substituição: pode-se dizer que, sem o papel, o humanismo não teria exercido a sua enorme influência. Toda a fisionomia de um mundo estaria, então, completamente mudada[75].

[74] MARTINS, 1996, p. 167.
[75] Ibid., p. 115.

Podemos afirmar que, com o Renascimento, o homem volta a ocupar o lugar central do pensamento. Por isso podemos falar em humanismo renascentista. O homem prático (artistas e artesãos) predomina sobre os homens meditativos. Os filósofos são menos importantes nesse período: "A impressão comum de que a Renascença representa em todos os campos nítido progresso em relação à Idade Média não corresponde rigorosamente à verdade. Tal não se deu, em especial, no campo da filosofia"[76].

Podemos, de qualquer maneira, distinguir algumas correntes filosóficas no Renascimento: o neoplatonismo (principalmente com Marcílio Ficino[77]), os averroístas (que liam Aristóteles como um filósofo naturalista), os sábios ou cientistas (cujo modelo é o grego Arquimedes, 287-212 a.C., considerado o maior matemático da Antigüidade), os moralistas e os políticos (cujo expoente é Maquiavel, que estudaremos mais à frente).

Mas nenhuma dessas correntes filosóficas pode ser comparada à importância do progresso na anatomia e na medicina após a Idade Média; ao espírito geral panteísta do Renascimento; ao novo método científico e empírico de livre exame que se impõe a partir desse momento; à substituição da visão geocêntrica pela visão heliocêntrica (aperfeiçoada por Kepler); às obras de Isaac Newton; à Reforma protestante associada a interesses comerciais, com Lutero, na Alemanha, Calvino, na Suíça, Henrique VIII, na Inglaterra, e John Knox, na Escócia (o que, com a proliferação de diferentes seitas contrárias ao cristianismo, acabou contribuindo para um clima de maior tolerância religiosa e individualismo); à Contra-Reforma católica e ao Concílio de Trento; à importância dos jesuítas como propagadores da fé fora da Europa;

---

76 BURNS, 1966, v. 1, p. 412.

77 Giordano Bruno (1548-1600) é uma importante figura do neoplatonismo italiano, não apenas por sua filosofia, mas principalmente por sua história de vida, de confrontação constante com a Igreja. Bruno criticava tanto os reformadores quanto o catolicismo e o judaísmo. Como precursor da ciência moderna, defendia a tese do heliocentrismo do astrônomo polonês Nicolau Copérnico, assim como a idéia da infinidade de mundos e da eternidade do Universo, além de reviver o atomismo. Passa oito anos preso, até ser condenado à fogueira. O filme *Giordano Bruno*, do diretor Giuliano Montaldo, com Gian Maria Volonté no papel do filósofo, mostra com extrema beleza não apenas os percalços de sua vida de perseguições e fugas constantes, mas também toda uma estrutura religiosa em pleno desmoronamento, além da tentativa de controlar e reprimir quaisquer idéias que viessem a questionar as regras e doutrinas da Igreja. É a filmagem da tentativa desesperada de resistência do que ainda resta da Idade Média ante o espírito individualista e livre que começa a formar-se com o Renascimento, e que caracterizará nossa Idade Moderna.

às barbaridades da Inquisição e à resistência ao progresso da ciência e à própria razão; à Revolução Comercial, ao mercantilismo e aos descobrimentos marítimos; ao espírito nacionalista do Renascimento, precursor do Absolutismo; ao surgimento das línguas nacionais em substituição ao latim; ao Humanismo de Erasmo de Roterdã; à incrível personalidade de Leonardo da Vinci; às descobertas de Galileu Galilei; ao pensamento experimental e científico de Francis Bacon; ao desenvolvimento das artes (principalmente na pintura, escultura e música); aos franceses Rabelais e Montaigne; ao *Dom Quixote*, de Cervantes; à *Utopia*, de Thomas More; à extensa e maravilhosa obra de Shakespeare etc. O Renascimento é, curiosamente, o movimento essencial na história da razão ocidental, mas a filosofia, em seu sentido mais estrito, parece banida de seu desenrolar. E o individualismo, que como veremos começará a delinear-se no discurso filosófico a partir de Descartes e que marcará toda nossa Idade Moderna e Contemporânea, já aparece nas mais diversas manifestações do Renascimento de forma decisiva.

1.1.4.2 Os Nomes da Filosofia Moderna e Contemporânea

As discussões filosóficas a partir do que costumamos chamar de Idade Moderna encontram-se em geral bem mais próximas das necessidades e experiências do homem contemporâneo, em comparação com a filosofia antiga e medieval. Além disso, em grande parte temos conservadas todas as obras produzidas pelos filósofos. Portanto, em nosso livro a maior parte da atenção é dedicada à filosofia moderna e contemporânea, com retomada da lógica de Aristóteles.

Na filosofia, a partir da modernidade, alguns nomes destacam-se tanto, seja pela qualidade e originalidade de sua obra, seja pela importância que adquiriram com o tempo, que se acaba, em geral, traçando a história da filosofia moderna como se ela se caracterizasse como um diálogo entre alguns pensadores. O subtítulo da obra *História da filosofia*, de Will Durant, é, nesse sentido, significativo: "Vida e idéias dos grandes filósofos". Com exceção de Platão e Aristóteles, todos os outros nomes aqui incluídos, desde Francis Bacon, são considerados filósofos modernos ou contemporâneos. Segue apenas um brevíssimo panorama, em que se destacam alguns filósofos e movimentos que serão, em sua maioria, estudados com mais detalhes à frente.

René Descartes (1596-1650) constitui-se no marco da filosofia moderna. Uma vez que sua ênfase na razão e no mundo sensível, como fontes de conhecimento, determinará todo o futuro da reflexão filosófica, sua teoria do conhecimento será estudada à parte. A matemática é essencial em seu pensamento, assim como a metafísica.

Baruch Spinoza, filósofo holandês (1632-1677), é outro nome de destaque na história da filosofia moderna[78]. A ética e a metafísica são os traços mais importantes de sua obra. Sua *Ética* é um dos trabalhos mais influentes na filosofia ocidental. Ela é apresentada como um sistema dedutivo, à maneira de Euclides, geômetra da Grécia Antiga que viveu no século III a.C.

Gottfried Wilhelm Leibniz (1646-1716), filósofo e matemático alemão, é outro nome que deve também ser lembrado. Para ele, a mônada seria a substância simples que comporia tanto o mundo espiritual quanto o material. O processo cognitivo, segundo Leibniz, dar-se-ia por meio da memória, da razão e do sentido. Leibniz será essencial no desenvolvimento da lógica, principalmente a lógica simbólica.

O empirismo inglês, com John Locke, George Berkeley e David Hume, também será estudado à parte como modelo essencial da teoria do conhecimento.

A filosofia política e ética de Jean-Jacques Rousseau (1712-1778), escritor e pensador suíço de língua francesa, merece também ser lembrada, e será estudada em filosofia do direito.

O idealismo alemão, principalmente com Immanuel Kant (1724-1804) e Georg Wilhelm Friedrich Hegel (1770-1831), será retomado em teoria do conhecimento, pela decisiva importância na discussão filosófica contemporânea. Outros nomes de destaque no idealismo são Johann Gottlieb Fichte (1762-1814) e Friedrich Wilhelm Schelling (1775-1854).

Nome um tanto quanto ímpar na história da filosofia é o do pensador alemão Arthur Schopenhauer (1788-1860). Sua filosofia pessimista influenciará sobremaneira, por exemplo, tanto o simbolismo francês quanto a literatura portuguesa. Sua influência sobre o pensamento de Nietzsche é também decisiva. *O Mundo como vontade e representação* é sua obra-prima.

---

[78] Uma referência importante em português sobre o autor é a monumental obra da filósofa brasileira Marilena Chaui, *A nervura do real*: imanência e liberdade em Spinoza. São Paulo: Companhia das Letras, 1999.

O positivismo do filósofo francês Auguste Comte (1798-1857) é igualmente importante na definição das diretrizes filosóficas do século XX, principalmente em suas relações com a Revolução Industrial e o início da sociologia como ciência. Cabe lembrar que o positivismo exercerá enorme influência no Brasil.

A fenomenologia existencial destaca a existência do homem como um dos mais importantes fenômenos filosóficos, e será também estudada à parte, como modelo de teoria do conhecimento. Sob esta classificação são às vezes incluídos nomes distintos e essenciais, como os de Sören Aabye Kierkegaard (1813-1855), Edmund Husserl (1859-1938), Martin Heidegger (1889-1976), Jean-Paul Sartre (1905-1980) e Friedrich Wilhelm Nietzsche (1844-1900).

Outro nome importante da filosofia contemporânea é Henri Louis Bergson, filósofo francês (1859-1941). Sua obra é crítica do intelectualismo, da razão e das concepções puramente mecânicas do mundo. A realidade, segundo Bergson, deveria ser intuída (pela arte ou pela filosofia), e não apenas analisada (pela ciência). A seguinte classificação do campo da administração, realizada por Dimock, é interessante quando cotejada com esta sugestão de Bergson:

> Há uma afinidade entre Técnica e Ciência, de um lado, e Arte e Filosofia, de outro. A Administração, em seus escalões mais elevados, é temperamental e criadora, exatamente como todas as formas de expressão artística são temperamentais e criadoras. Porém, qualquer Filosofia de Administração deve estar apta a passar pela prova de fogo da Ciência: deve ser capaz de validade empírica, isto é, de julgar pelos resultados, e deve ser também capaz de posterior previsão e planejamento.
>
> Todavia, até aqui já nos lançamos na direção das ciências. Seria interessante, agora, chegarmos à conclusão de que Administração é, essencialmente, uma das Humanidades. A Administração está, ou pelo menos deveria estar, ligada a matérias como a Filosofia, a Literatura, a História e a Arte, e não simplesmente à Engenharia, às Finanças e à Organização. Já está sendo objeto de atenção, ainda que só ultimamente, esta necessidade, o que se evidencia nas decisões das grandes empresas, como a *Bell System* que, recentemente, uniu seus esforços aos programas educacionais de grandes instituições, como os da Universidade da Pensilvânia. Ali, são ministrados cursos de desenvolvimento a executivos experimentados compreendendo Literatura, Arte e Filosofia. E, por que não? Administração significa administradores. Os administradores tornam-se cada vez mais humanos e filósofos, capazes de planejar programas objetivos, que satisfaçam as necessida-

des e aspirações humanas, quando reúnem áreas de conhecimento e habilidade que acentuam o caráter humano do indivíduo e seus horizontes filosóficos[79].

Podemos ainda destacar um movimento de filosofia da linguagem associado à lógica e à filosofia das ciências, cujos expoentes modernos seriam Charles Sanders Peirce (1839-1914), Bertrand Russel (1872-1970), Ludwig Wittgenstein (1889-1951) e Karl Rudolf Carnap (1891-1970), entre outros, mas que tem existência por toda a história da filosofia, desde os gregos até as teorias lingüísticas contemporâneas. Por esse motivo, será também estudado à parte, como um dos tópicos principais de nosso trabalho.

O marxismo, desde Ludwig Andreas Feuerbach (1804-1872), Friedrich Engels (1820-1895) e o próprio Karl Marx (1818-1883), passando por Lenin (1870-1924), Mao-Tsé-Tung e os revisionistas, como Antonio Gramsci (1891-1937), Herbert Marcuse (1898-1979) e Theodor W. Adorno (1903-1969), será estudado na seção sobre filosofia política, devido ao seu valor decisivo para a filosofia contemporânea.

Para finalizar, cabe uma observação importante: a filosofia moderna e contemporânea confunde-se com vários outros ramos do conhecimento, como psicologia, antropologia e sociologia, a ponto de em muitos casos tornar-se quase impossível separar o discurso filosófico do discurso das outras ciências. Freud, Jung e Saussure são alguns dos nomes que não pertencem tradicionalmente ao campo da história da filosofia, mas que participarão, em diversos momentos, de nosso texto. Procuraremos, a partir de agora, posicionar-nos em algumas dessas fronteiras, principalmente aquelas que se revestem de maior interesse para um administrador de empresas, ou mesmo aquelas em que o discurso filosófico e a teoria da administração (ou das ciências que lhe servem de base) se encontram e se influenciam.

1.2 A Relação Sujeito – Objeto

> Assim, há realmente um sentido em que se pode, em filosofia, falar não psicologicamente do eu. O eu entra na filosofia pela via de que 'o mundo é meu mundo'.
>
> O eu filosófico não é o homem, não é o corpo humano, ou a alma humana, de que trata a psicologia, mas o sujeito metafísico, o limite — não uma parte — do mundo.[80]

---

79 DIMOCK, Marshall E. *Filosofia da administração*. Tradução Diógenes Machado e Arnaldo Carneiro da Rocha Netto. Rio de Janeiro: Fundo de Cultura, 1967. p. 19-20.

80 WITTGENSTEIN, 1994, p. 247, 5.641.

Antes de passarmos aos tópicos de maior interesse para nosso trabalho (lógica, filosofia da linguagem, teoria do conhecimento e ética), gostaríamos de realizar uma reflexão sobre a questão que nos parece uma das mais importantes da filosofia, a saber, o trabalho com os conceitos de *sujeito* e *objeto*. Explorar esses dois conceitos, como exercício de unificação de vocabulário filosófico, parece-nos uma tarefa não apenas útil como imprescindível para o sucesso de nosso projeto. "Sujeito" não tem, em filosofia, o sentido que normalmente associamos a esse vocábulo em português, como podemos observar pela citação de Wittgenstein. Será preciso inicialmente depurar um pouco os conceitos de sujeito e objeto.

Sujeito e objeto indicam, em geral, duas posições possíveis na atividade de conhecimento. O sujeito é aquele que conhece; o objeto é tudo aquilo que é apreendido pelo sujeito do conhecimento, por meio da razão ou dos sentidos. Portanto, um ser humano, uma pessoa qualquer, pode ser objeto em filosofia, pode ser objeto do conhecimento (das ciências humanas, por exemplo, como a história, a sociologia, a antropologia e a psicologia)[81].

O que é ou pode ser conhecido, pensado ou representado, é objeto. Já o ato de conhecer, pensar ou representar caracteriza-se justamente como um ato do sujeito, do outro pólo do conhecimento. Como afirma Miguel Reale: "Toda vez que falamos em conhecimento, envolvemos dois termos: — o sujeito que conhece, e algo de que se tem ou de que se *quer* ter ciência. Algo, se passível de conhecimento, chama-se *objeto*, que é assim, o resultado possível de nossa atividade cognoscitiva"[82].

---

[81] "O sujeito, porém, nunca deixa de existir, pois é sujeito de conhecimento. Existindo, ele se coloca como *indivíduo* e, como tal, é um *singular* que pode, por sua vez, tornar-se objeto de conhecimento. Em suma, ele próprio se torna objeto de conhecimento e a relação *sujeito – objeto* se transforma, pois o objeto é o próprio sujeito que raciocina. Podemos exprimir a nova relação da seguinte maneira: sujeito (conhecedor)/objeto (sujeito de conhecimento). Assim, o homem se torna o objeto da própria investigação científica que ele faz, e, à medida que ele passa a aplicar o método próprio das ciências positivas, não estaremos mais diante das ciências da matéria, mas diante das ciências do homem, também designadas pelo nome de ciências humanas, em razão do seu objeto que outro não é senão o próprio homem. Com as ciências da matéria exercemos o raciocínio no nível do empirismo e do materialismo. Tomando o homem como objeto, as ciências passam para um outro plano (embora mantenham o mesmo modo de operar): o plano do homem *moral* e *interior*, no qual se manifestam *espírito* e *liberdade*. Estamos, assim, diante das ciências do homem que constituem um grupo de estudo cuja unidade intrínseca é a referência ao homem e que têm como objeto próprio e específico o espírito humano e as relações sociais." CHARBONNEAU, Paul-Eugène. *Curso de filosofia*: lógica e metodologia. São Paulo: EPU, 1986. p. 98-99.

[82] REALE, 1996, p. 53.

E aqui chegamos a uma distinção radical: os conceitos de sujeito e objeto implicam uma divisão fundamental na atividade de conhecimento que, em princípio, não pareceria causar-nos nenhum problema. No conhecimento, atuam dois pólos, dois elementos essenciais: o sujeito, de um lado, isto é, aquele que é efetivamente ativo durante o conhecimento, aquele que pratica o ato de conhecimento, que conhece, poderíamos dizer; e o objeto, de outro lado, ou seja, o pólo impassível, que não tem atividade ao longo do ato do conhecimento, que simplesmente se presta ao sujeito, entrega-se para ser conhecido.

Exageramos com certeza no último parágrafo, na delimitação e caracterização dos dois termos. A idéia de sujeito e objeto do conhecimento dinâmicos, por exemplo, é comumente aceita em filosofia. David Hume, no século XVIII, já afirmava: "Os objetos são demasiadamente sutis para manterem durante muito tempo o mesmo aspecto e situação; e devem ser apreendidos num rápido instante, por uma penetração superior derivada da natureza e aperfeiçoada pelo hábito e pela reflexão"[83]. Mas exageramos justamente para pincelar os problemas que podem advir da simples divisão de uma atividade, como o conhecimento, em dois pólos estanques. Não exageraríamos em afirmar que essa é uma das questões essenciais da filosofia, talvez a questão filosófica por excelência: quais os limites entre sujeito e objeto? Há limites? Esses limites são reais ou apenas criação da mente humana? (Podemos lembrar aqui a querela medieval dos universais — os universais existem apenas para o sujeito ou são objetos da própria realidade? Têm sua existência delimitada à mente do sujeito ou sua existência estende-se à realidade, aos próprios objetos, e são então percebidos pelo sujeito?) Cada filósofo, cada movimento, cada época tenderá a responder a essa questão de forma diferente. Nos dois extremos, teríamos as seguintes posições: de um lado, sujeito e objeto são a realidade do conhecimento, os dois pólos que interagem nesse ato nobre e constitutivo do ser humano, como animal racional; de outro lado, sujeito e objeto são puras imagens, ilusões, invenções do pensamento humano, o próprio conhecimento é uma ilusão, e a separação gerada pela razão entre o homem, de um lado, e o mundo e as coisas, de outro lado, seria nociva ao próprio ser humano — Nietzsche talvez seja o maior representante dessa linhagem.

---

[83] *Investigação sobre o entendimento humano*. Tradução Leonel Vallandro. São Paulo: Abril Cultural, 1973. p. 132. (Os Pensadores, XXIII, obras de George Berkeley e David Hume).

A filosofia oriental, em oposição à ocidental, apresenta-se como outra forma de pensamento, em que essa divisão radical entre sujeito e objeto é evitada. As palavras de Jung, nesse sentido, são ricas de significados:

> O desenvolvimento da filosofia ocidental nos dois últimos séculos teve como resultado o isolamento do espírito em sua própria esfera e a ruptura de sua unidade original com o universo. O próprio homem deixou de ser o microcosmos, e sua alma já não é mais a 'scintilla' consubstancial ou uma centelha da 'anima mundi' [da alma do mundo][84].

Podemos ampliar a temporalidade exposta por Jung retornando aos pré-socráticos, ao início da filosofia ocidental, e lembrar do comentário de Hegel à proposição de Tales de Mileto, de que a água é o elemento primordial do universo: "Começa aqui um distanciar-se daquilo que é em nossa percepção sensível; um afastar-se desse ente imediato — um recuar diante dele".

O espanto e a admiração causariam um movimento de separação e distanciamento entre o homem e o objeto desse espanto ou dessa admiração, e desse movimento de distanciamento como que se constituiriam as noções de sujeito e objeto, da forma como as entendemos nós, ocidentais. Eduardo Prado de Mendonça traça uma interessante comparação acerca disso:

> Achamos natural que um atleta recue e tome distância para apanhar impulso e saltar um obstáculo; e, no entanto, é comum estranhar que se proponha um recuo reflexivo, à procura de maior apoio e fundamento para sobrepujar os problemas, que são os obstáculos da existência humana. Vivemos presos ao imediato. À medida que o homem mais desconhece a razão de ser de sua vida, tanto mais ele se agarra às pequeninas coisas do cotidiano[85].

Freud, em *O mal-estar na civilização*, fala de um **sentimento oceânico**, de indiferenciação e continuidade entre o bebê e o mundo, que começaria a ser desestruturado, lentamente, passo a passo, pelos momentos em que a alteridade[86] do mundo, das coisas e dos

---

[84] JUNG, Carl Gustav. *Psicologia e religião oriental*. Tradução Pe. Dom Mateus Ramalho Rocha. 2. ed. Petrópolis: Vozes, 1982. p. 1.

[85] MENDONÇA, Eduardo Prado de. *O mundo precisa de filosofia*. 11. ed. Rio de Janeiro: Agir, 1996. p. 20.

[86] Característica de ser outro, reconhecimento do outro como distinto de nós mesmos.

objetos começa a ser percebida pelo bebê (o seio da mãe que falta em alguns momentos de choro, por exemplo). Para Freud, esse sentimento que todo ser humano teria vivenciado seria a origem e a explicação do sentimento religioso (*religar*).

A psicanálise instituiu uma cisão na identidade de um dos pólos do conhecimento, o sujeito, com o conceito de inconsciente. A noção de inconsciente tornou-se essencial também em filosofia, obrigando-nos a repensar radicalmente toda a teoria do conhecimento, todos os fundamentos sobre os quais erigíamos nossa visão de mundo, a própria relação sujeito–objeto. Por isso merecerá estudo específico em nosso livro. Afinal, o sujeito não é mais uno, ele mesmo se encontra cindido entre elementos conscientes e inconscientes. Sua própria psique é formada por partes distintas, como ego, id e superego.

Jung, discípulo de Freud, introduzirá ainda mais cisão e confusão nessa identidade pressuposta pela filosofia. Nosso inconsciente não seria formado apenas por elementos individuais ou pessoais, reprimidos na infância. Possuiríamos também alguns conteúdos universais, arquétipos, imagens primordiais, categorias herdadas, que formariam o que Jung denominará **inconsciente coletivo**[87]. Assim, o sujeito não é tão distinto dos outros sujeitos, não existem linhas demarcatórias tão claras, possuímos em nós mesmos também elementos compartilhados pelos demais sujeitos.

Para alguns, o sujeito possuiria inteligências distintas e independentes. Claude Hagège fala em três inteligências: sensório-motora, representativa e conceptual[88]. Lyotard fala de diversos saberes, diversas competências constitutivas do sujeito[89]. Howard Gardner crê ser possível identificar no ser humano pelo menos sete tipos distintos de inteligência, ou de formas como o ser humano resolve problemas ou elabora produtos, num determinado ambiente ou comunidade cultural; seriam as inteligências musical, corporal-cinestésica, lógico-matemática, lingüística, espacial, interpessoal e intrapessoal[90].

---

87 JUNG, Carl Gustav. *O eu e o inconsciente*. Tradução Dora Ferreira da Silva. 4. ed. Petrópolis: Vozes, 1984. p. 13.

88 HAGÈGE, 1990, p. 91-92.

89 LYOTARD, Jean-François. *A condição pós-moderna*. Tradução José Bragança de Miranda. 2. ed. Lisboa: Gradiva, 1989. p. 47.

90 GARDNER, Howard. *Inteligências múltiplas*: a teoria na prática. Tradução Maria Adriana Veríssimo Veronese. Porto Alegre: Artes Médicas, 1995. p. 21.

Podemos lembrar-nos de que, para o homem grego, a noção de sujeito não tinha o sentido de individualidade que possui para nós, hoje: o sujeito era entendido como constitutivamente político, como ser social; seu conceito não era separado de sua vida como cidadão. Com exceção talvez da filosofia moral pós-aristotélica, o sujeito grego não admitia, em sua construção conceitual, a idéia do sujeito existencialista, do sujeito individual, alienado, isolado, que encontramos na cultura moderna. É importante notar que não estamos falando, aqui, simplesmente de uma visão de mundo grega, que seria contrária a essa idéia do sujeito moderno; estamos falando, sim, de uma concepção de sujeito na Grécia, na qual não existia espaço para o nosso conceito moderno, de um sistema de idéias e práticas sociais em que a idéia de sujeito, tal qual a entendemos hoje, não era passível de visualização, não se encaixava, não podia nem mesmo ser criticada. Se retornássemos no túnel do tempo e tentássemos explicar a um grego antigo o que entendemos por sujeito hoje, sua postura não seria de contrapor à nossa idéia aquela que eles mesmos possuíam em sua época: o resultado seria a incompreensão. Nossa concepção de sujeito não seria entendida, teríamos um momento de dissociação cognitiva, de desencontro intelectual — as bases sociais, filosóficas e políticas que fundamentam a nossa idéia moderna de sujeito não existiam para os gregos. Veremos, neste livro, quais foram essas bases que fundaram a modernidade a partir do filósofo francês René Descartes.

Na verdade, na Grécia, três conceitos eram indissociáveis, como observamos anteriormente: pensamento, linguagem e ser. Entre o ato cognitivo do sujeito, seu ato discursivo e os próprios objetos do conhecimento, existia a continuidade semântica para os gregos, de forma que o sentido de separação e delimitação que esses elementos possuem hoje, para nós, ocidentais, seria também incompreensível para o mundo grego.

Na Idade Média, como observamos, a idéia de sujeito aparece indissociável da religião, da fé e do cristianismo. O sujeito medieval é constitutivamente religioso, e novamente não encontramos aqui duas idéias distintas unidas, o indivíduo e a religião — na realidade, temos uma só idéia, do sujeito cristão, inquebrável, inviolável, impenetrável, sem fissuras, sem brechas semânticas.

Um dos elementos cruciais na formação das noções contemporâneas de *sujeito* e de *individualismo*, até mesmo das idéias de *autor* e *público*, é o surgimento da tipografia e o próprio formato portátil do livro, em substituição às formas de escrita em papiros e pergaminhos[91].

Contemporaneamente, Paul Charbonneau, por exemplo, diferencia a filosofia da ciência utilizando-se da oposição entre os conceitos de *sujeito* e *objeto*:

> A diferença entre o cientista e o filósofo é, portanto, fácil de perceber. O cientista se fixa sobre o objeto sem olhar a maneira com que o atinge. A maiêutica lhe é, pois, estranha e dispensável. O filósofo centraliza sua atenção sobre o sujeito que conhece e sobre as atividades do espírito, acionadas para apreender seu objeto. Do cientista ao filósofo é completamente diferente a atitude do espírito. A filosofia é uma *reflexão* do espírito sobre o trabalho do espírito. A ciência é uma *flexão* sobre o objeto sobre o qual ele se debruça[92].

É claro que tanto na Grécia quanto na Idade Média as noções de sujeito expostas aqui apresentam flutuações, exceções, variações. E justamente o que tentaremos acompanhar, com nosso trabalho, são esses movimentos semânticos movediços na modernidade, em que conceitos aparentemente tão simples quanto, por exemplo, sujeito e objeto, vão-se construindo e se constituindo na civilização ocidental, até chegarmos à sociedade da informática, que nos coloca muitas novas questões. As interrogações seguintes, e o próprio livro de Pierre Lévy, são nesse sentido essenciais e podem encerrar essa discussão:

> O que acontece com a distinção bem marcada entre o sujeito e o objeto do conhecimento quando nosso pensamento encontra-se profundamente moldado por dispositivos materiais e coletivos sociotécnicos? Instituições e máquinas informacionais se entrelaçam no íntimo do sujeito. A progressão multiforme das tecnologias da mente e dos meios de comunicação pode ser interpretada como um *processo metafísico molecular*, redistribuindo sem descanso as relações entre sujeitos individuais, objetos e coletivos. Quem pensa? É o sujeito nu e monádico, face ao objeto? São os grupos intersubjetivos? Ou ainda as estruturas, as línguas, as *epistemes* ou os inconscientes sociais que pensam em nós?[93]

---

91 Marshall McLuhan aborda essas questões em seu *A galáxia de Gutenberg*, p. 280-283, e Wilson Martins em *A palavra escrita*, passim.

92 CHARBONNEAU, 1986, p. 15-16.

93 LÉVY, 1993, p. 10-11.

Capítulo 2

LÓGICA

"O estudo da lógica é o estudo dos métodos e princípios usados para distinguir o raciocínio correto do incorreto."[1]

A lógica talvez seja o ramo da filosofia de maior importância na formação de um administrador. Seu estudo desenvolve a capacidade de raciocínio e de abstração, habilidades essenciais. A lógica pode ser estudada como disciplina básica para a matemática, a estatística, a ciência da computação, a linguagem em geral, a psicanálise, o planejamento estratégico, as finanças etc. Poder-se-ia mesmo imaginar o ensino de filosofia, em administração, circunscrito apenas à lógica, em suas mais diversas modalidades. Ademais, hoje admite-se a hipótese do caráter histórico e dialético da lógica, da existência de várias lógicas, de várias construções lógicas, que permitiriam uma escolha determinada pelo tema estudado, pelo objeto ao qual se pretenda aplicá-las. Nessa perspectiva, poderíamos utilizar lógicas distintas para cobrir as diversas áreas de conhecimento envolvidas pela administração (marketing, finanças, recursos humanos etc.)[2].

Dividimos o nosso estudo da lógica em alguns tópicos, que consideramos mais importantes. Procuramos, também, reduzir a quantidade de conceitos prontos, fixos, determinados. Em alguns casos,

---

[1] COPI, Irving Marmer. *Introdução à lógica*. Tradução Álvaro Cabral. 3. ed. São Paulo: Mestre Jou, 1981. p. 19. É importante notar que Newton Costa, em seu *Ensaio sobre os fundamentos da lógica*, relativiza essa posição, afirmando que esse seria apenas um dos objetivos da lógica.

[2] Como exemplo nesse sentido, veja CARVALHO, Fábio Romeu de. *Lógica paraconsistente anotada no auxílio às tomadas de decisão na administração de uma universidade*. 2000. Dissertação (Mestrado) — Faculdade de Filosofia, Letras e Ciências Humanas, Universidade de São Paulo, São Paulo, 2000.

trabalharemos na definição de conceitos, mas o próprio exercício da definição, mais do que o sentido final alcançado e exposto, caracteriza-se como o ponto de maior interesse.

Como a lógica procura desenvolver nossa capacidade de raciocinar corretamente, dois caminhos são de imediato visíveis para o seu estudo: praticar os mecanismos de raciocínio corretos (como os silogismos) e estudar algumas formas mais importantes de raciocínios incorretos (as falácias). Faremos as duas coisas.

Vale uma breve consideração histórica. O grande progresso da lógica, na Grécia, dá-se com o desenvolvimento da geometria, que passa a ser estudada não mais apenas em seu caráter intuitivo e empírico, mas como ciência demonstrativa. Como afirma Kneale, "[...] a elaboração de uma teoria dedutiva envolve a relação de conseqüência lógica ou implicação. Historicamente a geometria foi o primeiro ramo do conhecimento a ser apresentado desta maneira [...]"[3]. Considera-se que Tales de Mileto tenha demonstrado o primeiro teorema em geometria. Existiram tratados de geometria sob a forma dedutiva antes de Euclides (século III a.C.), mas os 13 volumes de *Os elementos* são o primeiro livro, nessa forma, que chegou até nós, sintetizando o conhecimento geométrico e aritmético da época e propondo seus conhecidos postulados e axiomas. No rastro de *Os elementos* fundou-se o que se costuma chamar de geometria euclidiana.

A lógica aristotélica possui três princípios básicos: princípio da **identidade**, princípio da **não-contradição** e princípio do **terceiro excluído**.

Aristóteles será aqui retomado, pela incrível influência que exerce nesse ramo da filosofia, praticamente até hoje. Alguns de seus escritos que tratavam do raciocínio, incluindo provavelmente notas de aulas, foram reunidos após sua morte por seus alunos sob o nome de *Organon*. O *Organon* é composto dos seguintes livros: *Categorias* (em que Aristóteles expõe as dez categorias), *Tópicos* (em que se estudam as discussões dialéticas — com um apêndice intitulado *De sophisticis elenchis*), *Peri hermeneias* (chamado desde o Renascimento *De interpretatione*), *Primeiros analíticos* (em que aparece a teoria aristotélica sobre os silogismos) e *Segundos analíticos*.

Na lógica aristotélica, três princípios são fundamentais para reger o raciocínio: o princípio da identidade (A = A), da não-contradição (A ≠ não-A; se A é verdadeiro, não-A é falso, e vice-versa) e

[3] KNEALE, William; KNEALE, Martha. *O desenvolvimento da lógica*. Tradução M. S. Lourenço. 3. ed. Lisboa: Fundação Calouste-Gulbenkian, 1991. p. 6.

do terceiro excluído (é preciso ser A ou não-A, não existe uma terceira possibilidade). Aristóteles desenvolve principalmente a lógica silogística. Além disso, levanta alguns aspectos da lógica modal e da lógica hipotética, que estudaremos mais à frente.

As lógicas Antiga e Medieval possuem alguns pontos comuns:

> As sistematizações das leis ideais do pensamento, elaboradas pela filosofia antiga e pelos lógicos da Idade Média, podem ser sintetizadas em torno de quatro características fundamentais. São bivalentes, admitindo como valores lógicos apenas o verdadeiro e o falso; são normativas, apoiando-se no pressuposto de que o verdadeiro deve ser procurado, e o falso, evitado; vinculam-se a uma metafísica essencialista, supondo que os conceitos lógicos expressem a própria realidade dos seres; permanecem quase completamente presas ao âmbito da linguagem corrente[4].

Um movimento mais recente funda uma lógica simbólica, mais próxima das ciências matemáticas, que superaria as limitações da lógica clássica e evitaria os deslizes da linguagem verbal, a contaminação e imprecisão da linguagem vulgar, por meio de rigorosa formalização.

As origens da lógica simbólica remontam à obra de Leibniz (1646-1716) e seu projeto de linguagem artificial. Deve-se destacar, no movimento da lógica simbólica, o **logicismo**, em que se busca a aritmetização da matemática e se observa o surgimento das geometrias não euclidianas, que estudam o espaço como estrutura lógica abstrata, o espaço curvo ou com múltiplas dimensões, superando assim a intuição sensível espacial. Nikolai Ivanovich (Lobachevski, 1793-1856) e Georg Friedrich Bernhard Riemann (1826-1866) são dois nomes que se destacam no movimento das geometrias não euclidianas. George Boole (1815-1864), por exemplo, com sua álgebra de classes, propõe o simbolismo matemático para a lógica. Como a álgebra de Boole parecia suficiente até mesmo para estudar e englobar a lógica tradicional, desenvolveu-se também uma teoria das relações seguindo a álgebra booleana e englobando a lógica silogística como uma de suas partes. O filósofo americano Charles Sanders Peirce (1839-1914) procura construir a álgebra geral da lógica. São também nomes de destaque, no logicismo, Giuseppe Peano (1858-1932) e J.

[4] SANTOS, Luís Henrique dos (Consultoria). Frege — vida e obra. In: PEIRCE, Charles Sanders; FREGE, Gottlob. *Escritos coligidos* (Peirce); *Sobre a justificação científica de uma conceitografia* (Frege); *Os fundamentos da aritmética* (Frege). 2. ed. São Paulo: Abril Cultural, 1980. p. 178. (Os Pensadores).

W. R. Dedekind (1831-1916), com o estudo da sucessão dos números; Georg Cantor (1845-1918), com sua teoria dos conjuntos; Gottlob Frege (1848-1925), com sua **ideografia**, simbolismo lógico formal distinto tanto da linguagem natural quanto do simbolismo algébrico de Boole[5]; Bertrand Russell (1872-1970, autor de *Principia mathematica*); e Alfred Tarski (1902-1983). O **intuicionismo**, fundado pelo geômetra holandês L. E. J. Brouwer (1881-1966), e o **formalismo** (que trabalha com o método axiomático), em que se destacam David Hilbert (1862-1943) e Nicholas Bourbaki (grupo de matemáticos franceses), também são importantes no movimento da lógica simbólica. Newton Costa apresenta da seguinte maneira a noção essencial de axiomatização:

> Para se estudar uma teoria pelo método axiomático, procede-se assim: escolhe-se certo número de noções e de proposições primitivas, suficientes para sobre elas edificar a teoria, aceitando-se outras idéias ou outras proposições só mediante, respectivamente, definições e demonstrações; obtém-se, dessa maneira, uma *axiomática material* de teoria dada; deixam-se de lado os significados intuitivos dos conceitos primitivos, considerando-os como termos caracterizados implicitamente pelas proposições primitivas. Procuram-se, então, as conseqüências do sistema obtido, sem preocupação com a natureza ou com o significado inicial desses termos ou das relações entre eles existentes. Estrutura-se, assim, o que se denomina uma *axiomática abstrata*[6].

Os axiomas, postulados ou proposições primitivas seriam proposições que não se demonstrariam, aceitas sem demonstração. A partir dessas proposições primitivas, são logicamente derivadas as proposições **demonstradas**. No método axiomático, são utilizados símbolos que adquirem propriedades estruturais, as quais independem de suas significações. Os formalistas dedicam-se ao desenvolvimento do projeto da metamatemática, por meio da axiomática, em que ocorreriam a axiomatização, formalização e demonstração de consistência da teoria.

---

[5] Kneale, em *O desenvolvimento da lógica*, considera a obra de Frege essencial para a lógica moderna, a ponto de estudar quase todos os autores e obras posteriores a Frege (Russell, Whitehead, Wittgenstein, Carnap etc.) como seus sucessores. Em português, além da tradução da coleção Os Pensadores, que contém suas obras *Sobre a justificação científica de uma conceitografia* (1882) e *Os fundamentos da matemática* (1884), deve-se citar *Lógica e filosofia da linguagem*. São Paulo: Cultrix/Edusp, 1978, seleção que contém importantes artigos de Frege.

[6] COSTA, Newton Carneiro Afonso da. *Introdução aos fundamentos da matemática*. 3. ed. São Paulo: Hucitec, 1992. p. 49.

Não abordaremos profundamente tal corrente em nosso trabalho, já que pretendemos enfrentar os problemas que a linguagem verbal nos coloca. Entretanto, convém registrar a posição de Newton Costa, que aborda também as lógicas heterodoxas ou não clássicas:

> [...] especialmente neste século [século XX], surgiram novas lógicas, como, v.g., as lógicas intuicionista, polivalente e paraconsistente. Em síntese, já possuímos sistemas de categorias e lógicas neles fundados que diferem da postura clássica. Tais lógicas chamam-se heterodoxas ou não clássicas.
>
> Acreditamos que o nascimento e a proliferação das lógicas heterodoxas constituem uma das maiores revoluções de nosso tempo. Talvez ela seja semelhante à revolução provocada pelo surgimento das geometrias não-euclidianas. Entre outras coisas, as novas lógicas mostraram que logicidade e racionalidade não se identificam; nas sistematizações racionais, podemos utilizar lógicas distintas da clássica ou ortodoxa, caso isso nos seja conveniente. As concepções tradicionais da razão se evidenciaram impotentes para dar conta do novo estado de coisas, o que está originando, como não poderia deixar de ser, uma outra maneira de se encarar a indução[7].

Convém também registrar a divisão histórica do espírito científico, proposta por Bachelard, que coloca o século XX em posição de destaque:

> [...] se fôssemos forçados a rotular de modo grosseiro as diferentes etapas históricas do pensamento científico, seríamos levados a distinguir três grandes períodos:
>
> O primeiro período, que representa o *estado pré-científico*, compreenderia tanto a Antiguidade clássica quanto os séculos de renascimento e de novas buscas, como os séculos XVI, XVII e até XVIII.
>
> O segundo período, que representa o *estado científico*, em preparação no fim do século XVIII, se estenderia por todo o século XIX e início do século XX.
>
> Em terceiro lugar, consideraríamos o ano de 1905 como o início da era do *novo espírito científico*, momento em que a Relatividade de Einstein deforma conceitos primordiais que eram tidos como fixados para sempre. A partir dessa data, a razão multiplica suas objeções, dissocia e religa as noções fundamentais, propõe as abstrações mais audaciosas. Idéias, das quais uma única bastaria para tornar célebre um século, aparecem em apenas vinte e cinco anos, sinal de es-

[7] COSTA, Newton Carneiro Afonso da. *Lógica indutiva e probabilidade*. 2. ed. São Paulo: Hucitec, 1993. p. 13.

pantosa maturidade espiritual. [...] por exemplo, a mecânica quântica, a mecânica ondulatória de Louis de Broglie, a física das matrizes de Heisenberg, a mecânica de Dirac, as mecânicas abstratas e, em breve, as físicas abstratas que ordenarão todas as possibilidades de experiência[8].

E, por fim, a relação que McLuhan realiza entre a escrita e a racionalidade e lógica ocidentais:

Sem dúvida, as realizações do mundo ocidental testemunham os valores tremendos da cultura escrita. Mas muita gente se sentirá disposta a objetar que pagamos um preço demasiado alto por nossas estruturas de tecnologias e valores especializados. É certo que a estruturação linear da vida racional pela cultura escrita nos envolveu num entrelaçamento de concordância suficiente para justificar uma indagação mais ampla do que a que fazemos no presente capítulo. Pode dar-se que haja abordagens mais frutuosas, seguindo-se linhas bastante diversas; por exemplo, a consciência é considerada como a marca do ser racional, mas nada existe de linear ou seqüencial no campo total do conhecimento do tempo presente num momento dado da consciência. A consciência não é um processo verbal. Todavia, durante os séculos de cultura fonética, temos considerado a cadeia de inferências como a marca da lógica e da razão. No entanto, a escrita chinesa dota cada ideograma de uma intuição total do ser e da razão, permitindo apenas um reduzido papel à seqüência visual como marca do esforço e da organização mentais. Na sociedade letrada ocidental, ainda é plausível e aceitável dizer-se que 'algo se segue' de alguma coisa, como se houvesse alguma causa operativa responsável por tal seqüência. [...] Na era da eletricidade sentimo-nos tão livres para inventar lógicas não lineares como para elaborar geometrias não-euclidianas. Mesmo a cadeia de montagem, como método de seqüência analítica para a mecanização de toda espécie de realização e produção, vai hoje cedendo lugar a novas formas. Somente as culturas letradas dominaram as seqüências lineares concatenadas como formas de organizações psíquica e social. A fragmentação da experiência em unidades uniformes aptas a produzir ações e mudanças formais mais rápidas (conhecimento aplicado) tem sido o segredo do domínio ocidental tanto sobre o homem como sobre a natureza. Esta é a razão por que o planejamento industrial do Ocidente parece tão militar, ainda que involuntariamente, enquanto os planos militares têm muito de industrial. Ambos são moldados pelo alfa-

[8] BACHELARD, Gaston. *A formação do espírito científico*: contribuição para uma psicanálise do conhecimento. Tradução Estela dos Santos Abreu. Rio de Janeiro: Contraponto, 1996. p. 9-10.

beto, em sua técnica de transformação e controle e que consiste em tornar todas as situações uniformes e contínuas. Este processo, manifesto inclusive na fase greco-romana, intensificou-se com a uniformidade e a repetibilidade da descoberta de Gutenberg[9].

Um dos capítulos de nosso livro versa sobre a filosofia da linguagem, em que as relações entre a linguagem, o pensamento e a realidade serão abordadas. Não há dúvida de que a lógica simbólica é bastante importante principalmente para o estudo das ciências e particularmente na área de sistemas de informação, que se desenvolvem hoje numa velocidade impressionante no ambiente empresarial, além das relações que podem ser traçadas entre lógica formal e os estudos da linguagem. Entretanto, cremos ser possível alcançar resultado próximo ao do estudo da lógica simbólica, **para os nossos propósitos**, calcando nossa atenção na lógica das proposições aristotélicas[10]. Abordaremos, ainda que sem sistematização rigorosa, alguns elementos da lógica simbólica e mesmo material ou indutiva durante nosso estudo.

Para ressaltar a importância do estudo da lógica, convém considerar que a razão, além de suas leis sintáticas e semânticas, possui leis ou princípios pragmáticos[11]. Seriam eles:

- **Princípio da sistematização:** *a razão sempre se expressa por meio de uma lógica.* Desse princípio extraímos a decisiva importância da lógica, não apenas para as ciências exatas, mas para todos os momentos de expressão da razão, que, conscientemente ou não, terá uma lógica a regê-la.
- **Princípio da unicidade:** *em dado contexto, a lógica subjacente é a única.* "Falando metaforicamente, esse segundo princípio assegura-nos que, uma vez fixadas as regras do jogo, elas não devem ser alteradas. Uma alteração modificaria imediatamente o jogo inicial, transformando-o em outro. De modo mais exato,

9 McLUHAN, 1997.

10 Fica como sugestão a leitura da obra de Newton Costa, *Ensaio sobre os fundamentos da lógica*. Essa obra deve ser destacada por vários motivos: porque é imbuída de elevado espírito crítico na discussão semântica sobre a lógica, a razão, o espírito científico etc.; porque coloca a lógica simbólica e a matemática como ciências formais e essenciais, perante a lógica aristotélica; porque realiza diversas aproximações entre lógica e ciência; porque expõe diversos modelos lógicos, até mesmo alguns de lógica heterodoxa etc.

11 COSTA, Newton C. A. da. *Ensaio sobre os fundamentos da lógica*. 2. ed. São Paulo: Hucitec, 1994. p. 45-46.

a modificação da lógica subjacente a um contexto racional convertê-lo-ia em contexto distinto." Aqui também podemos tirar ao menos uma conclusão essencial para nosso trabalho: uma vez determinadas regras formais num certo campo de conhecimento ou discurso, numa ciência, a alteração de sua lógica subjacente não altera apenas suas regras formais, mas também seu próprio objeto de estudo, seu contexto, a própria ciência. Ou seja, *a lógica implícita em uma forma de conhecimento ou expressão da razão não é apenas forma desinteressada e descartável, independente do conteúdo — ela é também determinante do objeto de estudo, do objeto da razão.* Uma mudança formal implica também uma mudança no conteúdo.

- **Princípio da adequação:** *a lógica subjacente a dado contexto deve ser a que melhor se adapte a ele.* Daqui também tiramos uma lição essencial: *determinado campo de conhecimento, determinado objeto, não só pede que a razão se exprima por determinada lógica, mas também possui uma* lógica ótima, *uma lógica que pode funcionar melhor do que outra para esse objeto.*

Assim, a lógica possui caráter histórico, que se modifica com a própria modificação da razão, que pode ser dialetizada e relativizada.

Gostaríamos, por fim, de citar um aforismo de Wittgenstein que relaciona os conceitos de lógica e experiência, e que pode servir de introdução à discussão sobre a verdade das proposições e a validade do raciocínio:

> 5.551 Nosso princípio básico é que toda questão que se possa decidir por meio da lógica deve poder-se decidir de imediato.
>
> (E se chegarmos à situação de ter que olhar o mundo para solucionar um tal problema, isso mostra que seguimos uma trilha errada por princípio)[12].

2.1 Verdade *versus* Validade

Podemos pensar em algum objeto sem necessariamente raciocinarmos — pense em uma cadeira ou em algum número, por exemplo, e esse ato mental não envolverá necessariamente raciocínio. Todo raciocínio é, portanto, um pensamento, mas nem todo pensamen-

[12] WITTGENSTEIN. Ludwig. *Tractatus logico-philosophicus*. Tradução Luiz Henrique Lopes dos Santos. 2. ed. rev. ampl. São Paulo: Edusp, 1994. p. 241.

to implica raciocínio. Assim, poderíamos definir o objeto da lógica como o *raciocínio*. Todavia, sobre esse objeto, a lógica se debruça com um método próprio. Ela não se interessa, em absoluto, pelo processo concreto de raciocínio em si, com os obscuros caminhos pelos quais a mente percorre a fim de chegar às suas conclusões, mas sim pela *correção* do processo, uma vez completado[13].

A *verdade* pode ser compreendida como o instrumental para medir o grau de adequação entre o que se pensa, o que se diz e o objeto do discurso, entre nosso pensamento (sentimento ou intenção), o discurso e a realidade (os fatos)[14]. Nesse sentido, pensamos na verdade como correspondência entre o discurso, de um lado, e a realidade ou o pensamento, de outro — numa definição semântica de verdade.

A validade, ao contrário, não indica nenhum tipo de relação entre o discurso e a realidade — mede apenas o grau de correção do raciocínio. Diremos então que "2 + 2 = 4" é um raciocínio válido mas não verdadeiro — não há realidade nem pensamento que possam alterar o resultado dessa igualdade, sua conclusão não depende de nosso humor nem de uma olhada pela janela para sua confirmação. Assim, à lógica, em seu aspecto formal, não interessa investigar a veracidade ou não das proposições com as quais lida, a sua adequação ou não à realidade. Interessam à lógica apenas as relações formais entre essas proposições e a correção da conclusão, baseando-se para tal em alguns princípios básicos. E advém daí a maior dificuldade encontrada no estudo da lógica: **a necessidade de abstração da realidade.** Não só da realidade material, à qual a linguagem se refere, mas das condições psicossociais do próprio sujeito. O estudo da lógica exige, pois, atenção e esforço intelectual redobrado.

---

13 COPI, 1981, p. 21.

14 A palavra "verdade" tem uma história conceitual em filosofia das mais interessantes. Convém aqui registrá-la, apesar de que, neste momento do texto, interessa-nos um de seus sentidos mais estritos. *Alétheia* — verdade, realidade. Palavra composta do prefixo negativo *a-* e pelo substantivo *léthe* (esquecimento). É o não-esquecido, não-perdido, não-oculto; é o lembrado, encontrado, visto, visível, manifesto aos olhos do corpo e ao olho do espírito. É ver a realidade. É uma vidência e uma evidência, na qual a própria realidade se revela, se mostra ou se manifesta a quem conhece. A palavra grega difere de duas outras que vieram, com ela, formar a idéia ocidental de verdade: a palavra latina *veritas*, que se refere à veracidade de um relato; e a palavra hebraica *emunah*, que significa confiança numa palavra divina. *Alethés*, o verdadeiro, significa: o não-esquecido, o não-escondido; donde: sincero, veraz, justo, eqüitável, verídico, franco ou não dissimulado. CHAUI, Marilena. *Introdução à história da filosofia*: dos pré-socráticos a Aristóteles. São Paulo: Brasiliense, 1994. v. 1, p. 342.

Como afirma Peirce, a capacidade de traçar inferências é a última das faculdades sobre a qual adquirimos amplo domínio; é menos um dom natural do que arte de aprendizado longo e difícil[15].

Devemos falar, de um lado, em **verdade** de uma **proposição** (a correspondência entre a proposição e seu objeto) e, de outro lado, em **validade** de um **raciocínio** (a lógica de sua construção).

A verdade ou falsidade de uma conclusão não determina, por si só, a validade ou invalidade de um raciocínio. Veremos exemplos em que o raciocínio pode ter premissas ou conclusões falsas, mas ser formalmente válido. As matemáticas lidam com elementos abstratos por excelência, os números, portanto, o grau de abstração fica já determinado de imediato em seu estudo. Mas a lógica pode ocupar-se de proposições verbais (e nos ocuparemos basicamente dessas proposições em nosso trabalho), e a linguagem verbal nos remete de imediato para seu referente, para os objetos, para a realidade. No estudo da lógica, precisamos esquecer a referência da linguagem, deslocar-nos em relação ao próprio discurso, para nos colocarmos na posição de observadores *apenas* do nível formal do código verbal. Por isso a lógica contemporânea tornou-se formal e simbólica, aproximando-se da matemática. Assim, ela constrói sua própria linguagem para evitar as armadilhas da linguagem verbal.

Por fim, poderíamos encerrar essa discussão acrescentando mais um pólo nessas relações. A linguagem, seja ela verbal, simbólica ou matemática, pode realizar procedimentos válidos ou inválidos, chegar a conclusões aplicando algumas regras de raciocínio de forma correta ou incorreta. Daí dizermos que um raciocínio é válido ou inválido. Já um raciocínio verdadeiro é aquele em que a linguagem concorda com os fatos (realidade) ou o pensamento. Contudo, ao medirmos a relação entre a linguagem e os fatos, não é exatamente a língua ou mesmo a linguagem que nos interessam. Podemos afirmar, em dois momentos diferentes, a seguinte frase: "Estou sentado". Em um momento essa frase pode ser verdadeira, e em outro momento a mesma frase pode ser falsa. Assim, não são as frases que efetivamente nos interessam para medirmos o grau de adequação em relação à realidade e podermos dizer se são verdadeiras ou falsas. O que nos interessa é o que as frases efetivamente exprimem. Aquilo que as frases exprimem, e que nos serve para comparar com a realidade e dizer se temos no caso verdade ou falsidade, chamamos em lógica de *proposição*. Vejamos como Kneale constrói esse conceito:

---

15 A fixação das crenças. In: PEIRCE, Charles Sanders. *Semiótica e filosofia*. Introdução, seleção e tradução Octanny Silveira da Mota e Leonidas Hegenberg. 3. ed. São Paulo: Cultrix, 1984. p. 71.

"Não é a frase ou o conjunto de palavras que é verdadeiro ou falso mas aquilo que é expresso por ela. A palavra 'proposição' tem muitas vezes sido usada nos tempos modernos para transmitir esta noção e, no conjunto, é a mais conveniente"[16].

(1) Uma *frase em sentido simbólico* é uma frase naquele sentido em que podemos dizer 'Ele hesitou no meio de sua primeira frase' ou 'A frase que está no quadro está mal escrita'. Uma frase, neste sentido, é um conjunto particular de sons ou símbolos que ocorrem numa ocasião determinada ou existem por um período de tempo definido.

(2) Uma *frase-tipo* é uma frase naquele sentido no qual da mesma frase se pode dizer que ocorre várias vezes. Quando os gramáticos falam de frases referem-se normalmente a frases-tipo. Uma frase neste sentido é um padrão completo de sons ou símbolos que tem sentido. Os sons ou símbolos não se abstraem do fato de terem sentido porque não chamaríamos a um conjunto de sons ou símbolos uma frase a menos que acreditássemos que tinham sentido. Nem, por outro lado, é o sentido ou conteúdo considerado em abstração de todos os símbolos determinados, porque não podemos falar propriamente da mesma frase em diversas línguas mas apenas das frases correspondentes.

(3) *Uma frase declarativa no sentido dos gramáticos* é uma frase indicativa ou declarativa em que 'frase' significa 'frase-tipo'. Neste sentido, as frases declarativas distinguem-se de preces, ordens etc., tal como Aristóteles distinguiu apojanticoi logoi de todas as outras logoi.

(4) *Dizer uma frase declarativa* é pronunciar uma frase indicativa com o fim de afirmar qualquer coisa e o sentido de 'frase declarativa' neste contexto não é o mesmo do enunciado acima como (3). Porque, como vimos, as pessoas podem pronunciar a mesma frase indicativa e não fazerem necessariamente a mesma afirmação e uma pessoa pode fazer diferentes afirmações pronunciando a mesma frase indicativa em ocasiões diferentes, e.g., dizendo em dias diferentes 'Hoje estou sentado junto ao fogão'. Por outro lado uma pessoa pode pronunciar duas frases indicativas diferentes em ocasiões diferentes e com elas fazer a mesma afirmação duas vezes, e.g., dizendo em dias sucessivos 'Hoje estou sentado junto ao fogão' e 'Ontem estava sentado junto ao fogão'. Além disso não é verdade que ao escrever ou pronunciar uma frase indicativa se esteja sempre a fazer uma afirmação. Representar, escrever romances, relatar as afirmações de outras pessoas são exceções óbvias. Além disso deve ser notado que quando fazemos uma afirmação complexa (e.g. condicional) não fazemos com ela todas as afirmações que faríamos usando apenas as orações subordinadas como frases completas. Assim,

[16] KNEALE; KNEALE, 1991, p. 51.

alguém que diga 'Se Carlos tivesse entrado na corrida Tiago não teria chegado em último' não afirma que Carlos entrou na corrida ou nega que Tiago tenha chegado em último, embora haja qualquer coisa expressa por cada uma das orações subordinadas.

(5) Uma *proposição ou conteúdo proposicional* é aquilo que é afirmado quando se faz uma afirmação ou expresso sem força assertórica numa oração subordinada como as que já consideramos. É óbvio que é a proposições que os predicados 'verdadeiro' e 'falso' se aplicam fundamentalmente. Porque a fim de estas palavras terem aplicação não é necessário que nenhuma frase particular tenha sido pronunciada ou escrita nem que qualquer frase declarativa tenha sido feita previamente. O que é expresso pela *protasis* ou *apodosis* de uma frase condicional pode ser devidamente caracterizado como verdadeiro ou falso. A noção de proposição deu origem a algumas dificuldades filosóficas que serão referidas mais tarde, mas não pode haver nenhuma dúvida acerca dos fatos de uso relatados aqui. Frases e orações que exprimem proposições podem ser ambas descritas como sinais proposicionais. Em latim medieval *propositio* era usado no sentido de 'sinal proposicional' e 'proposição' tem algumas vezes este sentido em inglês antigo, mas no uso moderno é equivalente a 'conteúdo proposicional'.

(6) Uma *designação de uma proposição* é uma oração integrante ou qualquer equivalente lingüístico. O lógico deve ser autorizado a recorrer a estes artifícios lingüísticos se se pretende que ele discuta as proposições, o que ele evidentemente tem que fazer a fim de esclarecer a noção de validade. Nas línguas européias modernas o artifício das aspas é muitas vezes usado para designar a proposição que podia ser expressa pelo uso da frase indicativa no interior das aspas, e.g., 'Ele disse "Não te ouvi" o que era bastante verdade'. Este uso de aspas deve ser distinguido do uso que se lhes dá para designar uma frase-tipo, e.g., 'Ele disse "Na't'ouvi" o que ela não percebeu'. A distinção torna-se clara considerando que ao traduzir a primeira frase podemos traduzir a parte do interior das aspas sem alterar o sentido ou sem afetar o conjunto enquanto não podemos fazer isto com a citação da segunda frase[17].

2.2 Silogismos

Antes de abordarmos propriamente os silogismos, convém registrar outra contribuição importante de Aristóteles, o famoso quadrado

[17] KNEALE; KNEALE, 1991, p. 51-52.

da oposição (cuja figura não existe de fato na obra de Aristóteles). Para introduzi-lo, é necessário dizer que Aristóteles distingue três formas de frases declarativas: singular (por exemplo, "Sócrates é branco"), particular ("Algum homem é branco") e universal ("Todo homem é branco"). Com a combinação entre as frases declarativas gerais (particulares e universais) e a afirmação e negação, podemos construir a seguinte figura (as letras, para identificar cada frase, não são utilizadas por Aristóteles, mas se tornam comuns a partir da Idade Média, assim como não são de Aristóteles as denominações de **subalternas** e **subcontrárias**, mas ajudam a exprimir sua intenção):

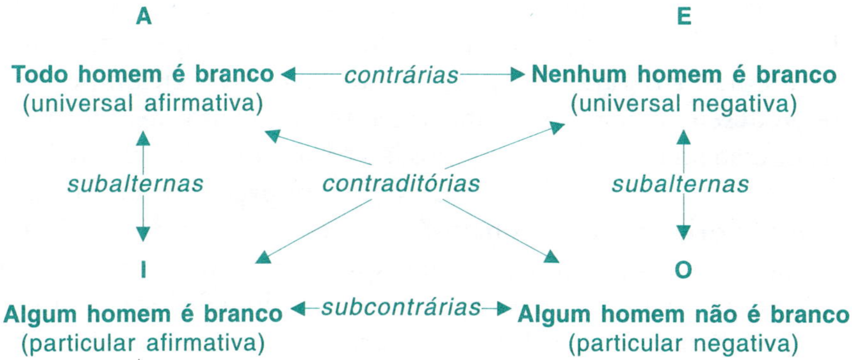

FIGURA 2.1

As relações entre as frases, duas a duas, são riquíssimas. As frases contraditórias (A×O e E×I) não poderiam ser ambas verdadeiras ou ambas falsas. As contrárias (A×E) não podem ser ambas verdadeiras, mas podem ser ambas falsas. As subcontrárias (I×O) não podem ser ambas falsas, mas podem ser ambas verdadeiras. No caso das subalternas (A×I e E×O), as frases universais implicariam sempre as suas correspondentes particulares.

Aristóteles procurou estender os resultados de sua lógica silogística também à lógica modal, mas não obteve os mesmos resultados. A lógica modal inclui as frases problemáticas (É possível que-P) e apodíticas (É necessário que-P). O seguinte quadrado de oposições procura representar as relações entre as proposições modais, mantendo as mesmas relações que no quadrado de oposição das assertóricas (em que não há operador modal, como **necessário** ou **possível**). A última frase, que não existia no quadrado anterior, seria uma conjunção das duas subcontrárias:

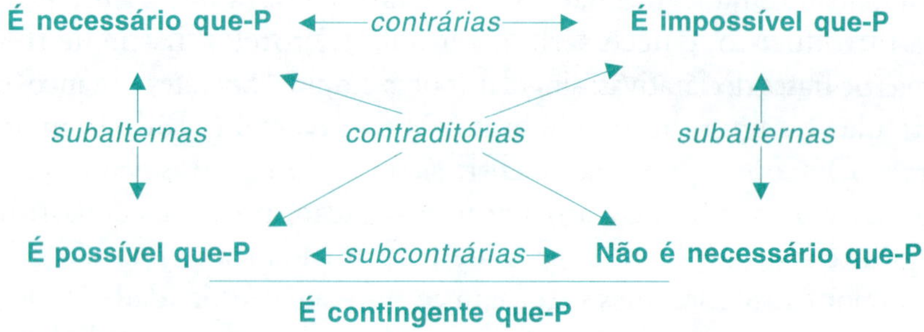

FIGURA 2.2

Não há também na lógica aristotélica distinção clara entre frases ou silogismos hipotéticos (Se A... então B) e categóricos (A... então B). Tanto a lógica modal quanto a lógica hipotética serão desenvolvidas por Teofastro, aluno e sucessor de Aristóteles na direção do Liceu. Mas o que nos interessa aqui é a lógica silogística.

No **silogismo,** duas proposições (ou **premissas**) geram uma **conclusão** lógica.

Nos silogismos, duas proposições ou premissas encadeiam-se e dão origem a uma conclusão universal e necessária, que nelas já se encontra implícita, mas que afirma algo diferente do que já era afirmado nas premissas. Por meio da operação do raciocínio denominada **inferência**, parte-se de duas proposições para se chegar a uma terceira.

Nas proposições, para Aristóteles, predicados (ou categorias) são atribuídos a um sujeito (ou substância). A ligação entre o sujeito e o predicado se faz pelo verbo: "Toda a proposição depende necessariamente de um verbo ou da flexão de um verbo, e, com efeito, a noção de homem, à qual não acrescentemos, nem é, nem era, nem será, nem nada deste gênero, ainda não constitui uma proposição"[18].

As proposições estabeleceriam uma relação determinada entre dois ou mais termos (sujeito e predicado)[19]. Quando afirmo "Sócrates é homem", estou estabelecendo uma relação entre dois termos, "Sócrates" e "homem". As proposições, expressas lingüis-

[18] ARISTÓTELES. *Organon*. Tradução Pinharanda Gomes. Lisboa: Guimarães, 1985. v. 1, p. 128.

[19] Segundo Newton Costa, pensando a proposição do ponto de vista da lógica formal contemporânea, "Sabe-se, por exemplo, que a tese aristotélica, segundo a qual toda proposição se compõe, sempre, de sujeito, de predicado e da cópula, nasceu de confusões provocadas pela falta de precisão da linguagem natural", 1994, p. 34. Frege, por exemplo, substituirá o par sujeito–objeto pelo par função–argumento.

ticamente, procuram, desse modo, representar os juízos ou o pensamento. Ou seja, na proposição, o pensamento exprime-se sensível e perceptivelmente[20].

Mas, como já vimos, o raciocínio não equivale ao pensamento. O raciocínio "[...] é uma operação do pensamento realizada por meio de juízos e enunciada lingüística e logicamente pelas proposições encadeadas, formando um **silogismo**"[21].

Vejamos um exemplo clássico de silogismo:

> Sócrates é homem.
> Todo homem é mortal.
> Portanto, Sócrates é mortal.

Deve-se ressaltar aqui o caráter de abstração que o silogismo encerra, conforme afirmamos anteriormente, se queremos atentar apenas ao seu aspecto lógico. Não interessa para a validade da conclusão se existe algum homem chamado "Sócrates". Nem interessa que a primeira proposição esteja se referindo a um Sócrates específico, que seja real. "Sócrates" assume no silogismo uma função puramente formal — poderia ser substituído por um símbolo, a letra "x", por exemplo. "Homem", por sua vez, também não está presente no silogismo com seus significados sociológicos e psicológicos, mas tão-somente como um substantivo que qualifica Sócrates e que, por sua vez, na segunda proposição, é qualificado de "mortal". Para a conclusão, não é necessária mais nenhuma qualificação para "homem" — o adjetivo "mortal" já é suficiente para tirarmos uma conclusão válida das duas primeiras proposições. "Homem", nesse sentido, assim como "mortal", pode também ser tomado apenas em seu caráter formal ou simbólico: "homem" pode ser "y" e "mortal" pode ser "m" (aliás, considera-se que Aristóteles tenha sido o primeiro a utilizar letras como variáveis ou símbolos para termos gerais de proposições). Assim, o silogismo nada mais nos diz, do ponto de vista lógico, do que:

> "x" pertence ao grupo "Y".
> Todos os membros de "Y" possuem a qualidade (ou propriedade) "m".
> Portanto, "x" também possui a qualidade "m".

---

[20] WITTGENSTEIN, 1994, p. 149, 3.1.

[21] CHAUI, Marilena. *Convite à filosofia*. 6. ed. São Paulo: Ática, 1995. p. 187.

Devemos atentar para a universalidade dessa conclusão — ela é válida aqui, em qualquer outro país, em qualquer outra língua. Os problemas que o silogismo pode apresentar advêm justamente da tendência natural de abandonarmos a simples formalidade da relação entre as proposições e partirmos em direção à realidade. A variável "x" passa então a ser preenchida por todos os sentidos dos Sócrates que conhecemos: o filósofo grego, o ex-jogador da Seleção Brasileira de Futebol, algum Sócrates nosso amigo ou familiar. E os sentidos que o nome próprio pode carregar consigo são muitos: psicológicos, sociais, políticos etc. "Homem" também pode ser preenchido pelos mais diversos sentidos — sexuais, filosóficos, éticos, e assim por diante. Portanto, quando procuramos uma conclusão válida, mas não conseguimos realizar o movimento de abstração dos referentes da linguagem, o processo lógico fica comprometido. E é justamente esse movimento de abstração que procuramos privilegiar, em nossos exercícios, contra a descrição das figuras ou dos modos do silogismo, da diferenciação entre a lógica silogística e a lógica modal, sua exemplificação ou a identificação dos termos (maior, médio e menor).

Além disso, "Sócrates" pode ser substituído por qualquer outro nome próprio masculino, no silogismo anterior, e a conclusão não será afetada, tampouco sua validade. José, João, Fábio, qualquer nome pode ocupar o lugar de Sócrates na primeira proposição e na conclusão, e a estrutura lógica do silogismo permanece exatamente a mesma.

Não interessa, também, para medirmos a validade do raciocínio, se as proposições são verdadeiras, nem mesmo se a conclusão é verdadeira. Se alterássemos o silogismo anterior para:

> Sócrates é um animal.
> Todo animal é imortal.
> Portanto, Sócrates é imortal,

teríamos ainda conservado a validade do raciocínio, a correção do processo, o valor lógico do silogismo, ou seja, das duas proposições acima deve-se necessariamente e universalmente concluir que "Sócrates é imortal". Sócrates, na verdade, não é animal, os animais não são imortais e Sócrates não é imortal. Todavia, isso se dá na realidade, e a realidade não interessa à lógica formal. Para a validade do raciocínio, interessa que, dadas as duas proposições apresentadas anteriormente, necessária e universalmente devemos concluir que Sócrates é imortal. Como movimento formal do pensamento, **necessidade** e **universalidade** são as características do silogismo. As conclusões devem ser, formalmente, necessárias e universais para que tenhamos um raciocínio válido. E para isso não importa a verdade ou a falsidade das proposições nem da conclusão.

Sugerimos duas técnicas básicas para a resolução dos exercícios que seguem. Uma delas consiste em substituir, como fizemos, os termos das proposições por símbolos ou letras, para auxiliar no processo de abstração. Outra técnica bastante usada é a criação de círculos ou conjuntos[22] para que fiquem mais claros o âmbito e o alcance de cada conceito, de cada termo utilizado, assim como as suas áreas de intersecção. Nesse sentido, a teoria dos conjuntos, as noções de elementos, propriedades, conjuntos e variáveis, as relações de pertinência e igualdade, os conectores lógicos usuais (afirmação, negação, se, e, ou, implica), os quantificadores lógicos usuais (existe, qualquer) e os operadores matemáticos (soma, subtração etc.) são essenciais. De qualquer forma, a partir de certo desenvolvimento do espírito lógico é possível resolver a maioria das questões propostas diretamente, sem a necessidade de técnicas intermediárias. É a isso que tentamos encorajar o leitor.

Outro problema que enfrentamos no dia-a-dia, e que também tende a perturbar o caráter lógico de nosso raciocínio, ocorre porque os silogismos raramente aparecem bem definidos, com proposições distintas em orações distintas, separadas por pontos, como no exemplo apresentado anteriormente. Ao contrário, os raciocínios estão muitas vezes imbricados uns com os outros, partem já de conclusões inválidas para novas proposições, apresentam mais de uma premissa e mais de uma conclusão, ou seja, novamente a linguagem tende a obscurecer a validade dos raciocínios. A ordem das premissas e da conclusão também aparece muitas vezes invertida, não ficando claro em que momento de um período, por exemplo, a conclusão foi introduzida. Abordaremos

---

[22] Chamados às vezes de ***Diagramas de Venn*** — apresentados na obra de J. Venn, *Symbolic logic* (Londres, 1881), obra que funciona como ilustração da álgebra de Boole, e às vezes de ***Diagramas de Euler*** — apresentados na obra de Leonhard Euler, *Lettres à une princesse d'Allemagne*, obra que representa as relações entre proposições por figuras espaciais. Lewis Carroll, em sua *Symbolic logic*: a fascinating mental recreation for the young (Oxford, 1896), apresenta métodos semelhantes.

alguns desses pontos em nossos exercícios. Estudaremos também exemplos de falácias (raciocínios inválidos tipicamente utilizados no nosso cotidiano), e, mais à frente, no estudo sobre a linguagem, procuraremos desenvolver a habilidade de lidar com a estrutura verbal da língua, com a argumentação, com a expressão, enfim, com os problemas efetivamente lingüísticos que a língua impõe à lógica.

Seguem, então, alguns exercícios com silogismos, procurando desenvolver a capacidade de raciocínio e abstração. Convém lembrar que nem todos os exercícios apresentam **silogismos** no sentido tradicional aristotélico.

2.2.1 Exercícios

1) Confirme se as conclusões dos silogismos abaixo são **válidas** ou **inválidas**, ou preencha as conclusões, quando necessário:

a) João nasceu em 1914 ou em 1918.
João não nasceu em 1914.
Portanto, João nasceu em 1918.

b) Todos os administradores de empresas são formados em universidades.
Alguns contadores são formados em universidades.
Portanto, alguns contadores são administradores de empresas.

c) Todos os índios são animais racionais.
Todos os homens são animais racionais.
Portanto, todos os índios são homens.

d) Todos os filósofos vivem no mundo da lua.
Alguns filósofos são estranhos.
Portanto, todos os estranhos vivem no mundo da lua.

e) Todos os homens bem-sucedidos são homens profundamente interessados em seu trabalho.
Nenhum homem que esteja profundamente interessado em seu trabalho se distrai facilmente, quando está trabalhando.
Portanto, nenhum homem que se distrai facilmente quando está trabalhando é um homem bem-sucedido[23].

---

[23] COPI, 1981, p. 181.

f) Todos os triângulos são figuras planas.
Nenhum quadrado é um triângulo.
Logo, nenhum quadrado é uma figura plana[24].

g) Quem analisa a produtividade física das empresas estuda a empresa como organismo técnico.
Ora, todos os que aprofundam os métodos e processos da produção, o estudo de tempos e movimentos, analisam a produtividade física das empresas.
Logo, todos os que aprofundam os métodos e processos de produção, o estudo de tempos e movimentos, estudam a empresa como organismo técnico[25].

h) Se a proposição "A" é verdadeira, então a proposição "B" é verdadeira.
A proposição "A" não é verdadeira.
Então, a proposição "B" também não é verdadeira.

i) Todo homem é um animal.
Nenhuma pedra é um homem.
Nenhuma pedra é um animal.

j) Nenhum sonegador é bom empresário, e todo brasileiro é um empresário, portanto, nenhum brasileiro é sonegador.

k) Nenhum mortal é Deus, e algum homem é mortal, portanto, nenhum homem é Deus.

l) Todo casaco é verde, e alguma blusa não é verde, portanto, nenhuma blusa é casaco.

m) Nenhum homem é imortal, e todo homem é animal, então, nenhum animal é imortal.

n) Algum empresário é honesto, e todo empresário é ambicioso, portanto, algum ambicioso é honesto.

o) Todo empresário é desonesto, e algum empresário é ambicioso, portanto, algum ambicioso é desonesto.

p) Algum empresário não é desonesto, e todo empresário é ambicioso, então algum ambicioso não é honesto.

---

[24] ASSIS, Jesus Eugênio de Paula. Lógica. In: MATOS, Olgária et al. *Primeira filosofia*: tópicos de filosofia geral. 8. ed. São Paulo: Brasiliense, 1990.

[25] LAUSCHNER, S. J. Roque. *Lógica formal*: técnicas de desenvolvimento do raciocínio. 2. ed. Porto Alegre: Sulina, 1971. p. 32.

q) Nenhum estudante é professor, e algum estudante trabalha, então, alguém que trabalha não é professor.

r) Se A, então B; ora A, então...

s) Se A, então B; ora não-B, então...

t) Não-A e B; ora A, então...

u) Ou A ou B; ora A, então...

v) Ou A ou B; ora não-B, então...

w) Se A e B, então C; não-C; ora A, então...

x) Ou A ou B ou C; não-A e não-B, então...

y) Se A, então B; se B, então C; logo, se A, então...

2) Transforme os períodos seguintes na forma de silogismos (duas premissas e uma conclusão) e determine se suas conclusões são válidas ou inválidas.

a) Alguns reformadores são fanáticos, assim como alguns idealistas são fanáticos, visto que todos os reformadores são idealistas[26].

b) Todos os barcos que andam debaixo d'água são submarinos; portanto, nenhum submarino é barco de recreio, visto que os barcos de recreio não andam debaixo d'água[27].

3) Tire uma conclusão universal e necessária de cada conjunto de proposições a seguir, se for possível:

a) Cláudia é mais velha do que Rachel.
Rachel é mais velha do que Márcia.
Portanto...

b) Todo homem é animal.
Todo animal é racional.
Portanto...

c) Quando a oferta é maior que a demanda, ocorre a inflação.
Na década de 1980, a demanda foi maior do que a oferta, no Brasil.
Portanto...

[26] COPI, 1981, p. 183.

[27] Ibid., p. 183.

d) Todo A é B.
Todo C não é B.
Logo...

e) Todo A é B.
Alguns C são B.
Logo...

f) Todo homem é um animal.
Nenhum cavalo é um homem.
Portanto...

g) Todo homem é mortal, todas as pedras são homens; portanto...

h) Nenhum homem é mortal, e todo brasileiro é homem; portanto...

i) Se todos os empresários são inquietos, e todos os empresários são persistentes, portanto...

j) Se chove, então eu me molho; se eu me molho, então fico resfriado; logo, se chove, então...

k) Se vencemos o jogo então vamos para a final; se vamos para a final então somos ao menos segundo colocado; logo, se não somos ao menos segundo colocado então...

l) Se vendermos 10% a mais neste mês atingiremos nossa cota anual; se não vendermos pelo menos 10% a mais neste mês alguém será despedido; logo, se não vendermos ao menos 10% a mais neste mês então...

m) Se A então B; se não-A então C; logo se não-C então...

n) Se A então C; se B então não-C; logo se A então...

4) Avalie as proposições abaixo e o paradoxo que elas implicam:

a) Esta proposição é falsa.

b) Um cartão trazia escrito, de um lado: "A afirmação do outro lado deste cartão é falsa". No outro lado do cartão vinha escrito: "A afirmação do outro lado deste cartão é verdadeira".

c) A afirmação abaixo é falsa.
A afirmação acima é verdadeira.

d) É proibido proibir.

e) Eu estou mentindo.

f) Fulano diz: "Aquilo que Sicrano diz é falso". Sicrano diz: "Aquilo que Fulano diz é verdadeiro". Ninguém diz mais nada. Aquilo que Fulano diz é verdadeiro ou falso?

5) Indique a premissa oculta no silogismo abaixo que justifica a conclusão:

a) João é brasileiro.
Portanto, João é sul-americano.

6) Resolva os seguintes exercícios:

a) Você está em uma encruzilhada de dois caminhos que vêm de duas cidades. Em uma das cidades só se diz a verdade, e na outra cidade só se mente — mas você não sabe qual o caminho para cada uma delas. Você depara com uma pessoa, e quer saber *por qual caminho* ela veio (não interessa saber de que cidade ela veio — de onde se fala a verdade ou de onde se fala a mentira —, mas apenas por qual caminho ela veio). Você pode fazer apenas uma pergunta a essa pessoa para descobrir o que deseja. Qual pergunta você faria?

b) A medicina provou que, se ambos os pais têm olhos azuis, seus filhos vão ter olhos azuis. Fernando tem olhos azuis. Baseado nessas informações, o que se pode concluir sobre a cor dos olhos dos pais dele? Maria tem olhos castanhos. O que você sabe sobre a cor dos olhos dos pais dela, com base nas informações anteriores? O pai e a mãe dela podem ter olhos azuis? Explique.

7) Os dois parágrafos a seguir iniciam o livro *A busca dos óculos de Graal*, de Derico, assessor de assuntos aleatórios do programa de Jô Soares. Identifique qual o movimento lógico que contribui para gerar a ironia do texto:

> O deriquismo é uma seita filosófica sem fins lucrativos que visa o encontro entre os seres, através de pensamentos básicos, para uma melhor confrontação das idéias e dos ideais de todos os povos, sem distinção de raça, cor, religião ou sexo.
>
> Para um melhor entendimento do que vem a ser realmente o deriquismo, peço, encarecidamente, que se leia atentamente o parágrafo anterior.

2.3 Falácias

Nem todos os raciocínios que construímos, ou aos quais somos submetidos, são corretos e válidos. Muitos deles apresentam, em maior ou menor escala, erros formais que os desqualificam, independentemente do grau de veracidade de suas proposições e conclusões. Classificamos como **falácias** justamente esses erros de construção lógica que acabam por contaminar os raciocínios e, conseqüentemente, as argumentações.

A maioria dos raciocínios inválidos mostra de imediato seus equívocos, sua ilogicidade. Entretanto, muitos raciocínios incorretos são elaborados de tal forma que acabam por ludibriar as pessoas, como se não houvesse nenhuma falha em sua construção. Em nosso texto, entendemos como falácias esse tipo de raciocínio inválido que tem o poder de persuasão. Assim, vale o esforço de nomear as mais importantes, catalogá-las, apresentá-las separadamente e estudar sua forma, para evitar formá-las ou ser por elas enganados, no dia-a-dia, em nosso trabalho, em nossos estudos etc. Afinal, reconhecendo a **forma** do erro, podemos evitá-lo sempre, em qualquer contexto, sobre qualquer assunto.

Falácias são raciocínios logicamente inválidos e que são utilizados ardilosamente.

Novamente, convém lembrar que estamos nos movendo no terreno da lógica formal, ou seja, nosso foco de observação é a forma do pensamento, independentemente de seu conteúdo. Entretanto, no caso das falácias, estudaremos também algumas situações em que não é apenas a pura forma do raciocínio que se demonstra inconsistente, mas em muitos exemplos perceberemos que a realidade, as emoções e o contexto acabam por influenciar de tal forma a razão, funcionando como elementos de convencimento, que a própria validade do raciocínio passa para segundo plano, diante dessa força de persuasão. Ora, mas mesmo essas falácias classificadas em geral como não-formais (ou semânticas) possuem uma forma, podem ser congeladas em sua estrutura, podem ser estudadas dentro de um esquema, que se repete em diversos tipos de argumentação.

Assim, não nos preocupamos necessariamente em seguir as classificações tradicionais das falácias, mesmo porque o sentido que esse termo adquire tem variado de filósofo para filósofo. Interessa-nos, aqui, identificar alguns erros comuns e poderosos do raciocínio, e desvendar sua estrutura. Não nos preocupamos, tampouco, em agrupar as falácias em títulos maiores, mas apenas selecionamos as que consideramos mais importantes. É mais útil, a nosso ver, lidar diretamente, corpo a corpo, com cada falácia em sua forma, e estudar seus exemplos, para poder identificá-las em nossos discursos e nos de outrem, mais do que compreender sua genealogia, filiação ou classificação. Ademais, o estudo minucioso das falácias reforça as leis do raciocínio correto, reforça o caráter lógico do raciocínio e auxilia na construção de argumentos mais sólidos.

Seguem alguns casos de falácias. Sugerimos, como exercício, que o leitor procure criar vários exemplos para cada caso. E também que, quando desconfiar de que está perante um discurso falacioso (na televisão, em seu trabalho, em uma simples conversa), procure extrair a forma dessa falácia e classificá-la dentro dos casos estudados. A repetição tanto da criação quanto da depuração das falácias é a melhor forma de compreendê-las e de nos prevenir contra seu perigo. Para isso, é preciso que não se considere a lista abaixo mera catalogação, mas que se compreendam, aqui, formas de raciocínios persuasivos e inválidos, que nos são "enfiados goela abaixo" todos os dias.

2.3.1 *Ad Hominen* Ofensivo

No *ad hominen* ofensivo, ataca-se a pessoa que propõe o raciocínio, e não o raciocínio. Ou seja, o caráter, a personalidade, as pessoas com as quais o proponente se relaciona, sua desqualificação no assunto, supostas vantagens que busca obter com a argumentação etc. Pode-se, por exemplo, afirmar que o proponente sustenta opiniões conflitantes.

Um exemplo comum da utilização da falácia *ad hominen* dá-se nos tribunais, com a tentativa de desqualificar o depoimento de alguma testemunha, atacando-se diretamente sua reputação e ao mesmo tempo fugindo da discussão, da importância e do mérito de suas afirmações e argumentações.

2.3.2 *Ad Hominen* Circunstancial

Da mesma forma que no caso anterior, no ad hominen circunstancial ignora-se a questão da validade ou não do raciocínio do interlocutor, mas se procura provar que ele deve aceitar nossa argumentação por causa de sua situação ou circunstância. Pode-se buscar mostrar que as circunstâncias do interlocutor o levaram a tomar determinada posição ou obrigá-lo a aceitar nossa argumentação baseando-se em sua circunstância.

Esse tipo de falácia ocorre quando, por exemplo, um crente deseja converter um incrédulo. Se a situação do incrédulo é ruim (financeiramente, por motivos de saúde, psicologicamente etc.), ela pode ser utilizada como pretexto para justificar a conversão. Os programas religiosos da televisão contemporânea baseiam-se nessa falácia: mostram-se várias pessoas que não tinham dinheiro, estavam deprimidas, não tinham rumo na vida como exemplos de conversão. Após a conversão, todos os seus problemas foram superados. Portanto, todo aquele que estiver assistindo ao programa e estiver em situação semelhante é **falaciosamente convencido** de que deve converter-se — o ato da conversão, o que esse ato significa, as razões para a conversão não são discutidos.

2.3.3 *Ad Ignorantiam* ou Apelo à Ignorância

> [...] a outra maneira que os homens ordinariamente usam para guiar outros, forçá-los a submeter-se a seus julgamentos e acolher a opinião em debates consiste em exigir que o adversário admita o que eles alegam como uma prova, ou para assinalar uma melhor. A isto denomino *argumentum ad ignorantiam*.[28]

A ***ad ignorantiam*** ou **apelo à ignorância** consiste em justificar que se aceite determinada proposição visto nunca ter sido provada a sua falsidade, ou fundamentá-la porquanto a verdade nunca tenha sido provada. O caso dos discos voadores ou dos extraterrestres é bastante interessante: pode-se afirmar que existem seres habitantes de outros planetas, dado que nunca foi provado o contrário; ou pode-se, por outro lado, justificar que não existem discos voadores, porque sua existência nunca foi provada.

2.3.4 *Petitio Principii* ou Petição de Princípio

A ***petitio principii*** ou **petição de princípio** ocorre quando o próprio argumento já assume sua conclusão. Exemplo:

> Sócrates é homem.
> Todo homem é mortal.
> Portanto, Sócrates é homem.

---

[28] LOCKE, John. *Ensaio acerca do entendimento humano*. Tradução Anoar Aiex. 3. ed. São Paulo: Abril Cultural, 1983. p. 334-335. (Os Pensadores).

Ora, não é necessária a segunda premissa para se chegar à conclusão, até porque não se trata aqui de conclusão alguma, mas apenas de repetição do juízo já apresentado na primeira premissa.

Convém aqui definir **tautologia**. A tautologia consiste num vício de linguagem em que, por meio de formas diferentes, dizemos sempre a mesma coisa. O predicado ou a conclusão não acrescentam nada ao sujeito ou às premissas. Não há aqui raciocínio, mas a mera repetição de palavras.

2.3.5 Pergunta Complexa

A **pergunta complexa** ocorre quando determinada pergunta já assume, por conta do interlocutor, determinada posição ou resposta. Um exemplo interessante dessa falácia é a pergunta que se faz, nos boletins de ocorrência, para determinar as informações sobre a vida pregressa do indiciado:

> "Praticou o delito quando estava alcoolizado ou sob forte emoção?"

Dessa forma, admite-se de antemão, com qualquer resposta à pergunta (sim ou não), que o indiciado seja culpado, que tenha realmente cometido crime. Por isso, em muitos casos, o advogado solicita a seu cliente que afirme estar a pergunta "prejudicada".

2.3.6 *Ad Populum* ou Apelo Popular

No ***ad populum*** ou **apelo popular**, procura-se utilizar a "sabedoria popular", o "senso comum", como justificativa de uma argumentação fraca. Uma conclusão deve então ser verdadeira simplesmente porque a maioria a aceita. Assim, por exemplo, a monogamia é a melhor forma de relação entre homens e mulheres, visto que a maioria das pessoas a pratica.

Como afirma o filósofo empirista inglês George Berkeley, "[...] a adesão pacífica e universal a uma noção é fraco argumento da sua verdade para quem considera o vasto número de preconceitos e opiniões falsas aceitos com a maior tenacidade pela parte irrefletida da humanidade, que é a mais numerosa"[29].

[29] BERKELEY, George. *Tratado sobre os princípios do conhecimento humano*. Tradução Antonio Sérgio. São Paulo: Abril Cultural, 1973. p. 29. (Os Pensadores, XXIII, obras de George Berkeley e David Hume).

2.3.7 *Ad Misericordiam* ou Apelo à Piedade

No *ad misericordiam* ou apelo à piedade, apela-se à compaixão para que o interlocutor admita determinada argumentação. O apelo à piedade é legítimo em diversas situações; caracteriza-se como falacioso quando é utilizado para convencer o interlocutor de um raciocínio falho ou fraco.

Um eterno gastador pode tentar seduzir-nos a emprestar mais dinheiro jogando com o nosso sentimento de piedade. Pode afirmar que está sem dinheiro e precisa comprar leite para seus filhos, pagar o aluguel etc. Mas sabemos que o destino do dinheiro será outro. A piedade é, nesse caso, utilizada de forma falaciosa.

2.3.8 *Ad Verecundiam* ou Apelo à Autoridade

O *ad verecundiam* ou apelo à autoridade ocorre quando determinada conclusão é associada à opinião de determinada autoridade. Quando esta possui conhecimento e é respeitada no campo de conhecimento em questão, não existe falácia. Mas em muitos casos a autoridade utilizada como referência não possui nenhum destaque em seu campo de conhecimento, e a argumentação é também falha; temos, então, a falácia do apelo à autoridade.

Em marketing, essa falácia é um recurso poderoso. Muitos artistas são associados a alguns produtos para que as vendas aumentem. O artista pode aparecer na televisão afirmando que usou o produto, aprovou-o, e que ele é melhor que os concorrentes. No entanto, o artista não possui conhecimentos suficientes para emitir tal opinião — sua autoridade em outro campo é utilizada falaciosamente para suportar a venda do produto.

2.3.9 Falsa Causa

A falsa causa ocorre quando se toma como causa de determinado efeito algo que, na realidade, não é sua causa, ou quando, pela seqüência temporal de dois acontecimentos, assume-se que o primeiro é a causa do segundo. Um exemplo interessante seria o caso do homem que observa pelo buraco da fechadura e vê, sempre, um gato passando de um lado para o outro, e então deduz de sua observação que a cabeça do gato é a causa do rabo.

Ensinava-se ciência para as crianças (na minha época), particularmente o processo de evaporação da água e do retorno da água em forma de chuva, da seguinte forma: quando a professora já devia ter certeza de que iria chover em determinada tarde, ela nos levava à cozinha da escola e colocava uma panela de água para ferver. Depois de algum tempo a água evaporava, e então ela nos explicava que aquela água que estava subindo aos céus iria depois descer em forma de chuva. Quando começava a chover, mais tarde, ela nos chamava a atenção novamente para a natureza, relacionando a chuva com a água evaporada da panela. Naquele momento, a panela já não tinha mais água nenhuma. Apesar de toda a boa intenção da professora de demonstrar praticamente a matéria que estudávamos, temos aqui um exemplo claro de falsa causa, visto que, na mente das crianças, a água fervendo na panela ficava associada como causa da chuva. Estranhava-se um pouco o fato de que a chuva retornava muito mais água do que aquela da panela, mas as perguntas das crianças ficavam muitas vezes sem resposta. Quando chegávamos em casa e tentávamos repetir a experiência, a frustração era muito grande, pois não conseguíamos causar chuva daquela forma — a água daquela panela não era causa alguma do fenômeno que havíamos observado, posteriormente.

2.3.10 *Ignoratio Elenchi* ou Conclusão Irrelevante

O **ignoratio elenchi** ou **conclusão irrelevante** ocorre quando se discursa sobre determinada conclusão e se espera que essa conclusão sirva de substrato para a argumentação. Copi nos dá um exemplo bastante interessante:

> Num tribunal, tentando provar que o réu é culpado de homicídio, o promotor público poderá argumentar longamente que o homicídio é um crime horrível. Será até capaz de provar, com êxito, essa conclusão. Mas, quando infere das suas considerações sobre o horror do crime de que o réu é acusado, está cometendo a falácia de *ignoratio elenchi*[30].

2.3.11 *Ad Baculum* ou Apelo à Força

No ***ad baculum*** ou **apelo à força**, utiliza-se a força para intimidar o interlocutor, para obrigá-lo a aceitar nossa argumentação. A ameaça ou intimidação é utilizada para determinar a conclusão.

[30] COPI, 1981, p. 87.

O professor pode recusar-se ao debate com o aluno sobre determinado assunto, ameaçando-o com uma nota baixa. Contudo, o mérito da discussão, a dúvida levantada, o espírito crítico do estudante, é assim falaciosamente ignorado. O aluno fica obrigado a concordar com a argumentação do docente, mesmo que ela não se sustente. A nota que o estudante tirará, caso discorde do professor, não tem relação nenhuma com a coerência ou incoerência do raciocínio em discussão.

Em geral, são as pessoas ou grupos dotados de autoridade e poder (a família, a Igreja, o governo etc.) que se utilizam do recurso à força para convencer-nos de algo.

2.3.12 Homem de Palha

Na **falácia do homem de palha**, procura-se confundir determinada proposição com outra mais fraca, menos plausível, para então atacar essa proposição mais fraca. A origem do nome remonta à esgrima medieval, em que os lutadores treinavam seus golpes contra homens de palha.

Alguém pode nos perguntar, por exemplo, se as mulheres devem ter direito a prostituir-se. Se é direito dela decidir se quer ou não se prostituir. Se deve pertencer à mulher o dinheiro que advém da prostituição. Algumas das respostas que se costuma dar a essa questão são: que as prostitutas deixam de ser elas mesmas ao venderem seu corpo; corrompem-se; são vagabundas; ganham dinheiro muito fácil; transmitem Aids; tornam algumas ruas uma baderna; não gostam do que fazem; só o fazem por necessidade etc. E por todos esses motivos, que parecem suficientemente numerosos, não têm esse direito e devem ser punidas, devem ser impedidas de utilizar o próprio corpo como bem entenderem.

Ora, todas as respostas propostas, além de questionáveis e bastante diferentes umas das outras, levantam discussões irrelevantes para a pergunta formulada. Procura-se substituir a questão da invasão da privacidade e da liberdade individual, em que em última instância se constitui a criminalização da prostituição, por uma série de outras argumentações menores em relação à questão proposta. Com que direito impedimos uma mulher de prostituir-se? Porque as prostitutas em geral utilizam drogas, e usar drogas é crime, muitas vezes se argumenta. Ora, então seria necessário criminalizar uma série de outras profissões. Na justificativa para a criminalização da prostituição, em geral tendemos a utilizar a falácia do **homem de palha**

2.3.13 Impertinência

São utilizadas observações que não têm relação direta com o assunto tratado para desviar a atenção da argumentação principal. *Sair pela tangente* ou *fugir do assunto*, costumamos dizer. Os políticos são os reis da falácia da impertinência.

Deve-se notar que, apesar da aparente semelhança, a falácia da impertinência se diferencia da falácia do homem de palha. Nesta, procura-se desqualificar alguma proposição, criticar alguma argumentação, utilizando-se de outra, como se ambas fossem a mesma. Finge-se que se está criticando algum raciocínio quando, na realidade, outro raciocínio está sendo criticado. Por isso o homem de palha: procura-se confundir o interlocutor, apresentando um boneco como se fosse o verdadeiro lutador. Se eu posso criticar o homem de palha e ao mesmo tempo fazê-lo passar pelo verdadeiro lutador, então posso iludir meu interlocutor, porque critiquei o lutador. Se meu raciocínio em relação ao homem de palha não apresenta falhas, é impecável, então a falácia só pode ser desmascarada pela desmoralização do homem de palha — não do próprio raciocínio.

Na **falácia da impertinência**, procura-se, ao contrário, fugir da argumentação, responder alguma coisa que, mostrando-se pertinente a uma questão colocada, acaba por permitir que não se enfrente a questão.

Para resumir, a falácia do homem de palha critica B e procura fingir que B é A, concluindo então que se tenha criticado A. A falácia da impertinência responde B como se estivesse respondendo A, para fugir de A. Quem se utiliza da falácia do homem de palha procura enfrentar A por meio de B; quem se utiliza da falácia da impertinência procura fugir de A por meio de B. Ambas as falácias procuram fingir que B é A, mas por meios diferentes.

2.3.14 Ambigüidade

Ocorre quando uma palavra, expressão ou oração possui mais de um significado, e o significado ao qual nos referimos não fica claro na argumentação. Essa falta de definição do sentido utilizado, ou o uso de diferentes sentidos para o mesmo termo, durante a argumentação, gera a **falácia da ambigüidade**.

Veremos, mais à frente, a necessidade do recurso à definição de alguns conceitos, em ciências humanas, para evitar a falácia da ambigüidade.

2.3.15 Vaguidade

Em alguns casos, uma palavra pode não indicar sentido nenhum, deixando a argumentação vaga. Diferentemente da falácia da ambigüidade, em que um termo é utilizado na argumentação com mais de um significado, no caso da **falácia da vaguidade**, a um termo utilizado não fica claramente associado nenhum significado.

A palavra paradigma é freqüentemente utilizada, em administração, nesse sentido. Parece uma palavra mágica, que pode resolver todos os problemas dos administradores. Mas seu sentido, em muitas argumentações, permanece vago, não aparece associado a nenhum significado.

2.3.16 Anfibologia

Ocorre quando as proposições são ambíguas pelo fato de apresentarem falhas em sua construção gramatical. A falha aqui não é semântica, não é a verdade ou falsidade da premissa que se deve discutir, mas sim sua construção sintática.

Se a filha chega em casa e diz para a mãe: "O cachorro do meu namorado me mordeu", a frase é ambígua não pelos diferentes sentidos que uma palavra ou um termo podem assumir, mas pela própria construção sintática da oração — o agressor pode ser "o cachorro do namorado" ou "o namorado, que é um 'cachorro'".

2.3.17 Ênfase

Ocorre quando, por causa da acentuação ou ênfase dada a determinada palavra, expressão ou oração de uma proposição, acabamos por alterar seu significado, gerando conclusões equivocadas. Em geral, encontramos diferenças de ênfase nas palavras ou sentenças entre as diferentes línguas, o que causa muitas vezes problemas para um falante não nativo.

Há uma série de ferramentas utilizadas nos textos escritos para dar mais ênfase a determinadas palavras, expressões, frases ou parágrafos — negrito, itálico, pontuação, sublinhado etc.

2.3.18 Generalização Apressada ou Acidente Convertido

Trata-se dos casos em que se realiza a indução, com exemplos ou casos atípicos, excepcionais, que não caracterizam a regra geral de determinados fenômenos ou não abrangem uma quantidade de fenômenos observada que seja significativa e justifique a indução. Estudaremos o método da indução mais à frente. Podemos registrar a afirmação de Bachelard: "Há de fato um perigoso prazer intelectual na generalização apressada e fácil"[31].

2.3.19 Analogia Defeituosa

Concluímos que, como os objetos A e B têm certa semelhança, como A tem a propriedade X, B também a tem. Se a similaridade entre A e B é baixa ou irrelevante para a propriedade em questão, o raciocínio tende à falácia da analogia defeituosa. Vejamos um exemplo:

> Isso demonstra, mais uma vez, a falácia do argumento de Simonsen, quando diz que um imposto sobre transações financeiras 'só é capaz de viver como complemento da inflação'.
>
> Questiona-se o potencial do Imposto Único com base na arrecadação do Imposto Provisório sobre Movimentação Financeira (IPMF). Esse é tomado como um espelho do Imposto Único, mas, em realidade, as coincidências entre eles são apenas aparentes. Há diferenças substanciais de natureza conceitual básica entre os modelos de unicidade e de multiplicidade tributária e distinções operacionais profundas, embora ambos incidam sobre lançamentos bancários[32].

2.3.20 Jogador

Ocorre quando afirmamos que algo, por não ter ocorrido recentemente, tende a ocorrer logo. Assim, se passamos um ano sem amar ninguém, é mais provável que no ano seguinte amemos alguém. Na verdade, os dois eventos são estatisticamente independentes.

2.3.21 Evidência Suprimida ou Indutiva

Ocorre quando realizamos uma indução sem levar em consideração determinada evidência, que serviria para desqualificar a con-

---

[31] BACHELARD, 1996, p. 69.

[32] CINTRA, Marcos. Em boca calada não entra mosquito. *Folha de S.Paulo*, São Paulo, 17 set. 1995. Caderno Dinheiro, p. 2-8.

clusão. Um exemplo extremo seria aquele em que, após observar uma centena de cisnes brancos, encontro um cisne negro. Ignoro-o, mato-o, escondo-o e continuo a dizer que todos os cisnes são brancos.

2.3.22 Negação do Antecedente

Formalmente, ocorre quando se afirma que determinado evento A implica o evento B. Infere-se erroneamente que, quando não ocorre o evento A, então não ocorre, por conseqüência, o evento B.

Posso afirmar que se eu tirar 7 nos quatro bimestres, passarei de ano direto.

Portanto, se eu não tirar 7 nos quatro bimestres, não passarei de ano direto.

Essa conclusão é falaciosa, pois se eu não tirar 7, posso tirar 7,5, 8 ou outra nota superior a 7, e mesmo assim passarei de ano direto.

A falácia da negação do antecedente pode ocorrer com cadeias de raciocínio: A implica B, B implica C, C implica D..., então se não-A, também não-D.

2.3.23 Composição

Ocorre quando projetamos as propriedades da parte de um todo para as propriedades do próprio todo, ou as propriedades de indivíduos para as propriedades da coleção desses indivíduos. Um conjunto de bons funcionários não corresponde necessariamente a uma empresa boa. Sabemos, por experiência própria, que a força de um grupo de pessoas é muitas vezes extremamente inferior à somatória das forças dos indivíduos que compõem o grupo. Teremos a oportunidade de estudar esse ponto quando tratarmos da obra de Chester Barnard.

Aristóteles pensa nessa falácia, no *De sophisticis elenchis*, quanto ao uso dos operadores modais (possibilidade, no caso) de forma absoluta e relativa:

> A falácia da composição surge em relação com frases como 'O homem que está sentado pode andar' e 'O homem que não está a escrever pode escrever'. Porque não quer dizer a mesma coisa afirmar que é possível para um homem sentado andar se se interpreta a frase em divisão (dielwn) e em composição (sunqeiz). Analogamente se se interpreta em composição 'O homem que não está a escrever pode escrever'

porque significa que ele tem a capacidade de escrever enquanto não está a escrever; mas se não se interpreta em composição significa que quando não está a escrever tem a possibilidade de escrever[33].

2.3.24 Divisão

É o inverso da falácia da composição, ou seja, projetam-se as propriedades do todo para as propriedades de suas partes ou de um conjunto de elementos para os próprios elementos. Quando se afirma que um time de futebol é muito bom, a afirmação refere-se ao time como um conjunto, não aos jogadores individualmente — se infiro daí que todos os 11 jogadores são muito bons, cometo a falácia da divisão.

2.3.25 Falsa Dicotomia

Ocorre quando definimos um leque de opções (ao pé da letra, apenas duas) que deveriam dar conta de toda a complexidade de eventos possíveis. Outro exemplo também tirado dos boletins de ocorrência é um de falsa dicotomia, assim como de falácia da pergunta complexa:

> Demonstra estar arrependido pela prática do crime por que responde agora ou acha que a sua atitude foi premeditada e o fim alcançado estava na sua vontade?

Também aqui se admite o crime de antemão, com a pergunta, e ainda por cima se dão duas opções bastante restritas de resposta — o crime foi premeditado ou não (e no caso negativo, necessariamente o indiciado deve estar arrependido). Mas podemos imaginar várias outras possibilidades, mesmo que se admita o crime: o ato foi premeditado, alcançou o fim que estava na vontade do criminoso, mas ele está arrependido; o crime não foi premeditado, mas o criminoso também não está arrependido etc.

Mary Parker Follett discute essa falácia, embora sem nomeá-la, numa passagem muito interessante de sua palestra "Psicologia do Consentimento e da Participação":

> Se participação significa ocupar sua parte numa unidade integrativa, se queremos obter o que cada um tem para contribuir, quais são algumas das regras que nós devemos adotar para nossa orientação? Em primeiro lugar, eu devo

[33] 4 (166ª22-30) Apud KNEALE; KNEALE, 1991, p. 95. A referência inicial é padrão nas obras de Aristóteles.

dizer, nunca, se possível, permitir que uma situação *ou... ou* seja criada. Isso acontece quando questão do tipo 'Sim' ou 'Não' é formulada para o grupo, como 'Isto deve passar a valer quinta-feira de manhã?'. Questões desse tipo são em geral colocadas para grupos em que os membros deveriam estar supostamente participando (não meramente consentindo), como em comitês ou conselhos de diretores. A objeção para esse modo de abrir discussões é que, ao apresentar duas alternativas, você de forma alguma exaure as possibilidades de uma situação; significa um pensamento grandemente empobrecido, uma diminuição de seus recursos mentais; geralmente paralisa o pensamento ou canaliza o pensamento. Observe o debate universitário. Resolvido que isto e aquilo seja feito. Isso nos traz imediatamente uma questão Sim ou Não; nós o faremos ou nós não o faremos. Isso é fatal para o melhor pensamento. Há quase sempre mais de duas alternativas em uma situação, e nosso trabalho consiste em analisar a situação cuidadosamente o suficiente para que o máximo possível de alternativas apareçam.

Uma questão é em si mesma um pré-julgamento. Deixe-me dar um exemplo. Uma associação colocou a questão de participar no Dia da Defesa. Muitos pensavam que eles deveriam mostrar seu patriotismo, sua vontade de servir seu país. De outro lado, havia aqueles contrários a toda demonstração militar; os pacifistas queriam submeter a associação definitivamente a uma atitude de não consentimento. A questão foi colocada: Devemos cooperar ou não? Uma questão Sim ou Não. Mas poderiam ter sido consideradas alternativas: a possibilidade de demonstração hostil, a possibilidade de cooperação indiferente, registrando reservas, ou poderia ter havido uma integração. Entre os homens que gostam de guerra e aqueles que dizem 'Você nunca me verá novamente no cáqui' há aqueles que farão de tudo para evitar a guerra antes de vestir o cáqui. Essa associação poderia, portanto, ter decidido influenciar a opinião pública através de alguma demonstração contra a guerra, decidindo ao mesmo tempo cooperar na demonstração do Dia da Defesa, assumindo que se começasse a guerra eles tomariam parte nela.

Se você olhar para trás em sua experiência em qualquer comitê, eu acho que você verá que é a atitude contra ou a favor que gera o conflito, que quando você determina uma política executiva na forma de 'Isto deve ser feito ou não?' você freqüentemente descobre que tem um conflito em suas mãos. Se nós encaramos uma conferência não primordialmente para votar, mas para deliberar, discutir, estabelecer relações entre conhecimento, julgamento e propósitos, então a regra deveria ser: procure todos os fatores na situação; guie sua conferência ou comitê de forma que duas alternativas não se apresentem nos primeiros momentos da discussão; refreie aqueles que desejem votar no momento em que duas alternativas definidas surjam da discussão. Algumas pessoas parecem pensar que uma discussão serve apenas para definir com precisão o assunto, e que quando isso está feito estamos então prontos para votar. Não é bem assim. Adie alternativas opostas até que mais de duas apareçam. Se duas são propostas prematuramente, fragmente-as, adicione outras, e então o alinhamento final pode ser diferente do primeiro.

Em resumo, nós não conseguimos participação integral a menos que evitemos as situações *ou... ou*. Suponha que nossos competidores tenham diminuído o preço de algum artigo. Se nós perguntamos em nosso comitê executivo se devemos ou não baixar mais que nossos competidores, nós então criamos uma situação *ou... ou*, com todas suas desvantagens, em vez de tentar extrair de nossos executivos algumas idéias de como enfrentar a situação de alguma outra forma, o que é, claramente, o que realmente desejamos, pois esse tipo de competição tem um limite óbvio[34].

2.3.26 Acidente

Consiste em aplicar a um caso particular uma regra geral, mesmo que na circunstância em questão a regra geral perca seu valor. No próximo item, essa falácia será retomada.

Mesmo as regras gerais não podem ser, sempre, aplicadas a todos os casos. Toda regra tem exceção, costumamos dizer. Alguns casos não permitem a aplicação da regra geral, e quando mesmo assim a usamos numa argumentação, cometemos a **falácia do acidente** Vejamos um exemplo polêmico:

> Nenhum homem tem o direito de matar seus semelhantes.
> O aborto é uma forma de matar nosso semelhante.
> Portanto, o homem não pode ter o direito de abortar.

Aqueles que defendem a legalização do aborto diriam que, em muitos casos, a regra geral expressa pela primeira premissa do silogismo anterior não poderia ser aplicada. Nos casos em que uma mulher é estuprada e engravida, por exemplo; em que a futura mãe não tem condições financeiras nem psicológicas para cuidar de uma criança, e a própria sociedade não lhe oferece condições para cuidar dela; em

[34] FOLLETT, Mary Parker. The psychology of consent and participation. In: ______. *Dynamic administration*: the collected papers of Mary Parker Follett. Ed. Henry C. Metcalf, L. Urwick. New York: Harper & Brothers, [194-]. p. 219-221, tradução nossa. Marvin T. Brown, no capítulo "Forjando acordos a partir de desacordos e pontos de vista opostos", de seu livro *Ética nos negócios* (Tradução Flavio Denny Steffen. São Paulo: Makron Books, 1993), aborda e discute a mesma falácia (também sem nomeá-la) na prática da administração.

que se pode garantir que a criança nascerá com sérios problemas de saúde. Enfim, em todos esses casos, podemos dizer que, na verdade, não se está "matando um semelhante", no sentido da regra que a primeira premissa procura exprimir. Esses casos seriam todos "acidentes" ou exceções da regra, aos quais não se poderia aplicá-la.

2.3.27 Falácia dos Quatro Termos

Ocorre quando temos um silogismo não com três termos (maior, médio e menor), mas com quatro. Por exemplo, quando tiramos uma conclusão universal afirmativa problemática de duas premissas universais afirmativas problemáticas:

> Todo triângulo pode ou não ser azul.
> Todo objeto vermelho pode ser ou pode não ser um triângulo.
> Portanto, todo objeto vermelho pode ou não ser azul.

"Ser capaz de ser um triângulo" é um termo diferente de "ser um triângulo". Além disso, das premissas serem separadamente possíveis, não podemos concluir que elas sejam possíveis em conjunto.

2.4 Dedução, Indução e Hipótese

> A lógica material ultrapassa, pois, o puro silogismo que estabelece apenas uma forma rigorosa de raciocínio, qualquer que seja o objeto de que se trate. Ela vai mais longe; compreende não somente as implicações rigorosas do silogismo, compreende também as operações indutivas (próprias das ciências), consideradas do ponto de vista do seu valor probante, as hipóteses, os métodos científicos. Atinge, portanto, o domínio inteiro do conhecimento, quer proceda a inteligência de maneira *dedutiva* (isto é, silogística), quer proceda ela de maneira *indutiva*, como é o caso das ciências experimentais[35].

Os conceitos de **dedução** e **indução** são essenciais não apenas em lógica e filosofia, mas em todas as ciências, desde as exatas (matemática, física etc.) até as ciências biológicas e humanas. Aqui vale um percurso de construção e depuração conceitual, e da conseqüente diferenciação entre os dois conceitos, para que concluamos nosso estudo de lógica.

---

[35] CHARBONNEAU, Paul-Eugène. *Curso de filosofia*: lógica e metodologia. São Paulo: EPU, 1986. p. 28.

Ao estudarmos os silogismos (e mesmo as falácias), considerávamos, na verdade, as regras lógicas que regem o método dedutivo: de proposições ou premissas pode-se, utilizando-se leis válidas do raciocínio, chegar a conclusões necessárias e universais. Portanto, a dedução caracteriza-se como um método formal, que nos permite chegar a um grau de certeza também formal. Do ponto de vista científico, garante que, se partirmos de premissas verdadeiras, aplicando o método dedutivo, cheguemos a conclusões também verdadeiras. Quando as proposições iniciais são verdadeiras, a dedução nos leva a conclusões necessária e universalmente verdadeiras, independentemente do confronto do sentido dessas conclusões com a própria realidade. Nesse sentido, a dedução é um método científico essencial, pois, apesar de se constituir em uma técnica estritamente formal, garante conclusões verdadeiras[36].

Nesse sentido, a dedução possui caráter científico de prova, já que basta para aceitar a afirmação (a conclusão do raciocínio) como verdadeira, desde que a veracidade das proposições seja evidente. Portanto, ela substitui o retorno da ciência à realidade para provar a verdade de algumas proposições.

A *indução*, por sua vez, é um método também essencial para as ciências, apesar de não fornecer o grau de validade formal da dedução nem, por conseqüência, o grau de veracidade da conclusão obtida por dedução.

A indução, ao contrário da dedução, parte da realidade. Da semelhança de propriedades observada nos objetos ou da repetição de determinados eventos, o sujeito constrói um novo conceito (ou amplia seus limites semânticos), conceito que procura agora cobrir não apenas os objetos ou os eventos já observados, mas uma gama maior de eventos, projetados pelo sujeito, que se espera sigam as mesmas regras dos até então observados. Eu vejo um cisne branco, vejo outro cisne branco, um terceiro cisne branco etc., então, por indução, afirmo que todos os cisnes são brancos.

A **dedução**, normalmente, parte do universal para o particular, enquanto a **indução** em geral realiza o caminho inverso, do particular ao universal.

Enquanto a dedução parte normalmente do universal para o particular, a indução, por sua vez, realiza o caminho contrário: do particular chega ao universal. A dedução implica a aplicação da regra geral a um caso particular. A indução infere uma regra a partir do particular. Lem-

[36] É sempre bom lembrar que "verdade", aqui, é utilizada no sentido em que a definimos anteriormente, ou seja, como adequação entre o discurso e a realidade.

brando Aristóteles, essa inferência do geral a partir do particular, característica da indução, não tem apenas o sentido de extrair uma lei da repetição e enumeração de casos individuais, mas antes de reunir e comparar um número de casos especificamente diferentes. Por exemplo: se o piloto hábil é o melhor, se o carroceiro hábil é o melhor, o hábil é o melhor em cada caso[37].

O raciocínio indutivo não tem a mesma pretensão de validade do dedutivo. As premissas apresentadas sugerem determinada conclusão, mas não no grau de certeza que ocorre no caso da dedução. Por isso chamamos também a indução de **método hipotético-dedutivo**, ou seja, tira-se uma conclusão de determinadas premissas, mas de forma hipotética, e não universal e necessária. Assim, se consideramos as premissas verdadeiras, nos dois casos, vemos que a indução fornece menor grau de veracidade das suas conclusões, em comparação com a dedução. Daí por que o método indutivo exige constante retorno à experiência, o que não ocorre com a dedução. *A dedução implica necessidade e universalidade; a indução, probabilidade.* Assim, a lógica indutiva encontra-se intimamente relacionada com a teoria da probabilidade. É provável que o Sol nasça amanhã, para retomarmos um argumento do filósofo inglês David Hume, porque assim sempre o foi, porque o Sol nasce todo dia, então induzimos naturalmente que existe aqui uma lei — mas essa lei não se constrói com a universalidade e a necessidade das conclusões dedutivas, e sim com o grau de probabilidade da indução.

A analogia está na base da indução. Determinada situação levou a determinado resultado, então, supomos que situações semelhantes, análogas, nos levarão a um resultado semelhante. A semelhança, que fundamenta a analogia, pode dar-se em diversos níveis: propriedades dos eventos ou objetos, relações, funções etc. As hipóteses científicas têm, em geral, essa estrutura analógica. E, para prová-las, retornamos inúmeras vezes à realidade. Desse modo, a indução envolve um movimento do individual (objetos ou eventos observados) ao universal (conceito) e um retorno ao individual (objetos ou eventos observáveis) para sua concretização. E o que caracteriza a indução (e por extensão a ciência moderna) é justamente esse movimento de eterno retorno do conceito à realidade, e sua conseqüente reformulação, num novo processo de abstração,

---

[37] KNEALE; KNEALE, 1991, p. 38.

e assim por diante. A atividade científica determina, assim, a harmonia entre os aspectos racionais do ser humano (**razão**) e a força da realidade (**experiência**). Experiência e razão seriam, pois, autodependentes no mundo da ciência.

Devemos, portanto, tomar cuidado ao afirmar que nossa ciência moderna é empírica: a experiência sensível não é, na verdade, o pólo central, único e isolado, ao redor do qual se constroem a razão e a ciência. A prova de qualquer teoria científica, sem dúvida, dá-se pelo contato com a realidade, pela experimentação. E o momento de abstração da ciência, ao contrário da filosofia, por exemplo, não tem sentido por si só, mas apenas em função de sua adequação à realidade. Mas o que a ciência busca na realidade, utilizando-se do método indutivo, é certa *regularidade* nos fenômenos, relações de *causalidade* que a permitam sistematizar o conhecimento, determinar regras, apontar comportamentos que tendam a repetir-se com a experiência. Mas essa regularidade e essa causalidade seriam também características racionais, estariam também presentes na razão. Não seriam apenas características do real, que utilizaria a razão como simples espelho ou receptáculo. Veremos como essa discussão se desenvolve, na teoria do conhecimento, a partir de Descartes.

Devemos ressaltar ainda que, a par do rigor conceitual e explicativo gerado pelo método dedutivo, é com a indução que a ciência realmente progride. A dedução não consegue gerar novos conhecimentos — na realidade, acaba por explicitar um conhecimento já implícito em proposições básicas. A dedução é o método fundamental para que as ciências atinjam um estágio de sistematização rigorosa. Mas o novo conhecimento científico parte necessariamente do real, da experiência, e nesse sentido a indução é essencial. A indução constitui-se, assim, num método de *descoberta*, enquanto a dedução, num método de exposição e de sistematização[38].

Há diversos métodos de inferência indutiva, assim como ocorre com a lógica dedutiva: indução simples, analogia, inferência estatística, métodos de eliminação (Bacon-Mill), método hipotético-dedutivo, inferência probabilística etc. Para explicar a questão da probabilidade inerente ao método indutivo, podemos tam-

[38] COSTA, 1994, p. 23.

bém identificar diversas posturas: teoria subjetivista, teoria da relação lógica, teoria freqüencial, teoria pragmática etc. Não iremos, entretanto, discutir aqui esses métodos e essas posturas[39].

Por fim, gostaríamos de diferenciar o conceito de **hipótese** do de **indução**. Enquanto a dedução possui caráter analítico, a hipótese e a indução têm caráter sintético e muitas vezes se confundem. Peirce, entretanto, realiza uma sutil distinção entre indução e hipótese:

> A indução ocorre quando generalizamos a partir de certo número de casos em que algo é verdadeiro e inferimos que a mesma coisa será verdadeira do total da classe. Ou quando verificamos que certa coisa é verdadeira para certa proporção de casos e inferimos que é verdadeira, na mesma proporção, para o total da classe. Hipótese ocorre quando deparamos com uma circunstância curiosa, capaz de ser explicada pela suposição de que se trata de caso particular de certa regra geral, adotando-se, em função disso, a suposição. Ou quando verificamos que sob certos aspectos dois objetos mostram forte semelhança e inferimos que se assemelham fortemente um ao outro sob aspectos diversos[40].

A indução em princípio infere que existam fenômenos semelhantes aos já observados, enquanto a hipótese, por sua vez, vai mais longe, sugerindo fenômenos não observados no campo da experiência — mas por meio de cuja observação, mesmo que da observação de efeitos dos fenômenos estudados, e não deles mesmos, pode constatar-se a verdade ou não da hipótese. A indução realiza uma inferência de um grupo de fenômenos para outro de fenômenos semelhantes. Já a hipótese trabalha, na realidade, com grupos de fenômenos distintos.

Enquanto a **indução** lida em geral com conjuntos de fenômenos semelhantes, a **hipótese** o faz com conjuntos de fenômenos distintos.

Poderíamos afirmar que a dedução **prova** que algo deva **necessariamente** ser de determinada maneira; a indução **mostra** como algo deve ser, **provavelmente**, repetidas as condições de sua experiência; e a abdução (ou o método de formação de uma hipótese para explicar os fenômenos), por sua vez, **sugere** que algo **deva ser** de determinada maneira. A combinação dos três métodos é bastante comum nas ciências.

---

[39] Newton C. A. Costa os expõe em seu *Lógica indutiva e probabilidade*, 1993. p. 55-79.

[40] Dedução, indução e hipótese. In: PEIRCE, 1984, p. 150.

Para concluir, é possível traçar um interessante paralelo entre lógica e teoria da administração. Podemos imaginar dois limites extremos como referências para o trabalho do administrador: as tomadas de decisão arbitrárias, de um lado, e a obsessão por números, análises e observações, de outro. A ação contínua e imediata, movida por uma intuição desvinculada da realidade, de um lado, e a paralisia pela análise, de outro. Assim, a lógica pode auxiliar na determinação dos aspectos científicos da administração, clareando esses extremos e toda a região intermediária em que o administrador atua. É o que procura fazer Juan Fontrodona, baseando-se na obra de Peirce, ao traçar também interessantes paralelos entre o momento da abdução em lógica e a teoria da tomada de decisões em administração[41].

[41] FONTRODONA, Juan. *Pragmatism and management inquiry*: insights from the thought of Charles S. Peirce. Westport: Quorum Books, 2002.

Capítulo 3

FILOSOFIA DA LINGUAGEM

"Os limites de minha linguagem significam os limites de meu mundo."[1]

A linguagem não só determina os limites do nosso mundo como também decisivamente o sentido do próprio mundo que enxergamos. A linguagem é o nosso ponto de vista sobre o mundo. Mas o objeto (mundo) não está dado, automaticamente, e é justamente o ponto de vista que cria e constrói esse objeto — existe um mundo para cada modo de ver. Assim como nosso pensamento se forma a partir da linguagem, nossa concepção de mundo é também diretamente determinada por ela. É por meio da linguagem que podemos construir conceitos claros e distintos, e dar sentido aos objetos. Saussure ilustra bem essa posição com a seguinte observação:

> Psicologicamente, abstração feita de sua expressão por meio das palavras, nosso pensamento não passa de uma massa amorfa e indistinta. Filósofos e lingüistas sempre concordaram em reconhecer que, sem o recurso dos signos, seríamos incapazes de distinguir duas idéias de modo claro e constante. Tomado em si, o pensamento é como uma nebulosa onde nada está necessariamente delimitado. Não existem idéias preestabelecidas, e nada é distinto antes do aparecimento da língua[2].

Entre o pensamento e o som instala-se a língua. Com a língua, o pensamento, que é caótico por natureza, é "forçado a precisar-se ao se decompor"[3].

---

[1] WITTGENSTEIN, Ludwig. *Tractatus logico-philosophicus*. Tradução Luiz Henrique Lopes dos Santos. 2. ed. rev. ampl. São Paulo: Edusp, 1994. p. 245, 5.6.

[2] SAUSSURE, Ferdinand de. *Curso de lingüística geral*. Tradução Antônio Chelini, José Paulo Paes e Izidoro Blikstein. 17. ed. São Paulo: Cultrix, 1993. p. 130.

[3] Ibid., p. 131.

Assim, a filosofia da linguagem, tanto quanto a lógica, torna-se um pré-requisito para o desenvolvimento da reflexão filosófica. Lógica e linguagem estão intimamente relacionadas. Pensamento e expressão talvez não possam, praticamente, ser separados um do outro.

A linguagem é nosso instrumental de relação social com as pessoas e o mundo que nos rodeia, e é então essencial dedicarmos uma reflexão à própria linguagem, assim como o fizemos às formas do raciocínio, para melhor fundamentar a reflexão filosófica. Lógica e filosofia da linguagem seriam, pois, as duas disciplinas básicas não apenas da filosofia, mas das ciências em geral, e mesmo da administração. Constituem como que um arcabouço teórico, sobre o qual se podem erigir os demais conhecimentos.

Escolhemos alguns tópicos que cremos darem conta da discussão sobre a linguagem em nossa época. Esses itens completar-se-ão em teoria do conhecimento. Na verdade, não existe em filosofia um campo determinado de estudos que possamos batizar de filosofia da linguagem. Em muitos livros de introdução à filosofia, não encontramos um tópico específico com esse título. As questões da linguagem são discutidas quando se fala de lógica e teoria do conhecimento, por exemplo. Do nosso ponto de vista, a linguagem é essencial como objeto da filosofia. Justamente por isso, nosso estudo se amparará em outros campos de conhecimento que não apenas a filosofia: a língua, a gramática, a lingüística, a psicologia, a literatura comparada, a sociologia, a antropologia etc. Com isso, esperamos auxiliar a exposição das questões essenciais que a filosofia nos coloca em relação à linguagem.

Desde o Paleolítico Inferior, de 1.000.000 a 25.000 a.C., na figura do homem de Neandertal, já se estima que, paralelamente ao conhecimento do fogo, ao sepultamento dos mortos e ao uso de armas e utensílios de pedra, o homem utilizava-se da linguagem falada. Não é necessário frisar a importância da linguagem na atividade do administrador de empresas. Desde a simples necessidade de comunicar-se verbalmente (nas mais diversas situações, por meio da linguagem escrita ou oral), do contato diário com informações fornecidas por meio da linguagem, da importância da liderança no ambiente empresarial contemporâneo (que se exerce, em boa parte, por intermédio da linguagem), da globalização econômica, da revolução da informática, da babel lingüística que hoje se estabelece por todo o mundo (apesar do predomínio do inglês), **tudo no mundo da empresa passa pela linguagem**. Assim, este tópico é essencial na formação do futuro administrador, e esperamos que, por meio da reflexão filosófica, consigamos desenvolver tanto a capacidade de expressão do estudante quanto o espírito crítico perante os discursos aos quais é submetido no dia-a-dia. Gerar, em maior ou menor grau, a consciência da linguagem (esse instrumento que nos parece tão familiar, tão imediato, tão conhecido, tão fácil de manejar, sem segredos, inofensivo) é nosso objetivo final, aqui.

3.1 Língua e Linguagem

> "Se é o *Homo sapiens*, é também, e antes de mais nada, o *Homo loquens*, homem de palavras."[4]

Como distinção inicial entre os conceitos de **língua** e **linguagem**, podemos dizer que a linguagem é mais ampla que a língua. O conceito de linguagem tem mais espaço de liberdade semântica ou mesmo de imprecisão do que o conceito de língua. Assim, podemos falar de linguagem escrita, linguagem verbal, linguagem musical, linguagem visual, linguagem matemática, linguagem simbólica etc. A língua, por sua vez, possui caráter mais restrito: implica sempre o conjunto do léxico e das regras gramaticais de determinado povo ou nação[5]. Assim, quando estudamos a linguagem não nos devemos restringir a uma ou mais línguas determinadas, apesar da importância primordial que a língua tem para a filosofia da linguagem.

A **linguagem** envolve qualquer forma de expressão, enquanto a **língua** é uma forma de expressão específica, por meio de palavras.

Saussure realiza uma célebre distinção entre fala (*parole*) e língua (*langue*)[6]. A fala seria o ato da execução da língua pelo indiví-

[4] HAGÈGE, Claude. *O homem dialogal*: contribuição lingüística para as Ciências Humanas. Tradução Isabel St. Aubyn. Lisboa: Ed. 70, 1990. p. 10.

[5] Falam-se hoje no mundo entre 4.500 e 6.000 línguas. Vemos, portanto, que a associação das línguas a nações é arbitrária e até mesmo imperialista, pois grande parte dessas línguas é falada por minorias, não representantes de uma nação.

[6] SAUSSURE, 1993, p. 21-23. Para uma crítica teórica aguçada dos conceitos de **fala** e **língua** em Saussure, veja COSERIU, Eugenio. Sistema, norma e fala. In: ______. *Teoria da linguagem e lingüística geral*: cinco estudos. Tradução Agostinho Dias Carneiro. Rio de Janeiro: Presença, 1979. p. 13-85. Uma visão sociológica da linguagem aponta também uma série de imprecisões nessa dualidade língua–fala em Saussure, principalmente no que concerne a uma visão do ato da fala dissociado de sua dimensão propriamente social, de comunicação. A língua só teria sentido, portanto, se compreendida como mecanismo interindividual — e, enquanto fala individual, restaria apenas o material fônico a ser estudado. Para Mikhail Bakhtin, por exemplo, "a consciência individual é um fato socioideológico" (p. 35) e "a palavra é o fenômeno ideológico por excelência" (p. 36), em *Marxismo e filosofia da linguagem*: problemas fundamentais do método sociológico na ciência da linguagem. Tradução Michel Lahud e Yara Frateschi Vieira. 3. ed. São Paulo: Hucitec, 1986.

duo. A língua é, ao contrário, um fenômeno lingüístico social e dinâmico, concreto, mas que existe apenas como um contrato simbólico entre os indivíduos de determinado grupo e que precisa ser aprendida pelo indivíduo para ser utilizada:

> Se pudéssemos abarcar a totalidade das imagens verbais armazenadas em todos os indivíduos, atingiríamos o liame social que constitui a língua. Trata-se de um tesouro depositado pela prática da fala em todos os indivíduos pertencentes à mesma comunidade, um sistema gramatical que existe virtualmente em cada cérebro ou, mais exatamente, nos cérebros dum conjunto de indivíduos, pois a língua não está completa em nenhum, e só na massa ela existe de modo completo[7].

Nesse sentido, a lingüística, que tem como objeto de estudo a língua, diferencia-se da psicologia, que estuda a língua em seu caráter individual, como exercitada pelo indivíduo. E é também quando o escritor realiza suas escolhas no âmbito geral da língua, por exemplo, que podemos falar de um estilo de determinado autor.

Os fenômenos lingüísticos podem ser estudados em sua **sincronia**, ou seja, conforme estão estruturados em dado momento, independentemente de sua evolução no tempo, e em sua **diacronia**, ou seja, em função de sua evolução no tempo.

Pode-se estudar a língua pelo menos de dois pontos de vista: em seu estado momentâneo, nas relações que seus elementos apresentam um com o outro, no conjunto do sistema — e a isso chamamos de lingüística **sincrônica** — e em sua evolução, submetida às leis temporais, em seu desenvolvimento por meio de diversas épocas e mesmo por diversas culturas — e a isso chamamos de lingüística **diacrônica**[8]. Os sistemas complexos, como a língua, exigiriam um estudo sob estas duas perspectivas: as relações de seus elementos no próprio sistema e no eixo do tempo.

As alterações que observamos em sistemas como o da língua ocorrem de forma "inconsciente" em relação ao próprio sistema, ou seja, um ou outro elemento modifica-se com o tempo, sem que a conseqüência dessa modificação, para o próprio sistema, esteja prevista ou seja o motor da mudança. Mas qualquer mudança, mesmo que

[7] SAUSSURE, 1993, p. 21.

[8] "É sincrônico tudo quanto se relacione com o aspecto estático da nossa ciência, diacrônico tudo que diz respeito às evoluções." SAUSSURE, 1993, p. 96. Mais à frente (p. 116), Saussure diferencia os dois tipos de lingüística: "*A Lingüística sincrônica* se ocupará das relações lógicas e psicológicas que unem os termos coexistentes e que formam sistema, tais como são percebidos pela consciência coletiva. *A Lingüística diacrônica* estudará, ao contrário, as relações que unem termos sucessivos não percebidos por uma mesma consciência coletiva e que se substituem uns aos outros sem formar sistema entre si".

de um elemento isolado, pela ação do tempo, acaba por modificar todo o sistema em suas relações intrínsecas.

Para ilustrar os conceitos de sincronia e diacronia, essenciais na lingüística, Saussure realiza uma célebre comparação da língua com um jogo de xadrez. Pela importância que tal comparação exerceu no desenvolvimento teórico da lingüística, pela complexidade do exercício de raciocínio que encerra, como exemplo magistral de analogia (recurso essencial do pensamento que deve servir de suporte para nossas argumentações, para esclarecer imagens, para ilustrar idéias), pela beleza do texto, entre outros motivos, convém aqui reproduzir as palavras do pai da lingüística:

> [...] de todas as comparações que se poderiam imaginar, a mais demonstrativa é a que se estabeleceria entre o jogo da língua e uma partida de xadrez. De um lado e de outro, estamos em presença de um sistema de valores e assistimos às suas modificações. Uma partida de xadrez é como a realização artificial daquilo que a língua nos apresenta sob forma natural.
>
> Vejamo-la de mais perto.
>
> Primeiro, uma posição de jogo corresponde de perto a um estado da língua. O valor respectivo das peças depende da sua posição no tabuleiro, do mesmo modo que na língua cada termo tem seu valor pela oposição aos outros termos.
>
> Em segundo lugar, o sistema nunca é mais que momentâneo; varia de uma posição a outra. É bem verdade que os valores dependem também, e sobretudo, de uma convenção imutável: a regra do jogo, que existe antes do início da partida e persiste após cada lance. Essa regra, admitida de uma vez por todas, existe também em matéria de língua; são os princípios constantes da Semiologia.
>
> Finalmente, para passar de um equilíbrio a outro, ou — segundo nossa terminologia — de uma sincronia a outra, o deslocamento de uma peça é suficiente; não ocorre mudança geral. Temos aí o paralelo do fato diacrônico, com todas as suas particularidades. Com efeito:
>
> a) Cada lance do jogo de xadrez movimenta apenas uma peça; do mesmo modo, na língua, as mudanças não se aplicam senão a elementos isolados.
>
> b) Apesar disso, o lance repercute sobre todo o sistema; é impossível ao jogador prever com exatidão os limites desse efeito. As mudanças de valores que disso resultem serão, conforme a ocorrência, ou nulas, ou muito graves, ou de importância média. Tal lance pode transtornar a partida em seu conjunto e ter conseqüências mesmo para as peças fora de cogitação no momento. Acabamos de ver que ocorre o mesmo com a língua.
>
> c) O deslocamento de uma peça é um fato absolutamente distinto do equilíbrio

> precedente e do equilíbrio subseqüente. A troca realizada não pertence a nenhum dos dois estados: ora, os estados são a única coisa importante.
>
> Numa partida de xadrez, qualquer posição dada tem como característica singular estar libertada de seus antecedentes; é totalmente indiferente que se tenha chegado a ela por um caminho ou outro; o que acompanhou toda a partida não tem a menor vantagem sobre o curioso que vem espiar o estado do jogo no momento crítico; para descrever a posição, é perfeitamente inútil recordar o que ocorreu dez segundos antes. Tudo isso se aplica igualmente à língua e consagra a distinção radical do diacrônico e do sincrônico. A fala só opera sobre um estado de língua, e as mudanças que ocorrem entre os estados não têm nestes nenhum lugar.
>
> Existe apenas um ponto em que a comparação falha: o jogador de xadrez tem a *intenção* de executar o deslocamento e de exercer uma ação sobre o sistema, enquanto a língua não premedita nada; é espontânea e fortuitamente que suas peças se deslocam — ou melhor, se modificam; [...] Para que a partida de xadrez se parecesse em tudo com a língua, seria mister imaginar um jogador inconsciente ou falto de inteligência. Além disso, esta única diferença torna a comparação ainda mais instrutiva, ao mostrar a absoluta necessidade de distinguir em Lingüística as duas ordens de fenômenos. Pois se os fatos diacrônicos são irredutíveis ao sistema sincrônico que condicionam, quando a vontade preside a uma mudança dessa espécie, com maior razão sê-lo-ão quando põem uma força cega em luta com a organização de um sistema de signos[9].

Jakobson amplia ainda mais o conceito de sincronia: "A descrição sincrônica considera não apenas a produção literária de um período dado, mas também aquela parte da tradição literária que, para o período em questão, permaneceu viva ou foi revivida"[10].

Chester Barnard apresenta uma interessante discussão em que as noções de sincronia e diacronia, embora não explicitadas, são aplicadas ao campo da administração. Ele defende que a perspectiva diacrônica freqüentemente confunde e prejudica as decisões do executivo. O texto é complexo e merece uma leitura atenta:

---

9 SAUSSURE, 1993, p. 104-105.

10 JAKOBSON, Roman. Lingüística e poética. In: ______. *Lingüística e comunicação.* Tradução Isidoro Blikstein e José Paulo Paes. 10. ed. São Paulo: Cultrix, [19--]. p. 121. É sempre importante e sadio registrar a posição marxista da filosofia da linguagem, que nos chama sempre a atenção para os aspectos sociais da língua, como crítica à visão de Saussure. Bakhtin afirma, por exemplo: "A língua vive e evolui historicamente na comunicação verbal concreta, não no sistema lingüístico abstrato das formas da língua nem no psiquismo individual dos falantes" (BAKHTIN, 1986, p. 85).

[...] decisões relativas ao ambiente físico o tomam como ele é, *neste presente existente*, sendo toda a história considerada irrelevante; já nos campos onde a tecnologia é menos aplicável, o que passou e como se chegou ao presente são aspectos tomados, equivocadamente, como sendo uma parte do presente. O químico pergunta apenas quais são os elementos com os quais ele deve trabalhar e quais são as energias com as quais ele lida, agora. Ele não pesquisa a história da água, como o oxigênio e o hidrogênio são combinados, onde, quando, ou por quê. O passado é irrelevante e irrevogável.

Mas em economia o passado é sempre intrometido em nossa discriminação do presente. Nós perguntamos não apenas o que uma coisa vale *agora*, mas quanto *custou*, em geral um fato interessante por razões deploráveis, mas completamente irrelevante para a presente decisão que o comerciante precisa tomar — vendê-la pelo que ela vale agora ou não a vender, se ele deve tomar um erro de decisão passado como base para um novo erro de decisão ou lidar com as circunstâncias presentes. Quando a decisão é tomada sobre os elementos sociais do ambiente, quase sempre o que passou é confundido com o que se passa. A legislação é quase sempre direcionada a condições que se sabe agora terem existido anteriormente, o que é em geral o melhor que se pode fazer. A ação é então baseada sobre a crença de que o passado é o presente, o que é uma auto-ilusão desnecessária, em vez de aceitarmos a ação como uma aproximação provável do presente.

Por isso, ao desequilíbrio na discriminação dos fatos do ambiente é adicionada a confusão dos ambientes passado com o presente. Nós decidimos ações do presente ou futuro imediato parcialmente como se pudessem ser aplicadas a um passado já superado. Essa condição é, por si mesma, um fator estratégico inevitável, pois diz respeito à execução de toda decisão relativamente geral. Nenhuma decisão pode ser tomada corretamente sem que se assuma que muitas de suas decisões conseqüentes serão tomadas erroneamente. Esse é um elemento persistente no ambiente das decisões executivas.

O legítimo significado do passado não está no ambiente objetivo presente, mas no aspecto moral da formulação de um novo propósito. Pois quando um propósito precisa ser modificado ou redefinido, deve sê-lo nas bases de uma estimativa de conseqüências futuras. Isso é uma questão de julgamento de probabilidades das conseqüências da ação, aplicado a circunstâncias presentes. O conhecimento do passado não pode, agora, afetar os fatos do presente; mas apenas com base na experiência, e à luz de um propósito presente, nós podemos julgar o futuro significado do que observamos agora. O propósito é a ponte entre o passado e o futuro que funciona apenas na medida em que repousa sobre o presente. Não há futuro que não comece após o presente, nem qualquer passado que não tenha acabado antes do presente, nem qualquer propósito que não seja propósito no presente.

> Para resumir, a decisão, em seu aspecto oportunístico, começa com um propósito existente e um ambiente objetivo de coisas físicas, biológicas, sociais, emocionais e morais. O processo ideal de decisão consiste em discriminar os fatores estratégicos e redefinir ou alterar o propósito, com base na estimativa de resultados futuros da ação na situação existente, à luz da história, da experiência e do conhecimento do passado. A discriminação do ambiente é inevitavelmente desequilibrada com respeito aos seus diversos elementos, por causa de diferenças nas técnicas disponíveis e porque, até certo ponto, o passado será lido (por engano) no presente, em vez de ser usado como uma parte das bases para estimar o futuro. As limitações inerentes então impostas ao processo de decisão são elas mesmas um fator estratégico para se tomarem decisões gerais e mais importantes. As probabilidades dos resultados da decisão são as probabilidades de erro. É comparativamente raro que as decisões mais importantes contemplem resultados específicos, pois essas decisões devem quase sempre ser definidas de uma forma tão geral, que cubram uma ampla gama de resultados possíveis. Quando as decisões gerais têm os resultados contemplados, nós não temos tanto um processo de decisões detalhadas, mas um processo de aplicação de técnicas estabelecidas. Estas são muito melhores do que decisões, mas sempre deficientes, e nunca finais; pois o processo de decisão não termina nunca. O presente em mutação constante gera sempre novos propósitos na organização contínua[11].

Ou seja, a perspectiva diacrônica deve ser tomada no sentido de auxiliar a projeção do futuro a partir do presente. Mas não deve ser confundida com a perspectiva sincrônica. O passado é um instrumento de projeção do futuro a partir da situação presente, mas não deve ser confundido com essa situação presente. O erro administrativo comum, que Barnard aponta, consiste em confundir o passado e o presente, e realizar então uma projeção para o futuro baseada em uma perspectiva do presente equivocada. Desfoca-se o presente pela inclusão de elementos do passado, e a projeção fica então comprometida.

As línguas podem ser divididas em unidades mínimas sem significado, os **fonemas**, e em unidades mínimas com significado, os **morfemas**. A isso denominamos **dupla articulação**.

É ainda importante tratar do conceito de "dupla articulação" da linguagem. Dizer que a linguagem humana é articulada significa dizer que ela pode ser dividida em partes. Os morfemas constituem as unidades da primeira articulação: são as menores unidades da língua dotadas de significado. Não se confundem com as *palavras*. Nas pala-

11 BARNARD, Chester Irving. *The functions of the executive*. 30th. anniversary ed. Cambridge: Harvard University Press, 1968. p. 208-210, tradução nossa.

vras "chamei", "chamamos", "chamávamos", existem vários morfemas: "cham", "ei", "amos", "ávamos", todos eles carregados de significados em português. Podemos ainda dividir os morfemas em unidades menores, mínimas, que denominamos fonemas. Em "chamamos", temos os seguintes fonemas: ch - a - m - ä - m - o - z. Os fonemas são as unidades mínimas do plano da expressão, mas que não possuem significado, e combinam-se para formar os morfemas. Os fonemas constituem as unidades da segunda articulação. O fonema é o som que não possui significado e é representado, na escrita, por um sinal também sem significado. O alfabeto fonético seria, assim, essencial na formação da civilização ocidental (a escrita cuneiforme, os hieroglifos, os pictogramas, os ideogramas e os fonoideogramas não possuem essa característica, ou seja, sinais e sons sem significado). A esse mecanismo de divisibilidade da língua, que admite as articulações em morfemas e em fonemas, denominamos **dupla articulação**. Esse mecanismo de articulação entre um plano do conteúdo e outro da expressão, para Malmberg, é essencial para distinguir o homem e sua atividade racional:

> Graças à invenção da chamada *dupla articulação* [...] a linguagem humana é alguma coisa mais e essencialmente distinta de, por exemplo, os gritos dos animais. Foi em conseqüência de ter criado um sistema de comunicação baseado em partículas elementares distintas, carentes de significado em si mesmas, que o homem se colocou em condições de desenvolver um meio de expressão tão flexível e diferenciado como a nossa língua ou, de um modo geral, qualquer linguagem humana. A língua é exatamente neste sentido, o que faz do homem um homem. A evolução do homem e a evolução da linguagem seguiram caminhos paralelos no desenvolvimento da humanidade. Foram talvez uma e a mesma coisa. O homem que fala, *homo loquens*, tornou-se também o homem que pensa, *homo-sapiens*[12].

3.2 Significado e Significante

> "[...] a própria consciência só pode surgir e se afirmar como realidade mediante a encarnação material em signos."[13]

[12] MALMBERG, Bertil. *A língua e o homem*: introdução aos problemas gerais da lingüística. Tradução M. Lopes. Rio de Janeiro: Nórdica, 1976. p. 36.

[13] BAKHTIN, 1986, p. 33. Deve-se ressaltar que, apesar de essa citação funcionar adequadamente como epígrafe desta parte do texto, o método adotado por Bakhtin difere, significativamente, do de Saussure. Basicamente, para a interpretação marxista da filosofia da linguagem não se deve jamais esquecer do caráter social do signo. O signo e a situação social na qual ele se insere estariam indissoluvelmente ligados (p. 62); a palavra está sempre carregada de um conteúdo ou de um sentido ideológico ou vivencial (p. 95).

Um signo é tudo aquilo que significa algo para alguém. As palavras, que são os signos da língua, representam objetos (ou suas imagens) ou idéias. Podemos dividir os signos lingüísticos em duas partes: de um lado, o conceito, o sentido, a imagem, a idéia, que procuram transmitir; de outro lado, a forma utilizada para transmitir essa idéia, o que Saussure denomina "imagem acústica"[14]. Saussure batiza de **significado** o conceito implícito em cada signo lingüístico, e, de **significante** o componente material do signo[15]. Já Hjelmslev prefere utilizar os termos conteúdo (em lugar de significado) e expressão (no lugar de significante). Assim, por exemplo, *dog* em inglês e cachorro em português são significantes distintos (seja como palavras escritas, seja como sons) para um mesmo significado[16]:

SIGNO: *DOG*

FIGURA 3.1

Todo signo carrega em si um significado e um significante, e ambos estão indissoluvelmente unidos. Saussure utiliza-se de uma imagem muito bonita para definir a língua em função do significante e do significado:

---

14 "Esta não é o som material, coisa puramente física, mas a impressão (*empreinte*) psíquica desse som, a representação que dele nos dá o testemunho de nossos sentidos; tal imagem é sensorial e, se chegamos a chamá-la 'material', somente neste sentido, é por oposição ao outro termo da associação, o conceito, geralmente mais abstrato." SAUSSURE, 1993, p. 80. Comentários a essa passagem de Saussure podem ser encontrados em DERRIDA, Jacques. *Gramatologia*. Tradução Miriam Schnaiderman e Renato Janini Ribeiro. São Paulo: Perspectiva, 1973. p. 76-80. (Estudos, 16).

15 Roman Jakobson, em "À procura da essência da linguagem" (In: ______, [19--], p. 98-117), afirma que Saussure retomou a teoria dos estóicos sobre os signos, depois desenvolvida na Idade Média por santo Agostinho e Guilherme de Ockham. Em KNEALE, William; KNEALE, Martha. *O desenvolvimento da lógica*. Tradução M. S. Lourenço. 3. ed. Lisboa: Fundação Calouste Gulbenkian, 1991, no Capítulo 3 — Os megáricos e os estóicos, são apresentados os conceitos essenciais da teoria da linguagem dos estóicos.

16 A posição de Derrida é genealógica, pois procura enxergar, na distinção medieval entre *signans* (significante) e *signatum* (significado), heranças metafísicas e teológicas desta concepção no conceito de signo:

A língua é também comparável a uma folha de papel: o pensamento é o anverso e o som o verso; não se pode cortar um sem cortar, ao mesmo tempo, o outro; assim tampouco, na língua, se poderia isolar o som do pensamento, ou o pensamento do som; só se chegaria a isso por uma abstração cujo resultado seria fazer Psicologia pura ou Fonologia pura[17].

Para McLuhan, os signos lingüísticos, notavelmente no alfabeto fonético, teriam até hoje elevado ao grau máximo a cisão entre o significante e o significado, o que pode ser associado ao aparecimento das civilizações:

Somente o alfabeto fonético estabelece uma cisão entre a visão e a audição, entre o significado semântico e o código visual; e, portanto, somente a escrita fonética tem o poder de trasladar o homem da esfera tribal para a esfera civilizada, isto é, de substituir-lhe o ouvido pela vista. A cultura chinesa é consideravelmente mais requintada e sensível do que a do mundo ocidental em qualquer de suas épocas. Mas, os chineses são tribais, povo do ouvido. 'Civilização' é termo que deve agora ser usado tecnicamente para significar homem destribalizado, para quem os valores visuais têm prioridade na organização do pensamento e da ação[18].

O princípio da arbitrariedade do signo lingüístico é talvez um dos mais importantes da lingüística, já afirmado anteriormente por Platão e Aristóteles. Para Saussure, "o laço que une o significante ao signifi-

---

"[...] a 'ciência' semiológica ou, mais estritamente, lingüística, não pode conservar a diferença entre significante e significado — a própria idéia de signo — sem a diferença entre o sensível e o inteligível, é certo, mas também sem conservar ao mesmo tempo, mais profunda e mais implicitamente, a referência a um significado que possa 'ocorrer', na sua inteligibilidade, antes de sua 'queda', antes de toda expulsão para a exterioridade do 'este mundo' sensível. Enquanto face de inteligibilidade pura, remete a um *lógos* absoluto, ao qual está imediatamente unido. Este *lógos* absoluto era, na teologia medieval, uma subjetividade criadora infinita: a face inteligível do signo permanece voltada para o lado do verbo e da face de Deus.

É claro que não se trata de 'rejeitar' estas noções: elas são necessárias e, pelo menos hoje, para nós, nada mais é pensável sem elas. Trata-se inicialmente de pôr em evidência a solidariedade sistemática e histórica de conceitos e gestos de pensamento que, freqüentemente, se acredita poder separar inocentemente. O signo e a divindade têm o mesmo local e a mesma data de nascimento. A época do signo é essencialmente teológica" (DERRIDA, 1973, p. 16).

17 SAUSSURE, 1993, p. 131.

18 McLUHAN, Marshall. *A galáxia de Gutenberg*: a formação do homem tipográfico. Tradução Leônidas Gontijo de Carvalho e Anísio Teixeira. 2. ed. São Paulo: Nacional, 1977. p. 52.

cado é arbitrário ou então, visto que entendemos por signo o total resultante da associação de um significante com um significado, podemos dizer mais simplesmente: *o signo lingüístico é arbitrário*"[19].

Assim, não há relação natural nem implicação entre a palavra **cavalo** (seja do ponto de vista tipográfico, seja do ponto de vista sonoro[20]) e a idéia ou o objeto que ela representa. Aliás, o significante associado ao conceito cavalo varia de língua para língua: se em português é cavalo, em inglês o significante utilizado é *horse*, em francês *cheval* etc. E não há nenhuma relação, mais ou menos perfeita, mais ou menos correta, mais ou menos adequada, entre o objeto cavalo e as palavras que podem representá-lo, em diferentes línguas.

Numa cartilha de alfabetização para crianças, por exemplo, numa oração em que apareceria o significante português cavalo para representar o significado cavalo, pode-se muitas vezes encontrá-lo substituído por outro significante, um desenho:

FIGURA 3.2

Nessa oração, a idéia de cavalo foi representada por um desenho, um significante que apresenta uma relação natural com o objeto que substitui. O desenho tem a **forma** do objeto que representa, lembra naturalmente seu objeto, não há necessidade de aprendizagem de seu significado — ele aponta automaticamente para o objeto que procura representar. Mas as palavras da língua, por sua vez, não apresentam nenhum parentesco natural com as idéias ou imagens que procuram transmitir. A relação entre

[19] SAUSSURE, 1993, p. 81.

[20] A língua, para boa parte da lingüística, é entendida como originariamente oral. Portanto, o significante lingüístico por excelência seria o som. A escrita seria um significante duplicado, exterior à relação significante/significado original da língua. Em DERRIDA, 1973, essa discussão é bem desenvolvida.

o significante cavalo e a idéia que ele procura transmitir (ou seu significado) é **criada** a partir de cada cultura, deve ser **aprendida**, não é natural, mas **artificial, arbitrária**.

Como exceções a esse princípio de arbitrariedade do signo lingüístico, podemos nos lembrar das onomatopéias e das exclamações. Quando digo que "o cachorro faz **au-au**", o significante au-au tem uma relação natural com o próprio som que procura representar. O significante au-au, quando pronunciado, imita seu próprio significado. O significante, nesse caso, é determinado pelo objeto, pelo próprio significado que representa. Significante e significado correspondem-se naturalmente.

O **princípio** da **arbitrariedade do signo lingüístico** afirma que a ligação entre significado e significante não é natural, mas artificial.

Do ponto de vista do ser humano, membro de determinada cultura, as relações entre significado e significante aparecem já determinadas pela língua que ele aprende, e essas relações lhe são como que impostas. Portanto, o que o princípio da arbitrariedade do signo nos diz é que a maioria dos signos não apresenta, em sua estrutura, relação de implicação natural entre o significante e o significado.

O valor do signo lingüístico não se define, entretanto, apenas por meio da relação entre significado e significante. Em uma língua, os signos definem-se também pela oposição que exercem em relação a outros signos. Daí a importância, principalmente nas ciências humanas, do exercício da definição dos conceitos com os quais trabalhamos. Como observamos em algumas falácias, muitos signos não apresentam uma relação clara e unívoca entre significante e significado, e essa relação só se realça e adquire vida quando nos utilizamos de outros signos, quando nos referimos a outras relações significante/significado para limitá-las. Ou seja, o significado de uma palavra, o significado associado a determinado significante, só se esclarece quando cotejado e comparado com o significado de outros significantes, na mesma língua. E isso se dá por meio de um aprendizado contínuo — por isso a imagem do círculo para representar o ato de filosofar. São as limitações de significados que os outros signos da língua impõem que nos permitem definir com maior clareza e precisão o significado de determinado signo. A definição dos significados, numa língua, se dá, portanto, muito mais pela negação, por tudo aquilo que o signo não quer dizer (pois já há outro signo na língua com esse outro significado). O significado de todo e qualquer sinal

O valor dos signos lingüísticos define-se não apenas pelas relações entre significado e significante, mas também pela oposição que os signos exercem entre si, em uma língua.

define-se, antes de tudo, pelo fato de não ser o de um outro[21]. Definir alguma coisa quer dizer, muitas vezes, dizer o que essa coisa não é. Saussure dá uma série de exemplos sobre esse ponto, que convém também aqui registrar:

> Alguns exemplos mostrarão que é de fato assim. O português *carneiro* ou o francês *mouton* podem ter a mesma significação que o inglês *sheep*, mas não o mesmo valor, isso por várias razões, em particular porque, ao falar de uma porção de carne preparada e servida à mesa, o inglês diz *mutton* e não *sheep*. A diferença de valor entre *sheep* e *mouton* ou *carneiro* se deve a que o primeiro tem a seu lado um segundo termo, o que não ocorre com a palavra francesa ou portuguesa.
>
> No interior de uma mesma língua, todas as palavras que exprimem idéias vizinhas se limitam reciprocamente: sinônimos como *recear, temer, ter medo* só têm valor próprio pela oposição; *se recear* não existisse, todo seu conteúdo iria para os seus concorrentes. Inversamente, existem termos que se enriquecem pelo contato com outros; [...] Assim, o valor de qualquer termo que seja está determinado por aquilo que o rodeia; nem sequer da palavra que significa 'sol' se pode fixar imediatamente o valor sem levar em conta o que lhe existe em redor; línguas há em que é impossível dizer 'sentar-se ao *sol*'.
>
> O que se disse das palavras aplica-se a qualquer termo da língua, por exemplo, às entidades gramaticais. Assim o valor de um plural português ou francês não corresponde ao de um plural sânscrito, mesmo que a significação seja as mais das vezes idêntica: é que o sânscrito possui três números em lugar de dois (*meus olhos, minhas orelhas, meus braços, minhas pernas* etc. estariam no dual); seria inexato atribuir o mesmo valor ao plural em sânscrito e em português ou francês, pois o sânscrito não pode empregar o plural em todos os casos em que seria de regra em português ou francês; seu valor, pois, depende do que está fora e em redor dele.
>
> Se as palavras estivessem encarregadas de representar os conceitos dados de antemão, cada uma delas teria, de uma língua para outra, correspondentes exatos para o sentido; mas não ocorre assim. O francês diz indiferentemente *louer* (*une maison*) e o português *alugar*, para significar dar ou tomar em aluguel, enquanto o alemão emprega dois termos *mieten* e *vermieten*; não há, pois, correspondência exata de valores. Os verbos *schätzen* e *urteilen* apresentam um conjunto de significações que correspondem, *grosso modo*, às palavras francesas *estimer* e *juger* ('avaliar' e 'julgar'); portanto, sob vários aspectos, essa correspondência falha.
>
> A flexão oferece exemplos particularmente notáveis. A distinção dos tempos, que nos é tão familiar, é estranha a certas línguas; o hebraico não conhece se-

[21] HAGÈGE, 1990, p. 92.

quer a distinção, tão fundamental, entre o passado, o presente e o futuro. O protogermânico não tem forma própria para o futuro; quando se diz que o exprime pelo presente, fala-se impropriamente, pois o valor de um presente não é o mesmo em germânico e nas línguas que têm um futuro a par do presente. As línguas eslavas distinguem regularmente dois aspectos do verbo: o perfectivo representa a ação na sua totalidade, como um ponto, fora de todo devir; o imperfectivo mostra a ação no seu desenvolvimento e na linha do tempo. Essas categorias apresentam dificuldade para um francês ou para um brasileiro, pois suas línguas as ignoram; se elas estivessem predeterminadas, não seria assim. Em todos esse casos, pois, surpreendemos, em lugar de *idéias* dadas de antemão, *valores* que emanam do sistema. Quando se diz que os valores correspondem a conceitos, subentende-se que são puramente diferenciais, definidos não positivamente por seu conteúdo, mas negativamente por suas relações com os outros termos do sistema. Sua característica mais exata é ser o que os outros não são[22].

Assim, compreender ou dar significado a um significante é um ato de relacionar diversos significados, de compará-lo a sentidos próximos e distantes, ao que ele pode representar, mas também ao que o significante não pode representar, pois já existem outros significantes que representam outros significados:

O que é a significação? Ou, antes, para abordar o problema de um ponto de vista mais operacional, em que consiste o ato de atribuir sentido? A operação elementar da atividade interpretativa é a associação; dar sentido a um texto é o mesmo que ligá-lo, conectá-lo a outros textos, e, portanto, é o mesmo que construir um hipertexto. É sabido que pessoas diferentes irão atribuir sentidos por vezes opostos a uma mensagem idêntica. Isto porque, se por um lado o texto é o mesmo para cada um, por outro o hipertexto pode diferir completamente. O que conta é a rede de relações pela qual a mensagem será capturada, a rede semiótica que o interpretante usará para captá-la.

Você talvez conecte cada palavra de uma certa página a dez referências, a cem comentários. Eu, quando muito, a conecto a umas poucas proposições. Para mim, esse texto permanecerá obscuro, enquanto para você estará formigando de sentidos[23].

[22] SAUSSURE, 1993, p. 134-136.

[23] LÉVY, Pierre. *As tecnologias da inteligência*: o futuro do pensamento na era da informática. Tradução Carlos Irineu da Costa. Rio de Janeiro: Ed. 34, 1993. p. 72.

O signo necessita de duas partes, a expressão e o conteúdo, para se constituir como signo. Em princípio, o seguinte significante não tem significado em português: *xvdt*. Assim, *xvdt* não é um signo, pois lhe falta justamente o sentido, o conteúdo, para que possa servir à comunicação e ser classificado como signo.

Os signos não são apenas lingüísticos; não encontramos signos apenas na língua. Um sinal vermelho é um signo, que tem um significado (Pare!) e um significante (a cor vermelha, o próprio *design* do farol, sua localização etc.). Uma propaganda na televisão, sobre um produto, pode ser considerada um signo. Seu significado é a imagem que pretendemos passar do produto. Seu significante é toda sua estrutura visual, sonora e dramática. Quando a combinação entre o significante e o significado não é satisfatória, o signo não se concretiza, e não há comunicação. Se a propaganda é infeliz, a imagem pretendida do produto (o significado) não atinge o consumidor, e então o signo, como combinação entre significante e significado, não se potencializa — permanece morto na mente do emissor da mensagem, sem a pretendida transição à mente do receptor.

3.3 Os Campos de Estudo da Língua

A língua pode ser estudada de diversas formas. A fonética e a fonologia estudam os sons da língua (ou o seu plano de expressão) ou os fonemas (as suas unidades mínimas que não possuem significado, apenas servem para representar sons, também sem significado). A morfologia estuda os morfemas, ou seja, os signos mínimos da língua que possuem significado, as entidades compostas de significante e significado indissoluvelmente unidos, que podem ser menores que os próprios vocábulos. A sintaxe interessa-se pelo aspecto formal da relação entre as palavras nas construções verbais. A semântica, por sua vez, estuda a língua do ponto de vista do significado. Já a pragmática estuda a linguagem do ponto de vista social, da sua utilidade prática.

3.3.1 Sintagma e Paradigma

As noções de sintagma e paradigma são essenciais em lingüística assim como em filosofia. A palavra paradigma é hoje utilizada abundantemente em administração. "Mudança de paradigmas", "Os novos paradigmas da administração", "A revolução dos paradigmas" são títulos de livros ou de cursos que são expostos em cartazes e pelos jornais. Tudo se passa como se paradigma fosse uma palavra mágica, que vendesse, e que atrai multidões para os cursos rápidos de administração. Convém, entretanto, entender sua gênese lingüística, seja para desmistificar seu sentido (que no mais das vezes não é compreendido nem mesmo pelos gurus da administração, e que justamente por isso funciona como elemento de atração mercadológica), seja para facilitar sua transposição e sua compreensão no vocabulário da administração.

Em uma cadeia, elementos seqüenciais dependem um do outro. Essa dependência entre os dois recebe o nome de **relação** (dependência, função) **sintagmática** (de *sintagma*: conjugado de duas unidades consecutivas onde o valor de cada uma se define por relação ao valor da outra)[24].

Ora, essas relações não se estabelecem apenas entre os elementos da língua; estabelecem-se, na verdade, entre qualquer tipo de cadeia — uma linha de produção, uma estrutura organizacional, uma família, uma cadeia de fornecedores, uma cadeia alimentar. Por isso podemos, por exemplo, estudar um organograma como um sintagma e segundo suas leis.

Paradigma corresponde a uma classe de elementos que podem ser colocados no mesmo ponto da cadeia, pois são substituíveis ou comutáveis entre si[25]. Assim, o conceito central aqui, associado a cadeia, é o de classes. Assim, um sintagma ou uma cadeia constitui-se de elementos que podem ser substituídos por outros, da mesma classe, sem alterar a estrutura do sintagma. Os paradigmas são as *classes desses elementos da cadeia*, que apresentam algum ponto de contato ou similitude (classes gramaticais, gênero, *design*, personalidade etc.). Pode-se criar tantos paradigmas quanto for possível aproximar elementos que possuam alguma semelhança e possam funcionar um pelo outro, em determinada cadeia.

Sintagmas são seqüências de elementos, enquanto **paradigmas** são as classes a que podem pertencer esses elementos.

Vejamos um exemplo. Na frase: "O produto lançado no ano passado não tem obtido bons resultados de vendas", temos uma **cadeia**, ou seja, uma seqüência de elementos ligados uns aos outros. Isso é um sintagma. Podemos, portanto, estudar as relações entre os ele-

---

24 LOPES, Edward. *Fundamentos da lingüística contemporânea*. 6. ed. São Paulo: Cultrix, 1982. p. 88.

25 Ibid., p. 90.

mentos dessa cadeia: **produto** é sujeito do verbo **ter**, **bons** concorda com **resultados**, e assim por diante. Faríamos, assim, uma análise do sintagma, ou análise sintática.

Contudo, podemos ainda estudar essa frase de outra maneira. É possível substituir algumas palavras no sintagma. Podemos, por exemplo, trocar produto por chocolate: "O chocolate lançado no ano passado não tem obtido bons resultados de vendas".

Podemos substituir produto ou chocolate por várias outras palavras: carro, livro etc. Todas essas palavras (chocolate, carro, livro), que nos permitem substituir produto sem alterar a estrutura do sintagma, pertencem a uma mesma classe, no caso são todos substantivos. Estudar as classes de uma língua significa realizar um estudo morfológico. Eu não poderia, por exemplo, substituir produto (substantivo) por uma preposição (por exemplo, **de**): "O de lançado no ano passado não tem obtido bons resultados de vendas".

A frase perde seu sentido, a cadeia se dissolve, a estrutura se desfaz. Isso porque, formalmente, o lugar de produto é ocupado por um substantivo, e a cadeia só admite, naquele lugar, um substantivo, ou seja, elementos que pertençam a determinada classe, com determinadas características. Estudar essas classes e suas características é função da morfologia.

Assim, podemos dizer que a sintaxe estuda as relações entre os elementos na cadeia, e a morfologia, por sua vez, estuda as relações entre os elementos nas classes. Sintaxe tem que ver com sintagma, morfologia, com paradigma.

3.3.2 Semântica

A **semântica** preocupa-se com o **sentido** e o **significado** dos signos.

A semântica interessa-se pelo significado dos signos. Lembre-se de que os signos podem ter um significado denotativo (ou referencial — indicando algum objeto concreto, alguma idéia clara) e conotativo (que indica um sentido simbólico, subjetivo, que o signo carrega socialmente, ou ao menos na mente do emissor e/ou receptor da mensagem).

Sabemos que as línguas utilizam-se de significantes diferentes para se referirem aos mesmos significados. Assim, "cachorro" em português é o significante do conceito "cachorro", como "*dog*" é o significante em inglês para o mesmo significado, "*chien*" em francês etc. Palavras diferentes (ou significantes diferentes), em diferentes línguas, muitas vezes remetem ao mesmo significado. Isso nos permitiria tirar uma primeira conclusão: os objetos, os significados, os conceitos, são dados, universalmente, e as línguas não fazem mais do que criar seus próprios significantes para se referirem a esses significados. Arbitrariamente, é claro, pois não existe relação natural entre a idéia ou a imagem "cachorro" e seus significantes em diversas línguas: cachorro, *dog*, *chien* etc. Entretanto, **isso não ocorre**, e é justamente aqui que a semântica se constitui como um dos ramos mais importantes da lingüística ou da semiótica, e que nos interessa em filosofia da linguagem.

Em primeiro lugar, determinado conceito ou significado pode ter, em uma língua, apenas um significante a representá-lo, e, em outra língua, mais de um significante. Isso não quer dizer apenas que uma língua tem mais elementos formais para referir-se ao mesmo significado — quer dizer, sim, que cada língua divide o mundo à sua maneira, que determinado significado numa língua, que o representa por apenas um significante, pode não ter sentido em outra, que, na verdade, se utiliza de mais de um significado (e por conseqüência, mais de um significante). Poderíamos ilustrar esse problema da seguinte forma:

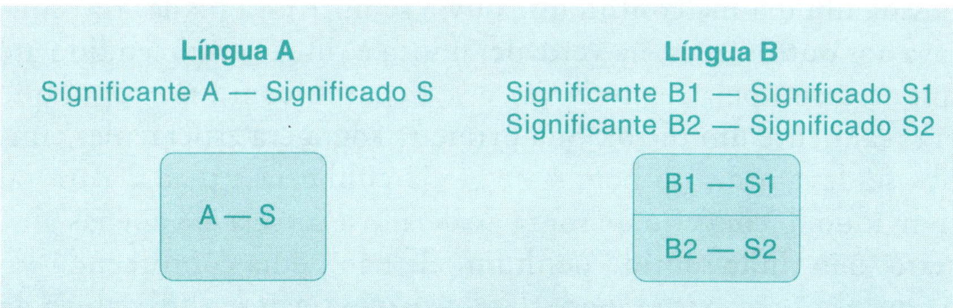

FIGURA 3.3

Ou seja, para a língua B, o significado S não existe: existem sim dois significados, correspondentes aos significantes B1 e B2. Para a língua A, a divisão de S em S1 e S2 é incompreensível, assim como para a língua B a existência de apenas um significante para representar S1 e S2 é também incompreensível. Do ponto de vista da língua A, S tem dois significantes na língua B: B1 e B2. Mas, se tomamos a perspectiva da própria língua B, S não existe, a unidade semântica que ele representa em A não existe, existem, sim, dois significados, S1 e S2, correspondentes a dois significantes. Dizer que S está dividido em dois significados, em S1 e S2, é analisar a língua B por meio da língua A, é enxergar uma língua com as categorias de outra: a idéia de divisão (de S em S1 e S2) só existe para a língua A, como observadora da língua B. Na língua B, não existe divisão: existem dois signos, que se limitam e que limitam outros signos. A idéia de unidade da língua A é que lhe parece estranha.

Quando uma criança conhece cachorro por au-au e gato por miau, e ela vê pela primeira vez um esquilo, sua tendência inicial é tentar classificar o esquilo como au-au ou miau. Quando ela aprende, aos poucos, que existe um significante "esquilo", não só aprende uma nova palavra, mas no seu sistema semântico constrói-se uma nova categoria (um novo signo), independente de "cachorro" e "gato", ou seja, conjuntamente ela aprende um novo significante e um novo significado (o conceito de "esquilo"). É claro que o esquilo como animal, objeto, continua a ter a mesma existência. Todavia, para a criança, ele passa a existir como signo, ele pode agora ser representado, de forma diferente do que os cachorros e os gatos.

Há uma anedota de certo mau gosto, mas que convém aqui reproduzir, pelo auxílio que pode trazer ao aprendizado. Diz-se: "Uma sogra é boa como cerveja: gelada e em cima da mesa". Uma pessoa um dia me contou que ouvia sempre essa piada, ria, contava aos outros, mas, na verdade, nunca a tinha compreendido até que se casou pela segunda vez e se deparou com uma sogra que era realmente um terror. Sua primeira sogra era espetacular, ambos se davam muito bem — e ele já conhecia a piada. Para tal indivíduo, o conceito de sogra associado a cerveja era apenas abstrato, não tinha sentido nenhum, ele não podia compreendê-lo; o conceito *não existia*, poderíamos dizer, a não ser no âmbito da combinação que fazia as pessoas rirem. Assim, havia um sentido de sogra associado a cerveja apenas no nível do significante, ou de um significado artificial, construído pela piada e pela sociedade. Foi preciso um segundo casamento para que aquele significante tomasse corpo, ganhasse significado (para o indivíduo em questão, pois a piada em sua origem emprega uma metáfora de significado social bastante concreto) e se constituísse como signo. Para o nosso amigo, só a partir do segundo casamento a piada passou a ter sentido, ou pelo menos passou a ter um novo sentido. Só que agora o faz chorar, e não rir.

Para os esquimós, cujo mundo praticamente se resume à neve, existem várias palavras para designar esse termo. O conceito de "neve", assim como o entendemos, não existe para os esquimós; existem, sim, diversos outros conceitos, que em sua totalidade corresponderiam **mais ou menos** a nosso conceito de neve. A neve é o elemento essencial no mundo dos esquimós, é seu próprio mundo, e, portanto, precisa ser recortado, dividido, para que possa ser representado com mais riqueza. É interessante notar, por exemplo, a tentativa de representação desse fenômeno por Izidoro Blikstein. Para ele, assim como para grande parte dos lingüistas, existiria uma realidade triádica que caberia à semântica observar:

FIGURA 3.4

Assim, o signo, composto de significado e significante, representaria um objeto extralingüístico, que se encontraria inscrito no campo da realidade. Mas o referente não seria a própria realidade — esta seria, primeiro, filtrada pela nossa experiência, pelos atos de percepção e cognição. Dessa forma, Blikstein constrói o seguinte esquema para representar a correspondência entre a neve para os não-esquimós e as várias neves para os esquimós:

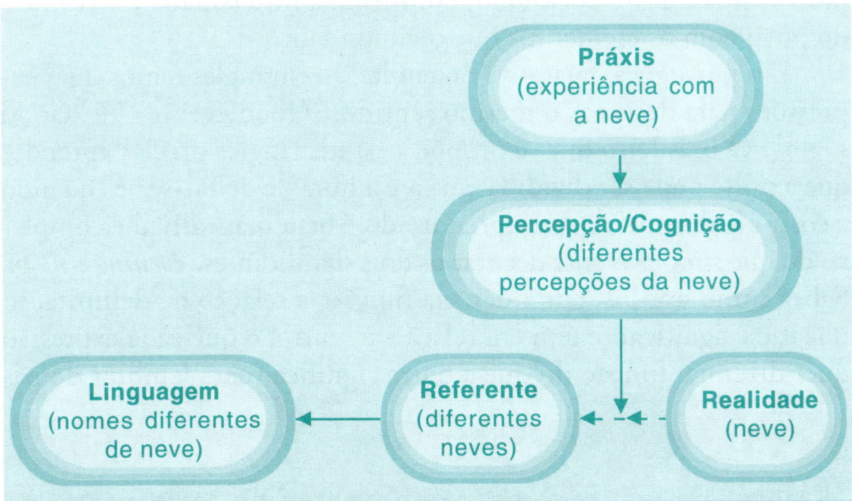

FIGURA 3.5

Esse esquema, e toda a construção teórica de Blikstein, é bastante ilustrativo, mas contém um deslize de ingenuidade que contrasta com o espírito crítico apresentado pelo autor por todo o texto[26]: a "realidade neve" não existe senão como uma construção, e também lingüística. A "realidade neve" existe apenas para a cultura que criou uma palavra para designar essa porção do mundo. Para a cultura dos esquimós, existe apenas a "realidade **neves**" (ou, melhor ainda, várias realidades, representadas uma por cada palavra). É ingênuo (e unilateral) dizer que existe "a neve", e que os esquimós criam várias palavras para representá-la. Na verdade, existem aqui duas realidades, aquela observada pelos esquimós e outra observada pela nossa cultura. Dizer que a realidade dos esquimós é a neve é denominá-la por meio de nossa linguagem, é trazê-la para o campo de visão da nossa cultura, é, em última instância, destruí-la. Ou seja, não há uma realidade dada, de antemão, à qual a percepção, a interpretação ou o ponto de vista transformam em referente: a linguagem e a própria percepção (que são entendidas aqui como simultâneas, e que são a única forma de contato com o mundo) constroem sua própria realidade e o próprio referente.

Da mesma forma, para os Comox, pescadores da ilha de Vancouver, onde os peixes exibem uma variedade e riqueza imensa, o que denominamos em português salmão possui uma dezena de nomes diferentes. Assim como rena tem uma dezena de denominações para os lapões, da Finlândia[27]. Podemos dizer que as línguas dividem o mundo cotidiano conforme as necessidades de seu povo, conforme a riqueza desse cotidiano, conforme a intensidade do contato do povo com os elementos que o circundam.

Em português, falamos "Boa noite", e em inglês temos duas expressões para designar o mesmo sentido: "Good evening" e "Good night". O brasileiro que se propõe a estudar inglês precisa aprender que a noite pode ser dividida em "até a hora de deitar-se" e "quando é costume dormir", e esse aprendizado é bem mais difícil e complexo do que simplesmente decorar os dois significantes, *evening* e *night*. Saber como usá-los, entender sua função, a relação de delimitação que cada significante tem em relação ao outro, o que cada expressão quer dizer em função do que a outra significa (para lembrar do pa-

---

[26] BLIKSTEIN, Isidoro. *Kaspar Hauser ou a fabricação da realidade*. 4. ed. São Paulo: Cultrix, 1995.

[27] HAGÈGE, 1990, p. 57.

pel da delimitação em semântica), a que exatamente esses significantes se referem, esse é o verdadeiro problema, pois somos forçados a dividir um conceito imediato e natural como o de "noite", que em nossa língua é contínuo e parece-nos dar conta da realidade "noite" muito bem. Por que outra língua precisaria de duas palavras para representar aquilo que conseguimos representar apenas com uma? Ou melhor, como alguém pode pensar em "dividir" a noite, e por quê?

Podemos entender assim a afirmação de Claude Hagège: "As línguas diferem, não pelo que podem ou não exprimir, mas pelo que obrigam ou não a dizer"[28].

Poderíamos então dizer que o mesmo significado pode ter diferente número de significantes, nas diversas línguas, para representá-lo. Ou seja, o significado existiria, por si só, os objetos existiriam na natureza, os conceitos teriam certa realidade universal, mas poderiam ser recortados de diferentes formas. Observemos a ilustração abaixo:

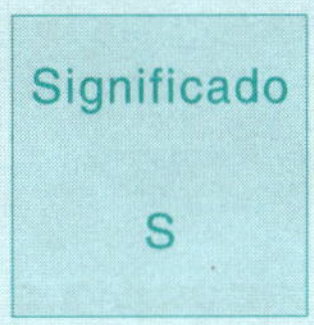

FIGURA 3.6

Formas de representá-lo:

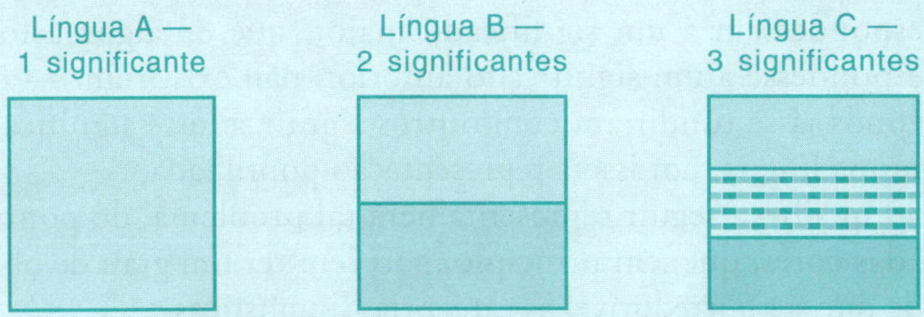

FIGURA 3.7

E assim por diante. Já vimos que a idéia de divisão não representa exatamente o que ocorre nesses casos. Mas temos ainda um segundo problema, muito importante em semântica, que torna bem mais complexo o estudo dos conceitos e a própria noção de significado. Po-

[28] HAGÉGE, 1990, p. 46.

deríamos antecipar a conclusão de nossa discussão e enunciá-la assim: *o "significado" em si não tem existência independente do sistema lingüístico.* Ou seja, em muitos casos não ocorre uma simples representação diferente, em termos da quantidade dos significantes, de língua para língua. *O próprio significado é criado pelos significantes utilizados para recortar a realidade*: assim, um significado determinado, que possua apenas um significante em uma língua, não corresponde exatamente ao campo semântico abrangido pelos dois ou mais significantes, utilizados em outra língua para representá-lo. Não existiria o primeiro quadrado da ilustração anterior, e os limites dos quadrados, em cada língua, seriam diferentes. Teríamos, como exemplo, mais ou menos o seguinte:

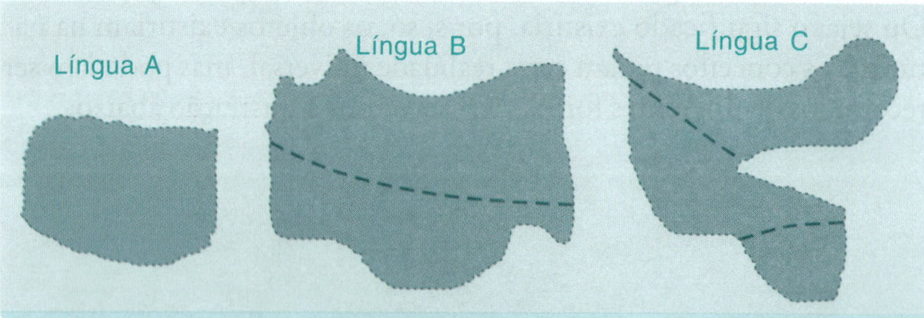

FIGURA 3.8

As divisões entre os significados e significantes, em cada língua, não são científicas, determinadas, claras — por isso a representação descontínua. E mesmo os limites dos polígonos, que correspondessem a um significado maior, que de alguma forma correspondesse a um significado anterior, não existiriam — esses polígonos já se fundiriam com outros significados e significantes da mesma língua, por isso a representação pontilhada.

O quadro a seguir representa bem tal problema, do ponto de vista das cores, que, em princípio, parecem ter um grau de objetividade que seria irredutível às categorias lingüísticas.

QUADRO 3.1

Espanhol	Celta
Verde	gwyrdd
Azul	glas
Gris	llwyd
Castaño	

O que temos no Quadro 3.1? Poderíamos dizer que a cor cujo significante é "*glas*" em celta (ou gaulês) tem três significantes para representá-la, em espanhol: verde, azul e gris. Acontece que os limites semânticos desses três significantes não correspondem exatamente aos limites semânticos de "*glas*", em celta. *Glas* toma todo o campo semântico representado por azul, mas invade, apenas parcialmente, os campos semânticos de gris e verde. Assim, não existe o significado "*glas*" em espanhol, nem mesmo por um processo de aglutinação de mais de um significante[29]. Assim, não existem nem as próprias cores, em seu aspecto objetivo, que possam ser divididas pelas línguas — cada língua, na verdade, cria suas próprias cores, seus próprios limites. E os limites entre as duas figuras (superior e inferior) são também apenas didáticos.

Vimos até agora, em nossa discussão, a idéia de **representação**, em que as línguas utilizam, cada uma, um significante para um mesmo significado, e a idéia de **divisão**, em que as línguas dividem diferentemente os objetos em significados diferentes, utilizando cada uma um número diverso de significantes. Mas acrescentamos agora uma nova idéia, a de **criação ou construção**. Se quando dizemos que a língua representa ou divide o mundo pressupomos em ambos os casos que exista um mundo exterior à língua, física ou objetivamente, com a idéia de criação não existe mais um mundo dado, prévio ao ato lingüístico. Uma língua representar significa que existe um significado comum a todas, a ser representado por diferentes signos materiais; uma língua dividir significa que não existe um significado uno e prévio, mas um objeto, sobre o qual cada língua se projeta e cria diferentes significados (e por conseqüência diferentes significantes); uma língua criar significa que não existe nem significado uno nem objeto uno. Se a idéia de divisão destrói a unidade do significado, a idéia de criação destrói a unidade do objeto.

As línguas não apenas **representam**, mas também **dividem** e até mesmo **criam** parcelas da realidade.

O *ponto de vista cria o objeto, a língua cria o mundo.* Thomas Kuhn indica que, em ciência, as mudanças de paradigmas seriam também mudanças do mundo estudado pelos cientistas:

[29] Alguns desses exemplos são adaptados de MALMBERG, 1976, p. 65-69.

> O historiador da ciência que examinar as pesquisas do passado a partir da perspectiva da historiografia contemporânea pode sentir-se tentado a proclamar que, quando mudam os paradigmas, muda com eles o próprio mundo. Guiados por um novo paradigma, os cientistas adotam novos instrumentos e orientam seu olhar em novas direções. E o que é ainda mais importante: durante as revoluções, os cientistas vêem coisas novas e diferentes quando, empregando instrumentos familiares, olham para os mesmos pontos já examinados anteriormente. É como se a comunidade profissional tivesse sido subitamente transportada para um novo planeta, onde objetos familiares são vistos sob uma luz diferente e a eles se apregoam objetos desconhecidos. Certamente não ocorre nada semelhante: não há transplante geográfico; fora do laboratório os afazeres cotidianos em geral continuam como antes. Não obstante, as mudanças de paradigma realmente levam os cientistas a ver o mundo definido por seus compromissos de pesquisa de uma maneira diferente. Na medida em que seu único acesso a esse mundo dá-se através do que vêem e fazem, poderemos ser tentados a dizer que, após uma revolução, os cientistas reagem a um mundo diferente[30].

Poderíamos imaginar que o mundo se apresenta dividido e que a língua é um instrumento ingênuo, inconsciente, que não faz mais do que representar tal divisão. A língua seria *uma linguagem de observação pura*, para utilizar uma expressão de Thomas Kuhn[31]. O mundo é, na verdade, um contínuo que a língua recorta: "ao falar do mundo, as línguas, reinventam-no"[32]. Com a língua, o mundo sofre duas agressões: em primeiro lugar, é brutalmente segmentado (chamamos de raiz uma parte, de caule a outra, de folha a outra, de galho a outra, todas partes de um mesmo ser, de um mesmo objeto) pelos interesses de cada cultura, sem uma regra universal e geral que sirva para reger tal divisão; em segundo lugar, objetos bastante diferentes (as árvores apresentam diferenças imensas, em seus vários tipos) acabam sendo novamente violentados, ao serem classificados sob a égide de um mesmo significante. Assim, a linguagem divide a realidade e ao mesmo tempo agrupa seus objetos, não dando conta, portanto, nem da totalidade e continuidade da primeira nem da individualidade e riqueza dos últimos. Mas os conceitos de **realidade** e **objeto**

---

[30] KUHN, Thomas S. *A estrutura das revoluções científicas*. Tradução Beatriz Vianna Boeira e Nelson Boeira. 4. ed. São Paulo: Perspectiva, 1996. p. 145-146.

[31] Ibid., p. 164-165.

[32] HAGÈGE, 1990, p. 116.

já são, eles mesmos, resultados de divisões e agrupamentos. Como então fugir da tendenciosidade da linguagem, para que possamos apreender as coisas em si mesmas, a realidade sem a deturpação da língua? Parece que a língua e a linguagem, então, apenas nos afastam dos objetos, das coisas em si mesmas, servem apenas para nos enganar, nos ludibriar. Estaríamos, então, fadados a enxergar o mundo por uma luneta sempre fora de foco? O cientista procura corrigir, constantemente, as falhas e os desvios de seus instrumentos de observação e pesquisa — não precisaríamos, também, realizar o mesmo processo, freqüentemente, com nossa linguagem, nosso foco de observação do mundo? Bachelard afirma que "o instrumento de medida acaba sempre sendo uma teoria, e é preciso compreender que o microscópio é um prolongamento mais do espírito que do olho"[33]. É justamente nessa discussão que se coloca o que, em filosofia, costuma-se chamar de teoria do conhecimento, e que estudaremos com mais vagar à frente. De qualquer forma, cabe aqui registrar a posição otimista de um estudioso da língua:

> Uma casa é muito diferente vista pela frente, por trás ou pelos lados. Mas, graças ao nome, cria-se a unidade que engloba as impressões e as transforma em aspectos de uma mesma coisa. Estão completamente enganados os críticos céticos que já desde a antiguidade vêm reprovando na língua, como se se tratasse de um defeito, o fato de que tenha que designar um grande número de fenômenos e impressões distintas com uma mesma palavra, afirmando que assim se perde a infinita riqueza da realidade. Pois o que se tem considerado pobreza e imperfeição é um dos maiores méritos da língua: da pluralidade tem sabido criar unidades totais.
>
> Não podemos abandonar a língua, suas pressões e convenções. E, no fundo, também não o desejamos. Graças a ela, somos homens. O desenvolvimento *lingüístico* e *intelectual*, tanto da humanidade como do indivíduo, caminham juntos sendo condição prévia para ambos a capacidade de abstração e categorização. E o aprendizado da língua é acompanhado, precisamente, da aquisição dessa capacidade. A língua é nosso caminho único para o conhecimento. Mas, ao mesmo tempo, também é, em certo sentido, um obstáculo para o conhecimento, pois somente mediante um grande esforço, e nunca por completo, conseguimos nos libertar de seus padrões[34].

---

33 BACHELARD, Gaston. *A formação do espírito científico*: contribuição para uma psicanálise do conhecimento. Tradução Estela dos Santos Abreu. Rio de Janeiro: Contraponto, 1996. p. 297.

34 MALMBERG, 1976, p. 77.

Das palavras de Malmberg tiramos uma conclusão que talvez seja o princípio mais importante de todo o nosso livro: forma de expressão e pensamento desenvolvem-se paralelamente. A capacidade de se exprimir, por meio da linguagem e particularmente da língua, é co-dependente da capacidade de pensar. Há aqui uma relação biunívoca. Como afirma Wilson Martins, "não há pensamento sem expressão, e a chamada 'linguagem mental' não poderia existir se não fosse precedida da linguagem propriamente dita. Nós pensamos 'frases', não pensamos pensamentos"[35]. É necessário desenvolver nossa capacidade de expressão para que possamos aperfeiçoar nossa capacidade de raciocínio, e vice-versa. Portanto, um curso de filosofia necessita, simultaneamente, de um curso de língua. Muitas vezes não é possível alcançar progresso significativo na capacidade de raciocinar sem que se desenvolva, paralelamente, a capacidade de expressão verbal. A filosofia, como disciplina obrigatória para os cursos de administração, necessita do português. Podemos, novamente, citar Malmberg para suportar nossa posição:

> Atualmente existe uma tendência para desprezar a educação lingüística formalista em seu sentido verdadeiro, sustentando que apenas uma minoria tem necessidade de se destacar escrevendo ou falando bem, e que aos demais lhes é suficiente o mínimo. Defende-se que o principal são os conhecimentos concretos e que a educação lingüística é supérflua. O erro é absoluto. Quem tenha chegado alguma vez à evidência de que a educação e o treinamento do uso correto da língua, isto é, da capacidade de expressar corretamente por escrito ou oralmente um conteúdo e de captar exatamente o sentido básico de uma palavra, seus matizes e valores estilísticos, tem simultaneamente um aumento da capacidade de pensar e de compreender com clareza o que se diz ou escreve e estará inclinado a ver a questão de outro modo. Sem as análises, abstrações e agrupamentos que a língua nos proporciona, a existência seria para nós um acontecimento amorfo, um *continuum* vago, sem contornos, tal como era para Helen Keller[36] até que, com a ajuda de sua professora, pôde ex-

---

[35] MARTINS, Wilson. *A palavra escrita*: história do livro, da imprensa e da biblioteca. 2. ed. il. rev. e atual. São Paulo: Ática, 1996. p. 21.

[36] "Tem sido contado muitas vezes, até pela própria protagonista, como a famosa surda-muda e cega norte-americana Helen Keller estabeleceu contato, aos sete anos, pela primeira vez, com uma língua, uma língua de sinais que soletrava na palma da mão. Helen Keller considerava esse dia como o de autêntico renascimento. Lembrava a vida anterior a esse momento apenas de maneira vaga e incompleta. Tinha sido um simples organismo vegetativo. Graças à língua, adquiriu rapidamente o acesso a um mundo rico

perimentar a função dos sinais e símbolos lingüísticos. Um ser humano sem língua não é propriamente um ser humano. E uma pessoa com uma língua pobre, sem relevo, pouco desenvolvida, é apenas uma pessoa pela metade[37].

A "minoria" a que Malmberg se refere já englobaria os estudantes de administração. Sem dúvida, de um administrador espera-se que fale e escreva bem. Mas a resistência instala-se também nesse ramo de conhecimento, tão vasta é a quantidade de conhecimentos concretos para o desempenho adequado da função administrativa nos dias de hoje: finanças, direito, informática, contabilidade etc. O indivíduo que dominasse a expressão verbal mas não tivesse conhecimentos substanciais nessas áreas estaria fadado ao fracasso. Essa posição é correta, mas apenas em termos. Aqui se comete uma falácia: "expressão verbal sem conhecimentos concretos não é sufi-

e matizado e dispôs da capacidade de recordar, sonhar, fantasiar. E adquiriu também, pela primeira vez, a capacidade de pensar e de formar idéias." MALMBERG, 1976, p. 82. Outro caso interessante é o de Kaspar Hauser, que ao redor dos 18 anos aparece em Nuremberg, em 1828, sem ter tido qualquer tipo de contato social até essa idade, tendo sido criado num quarto fechado e escuro. O romance *Kaspar Hauser*, de Jacob Wassermann, publicado pela primeira vez em 1908, conta sua história, filmada posteriormente (1974) pelo diretor alemão Werner Herzog, com o título alemão *Jeder für sich und Gott gegen alle (Cada um por si e Deus contra todos*, traduzido nos cinemas brasileiros como *O enigma de Kaspar Hauser*). No romance afirma-se o seguinte sobre Kaspar Hauser: "A linguagem humana, aqui, era um caos inexistente; seria indispensável dar um sentido a cada palavra, acordar a recordação, descobrir as causas, o encadeamento das suas conseqüências. Existiam mundos entre uma pergunta e a seguinte; um sim, um não, lançados inabilmente, não tinham o sentido que se supunha". WASSERMAN, Jacob. *Kaspar Hauser*: ou a indolência do coração. Tradução Adonias Filho. Rio de Janeiro: Top Books, 1966. p. 21. A passagem seguinte, quando o médico legista descreve Kaspar Hauser, pode ser aproximada do caso de Helen Keller: "É evidente que nos achamos em presença de uma criatura que ignora a existência dos seus semelhantes. Não come, não bebe, não sente como os outros. Nada sabe de ontem, amanhã, e não conhece o tempo. Uma criatura que ignora a si mesma", Ibid., p. 15. Parece que Kaspar Hauser também não sonhava, e não se lembrava de sua infância, adolescência etc. No caso de Kaspar Hauser, a educação lingüística muito tardia não consegue criar o mesmo mundo que o das pessoas com as quais ele passa a conviver. Izidoro Blikstein, dentro de seu esquema analítico em que privilegia a práxis, afirma que Kaspar Hauser teria adquirido a linguagem, mas lhe teria faltado justamente a práxis. Ora, aqui, novamente, percebemos uma ingenuidade filosófica: a práxis faltou-lhe tanto quanto a linguagem. E, pela idade avançada, por suas estruturas mentais já moldadas, Kaspar Hauser não teria, na verdade, adquirido linguagem de forma semelhante à das pessoas de sua idade. Faltou-lhe (e na mesma proporção) tanto a práxis quanto o aprendizado lingüístico, e por isso o mundo de Kaspar Hauser era outro, quando confrontado com o nosso. A práxis não é, portanto, anterior à linguagem, assim como não o são os estereótipos ou os traços ideológicos — estes se constituem, justamente, por meio da linguagem, assim como o pensamento e a própria realidade.

[37] MALMBERG, 1976, p. 83.

ciente para o desempenho da função de administrador — então, não convém estudá-la, mas sim apenas os conhecimentos concretos". Cabe ao leitor tentar classificar a falácia e extrair sua forma.

O conhecimento concreto é facilmente absorvível: exige sem dúvida bons professores, e/ou bons livros, e/ou prática, tempo por parte do futuro administrador. Enfim, tem um *timing* definido, pode ser **transmitido** e **aprendido**. Já o desenvolvimento do raciocínio e da expressão verbal possuem um ritmo próprio e diferente; exigem a participação ativa do estudante; não possuem um *timing* definido — constituem-se como processo, como um eterno progresso, um devir, um vir-a-ser sem fim. Como aliás se caracteriza a atividade de um administrador:

> Por que os administradores adotam este ritmo e este peso de trabalho? Uma razão principal é a natureza sem fim, inerente a sua atividade. O administrador é responsável pelo sucesso da sua organização, e não há marcadores de quilômetros onde ele possa parar e dizer 'Agora o meu trabalho acabou'. O engenheiro acaba um projeto num dia determinado, o advogado ganha ou perde um caso num momento determinado. O administrador tem que continuar sempre, nunca sabendo se ele obteve sucesso, nunca certo de quando sua organização desmoronará por causa de algum erro de cálculo. Como conseqüência, o administrador é uma pessoa com uma preocupação perpétua. Ele não pode nunca ser livre para esquecer seu trabalho, ele nunca tem o prazer de saber, mesmo que temporariamente, que não há nada mais que ele possa fazer. Não importa que tipo de atividade administrativa ele desempenhe, ele sempre carrega a suspeita incômoda de que ele pode ser capaz de contribuir apenas um pouco mais. Por isso ele assume um ritmo implacável em seu trabalho[38].

Mas existe ainda um segundo elemento que pode servir de suporte à tese de que o aprendizado da língua, e mesmo do raciocínio a ela associado conforme Malmberg, deva ser desprezado. Hoje lidamos, principalmente nas empresas, com diversas formas de linguagem: a linguagem matemática e simbólica é cada vez mais importante com o desenvolvimento da informática, e as demonstrações contábeis e financeiras do estado das empresas se fazem basicamente por esse recurso; a linguagem visual e oral é cada vez mais

[38] MINTZBERG, Henry. *The nature of managerial work*. New York: Harper Collins, 1973. p. 30, tradução nossa.

utilizada, mesmo para a tomada de decisões, com o desenvolvimento das videoconferências, por exemplo; a linguagem pictórica passa cada vez a ter mais importância nas organizações, principalmente com a consolidação do padrão de sistema operacional gráfico, o Windows da Microsoft, por exemplo; e assim por diante. Então, que lugar teria ainda, nessa babel de linguagens, a língua, particularmente a escrita? Em nosso caso, particularmente a língua portuguesa, de tão pouco poder e expressão em termos de comércio exterior? Essas novas linguagens não implicariam, elas mesmas, novas formas de raciocínio, de pensamento, novas lógicas (e vimos isso do ponto de vista de Newton Costa, quando tratamos da diversidade das lógicas simbólicas), que descaracterizariam não só a importância da língua, da linguagem verbal e escrita, mas também da forma de pensamento a ela associada? Propomos essas questões em nosso livro, pois são sem dúvida essenciais nos dias de hoje. Elas serão abordadas tanto durante a leitura dos filósofos, em teoria do conhecimento, quanto na discussão sobre a sociedade da informação. Mas podemos dizer uma coisa, com certeza: temos aqui outra falácia. Não sabemos ao certo quanto perdemos com a simples ignorância da educação via expressão verbal (e raciocínio lógico). E aqui reside o perigo principal: o futuro administrador, formado de acordo com a ótica da linguagem verbal, mas também das outras linguagens citadas anteriormente, tende a desempenhar sua função com mais desenvoltura e qualidade do que aquele que simplesmente descarta a formação lógico-verbal. Alguns dizem que a linguagem verbal, associada às outras linguagens, tende a reduzir o desempenho do ser humano, nas condições atuais. Mas isso não está provado. O não saber quanto se pode perder basta para a manutenção da importância da educação verbal e lógica, paralelamente às suas novas formas.

As habilidades lingüísticas e as habilidades racionais desenvolvem-se extremamente entrelaçadas no ser humano, a ponto de alguns autores defenderem a equivalência entre a língua e o pensamento.

Malmberg vai ainda mais longe, ao afirmar a absoluta identificação entre pensamento e língua: "Língua e formação de idéias são, no fundo, uma só coisa, e constituem expressão de idêntica capacidade. A língua e o pensamento são, em sentido restrito, a mesma coisa"[39].

Podemos dizer, portanto, que a semântica enfrenta três problemas: em primeiro lugar, as línguas elegem diferentes significantes para representarem objetos e conceitos; em segundo lugar, às vezes

[39] MALMBERG, 1976, p. 83.

o mesmo objeto ou conceito pode ter diferente número de significantes, em línguas diferentes; e, em terceiro lugar, os objetos[40] e os conceitos, em sua maior parte, não têm uma existência universal, independente da língua: eles se formam em cada língua justamente pela maneira como cada cultura recorta o mundo. Poderíamos dizer que a realidade permanece a mesma, o que muda, de língua para língua, é a forma de enxergá-la, o ponto de vista. Mas, de qualquer forma, a realidade enxergada em cada língua é o mundo ele mesmo, para esta cultura. Então, existiriam tantas realidades quanto as formas de recortá-la. E o ser humano, ao ser alfabetizado e aculturado, receberia como legado somente "uma" realidade, uma forma de recortá-la. Mas essa é apenas uma forma de observar o mundo — daí porque é essencial o aprendizado de outras línguas que não a nossa — não apenas no sentido de *status* ou para uso instrumental, mas para ampliar o limite de nossa realidade, de contato com novas "categorias", de novas formas de dividir o mundo, de desenvolvimento do pensamento, enfim. Daí também por que se costuma dizer que a "tradução", em sentido literal, de uma língua para outra, é um empreendimento impossível, fadado ao fracasso. Em poesia, fala-se hoje em "recriação" ou "transcriação", ou seja, evita-se apenas substituir palavras por outras, que supostamente teriam um significado semelhante nas duas línguas, mas se procura, em suma, recriar o mesmo estado criado na língua original.

O pensamento e a própria realidade são determinados pela linguagem.

Mas podemos avançar ainda um pouco mais em nossa reflexão. Observamos, de um lado, que a linguagem **constrói** o mundo — mesmo o mundo objetivo. As cores, o carneiro, a neve passam a ter sentido apenas quando representados por signos, por relações entre significantes e significados. A linguagem instaura o significado do mundo. O homem é um foco que ilumina o mundo. Contudo, observamos também que o próprio pensamento não se constitui sem o aparato da linguagem — e pode até mesmo ser igualado à linguagem, em muitos sentidos. O ato de pensar é totalmente dominado por estruturas de linguagem, por estruturas lingüísticas, poderíamos até dizer. Ora, mas então a linguagem é fator determinante tanto da realidade quanto do pensamento. Teríamos a seguinte representação dessa idéia:

[40] Objeto é tomado aqui em seu sentido filosófico, conforme discussão anterior, no item 1.2, "A relação sujeito/objeto".

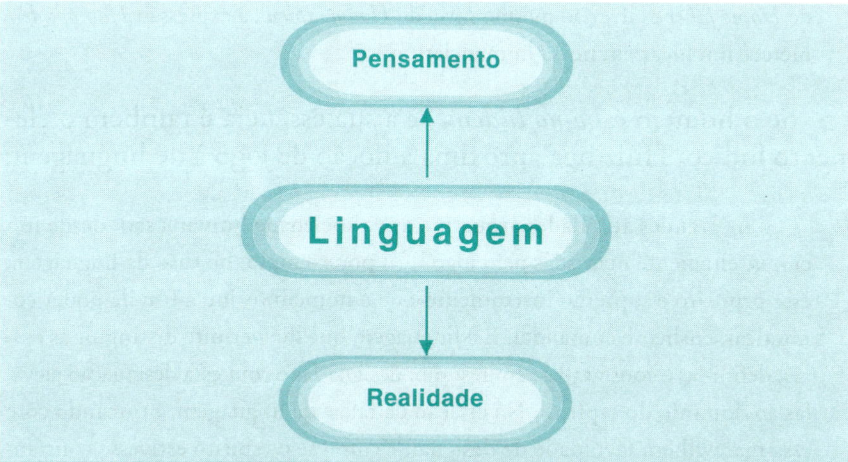

FIGURA 3.9

Podemos então definir uma nova concepção de homem, um novo conceito sobre o ser humano, a sua essência que o distingue dos outros animais: o *homo loquens*. Assim, o homem não é o ser racional (que o Idealismo irá apontar), os próprios objetos não têm uma existência primordial e fundadora do universo (o que o Realismo irá defender), mas é a linguagem que caracteriza o homem e o mundo, a linguagem que constrói tanto o pensamento quanto a realidade. A linguagem é, portanto, a característica mais importante do homem — é ela que justamente funda a realidade e o pensamento, que constrói todo o universo em que vivemos e nos comunicamos, seja o universo interior, seja o universo exterior. E a linguagem deve ser entendida aqui em seu sentido amplo, como conjunto de signos quaisquer, como todo sistema que sirva para comunicar algo a alguém. Huizinga introduz outro conceito bastante interessante (que pode até ser associado com o de *homo loquens*) como substituto da idéia do *homo sapiens*:

> Em época mais otimista que a atual, nossa espécie recebeu a designação de *Homo sapiens*. Com o passar do tempo, acabamos por compreender que afinal de contas não somos tão racionais quanto a ingenuidade e o culto da razão do século XVIII nos fizeram supor, e passou a ser de moda designar nossa espécie como *Homo faber*. Embora *faber* não seja uma definição do ser humano tão inadequada como *sapiens*, ela é, contudo, ainda menos apropriada do que esta, visto poder servir para designar grande número de animais. Mas existe uma terceira função, que se verifica tanto na vida humana como na animal, e é tão importante como o raciocínio e o fabrico de objetos: o jogo. Creio que, depois

de *Homo faber* e talvez ao mesmo nível de *Homo sapiens*, a expressão *Homo ludens* merece um lugar em nossa nomenclatura[41].

Se o homem é *homo ludens*, se a sua essência é também o elemento lúdico, Huizinga aproxima a noção de jogo à de linguagem:

O *homo sapiens* é também *homo loquens* e *homo ludens*.

> As grandes atividades arquetípicas da sociedade humana são, desde início, inteiramente marcadas pelo jogo. [...] por exemplo, no caso da linguagem, esse primeiro e supremo instrumento que o homem forjou a fim de poder comunicar, ensinar e comandar. É a linguagem que lhe permite distinguir as coisas, defini-las e constatá-las, em resumo, designá-las e com essa designação elevá-las ao domínio do espírito. Na criação da fala e da linguagem, brincando com essa maravilhosa faculdade de designar, é como se o espírito estivesse constantemente saltando entre a matéria e as coisas pensadas. Por detrás de toda expressão abstrata se oculta uma metáfora, e toda metáfora é jogo de palavras. Assim, ao dar expressão à vida, o homem cria um outro mundo, um mundo poético, ao lado do da natureza[42].

Nesse brilhante livro, Huizinga estudará as palavras existentes em diversas línguas para representar a idéia de jogo (e competição), no capítulo "A noção de jogo e sua expressão na linguagem":

> [...] jogo é positivo, seriedade é negativo. O significado de 'seriedade' é definido de maneira exaustiva pela negação de 'jogo' — seriedade significando ausência de jogo ou brincadeira e nada mais. Por outro lado, o significado de 'jogo' de modo algum se define ou se esgota se considerado simplesmente como ausência de seriedade. O jogo é uma entidade autônoma. O conceito de jogo enquanto tal é de ordem mais elevada do que o de seriedade. Porque a seriedade procura excluir o jogo, ao passo que o jogo pode muito bem incluir a seriedade[43].

Assim, se pensamos na administração, observamos hoje uma substituição nos critérios de seleção de pessoal: o quociente intelectual (Q.I.) é substituído pelo quociente emocional (Q.E.). Não interessa o funcionário inteligente, ou mesmo o funcionário práti-

[41] HUIZINGA, Johan. *Homo ludens*: o jogo como elemento da cultura. Tradução João Paulo Monteiro. 4. ed. São Paulo: Perspectiva, 1996. Prefácio.

[42] Ibid., p. 7.

[43] Ibid., p. 51.

co ou especializado, mas sim o funcionário que sabe se comunicar com os outros, que tem um bom desempenho em grupo, que se utiliza adequadamente da linguagem. Isso indica a descoberta de um diferencial do homem: a habilidade no uso da linguagem. Retornaremos a esse ponto quando abordarmos a sociedade da informática. Mas cabe lembrar que a comunicação, para Barnard, é uma das mais importantes funções do executivo:

> Outra 'função do executivo' é a *comunicação*, que liga o propósito à disposição individual de cooperar. A comunicação traduz o propósito em ação. Barnard, com base nas descobertas de Hawthorne, indica que a comunicação não consiste apenas na linguagem escrita e falada, mas na 'sensibilidade observadora', que seria uma habilidade de entender sem palavras as situações e intenções. Esse *feeling* é desenvolvido pela experiência e treinamento[44].
>
> A coordenação dos esforços num sistema cooperativo requer um sistema de comunicação. Nos pontos de interconexão desse sistema, estão os executivos. A função dos executivos consiste em servir de canais de comunicação e nesse ponto eles são essenciais para a vida e duração da organização. O trabalho do executivo não consiste tanto em organizar como em *manter* a organização em funcionamento eficaz[45].

Alain Chanlat e Renée Bédard, em um artigo interessantíssimo denominado "Palavras: a ferramenta do executivo", ampliam ainda mais a importância da linguagem na tarefa do administrador de empresas, e os problemas decorrentes quando ela não é dominada pelos executivos:

> Quando pedimos a um executivo que descreva seu trabalho cotidiano na empresa, ele responde que passa o dia a tomar decisões, a planejar, dirigir, coordenar; e que seu sucesso depende da maneira como desempenha tais funções. Essa resposta corresponde ao que habitualmente se encontra escrito, desde Fayol, nos livros de administração. Muitas vezes, o executivo acrescenta que deve consagrar boa parte de seu tempo a tentar equacionar problemas humanos. De fato, um estudo já clássico (Mintzberg, 1973), cujos resultados continuam a confirmar-se, mostrou que na essência da função do executivo está o envolvimento em múltiplos intercâmbios verbais: com seus superiores, subordinados, pares, e com toda a gama de agentes externos à empresa. Realmente, todos os dias o administrador

---

[44] LODI, João Bosco. *História da administração*. 9. ed. São Paulo: Pioneira, 1987. p. 86.

[45] Ibid., p. 87.

> de empresas vê-se imerso num oceano de palavras, o qual monopoliza dois terços de sua atividade profissional.
>
> Nessa perspectiva, a palavra e, em especial, a fala, torna-se o instrumento por excelência da ação do executivo, o meio essencial para entrar em contato com os outros, e para obter resultados. No entanto, que sabe o executivo a respeito do uso da palavra? Que sabe ele do lugar que ocupa a fala na vida dos homens? Que sabe ele das condições necessárias para habilitá-los a gerir corretamente, pela palavra? Nada ou quase nada. Não surpreende, portanto, que os intensos intercâmbios verbais no trabalho sejam a origem de fortes e numerosas tensões psíquicas, e a origem de grande variedade de sentimentos que extrapolam o âmbito profissional[46].

Por fim, cabe dizer que à semântica não interessa apenas o significado dos signos isolados. Interessa também o significado das expressões, das frases, dos períodos, dos discursos e dos textos[47].

3.3.3 Pragmatismo

O filósofo americano Charles Sanders Peirce é um importante representante do pragmatismo. Para Peirce, o pensamento se diferenciaria da sensação por sua continuidade, como um fio de melodia correndo ao longo da sucessão de nossas sensações[48]. O pensamento é movido pelo estado incômodo da dúvida em direção a um estado de satisfação, de crença, quando cessa sua excitação. Sua direção seria sempre, pois, o repouso. As crenças, por sua vez, formam regras ou hábitos, e permitem-nos agir de determinada maneira, em face de determinada situação. A função do pensamento seria, pois, gerar hábitos.

As idéias, para o pragmatismo, possuem relação direta com a realidade: "Nossa idéia a respeito de algo é nossa idéia acerca de seus efeitos sensíveis"[49]. A máxima do pragmatismo é a seguinte: para

---

[46] CHANLAT, Jean-François (Coord.). *O indivíduo na organização*: dimensões esquecidas. 3. ed. São Paulo: Atlas, 1996. v. 1, p. 126. O estudo referido na citação é: MINTZBERG, H. *The nature of managerial work*. New York: Harper and Row, 1973.

[47] Essa discussão sobre filosofia da linguagem, enriquecida com questões sobre lógica, teoria do conhecimento e história da filosofia, pode ser encontrada em meu artigo 'Pensamento, linguagem, lógica e realidade', indicado na Bibliografia.

[48] PEIRCE, Charles Sanders. Como tornar claras as nossas idéias. In: ______. *Semiótica e filosofia*. Introdução, seleção e tradução Octanny Silveira da Mota e Leonidas Hegenberg. 3. ed. São Paulo: Cultrix, 1984. p. 55.

[49] Ibid., p. 59.

determinar o significado da concepção intelectual, deve-se considerar quais conseqüências práticas podem concebivelmente resultar da verdade dessa concepção. A soma destas conseqüências constituirá todo o significado da concepção[50].

Portanto, o significado é, para o pragmatismo, pensado sempre em função da capacidade de influência de uma palavra ou expressão sobre a conduta humana. O significado implica o conceito de experiência: os fenômenos experimentais que uma palavra ou expressão carregam consigo indicam todo o seu campo semântico.

A citação seguinte de Bachelard procura dar conta da questão dos significados das palavras, do ponto de vista pragmático:

> Numa mesma época, sob uma mesma palavra, coexistem conceitos tão diferentes! O que engana é que a mesma palavra tanto designa quanto explica. A designação é a mesma; a explicação é diferente. Por exemplo, a telefone correspondem conceitos que são totalmente diferentes para o assinante, a telefonista, o engenheiro, o matemático preocupado com equações diferenciais da corrente telefônica[51].

É interessante notar que alguns autores contemporâneos enxergam no pragmatismo um rico referencial teórico para a teoria da administração. Sandra Rosenthal e Rogene Buchholz, por exemplo, propõem uma teoria pragmatista da empresa. Para os autores, a perspectiva pragmatista poderia lançar luzes sobre a natureza da empresa. A empresa não existe apenas como um objetivo econômico — pensar dessa forma seria perpetuar a "falácia da reificação": atribuir a algo que foi abstraído da completude da experiência uma existência independente do contexto do qual esse algo foi abstraído. A empresa não é apenas uma instituição econômica, mas também uma instituição social e moral. A empresa não existe isolada da sociedade, mas é, na verdade, constituída pelas múltiplas relações nas quais ela está incrustada e que fornecem sua própria identidade. A empresa seria ainda uma instituição de múltiplos propósitos[52].

---

50 PEIRCE, Charles Sanders. *Semiótica*. Tradução José Teixeira Coelho Neto. São Paulo: Perspectiva, 1977. p. 195. (Estudos, 46).

51 BACHELARD, 1996, p. 22.

52 ROSENTHAL, Sandra B.; BUCHHOLZ, Rogene A. A pragmatic theory of the corporation. In: *Rethinking business ethics*: a pragmatic approach. New York: Oxford University Press, 2000. p. 171-186.

O pragmatismo ofereceria um modelo antropológico para a teoria da administração, em substituição aos modelos mecanicistas e psicossociológicos. Por meio da análise do conceito de ação em Peirce, Fontrodona propõe uma teoria da empresa baseada na lógica, ética e estética peirceanas[53].

3.4 Figuras de Linguagem

O estudo das figuras de linguagem é, talvez, um dos mais ricos da língua. As figuras de linguagem podem ser definidas como desvios das normas de construção lingüísticas, em seus diversos níveis. Causam-nos a princípio certo estranhamento e são característica marcante da poesia.

Os desvios podem ser classificados sob a ótica da adição, da subtração e da permuta. As figuras de linguagem podem ser morfológicas, lógicas, sintáticas e semânticas[54]. Estudaremos particularmente as figuras semânticas da metáfora e da metonímia.

Se lembrarmos que, na construção do discurso, no eixo paradigmático lidamos com relações de seleção e no eixo sintagmático com relações de combinação, podemos entender metáfora e metonímia por esses dois eixos. *A metonímia instaura um desvio nas relações sintagmáticas e a metáfora instaura um desvio nas relações paradigmáticas.* É isso o que se diz em geral, quando se explicam essas figuras de linguagem, mas veremos como essa idéia é incompleta.

Enquanto a **metonímia** instaura um desvio nas **relações sintagmáticas**, a **metáfora** instaura um desvio nas **relações paradigmáticas**.

Pode-se designar um objeto por uma palavra designativa de outro objeto, mediante uma relação da parte pelo todo (asa por avião), da causa pelo efeito (trabalho por obra), do autor pela obra (um Drummond por um livro de Drummond), do conteúdo pelo continente (copo por água), do lugar pelo produto (porto por vinho do Porto), da matéria pelo objeto (bronze por estatueta de bronze), do símbolo pelo simbolizado (bandeira por pátria) etc. e vice-versa. Com a metonímia, num determinado momento da oração surge um termo inadequado, inesperado: Bebi "um copo d'água".

[53] FONTRODONA, Juan. *Pragmatism and management inquiry*: insights from the thought of Charles S. Peirce. Westport: Quorum Books, 2002.

[54] Em LOPES, Edward. *Metáfora*: da retórica à semiótica. 2. ed. São Paulo: Atual, 1987. p. 18, o autor apresenta um quadro bastante elucidativo das figuras da linguagem, fundamentado na Retórica Geral do grupo de Liège.

Espera-se, como complemento do verbo *beber*, algum termo que faça parte do paradigma dos substantivos líquidos, que podem ser bebidos. Portanto, se há um desvio no sintagma, pois *copo* é um termo inadequado nesse instante da cadeia, o desvio se dá justamente porque esse termo pertence a um paradigma inadequado — então o desvio é ao mesmo tempo sintagmático e paradigmático.

A oração: "Comer o pão com o suor do rosto" apresenta vários momentos de desvios sintagmáticos. "Pão" (parte) é utilizado com o sentido de "alimento" (todo). Além disso, não é o "suor" (efeito) que serve para comprar o alimento, mas sim o "trabalho" (causa). E não é também com o "rosto" (todo) que se come o pão, mas com a "boca" (parte)[55]. Mas todos esses desvios sintagmáticos ocorrem justamente porque o termo inadequado ou impróprio pertence a um paradigma que não faz parte do paradigma do qual se esperava ter um elemento, naquele momento da cadeia.

Já na oração "Sou um leão", poderíamos dizer que é a relação paradigmática que entra em jogo. Mas não é apenas isso que ocorre. "Sou forte como um leão" é a oração completa. A metáfora é basicamente uma comparação, da qual os elementos indicadores da comparação foram omitidos — tanto o elemento lógico que indica a comparação (como) quanto a qualidade a princípio comum aos dois objetos comparados (forte). A operação, nesse sentido, se dá justamente no nível sintagmático, pela exclusão de alguns termos da cadeia, os elementos lingüístico e semântico da comparação. Por isso, a metáfora é uma figura tão rica: cada um pode preencher essa *comparação* com as qualidades que lhe parecerem comuns aos dois objetos.

Além disso, a metáfora opera num paradigma muitas vezes obscuro, forçado, criado escusamente. "Eu" e "leão" a princípio fazem parte de campos semânticos diferentes: sou um ser humano, o leão é um animal. Todavia, pelo mecanismo de construção da metáfora, passam os dois a fazer parte de um mesmo paradigma, para o qual a idéia de "força" funciona como eixo semântico de aglutinação. Como se entre os paradigmas de animal e ser humano pudéssemos construir um paradigma-intersecção, fundado na idéia de força.

E a metáfora, ainda, funda o reino do "ser" sobre o reino do "parecer". Afinal, não afirmo, na oração acima, que *pareço* com um leão — afirmo que *sou* um leão.

---

[55] Adaptado de LOPES, 1987, p. 21-22.

Daí porque a metáfora é tida como um saber misterioso, em oposição à simulação característica da comparação. A metáfora aproxima paradigmas que, em princípio, não se parecem, torna semelhante o diferente, finge ser o mesmo o que, de fato, é distinto. A comparação, por sua vez, aponta a semelhança daquilo que não é o mesmo. A comparação preserva a individualidade dos termos aproximados, enquanto a metáfora os funde em um só elemento. Em função das noções de verdade e falsidade, podemos, então, montar o seguinte quadro de oposições entre ser/parecer:

QUADRO 3.2

Ser	**Verdade**	Parecer
Metáfora		**Comparação**
Não-Parecer	**Falsidade**	Não-Ser[56]

3.5 Funções da Linguagem

Da mesma forma que estudamos a língua em seus vários aspectos (período, orações, palavras, morfemas, fonemas etc.), podemos também estudar a linguagem ou o discurso em seu sentido mais amplo. Roman Jakobson desempenha um papel importante no desenvolvimento da lingüística, principalmente por seus estudos sobre a linguagem poética. Em seu artigo "Lingüística e poética", publicado originalmente em 1960, ele apresenta a linguagem em sua variedade de funções. Uma das funções essenciais da linguagem é a comunicação. Se não encontramos **universais** nas línguas, em nossa abordagem semântica, e até mesmo a certeza dos objetos se perdeu, podemos dizer, com Hagège, que nas línguas a **função dialogal** e comunicativa é primordial e universal: "[...] as línguas humanas são *simultaneamente* sistemas de signos e meios de comunicação"[57]. É partindo desse pressuposto que Jakobson estudará a linguagem.

[56] Adaptado de LOPES, 1987, p. 32.

[57] HAGÈGE, 1990, p. 94.

O ato de comunicação envolve vários fatores: o **remetente**, que envia uma **mensagem** ao **destinatário**, utilizando-se de um **código**, referindo-se a um **referente**, por meio de um **canal** (físico ou psicológico). O esquema traçado para o processo de comunicação verbal, por Jakobson, é o seguinte[58]:

QUADRO 3.3

REFERENTE

REMETENTE ——► MENSAGEM ——► DESTINATÁRIO

CANAL

CÓDIGO

A comunicação seria basicamente referencial, ou seja, o fator referente seria o primordial na grande parte das mensagens. Entretanto, a importância dos outros fatores seria determinante em alguns atos de comunicação, e assim cada um desses fatores fundamentaria uma **função da linguagem**.

---

[58] Dois termos foram modificados para superar alguns problemas que a teoria de Jakobson propicia. Em vez de **contato** preferimos utilizar **canal**, para evitar a idéia de proximidade física. **Contexto** (utilizado originariamente no lugar do nosso **referente**) cria uma confusão entre aquilo a que a mensagem se refere (que chamamos aqui de referente) e o contexto no qual o ato de comunicação está inserido. Poderíamos, nesse sentido, pensar em mais duas funções da linguagem, além das descritas: uma em que a linguagem seja utilizada com ênfase no contexto da comunicação, e outra em que a linguagem seja utilizada com ênfase no próprio ato de comunicação. Toda língua está incluída num conjunto maior, de códigos culturais, aos quais se refere constantemente, os quais reproduz continuamente, dos quais depende, em última instância. É importantíssimo, no estudo da comunicação, a relação que podemos traçar entre o contexto e as idéias nele subentendidas. Pierre Lévy, em *As tecnologias da inteligência*, p. 73, expõe uma concepção distinta de comunicação, crítica, na verdade, do modelo aqui exposto, que privilegia o contexto, ou, muito mais, o que chama de hipertexto: "O fundamento transcendental da comunicação — compreendida como partilha do sentido — é este contexto ou este hipertexto partilhado. Mais uma vez, é preciso inverter completamente a perspectiva habitual segundo a qual o sentido da mensagem é esclarecido por seu contexto. Diríamos antes que o efeito de uma mensagem é o de modificar, complexificar, retificar um hipertexto, criar novas associações em uma rede contextual que se encontra sempre anteriormente dada. O esquema elementar da comunicação não seria mais 'A transmite alguma coisa a B', mas sim 'A modifica uma configuração que é comum a A, B, C, D etc.'. O objeto principal da teoria hermenêutica da comunicação não será, portanto, nem a mensagem, nem o emissor, nem o receptor, mas sim o hipertexto, que é como a reserva ecológica, o sistema sempre móvel das relações de sentidos que os precedentes mantêm. E os principais operadores dessa teoria não serão nem a codificação, nem a decodificação, nem a luta contra o ruído através da redundância, mas sim estas operações moleculares de associação e desassociação que realizam a metamorfose perpétua do sentido".

A função **emotiva** está centrada no remetente.

A **função emotiva** ou **expressiva** (quem) está centrada no remetente. Aquele que fala expressa seus sentimentos e sua emoção em relação ao conteúdo da mensagem ou do contexto. Os índices de sua personalidade (interjeições, por exemplo) são os representantes da função emotiva. A entonação na pronúncia pode destacar uma carga emocional maior ou menor, na mesma oração. A poesia lírica é um exemplo em que a função emotiva da linguagem encontra-se presente de forma acentuada. Quando escutamos uma pessoa gritar: "Você é um imbecil!", seja pelo grito, seja pela própria oração, quem dá o *show*, quem realmente chama a atenção, quem exprime seus sentimentos e sobre quem recai todo o peso da comunicação, até mesmo os olhares daqueles que assistem às situações de *show*, é a própria pessoa que fala, e não o suposto "imbecil" a quem ela se refere.

A função **conativa** está centrada no destinatário.

A **função conativa** (para quem) está centrada no destinatário. Gramaticalmente, vocativo e imperativo indicam essa orientação da linguagem. Tudo que na mensagem remete ao destinatário representa a função conativa. "Beba Coca-Cola" ou "Fique quieto" são tipos de mensagens em que a linguagem está orientada ao destinatário.

A função **referencial** está centrada no referente.

A **função referencial** ou **denotativa** (o quê) está orientada ao referente. Todos os momentos da comunicação em que nos referimos a um objeto, a uma situação, a uma terceira pessoa, enfim, àquilo do que se fala, representam a função referencial. A poesia épica é basicamente referencial, pois se centra na terceira pessoa. Os noticiários de televisão e jornal utilizam-se, principalmente, da função referencial da linguagem.

A função **fática** está centrada no canal.

A **função fática** (onde) exerce sua ênfase sobre o canal de contato entre o emissor e o destinatário. Serve para prolongar ou encerrar a comunicação, ou para testar o canal, para que o emissor se certifique de que existe, ainda, a possibilidade de comunicação. Possui um sentido muito mais ritualístico do que propriamente um significado. O "câmbio" entre os radioamadores é basicamente fático. O primeiro contato entre um casal de namorados, após uma separação, é em geral um longo exercício de linguagem fática: "Oi, tudo bem?"; "Tudo bem, e você?"; "É, tudo bem, né"; "Alguma novidade?"... A intenção de testar o canal é aqui essencial. Quando encontramos alguém no elevador e dizemos: "Tudo bem?", em geral não estamos realmente interessados em saber se a pessoa está bem, não esperamos que ela comece a contar a sua vida: "É, mais ou menos. Ontem à tarde meu filho ficou com febre... A minha sogra foi assaltada na viagem no mês passado... O meu cachorro foi atropelado, mas nós já temos outro...". Tanto que, muitas vezes, recebemos como resposta do nosso "Tudo bem?" um "Tudo bem, e você?". E dizemos simplesmente: "Tudo bem!". Ou muitas vezes nem mesmo respondemos, pois o "Tudo bem, e você?" também não deixa de ser um prolongamento da linguagem fática, não exige resposta informativa.

Muitas pessoas utilizam com intenções fáticas, por exemplo, mensagens como: "Vamos combinar um encontro, nesta semana pode ser". Ou seja, a intenção aqui não é realmente de marcar um encontro, mas apenas uma forma de prolongar a comunicação, testar o canal. E, quando o destinatário interpreta essa mensagem como informativa, como emotiva, como realmente transmitindo a intenção de um encontro, em geral ocorrem os desastres de "falta de comunicação", em que o destinatário se sente rejeitado ou mal-amado.

O executivo e o administrador parecem, sem suas atividades diárias, programados para evitar esse tipo de equívoco da comunicação:

> Há uma tendência dos executivos de negócios para se tornarem escravos de seus compromissos diários — eles se tornam vítimas de um tipo de 'complexo da agenda'. Raramente se vêem dois executivos de negócios conversando sem suas agendas nas mãos, e eles se sentem perdidos se não sabem que têm essas agendas a fácil alcance. Quando começam seu dia de trabalho, olharão o que têm que fazer, e qualquer coisa que estiver na agenda eles cumprirão pontualmente e eficientemente. Se alguém quer assegurar-se de que algo seja feito por esse grupo de pessoas, deve conferir que esse 'algo' entre em suas agendas. Não se deve nunca pedir que um executivo de negócios prometa fazer alguma coisa p.e. 'na próxima semana' ou mesmo 'na próxima sexta-feira'. Tais solicitações vagas não entram em suas agendas. Não, deve-se definir um tempo específico, digamos, sexta-feira às 16:15; então isso será anotado e feito na ocasião oportuna. Quanto mais o tempo é especificado, com mais certeza a tarefa será cumprida[59].

[59] CARLSON, S. *Executive behaviour*: a study of the work load and the working methods of managing directors. Stockholm: Strömbergs, 1951. p. 71. Apud MINTZBERG, 1973, p. 36-37, tradução nossa.

A canção *Sinal fechado*, de Paulinho da Viola, é um exemplo de maestria no uso da linguagem fática, tanto no exercício de testar o canal, de prolongar a comunicação (enquanto o sinal não abre), quanto no de utilizar os "compromissos" de forma fática. Segue a reprodução da letra, mas "ouvir" a canção é imprescindível, para que todos os seus efeitos fiquem claros:

> Olá, como vai?
> Eu vou indo, e você, tudo bem?
> Tudo bem, eu vou indo, correndo,
> pegar meu lugar no futuro. E você?
> Tudo bem, eu vou indo em busca de um sono
> tranqüilo, quem sabe?
> Quanto tempo...
> Pois é, quanto tempo...
> Me perdoe a pressa
> é a alma dos negócios...
> Oh! não tem de quê.
> Eu também só ando a cem.
> Quando é que você telefona,
> precisamos nos ver por aí.
> Pra semana, prometo, talvez
> nos vejamos, quem sabe?
> Quanto tempo...
> Pois é, quanto tempo...
>
> Tanta coisa que tinha a dizer,
> mas eu sumi na poeira das ruas.
> Eu também tenho algo a dizer,
> mas me foge a lembrança.
> Por favor telefone; preciso beber
> alguma coisa rapidamente.
> Pra semana...
> O sinal...
> Eu procuro você...
> Vai abrir, vai abrir...
> Prometo, não esqueço.
> Por favor, não esqueça, não esqueça, não esqueça.
> Adeus...[60]

[60] In: VANOYE, Francis. *Usos da linguagem*: problemas e técnicas na produção oral e escrita. Tradução Clarisse Madureira Sabóia et al. 2. ed. São Paulo: Martins Fontes, 1981. p. 54.

A função metalingüística (com o quê) exerce sua ênfase sobre o código. Como afirma Jakobson: "Uma distinção foi feita, na Lógica moderna, entre dois níveis de linguagem, a 'linguagem-objeto', que fala de objetos, e a 'metalinguagem', que fala da linguagem. Mas a metalinguagem não é apenas um instrumento científico necessário, utilizado pelos lógicos e pelos lingüistas; desempenha também papel importante em nossa linguagem cotidiana"[61]. Em todo o momento em que deparamos com a necessidade de construir "definições", estamos utilizando a função metalingüística da linguagem. E utilizamo-nos das definições para vários propósitos: ampliar nosso vocabulário, eliminar ambigüidades, tornar um significado mais claro, realizar explicações teóricas, influenciar atitudes etc. Sempre que retornamos para a linguagem, sempre que o remetente e o destinatário precisam checar se estão utilizando o mesmo código, enfim, sempre que o código é usado para falar do próprio código, temos metalinguagem.

A função **metalingüística** está centrada no código.

A metalinguagem é essencial nas ciências humanas e mesmo na teoria da administração. Alguns conceitos, como "democracia", "reengenharia", "burguesia", "marketing", entre outros, são hoje como moedas gastas, signos nos quais o significante é o único lado que ainda tem existência: os significados desses termos são tão vagos, múltiplos ou ambíguos, que se torna imprescindível, tanto no nível acadêmico quanto em planejamentos, projetos, palestras ou mesmo meras reuniões, redefini-los sempre que pretendemos utilizá-los, de forma que o remetente e o destinatário se certifiquem de estarem trabalhando com o mesmo signo lingüístico. Esse exercício de redefinição é puramente metalingüístico — a língua é utilizada para definir um conceito da própria língua, para reforçar o código. As línguas poderiam ser definidas como a forma de linguagem que pode servir como tradução para qualquer outra linguagem, até para si própria. Por isso podemos dizer que a lingüística, como ciência que estuda a língua, "é a única ciência atual cujo objeto coincide com o discurso que faz sobre ele"[62].

João Cabral de Melo Neto é talvez nosso poeta que mais se utilize do recurso da metalinguagem. Sua obra pode ser lida como a poesia sobre o ato de escrever poesia. O ato de escrever refere-se

61 JAKOBSON, Roman. Lingüística e Poética. In: ______, [19--], p. 127.

62 HAGÈGE, 1990, p. 58.

ao próprio ato de escrever. É justamente a função metalingüística que demonstra a capacidade de reflexão (no sentido de voltar-se sobre si mesma) da linguagem. O poema *Catar feijão*, um entre vários que poderíamos retirar de sua obra, pode ser lido sob este prisma:

A Alexandre O'Neill

Catar feijão se limita com escrever:
joga-se os grãos na água do alguidar
e as palavras na da folha de papel;
e depois, joga-se fora o que boiar.
Certo, toda palavra boiará no papel,
água congelada, por chumbo seu verbo:
pois para catar esse feijão, soprar nele,
e jogar fora o leve e oco, palha e eco.

2.

Ora, nesse catar feijão, entra um risco:
o de que entre os grãos pesados entre
um grão qualquer, pedra ou indigesto,
um grão imastigável, de quebrar dente.
Certo não, quando ao catar palavras:
a pedra dá à frase seu grão mais vivo:
obstrui a leitura fluviante, flutual,
açula a atenção, isca-a com o risco[63].

Um dos revisores de nosso livro fez a seguinte observação: não seria possível você separar, em seu texto, de um lado o conteúdo e do outro lado a reflexão sobre esse conteúdo? Não seria possível ensinar um determinado assunto sem refletir sobre as formas com que esse assunto está sendo ensinado? Não seria possível, enfim, utilizar-se em seu livro da linguagem, deixando de lado a metalinguagem? Ora, se isso pode parecer a princípio um *defeito* de nosso texto, visto se tratar de um livro didático, essa característica parece-nos ser essencial no discurso filosófico. A filosofia é, basicamente, metalingüística. Ao mesmo tempo que se discute algum assunto, discute-se a forma de abordá-lo, a forma de transmiti-lo, a adequação entre a linguagem e o objeto estudado. Faz parte justamente do discurso filosófi-

[63] CABRAL DE MELO NETO, João. A educação pela pedra. In: ______. *Poesias completas*. 3. ed. Rio de Janeiro: J. Olympio, 1979. p. 21-22.

co a metalinguagem, o que diferencia a filosofia dos outros campos de conhecimento. Já discutimos esse movimento em vários momentos do livro (nas citações de Bachelard e na filosofia de Hegel, por exemplo). Não conseguimos, enfim, atender à reivindicação do revisor — por nossa incapacidade de reestruturação, ou pela resistência metalingüística do discurso filosófico.

A função **poética** está centrada na mensagem.

Por fim, a **função poética** da linguagem (**como**) ocorre quando a ênfase é dada sobre a própria mensagem. Essa função não se resume à poesia, mas é característica da linguagem em geral, em maior ou menor grau. O marketing, por exemplo, utiliza-se fartamente dos recursos da função poética. No Brasil, o movimento de poesia concreta acabou por se fundir com correntes de propaganda, a ponto de, em alguns casos, tornar-se difícil definir com que estávamos lidando: poesia ou propaganda?

Com a função poética o significante é ressaltado em seu caráter material. O ritmo, a sonoridade, a tonalidade, a própria organização da mensagem, ou seja, todos os elementos formais da linguagem, entram aqui em jogo. Observemos os versos de Fernando Pessoa:

> "O Tejo é mais belo do que o rio que corre pela minha aldeia,
> Mas o Tejo não é mais belo que o rio que corre pela minha aldeia. Porque o Tejo não é o rio que corre pela minha aldeia ..."[64].

Podemos dizer que, depois de compreendida a mensagem, não é o referente, o código, o emissor, o receptor ou o canal que sobrevivem, mas sim a estrutura da própria mensagem, a forma como algo foi dito.

Podemos associar à noção de sintagma o conceito de combinação, e à de paradigma o de seleção. Os elementos são selecionados de uma classe ou paradigma, e combinados numa cadeia ou sintagma. O que a função poética realiza é certa (con)fusão entre o ato de selecionar e de combinar, próprios ao sistema lingüístico:

> A seleção é feita em base de equivalência, semelhança e dessemelhança, sinonímia e antonímia, ao passo que a combinação, a construção da seqüência, se baseia na contigüidade. *A função poética projeta o princípio de equivalência do eixo de seleção sobre o eixo de combinação.* A equivalência é promovida à condição de recurso constitutivo da seqüência[65].

64 PESSOA, Fernando. *Poemas de Alberto Caeiro*. Lisboa: Ática, 1952. p. 44.

65 JAKOBSON, Roman. Lingüística e Poética. In: ______, [19--], p. 130.

O esquema das funções da linguagem proposto por Jakobson, em paralelo ao esquema dos participantes do ato da comunicação, ficaria então assim:

QUADRO 3.4

	REFERENCIAL	
EMOTIVA	POÉTICA	CONATIVA
	FÁTICA	
	METALINGÜÍSTICA	

3.6 Semiótica

> A teoria da ciência desenvolve-se, dentro da filosofia científica, principalmente pelo emprego sistemático dos métodos da moderna teoria da linguagem, ou seja, numa palavra, da *semiótica.* Aqui a linguagem não é concebida em moldes estreitos, mas de maneira ampla, abrangendo temas sintáticos, semânticos e pragmáticos. Mesmo muitos aspectos da ciência, que aparentemente (ou quiçá realmente) pouca relação apresentam com as noções lingüísticas comuns, enquadram-se numa das dimensões da moderna teoria da linguagem, quando se conceitua a semiótica em sentido amplo[66].

Saussure fala, em seu *Curso de lingüística geral*, em uma ciência futura, parte da psicologia, que denomina semiologia (do grego *semeîon*, signo): ciência que estuda a vida dos signos no seio da vida social[67]. Charles Sanders Peirce, filósofo americano, talvez seja o nome de maior destaque no desenvolvimento do que batizou de semiótica, doutrina dos signos, que se confundiria com a lógica. Sua obra, imensa, ainda sendo estudada e não totalmente compreendida principalmente pelo seu caráter multidisciplinar, é riquíssima em diversos sentidos. Bem antes de Peirce e mesmo Saussure, entre-

---

66 COSTA, Newton Carneiro Afonso da. *Ensaio sobre os fundamentos da lógica*. 2. ed. São Paulo: Hucitec, 1994. p. 8.

67 SAUSSURE, 1993, p. 24. É importante notar que, como indica Derrida, a concepção desta ciência mais ampla que a lingüística, a semiótica, é determinada por conceitos da própria lingüística, como os de **signo**, **significante** e **significado** etc. "Embora a semiologia seja na verdade, mais geral e mais compreensiva que a lingüística, ela continuava a regular-se sobre o privilégio de uma de suas regiões. O signo lingüístico permanecia exemplar para a semiologia, dominava-a como signo-mestre e como o modelo gerador: o 'padrão' ('patrão')." DERRIDA, 1973, p. 62.

tanto, John Locke, filósofo empirista inglês, em seu *Ensaio sobre o entendimento humano*, publicado ainda no século XVII, diferencia três tipos de ciências: as que estudam a natureza das coisas (*physiké*, ou filosofia natural); as ciência práticas (de *pratikê*), das quais faria parte a ética; e as ciências que estudariam as formas de aprendizado e transmissão do conhecimento, que são assim definidas, também de forma profética, num texto que merece ser incluído na história da lingüística:

> [...] o terceiro ramo pode ser denominado *semeiotiké*, ou a *doutrina dos sinais*; o mais usual são as palavras, e isto é adequadamente denominado também *logiké*, *lógica*, cuja função consiste em considerar a natureza dos sinais que a mente utiliza para o entendimento das coisas, ou transmitir este conhecimento a outros. Pois, desde que as coisas que a mente contempla não são nenhuma delas, além de si mesmas, presentes no entendimento, é necessário que algo mais, como o sinal ou representação da coisa considerada, deva estar presente nele, e estas são as *idéias*. E porque a cena das idéias que formam o pensamento de um homem não pode estar inteiramente aberta à inédita visão de outrem, nem situada em nenhum lugar, a não ser em sua memória, um não muito seguro repositório; portanto, para comunicar nossos pensamentos mutuamente, assim como para registrá-los para nosso próprio uso, sinais de nossas idéias são igualmente necessários; estes, que os homens descobriram ser mais convenientes, e, portanto, geralmente os usam, são *sons articulados*. A consideração, pois, das *idéias* e *palavras* como os grandes instrumentos do conhecimento não representa aspecto desprezível da contemplação de quem observaria o conhecimento humano em toda a sua extensão. E, talvez, se fossem distintamente pesados e devidamente considerados, nos oferecessem outro tipo de lógica e crítica, diferente daquele com que até agora temos nos familiarizado[68].

A semiótica tem como objeto de estudo os signos. Como já vimos no caso das línguas, e veremos quando estudarmos a sociedade da informática, o homem defronta-se não apenas com o mundo natural, mas, principalmente hoje, com uma proliferação infinita de signos e de representações que criam vida própria, um mundo próprio, com o qual lidamos diariamente. Daí a noção, importante na análise das sociedades de consumo, de **simulacro**, e também a importância do estudo da semiótica hoje em dia.

A **semiótica** é o ramo do conhecimento humano que estuda os signos.

[68] LOCKE, John. *Ensaio acerca do entendimento humano*. Tradução Anoar Aiex. 3. ed. São Paulo: Abril Cultural, 1983. p. 343-344. (Os Pensadores).

Os **signos** dividem-se em **ícones, índices** e **símbolos**.

Para Peirce, o signo é algo que representa alguma coisa para alguém. Na mente dessa pessoa, cria-se um signo equivalente, denominado **interpretante** desse primeiro signo. Todo signo possui um objeto ao qual representa, e a idéia que ele carrega consigo desse objeto é denominada fundamento. Uma distinção importante entre os signos, estabelecida por Peirce, dá-se entre ícone, índice e símbolo.

O **ícone** representa seu objeto por uma relação de **semelhança**.

O **ícone** apresenta semelhança natural, geométrica ou funcional, entre o significante e o significado (a foto de uma pessoa e a própria pessoa, um mapa e o local que representa etc.). Pode ser subdividido em imagens (que representam diretamente o objeto), diagramas (que representam as relações do objeto, dos quais as equações algébricas fariam também parte) e metáforas (que representam seu objeto por meio do paralelismo). É importante notar que, nos ícones, a relação entre significado e significante não é arbitrária, mas apresenta elementos de motivação, ao contrário do que ocorre no caso dos signos lingüísticos. Os ícones estabelecem uma relação de analogia entre o signo e o seu referente. Espera-se que um ícone, num ambiente como o do Windows, por exemplo, represente de imediato, para o usuário, a ação que um clique nele irá gerar — uma porta fechando indica que se vai sair do programa; o desenho de um disquete indica gravação; a figura de uma impressora indica que se vai imprimir; e assim por diante. Um ícone bem construído, em computação, é aquele que consegue justamente captar a relação mais natural possível, que se possa estabelecer de imediato na mente do usuário, entre uma figura e uma ação a ser realizada por um programa. Ele não precisaria, então, de um texto (verbal) para explicar o que ele significa.

O **índice** apresenta seu objeto por uma relação de **contigüidade natural**.

O **índice** apresenta uma relação natural de contigüidade entre o significante e o significado (a constelação do Cruzeiro do Sul é índice geográfico, a fumaça é índice do fogo, a febre é índice de uma doença, o relógio indica a hora, o cata-vento indica a direção do vento, os pronomes demonstrativos indicam para alguém ou algo, os pronomes relativos **o que** ou **quem** indicam para alguma expressão ou palavra que os antecede, uma arma pode ser índice de um crime, uma cicatriz pode ser índice de agressão, ruínas são índices de uma cidade etc.). Toda a medicina se constrói sob a idéia de sintomas — as dores são índices da doença. Vestígios ou indícios são formas de índices. Tudo o que atrai nossa atenção ou nos surpreende é um índice, pois relaciona dois aspectos da experiência. O índice é afetado pelo objeto que representa, e institui uma conexão dinâmica entre o objeto e a consciência que o percebe. Assim, não é a semelhança entre o índice e seu objeto que importa, como no caso do ícone, mas o fato de o objeto poder modificá-lo. No paleolítico superior, de 25.000 a.C. a 10.000 a.C., o homem **criava índices** por meio da magia simpática. Com seus desenhos de situações de caça nas cavernas, procurava de alguma forma influir sobre a natureza. Por meio da imitação de um resultado, acreditava poder produzi-lo. Se a magia simpática apresentava, em princípio, uma relação icônica com seu objeto (mediante o desenho), era a crença na contigüidade entre o ato de desenhar e o de caçar que movia o homem primitivo. Os desenhos eram pintados uns sobre os outros, em diferentes épocas, pois o processo da pintura tinha o poder de influir sobre a realidade — e não a pintura como representação. Pintar podia influir sobre o caçar — a pintura podia modificar seu objeto.

George Berkeley, filósofo empirista inglês do século XVII, já pensava sobre a relação entre o objeto e seu índice (no caso de Berkeley, entre idéias, pois tanto o objeto quanto o índice devem ser compreendidos como idéias): "[...] a conexão das idéias não implica a relação de causa e efeito mas somente a de um *sinal* da coisa *significada*. O fogo que vejo não é a causa da dor sentida se me aproximar mas o sinal para me acautelar dele. O ruído que ouço não é efeito de movimento ou colisão de corpos externos mas o sinal disso"[69].

A relação básica, que caracteriza os índices, é a relação de implicação entre dois eventos: $A \supset B$. Se ocorre A (o sinal ou índice), então ocorreu, ocorre ou ocorrerá B, que está, portanto, implicado com A.

Já o **símbolo** apresenta também relação de contigüidade entre o significante e o significado, mas essa relação é instituída como regra, e deve ser conhecida pelo emissor e pelo receptor da mensagem para que o signo se concretize. O símbolo, ao contrário do ícone e do índice, é resultado de uma convenção social arbitrária. As palavras, as frases, os livros são todos símbolos, assim como as bandeiras, os sinais de trânsito etc.

O **símbolo** representa seu objeto por uma relação semiótica **artificial**, não baseada na semelhança.

[69] BERKELEY, George. *Tratado sobre os princípios do conhecimento humano*. Tradução Antonio Sérgio. São Paulo: Abril Cultural, 1973. p. 32. (Os Pensadores, XXIII, obras de George Berkeley e David Hume).

A relação lógica que se estabelece entre o signo e o seu referente é de equivalência: A (signo) ≡ B (referente).

Uma definição complexa, mas importante, relacionando os três tipos de signos abordados, a qual fica como sugestão para a reflexão do leitor, é a de que um **símbolo** representa um "signo naturalmente adequado a declarar que o conjunto de objetos que é denotado por qualquer conjunto de índices que possa, sob certos aspectos, a ele estar ligado, é representado por um ícone com ele associado"[70].

Também aqui, assim como no caso das funções da linguagem, não existem signos totalmente simbólicos, assim como índices e ícones são características dos signos: o que ocorre é uma maior ou menor preponderância desses elementos nos signos com os quais lidamos. Trata-se aqui de uma diferenciação que serve para auxiliar o estudioso, e não para delimitar os signos em três elementos incomunicáveis.

A semiótica não se restringe, portanto, como a lingüística, ao estudo da língua: aborda objetos e sistemas de signos como o vestuário, a moda, a sinalização rodoviária, o cinema, a própria arquitetura urbana, os mitos, os quadros, cardápios etc., enfim, todo e qualquer conjunto de signos que se constitua como sistema. Sempre que o homem recria o mundo, de forma a espelhá-lo, representá-lo de alguma forma, ele cria sistema de signos que interessam, então, à semiótica. Os signos, como objetos da semiótica, desempenham, portanto, papel essencial na filosofia da linguagem. Como afirma Edward Lopes:

> Assim como a relação entre o homem e o mundo vem mediatizada pelo pensamento, a relação entre um homem e outro homem, dentro de uma sociedade, vem mediatizada pelos *signos*. Para que o pensamento transite de uma para outra subjetividade, deve ele formalizar-se em *signos*. Os signos são, por um lado, suportes exteriores e materiais da comunicação entre as pessoas e, por outro lado, são o meio pelo qual se exprime a relação entre o homem e o mundo que o cerca[71].

Os sistemas de signos podem ser estudados, assim como a linguagem em geral, sob diversos ângulos: semântico, sintático, pragmático etc.

---

[70] PEIRCE, 1977, p. 71-72.

[71] LOPES, 1982, p. 16.

Para finalizar com um exemplo que demonstra a amplitude da aplicação da semiótica, consideremos o trabalho de Robert Neville com semiótica das religiões[72]. Ele considera que, para Peirce, a teologia seria o estudo cognitivo do significado e da verdade das hipóteses sobre Deus e outros temas teológicos, da forma como eles têm sido simbolizados em religião. Assim, interessa, por exemplo, estudar como símbolos religiosos (como a Eucaristia) podem ser significativos e verdadeiros.

A teoria da interpretação peirceana nos mostraria, segundo Neville, que os signos funcionam para nos engajar com a realidade, não para substituí-la. Peirce teria compreendido os sistemas semióticos como parte dos desenvolvimentos adaptativos da vida humana, servindo para possibilitar às pessoas alcançarem discernimentos e respostas sempre mais acurados e relevantes em relação às características importantes da realidade.

Nesse sentido, Neville desenvolverá a teoria semiótica de Peirce, principalmente em relação à verdade. Enquanto muitos pensadores acreditaram que a verdade consistiria em uma semelhança ou correspondência formal entre idéias ou proposições e seus objetos, Peirce mostrou que isso pressuporia que toda referência fosse icônica. Referir-se a um objeto iconicamente é afirmar que ele é, de algum modo, como o signo, ou seja, isomórfico em relação a ele. Podemos ter, por exemplo, semelhança física, como quando um crucifixo na igreja assemelha-se à cruz em que Jesus morreu, ou mesmo isomorfismos menos imediatos e evidentes. Entretanto, de qualquer forma, toda descrição possui um elemento de iconicidade que diz que seu objeto é "assim". Mas Peirce mostrou que alguma referência ou dimensão de referência é indicial, ou seja, aponta para algo. Uma referência indicial determina uma relação causal entre o objeto e o intérprete, de forma que o intérprete capte o objeto. Apontar com o dedo leva o intérprete a voltar-se em direção ao objeto para ver; um grito indicial acorda o intérprete para o que está acontecendo. Um índice chama a atenção para um objeto. Ou, mais especificamente, uma referência indicial modifica o intérprete,

[72] Seu artigo "As contribuições de C. S. Peirce para a filosofia da religião contemporânea" pode ser encontrado, em versão bilíngüe, em *Cognitio* — Revista de Filosofia do Centro de Estudos do Pragmatismo da Pontifícia Universidade Católica de São Paulo, São Paulo: EDUC: Angra, n. 2, 2001. p. 134-160.

de forma que o objeto possa ser introduzido. A religião, é claro, está profundamente envolvida com referências simbólicas indiciais. A simbolização religiosa envolve o praticante em mudança, para torná-lo mais aberto a realidades religiosas. Ela chama a atenção para dimensões da vida obscurecidas pela existência profana. Grande parte dos símbolos religiosos são obviamente falsos, tolos e estúpidos se tomada literal ou iconicamente. Nenhum geologista diria que Deus é uma pedra, e nenhuma pessoa religiosa jamais diria que, quando aponta para Deus, está apontando para uma pedra da salvação. O tipo mais comum de referência em religião é indicial, não icônico, muito embora deva haver também elementos icônicos. O terceiro tipo de referência, para Peirce, é a simbólica, com o que ele quer dizer que a referência do signo é determinada dentro de um sistema semiótico. Todos os signos sobre os quais podemos falar são simbólicos, ao menos em sua referência. Muitos são também icônicos, de alguma forma, assim como indiciais.

Para Neville, a teoria semiótica de Peirce indica que a verdade não é uma função da referência apenas. A verdade da interpretação tem de ver com o fato de o objeto ser ou não acuradamente representado por seu intérprete. Signos sempre interpretam objetos em alguns aspectos, e os contextos interpretativos determinam os aspectos em que é relevante interpretar os objetos.

Nesse sentido, o julgamento sobre a verdade de uma hipótese teológica demonstra-se extremamente complexo. Determinar se uma interpretação é verdadeira requer determinar se o que é importante no objeto é conduzido à interpretação do intérprete nos aspectos em que os signos representam os objetos. Essa é uma definição técnica de verdade, desenvolvida por Neville a partir da inspiração de Peirce: a condução do que é importante no objeto interpretado até o intérprete, nos aspectos em que os signos representam o objeto. Para avaliar tais reivindicações de verdade, não é suficiente determinar se há alguma forma de similitude, correspondência ou isomorfismo entre a forma do objeto e a forma dos signos. Esse tipo de correspondência não é até mesmo relevante, a não ser que o modo de referência seja icônico. Antes, os próprios modos de referência envolvidos na interpretação precisam ser identificados e interpretados; talvez, a questão da verdade requeira que o intérprete seja modificado indicialmente, de forma que seja capaz de captar o que é relevante e importante no objeto.

A semiótica pode nos ensinar, portanto, que a questão de identificar o que está em jogo em uma interpretação, de forma a determinar sua verdade, requer um aparato hermenêutico bastante complicado[73].

3.7 Linguagem Verbal, Visual e Sonora

> Em textos impressos, a palavra é o elemento fundamental, enquanto os fatores visuais, como o cenário físico, o formato e a ilustração, são secundários ou necessários apenas como apoio. Nos modernos meios de comunicação acontece exatamente o contrário. O visual predomina, o verbal tem a função de acréscimo. A impressão ainda não morreu, e com certeza não morrerá jamais; não obstante, nossa cultura dominada pela linguagem já se deslocou sensivelmente para o nível icônico. Quase tudo em que acreditamos, e a maior parte das coisas que sabemos, aprendemos e compramos, reconhecemos e desejamos, vem determinado pelo domínio que a fotografia exerce sobre nossa psique. E esse fenômeno tende a intensificar-se[74].

Enquanto para nossa cultura é preciso "ver para crer", nas sociedades primitivas crê-se basicamente no que se fala e ouve — as palavras têm um poder mágico. O que poderíamos chamar de linguagem sonora predomina em relação à linguagem visual. A observação seguinte é bastante interessante nesse sentido: "Nas épocas que antecediam a escrita, era mais comum pessoas inspiradas ouvirem vozes (Joana d'Arc era analfabeta) do que terem visões, já que o oral era um canal habitual da informação"[75].

Mas, afinal, o que caracteriza a linguagem sonora? Se abstrairmos do som seu aspecto verbal, se esquecermos por um tempo as palavras, temos então música pura. A música é composta basicamente de três elementos: melodia, harmonia e ritmo. A melodia pode ser caracterizada como uma seqüência de notas; um sintagma,

---

[73] Neville participou de um interessante trabalho conjunto sobre comparação em teologia e religião, utilizando como referencial teórico a semiótica de Peirce: o projeto Cross-Cultural Comparative Religious Ideas, da Universidade de Boston, que produziu três volumes: *The human condition, Ultimate realities* e *Religious truth* (Albany: State University of New York Press, 2001).

[74] DONDIS, Donis A. *Sintaxe da linguagem visual*. Tradução Jefferson Luiz Camargo. São Paulo: Martins Fontes, 1991. p. 12-13.

[75] LÉVY, 1993, p. 77.

poderíamos dizer — numa melodia, de forma geral, uma nota deve suceder a outra, do ponto de vista temporal. O cantochão gregoriano, por exemplo, é uma música praticamente apenas melódica. Já a harmonia pode ser definida como um conjunto de notas simultâneas, tocadas ao mesmo tempo. Um acorde pode ser dedilhado num violão, ou seja, as notas tocadas em tempo diferente, mas a harmonia não perde mesmo assim seu caráter primário, ou seja, funcionar como um grupo de notas que servem de base a uma melodia. Se a melodia é um conjunto de notas tocadas em seqüência temporal, a harmonia é um conjunto de notas tocadas no mesmo espaço de tempo.

Os três elementos essenciais da **linguagem musical** são: **melodia**, **harmonia** e **ritmo**.

Se nas sociedades primitivas a linguagem sonora era essencial, quando então começa a se dar a passagem histórica para uma sociedade baseada na linguagem verbal, dissociada de seu aspecto sonoro? Segundo McLuhan, isso se dá com o surgimento da escrita:

> [...] qualquer povo que cessa de ser nômade e passa a seguir modos sedentários de trabalho está propenso e a caminho de inventar a escrita. Todos os nômades não só não tiveram escrita como não desenvolveram arquitetura, nem o 'espaço fechado', pois escrita é um modo de fechar, visualmente, sentidos e espaços não-visuais. É, portanto, uma forma de abstrair o visual do intercurso comum dos sentidos em globo. E, enquanto a linguagem é uma exteriorização (manifestação) de todos os sentidos ao mesmo tempo, a escrita é uma abstração da palavra[76].

A escrita, portanto, realiza uma dupla alquimia — ignora o aspecto sonoro da língua e o substitui por um aspecto visual. A linguagem verbal passa, agora, a ser associada com a linguagem visual, e não mais sonora:

> [...] toda leitura nos mundos antigo e medieval era em voz alta. Com a palavra impressa, os olhos aceleraram-se e silenciou-se a voz. Mas a verbalização interior era tida como inseparável do seguimento horizontal das palavras pela linha na página. Hoje em dia, sabemos que se pode separar a leitura da verbalização por meio da leitura vertical. Esta prática, naturalmente, lança a tecnologia alfabética da separação dos sentidos a um extremo de inanidade, mas é importante para se compreender como teve início a escrita em qualquer dos seus tipos[77].

---

76 McLUHAN, 1977, p. 74.

77 Ibid., p. 74.

O que ocorre, para McLuhan, é que "[...] gradativamente a alfabetização modifica subestruturas de linguagem e sensibilidade"[78]. O alfabetismo está associado, portanto, à linguagem visual em seu aspecto abstrato. Linguagem verbal escrita e pura seria sinônimo, portanto, de empobrecimento. A escrita teria fragmentado a simultaneidade verbivocovisual da oralidade: "O campo auditivo é simultâneo; o modo visual, sucessivo"[79].

Assim, com a escrita, o homem teria realizado um movimento de privação e isolamento, do ponto de vista da linguagem. Em sua comunicação verbal, teria privilegiado um de seus aspectos, o visual, quebrando assim a magia característica do mundo primitivo e alterando radicalmente sua própria sensibilidade:

> Se se introduz uma tecnologia numa cultura, venha ela de fora, ou de dentro, isto é, seja ela adotada, ou inventada pela própria cultura, e se essa tecnologia der novo acento ou ascendência a um ou outro de nossos sentidos, altera-se a relação mútua entre todos eles. Não mais nos sentimos os mesmos, nem nossa vista e ouvido e demais sentidos permanecem os mesmos. A interação entre os nossos sentidos é permanente, salvo em condições de anestesia. Mas qualquer sentido pode, quando elevado a alta intensidade, atuar como um anestésico para os outros sentidos. O dentista se utiliza agora do 'audiac' — indução de ruído — para eliminar a sensibilidade. A hipnose funda-se no mesmo princípio de isolar-se um sentido a fim de anestesiar os demais. O resultado é uma ruptura da relação normal entre os sentidos, uma espécie de perda de identidade. O homem tribal, analfabeto, vivendo sob a intensa pressão da organização auditiva de toda experiência, está, como se fosse, em estado de transe[80].

Para McLuhan, essa ruptura associa-se, como já vimos, à idéia de esquizofrenia do homem moderno. É muito interessante, nesse sentido, observarmos as palavras de Nise da Silveira, destacada psiquiatra brasileira que trabalha na vanguarda internacional no tratamento de doentes mentais:

> A comunicação com o esquizofrênico, nos casos graves, terá um mínimo de probabilidades de êxito se for iniciada no nível verbal de nossas ordinárias relações interpessoais. Isso só ocorrerá quando o processo de cura se achar bas-

78 McLUHAN, 1977, p. 44.
79 Ibid., p. 160.
80 Ibid., p. 48-49.

tante adiantado. Será preciso partir do nível *não-verbal*. É aí que se insere com maior oportunidade a terapêutica ocupacional, oferecendo atividades que permitam a expressão de vivências não verbalizáveis por aquele que se acha mergulhado na profundeza do inconsciente, isto é, no mundo arcaico de pensamentos, emoções e impulsos fora do alcance das elaborações da razão e da palavra.

'...'

Dentre as várias atividades ocupacionais, verificamos que a pintura e a modelagem permitiam mais fácil acesso ao mundo interno do esquizofrênico. E esse é o nosso principal objetivo, não só como uma questão teórica, mas também como necessidade para o tratamento, uma vez que teríamos de encontrar a atividade adequada à condição psíquica em que se encontra o indivíduo.

Além disso, já havíamos verificado, desde 1948, que a pintura e a modelagem tinham em si mesmas qualidades terapêuticas, pois davam forma a emoções tumultuosas, despotencializando-as, e objetivavam forças autocurativas que se moviam em direção à consciência, isto é, à realidade. Foi por esses dois motivos — *compreensão do processo psicótico* e *valor terapêutico* — que da Seção de Terapêutica Ocupacional nasceu o Museu de Imagens do Inconsciente, inaugurado em 20 de maio de 1952, numa pequena sala. Vinculado aos ateliers de pintura e modelagem, o museu não cessou de crescer. Seu acervo possui atualmente cerca de 300.000 documentos plásticos, incluindo telas, cartolinas, papéis e modelagens[81].

Interessante notar que, para penetrar no mundo do esquizofrênico, deva-se justamente insistir no sentido que, segundo McLuhan, teria sido isolado e sobre o qual teríamos insistido a partir do predomínio da escrita. É curiosíssimo, nesse sentido, observar que os povos primitivos vêem bastante diferente que nós: "Para os membros de sociedades alfabetizadas não é fácil compreender porque os não-alfabetizados não podem ver em três dimensões, ou em perspectiva. Supomos que esta seja a visão normal e que nenhum treinamento seja necessário para ver fotografias ou filmes"[82].

O professor John Wilson apresentou um filme para uma platéia de africanos não-alfabetizados, e o resultado foi que os africanos, quando perguntados sobre o que tinham visto, responderam que tinham visto uma galinha. Na verdade, depois de repassar o filme algumas vezes, o professor percebeu que no canto da cena realmente

[81] SILVEIRA, Nise da. *O mundo das imagens*. São Paulo: Ática, 1992. p. 16-18.

[82] McLUHAN, 1977, p. 64.

havia uma galinha, que passava rapidamente pela cena. A galinha parecia ter sido a única coisa real para eles. Para McLuhan, "a alfabetização dá às pessoas o poder de focalizar um pouco à frente da imagem de modo a poder captá-la, por inteiro, num golpe de vista. As pessoas não alfabetizadas, não havendo adquirido esse hábito, não contemplam os objetos como o fazemos. Ao contrário, percorrem os objetos e imagens como costumamos fazer com uma página impressa, segmento por segmento. Não têm, portanto, um ponto de observação exterior à cena, ou ao objeto. Deixam-se absorver inteiramente por ele e o passam a viver. Os olhos não o vêem em perspectiva, porém tactilmente, por assim dizer. Os espaços euclidianos que dependem muito de separar a vista do tacto e do som não lhes são conhecidos"[83]. O próprio papel de consumidor passivo de filmes, característica dos ocidentais letrados, não existe para os africanos. Eles vivem o filme, se um personagem sai repentinamente de cena eles não aceitam, questionam, a câmera tem que acompanhá-lo até seu destino. Podemos lembrar da incrível experiência que é assistir a um filme em alguns bairros de Nova York, por exemplo. O ato de assistir a um filme é uma festa em comunidade. Todos vibram, gritam, riem muito alto, levantam-se, lançam objetos contra a tela e gritam com os personagens (como num jogo de futebol).

Com a simultaneidade de linguagens gerada com a sociedade da informática, percebemos mudanças essenciais sendo processadas na sensibilidade do ser humano:

> Pelas extensões ou prolongamentos, dos nossos sentidos, seja a roda, o alfabeto ou o rádio, tivemos que pagar certo preço; e o preço está em que tais extensões maciças dos sentidos constituem sistemas *fechados*. Nossos sentidos corpóreos ou privados *não* são sistemas fechados, mas se traduzem infindavelmente um no outro nessa experiência que denominamos consciência. Mas, nossas extensões dos sentidos — instrumentos e tecnologias — foram, através dos séculos, sistemas fechados, incapazes de se entrelaçarem numa ação recíproca ou de produzirem um estado de consciência coletivo. Agora na idade da eletricidade, a própria instantaneidade da coexistência entre nossos instrumentos tecnológicos deu lugar a crise sem precedente na história humana. As extensões de nossas faculdades e sentidos passaram a constituir um campo único de experiência que exige se fazer coletivamente consciente. Nossas tecnologias, à semelhança de nossos sentidos particulares, exigem agora um intercurso e mútuo relacionamento que torne possível

[83] McLUHAN, 1977, p. 66.

> sua co-existência *racional*. Enquanto nossas tecnologias foram tão lentas quando a roda ou o alfabeto ou o dinheiro, o fato de se terem constituído sistemas separados e fechados foi, social e psiquicamente, suportável. Já isto não se pode dar agora, quando a visão, o som e o movimento são em toda extensão simultâneos e globais. Uma produção de adequado intercurso entre essas extensões de nossas funções humanas é agora tão necessária coletivamente quanto sempre foi para nossa racionalidade particular e pessoal o intercurso dos sentidos para nosso senso individual ou 'espírito', como outrora o denominávamos[84].

A informática como que reúne os elementos dispersos e isolados das linguagens visual, sonora e verbal. A revolução da sensibilidade se dá em diversos níveis. Seqüenciador, *sampler*, sintetizador, estúdio digital, Midi — todos termos associados à sonoridade contemporânea. A digitalização da imagem é um acontecimento contemporâneo. O surgimento da câmera pode ser comparado ao próprio surgimento do livro. Podemos pensar agora também em uma inteligência visual e no alfabetismo visual; ou seja, na necessidade da educação e alfabetização da vista. Mas pensando, sempre, na linguagem visual agora associada à linguagem verbal e sonora. Qualquer um que trabalhe em algum meio de comunicação visual e o próprio público — todos, portanto — devem ser reeducados visualmente: "A capacidade intelectual decorrente de um treinamento para criar e compreender as mensagens visuais está se tornando uma necessidade vital para quem pretenda engajar-se nas atividades ligadas à comunicação"[85].

Linguagem visual. Computadores, televisão e cinema. Fotografia, escultura, arquitetura, pintura, *design* gráfico, ilustração, artesanato, desenho industrial. Observamos na sociedade moderna o retorno da importância dos olhos em nossa vida, mas dos olhos utilizados não mais para a simples leitura do verbal: "Um modelo digital não é *lido* ou *interpretado* como um texto clássico, ele geralmente é *explorado* de forma interativa"[86]. "A nova escrita hipertextual ou multimídia certamente estará mais próxima da montagem de um espetáculo do que da redação clássica, na qual o autor apenas se preocupava com a coerência de um texto linear e estático. Ela irá exigir *equipes* de autores, um verdadeiro trabalho coletivo."[87]

[84] McLUHAN, 1977, p. 22-23.
[85] DONDIS, 1991, p. 27.
[86] LÉVY, 1993, p. 121.
[87] Ibid., p. 108.

A própria noção de página (espaço fixo visual do signo verbal escrito) tende a desaparecer com o hipertexto. Um poema interessante, nesse sentido, é o *Un coup de dés jamais n'abolira l'hasard*, do poeta simbolista francês Mallarmé. Procura-se explorar os espaços em branco da página como elementos constitutivos do poema. Há também uma ambição de se criar um poema-partitura, em que as letras maiúsculas e minúsculas, o tamanho das letras, a colocação das palavras pela página, acabariam por criar diferentes linhas melódicas e harmonias. Uma verdadeira fusão entre linguagem verbal, visual e sonora. Outro poeta importante é Apollinaire, que procura, em seus poemas, criar também desenhos ou formas com as palavras, incorporando à leitura do poema uma leitura também visual (mas um visual não no sentido puramente verbal que a escrita teria fundado). E. E. Cummings (1894-1962) é um poeta americano que também se destaca com poemas que desintegram a sintaxe e a ortografia e em que o aspecto visual torna-se também essencial.

Na sociedade do novo milênio, a reeducação visual, conforme já afirmamos, se faz necessária:

> A caixa de ferramentas de todas as comunicações visuais são os elementos básicos, a fonte compositiva de todo tipo de materiais e mensagens visuais, além de objetos e experiências: o *ponto*, a unidade visual mínima, o indicador e marcador de espaço; a *linha*, o articulador fluido e incansável da forma, seja na soltura vacilante do esboço, seja na rigidez de um projeto técnico; a *forma*, as formas básicas, o círculo, o quadrado, o triângulo e todas as suas infinitas variações, combinações, permutações de planos e dimensões; a *direção*, o impulso de movimento que incorpora e reflete o caráter das formas básicas, circulares, diagonais, perpendiculares; o *tom*, a presença ou a ausência de luz, através da qual enxergamos; a *cor*, a contraparte do tom com o acréscimo do componente cromático, o elemento visual mais expressivo e emocional; a *textura*, óptica ou tátil, o caráter de superfície dos materiais visuais; a *escala* ou *proporção*, a medida e o tamanho relativos; a *dimensão* e o *movimento*, ambos implícitos e expressos com a mesma freqüência. São esses os elementos visuais; a partir deles obtemos matéria-prima para todos os níveis de inteligência visual, e é a partir deles que se planejam e expressam todas as variedades de manifestações visuais, objetos, ambientes e experiências[88].

Para finalizar, gostaríamos de chamar a atenção para um célebre artigo de Walter Benjamin, "A obra de arte na era de sua

[88] DONDIS, 1991, p. 23.

reprodutibilidade técnica". Nele, Benjamin estuda a fotografia e o cinema como formas de arte revolucionárias, que teriam alterado a própria natureza da arte e da percepção artística do homem contemporâneo.

Antes da possibilidade de reprodução da obra de arte, que as técnicas associadas à fotografia e ao cinema possibilitaram, Benjamin identifica em todo objeto de arte uma "aura". Essa aura refere-se ao aqui e agora do objeto artístico — como objeto irreproduzível, único, ele precisava ser presenciado em sua individualidade. A arte está, então, antes da possibilidade de reprodução gerada pelo desenvolvimento tecnológico, associada com o ritual. A arte grega, por exemplo, procuraria sempre fundar valores eternos, justamente em função de sua técnica menos desenvolvida. Já a arte contemporânea associa-se a valores transitórios e fugazes.

> [...] *com a reprodutibilidade técnica, a obra de arte se emancipa, pela primeira vez na história, de sua existência parasitária, destacando-se do ritual.* A obra de arte reproduzida é cada vez mais a reprodução de uma obra de arte criada para ser reproduzida. A chapa fotográfica, por exemplo, permite uma grande variedade de cópias; a questão da autenticidade das cópias não tem nenhum sentido. Mas, no momento em que o critério da autenticidade deixa de aplicar-se à produção artística, toda a função social da arte se transforma[89].

Se a arte primitiva, em seu uso ritual associado à magia, caracterizar-se-ia de alguma forma como secreta, a característica básica da arte contemporânea seria a sua produção visando sua máxima exposição. Para aproveitarmos dois termos que estudamos em Hegel, poderíamos dizer que, de esotérica, a arte contemporânea se teria transformado em exotérica. O cinema, até pelo preço envolvido na produção de um filme, é já, em sua essência, uma forma de arte necessariamente voltada à exposição. Assim, a tecnologia e as possibilidades de reprodução geradas pela fotografia e pelo cinema acabaram transformando a arte de particular e privada em pública e coletiva. A reprodutibilidade técnica trouxe uma democratização da arte, tanto no sentido de sua produção quanto de seu consumo.

---

[89] BENJAMIN, Walter. A obra de arte na era de sua reprodutibilidade técnica. p. 171. In: ______. *Magia e técnica, arte e política*: ensaios sobre literatura e história da cultura. Tradução Sergio Paulo Rouanet. 7. ed. São Paulo: Brasiliense, 1994. p. 165-196. (Obras escolhidas, v. 1).

Hoje observamos, com os progressos recentes da informática, situações inéditas como o fato de podermos percorrer o museu do Louvre pela tela de um computador instalado em nossa sala. A "aura" do quadro e da pintura encontra-se agora totalmente destruída. A própria função do museu, como **local** em que se encontram expostos quadros e objetos de arte, deverá ser repensada pela nossa sociedade. A diluição da aura dos objetos artísticos, na modernidade, está, assim, relacionada com o **alargamento** espacial que o cinema e a informática nos permitiram: o espaço de trabalho, o espaço de fruição da arte, o espaço de diversão encontram-se hoje todos em crise. Vivemos hoje a era do virtual.

Capítulo 4

TEORIA DO CONHECIMENTO

Um indivíduo que possui a capacidade de analisar e discutir problemas inteligente e racionalmente, sem aceitar, de forma automática, suas próprias opiniões ou opiniões alheias, é um indivíduo dotado de senso crítico.[1]

> [...] o pensador crítico precisa ter uma *tolerância e até predileção por estados cognitivos de conflito*, em que o problema ainda não é totalmente compreendido. Se ele ficar aflito quando não sabe 'a resposta correta', essa ansiedade pode impedir a exploração mais completa do problema.[2]

Sem dúvida a lógica e a linguagem têm papel preponderante no desenvolvimento do senso crítico, mas as questões que o ato de conhecimento envolvem são tão amplas que não podem resumir-se a esses dois ramos da filosofia. O senso crítico envolve múltiplas perspectivas, a capacidade de explorar os objetos e os problemas de diversos ângulos.

Nesse sentido, a teoria do conhecimento, ramo da filosofia que explora o conhecimento do homem como ele ocorre, se é possível conhecer os objetos e até que ponto, é essencial para a formação de qualquer ser humano. Essa teoria tem uma longa história em filosofia. Formaram-se importantes movimentos, em diferentes épocas, que devem ser explorados para que se possa estudar pelo menos uma diversidade de concepções, muitas vezes opostas, a respeito do ato de conhecer.

Já abordamos diversas questões sobre a teoria do conhecimento, desde a filosofia grega e medieval, passando pela lógica e filosofia da linguagem. Nossa perspectiva, aqui, inicia-se com a filosofia moderna, particularmente com a obra de Descartes. Devemos

---

[1] CARRAHER, David William. *Senso crítico*: do dia-a-dia às ciências humanas. 2. ed. São Paulo: Pioneira, 1993. p. XIX.

[2] Ibid., p. XX-XXI.

ainda justificar por que termos comuns em teoria do conhecimento, como **empirismo**, **racionalismo**, **criticismo**, **realismo**, **idealismo**, dentre outros, não aparecem em nosso texto como elementos classificadores. Uma das formas de estudar teoria do conhecimento é utilizar esses termos, defini-los e opô-los uns aos outros, para então classificar um filósofo como "realista", ou "idealista", ou "empirista", e assim por diante. Optamos por evitar essa posição conscientemente, pois não acreditamos, entre outras coisas, em sua eficácia didática. Essas palavras são moedas gastas, signos destruídos: significantes que já possuem tantos significados associados, que perdem sua funcionalidade. E um esforço para a redefinição de cada um deles parece-nos menos útil do que ir direto aos filósofos, ao discurso dos próprios filósofos, sem procurar de antemão classificá-los. Ou seja, preferimos fazer os textos e os filósofos falar, do que calá-los com uma etiqueta: Descartes *racionalista*, Hume *empirista*, Kant *idealista* etc. Esses termos serão algumas vezes utilizados, aparecerão em nosso texto, mas não como formas de calar os filósofos.

4.1 René Descartes

Cogito, ergo sum.

René Descartes (1596-1650) explora a física, as matemáticas, as relações entre a alma e o corpo, a moral e a questão da existência de Deus. Mas o que nos interessa aqui é o método cartesiano, desenvolvido para conduzir a razão e procurar a verdade nas ciências. Freqüentemente associamos a Descartes a expressão "Penso, logo existo". Mas essa expressão só tem seu sentido aclarado como parte essencial desse método. E o método cartesiano é novo, ou ao menos se propõe a ser, em relação a toda herança filosófica que recebe (filosofia grega e medieval, basicamente). Propõe-se a direcionar um caminho para a razão, baseado apenas nela própria. É com Descartes que a "razão", em sua concepção moderna, inicia seu percurso. E convém lembrar que o filósofo francês escreve no momento em que a impressão se firma, fundando uma nova forma de reprodução de idéias e pensamentos.

Em seu *Discurso do método*, Descartes propõe-se a descrever a genealogia de seu método. Afirma ter estudado gramática, história, poesia, retórica, línguas, matemática, lógica, teologia, filosofia, jurisprudência, medicina e outras ciências. Mas esse estudo, segundo sua análise, acabará servindo apenas para aumentar as dúvidas, e o sentimento de ignorância. Afirma também ter viajado bastante, ressaltando a importância de conhecer costumes diferentes dos nossos, e traça então uma interessante e curiosa relação entre as viagens e o estudo:

> [...] quando empregamos demasiado tempo em viajar, acabamos tornando-nos estrangeiros em nossa própria terra; e quando somos demasiado curiosos das coisas que se praticavam nos séculos passados, ficamos ordinariamente muito ignorantes das que se praticam no presente[3].

Podemos fazer duas observações importantes. Em primeiro lugar, os conceitos de **sincronia** e **diacronia** de Saussure[4] são antecipados aqui, quando Descartes afirma a dificuldade na conciliação entre o estudo histórico ("coisas que se praticavam nos séculos passados") e o presente ("as que se praticam no presente"). O conhecimento de umas implica a ignorância das outras. Além disso, do ponto de vista cultural, sua observação sobre as viagens é também precisa e valiosa. O fato de conhecermos diferentes culturas, costumes, saltarmos constantemente para além dos nossos limites, acaba trazendo uma riqueza incomensurável de conhecimentos, aguçando nossa sensibilidade, ampliando nossa perspectiva — da mesma forma como ocorre no caso do estudo de outras línguas. Mas ao mesmo tempo, como que por inversão e na razão contrária das viagens, gera-se um sentimento de estranhamento em relação à própria cultura, ao nosso meio, aos nossos próprios costumes. Se de um lado as viagens servem para mostrar que o nosso ponto de vista não é o único, de outro, acabam também por tornar-nos excessivamente críticos com esse *nosso* modo de ver, que serve de guia para nossas ações. Como afirma Descartes:

> De modo que o maior proveito que daí tirei foi que, vendo uma porção de coisas que, embora nos pareçam muito extravagantes e ridículas, não deixam de ser comumente acolhidas e aprovadas por outros grandes povos, aprendi a não crer demasiado firmemente em nada do que me fora inculcado só pelo exemplo e pelo costume; e assim, pouco a pouco, livrei-me de muitos erros que podem ofuscar a nossa luz natural e nos tornar menos capazes de ouvir a razão[5].

---

3 DESCARTES, René. *Discurso do método*. Tradução J. Guinsburg e Bento Prado Júnior. São Paulo: Abril Cultural, 1973. p. 39. (Os Pensadores, XV).

4 Cf. o item 3.1, *Língua e linguagem*, no Capítulo 3, Filosofia da linguagem.

5 DESCARTES, 1973, p. 41.

Ou seja, perceber que nossa cultura não é *a* cultura, mas *uma* cultura, acaba nos tornando estranhos diante dela. Não nos reconhecemos mais como membros, e não a reconhecemos mais como nossa cultura. Uma simples migração do artigo definido para o indefinido como que nos tira o chão, e somos agora obrigados a buscar um novo rumo, novos valores, algo a que nos apegarmos.

Assim, tanto a viagem quanto o estudo do passado seriam formas de ultrapassarmos os nossos limites, de superarmos as amarras do *aqui* e *agora*, de quebrarmos um paradigma. E uma das regras número 1 dos paradigmas nos diz: quando um paradigma se modifica, voltamos a zero. Portanto, para o viajante e erudito, é necessário encontrar agora um novo caminho para superar a confusão e as dúvidas, para reorganizar o excesso de conhecimento prático e teórico. "Dar um tempo", costumamos dizer. Assim, a obra de Descartes tem, além de seu caráter propriamente filosófico ou científico, um sentido existencial, que cabe reconhecer.

Após as viagens e o estudo, o percurso do método sofre então uma inversão:

> Mas, depois que empreguei alguns anos em estudar assim no livro do mundo, e em procurar adquirir alguma experiência, tomei um dia a resolução de estudar também a mim próprio e de empregar todas as forças do meu espírito na escolha dos caminhos que devia seguir. O que me deu muito mais resultado, parece-me, do que se jamais tivesse me afastado de meu país e de meus livros[6].

Assim, após a observação do mundo, Descartes volta-se para si mesmo. O movimento lógico aqui é significativo: para resgatar os fatos da realidade, para lidar com a multiplicidade da experiência, é preciso *fundar* um método — e este não está no próprio real, mas na razão. É o sujeito do conhecimento que deve construir o método de investigação da realidade.

O método funda-se, então, sobre a recusa de qualquer fundamento, qualquer princípio, ou verdade recebida da tradição e da experiência. É o sujeito, ele mesmo, quem deve fundar as bases e as condições para a construção do conhecimento. Todo o edifício das opiniões recebidas deve ser demolido, para reiniciarmos a construção. Mas o exercício de demolição e reconstrução limita-se ao campo do sujeito, individual: "Nunca o meu intento foi além de procurar

[6] DESCARTES, 1973, p. 41.

reformar meus próprios pensamentos, e construir num terreno que é todo meu. De modo que, se, tendo minha obra me agradado bastante, eu vos mostro aqui o seu modelo, nem por isso quero aconselhar alguém a imitá-lo"[7].

Uma leitura sociológica teria aqui um alimento riquíssimo. A noção do sujeito filosófico, da individualidade moderna, funda-se em Descartes associada à idéia de posse, ligada à terra, à construção e à garantia da propriedade. Como na modernidade somos submetidos à multiplicidade de informações, à diversidade de pontos-de-vista, a vários mestres, a diversos ídolos, e diversos costumes, o sujeito deve, então, buscar *seu* próprio caminho, *seu* próprio lugar, *seu* pensamento.

Descartes adota alguns princípios lógicos básicos: não admitir como verdadeiro nada que possa ser colocado em dúvida; dividir as dificuldades ao máximo, para examiná-las; ordenar sempre o pensamento, a partir dos elementos mais simples aos compostos; e enumerar ao infinito tudo o que estiver relacionado com o problema a ser discutido. E o filósofo francês forma também uma moral provisória, que o suporte (existencialmente, poderíamos dizer) durante o processo de "desconstrução" de suas crenças e opiniões: reger-se pelo senso comum, os costumes de seu país e a religião; manter firmeza nas ações, independentemente do grau de certeza a elas associado; procurar sempre antes modificar seus próprios desejos do que a ordem do mundo; e manter-se fiel a sua ocupação de cultivar a razão.

O método pode, então, continuar. E é justamente após a opção por alguns princípios puramente lógicos, e por uma conduta moral que garanta ao sujeito sua sobrevivência, que o edifício começa a se construir. O terreno está fundado, garantido, assegurado. O direito de propriedade está formulado. Cabe agora iniciar a obra. A seguinte passagem talvez seja a mais importante do *Discurso do método*, dentro do nosso enfoque:

> De há muito observara que, quanto aos costumes, é necessário às vezes seguir opiniões, que sabemos serem muito incertas, tal como se fossem indubitáveis, como já foi dito acima; mas, por desejar então ocupar-me somente com a pesquisa da verdade, pensei que era necessário agir exatamente ao contrário, e rejeitar como absolutamente falso tudo aquilo em que pudesse imaginar a menor dúvida, a fim de ver se, após isso, não restaria algo em meu crédito, que fosse

[7] DESCARTES, 1977, p. 44.

> inteiramente indubitável. Assim, porque os nossos sentidos nos enganaram às vezes, quis supor que não havia coisa alguma que fosse tal como eles nos fazem imaginar. E, porque há homens que se equivocam ao raciocinar, mesmo no tocante às mais simples matérias de Geometria, e cometem aí paralogismos, rejeitei como falsas, julgando que estava sujeito a falhar como qualquer outro, todas as razões que eu tomara até então por demonstrações. E enfim, considerando que todos os mesmos pensamentos que temos quando despertos nos podem também ocorrer quando dormimos, sem que haja nenhum, nesse caso, que seja verdadeiro, resolvi fazer de conta que todas as coisas que até então haviam entrado no meu espírito não eram mais verdadeiras que as ilusões de meus sonhos. Mas, logo em seguida, adverti que, enquanto eu queria assim pensar que tudo era falso, cumpria necessariamente que eu, que pensava, fosse alguma coisa. E, notando que esta verdade: *eu penso, logo existo*, era tão firme e tão certa que todas as mais extravagantes suposições dos céticos não seriam capazes de a abalar, julguei que podia aceitá-la, sem escrúpulo, como o primeiro princípio da Filosofia que procurava[8].

Na verdade, o exercício de Descartes continua, para determinar a essência do eu pensante, para distinguir o pensamento das outras faculdades, provar a existência de Deus, diferenciar alma e corpo, paixões, e assim por diante, numa cadeia de certezas. Todavia, nós o abandonaremos aqui. Esse momento de *insight* em seu processo de reconstrução do conhecimento é o que nos interessa. Por meio do método da dúvida radical, o sujeito acaba por reconhecer-se como um algo pensante. Se é possível duvidar de tudo, colocar todas as evidências em questão, torna-se evidente (indubitável) que algo realiza ou comanda esse processo, que algo pensa. Existem no pequeno raciocínio de Descartes ("penso, logo existo") quatro passos gigantescos. Em primeiro lugar, o ato de duvidar é associado ao ato de pensar. Enquanto duvido, penso. Em segundo lugar, o pensamento é associado a uma substância ou a um espírito, não existe por si só, mas denota, como puro ato, a existência de um "algo" pensante. Em terceiro lugar, esse algo é igualado ao Eu, ao sujeito individual, à individualidade. Se algo pensa, quem pensa sou eu. O pensamento, e apenas ele, não pode ser separado do sujeito. E, por último, o sujeito, como ser pensante, implica automaticamente sua existência. Ou seja, se eu penso, então eu existo. Se eu deixasse de pensar, deixaria de existir. Não posso, enfim, colocar em dúvida a afirmação "penso, logo existo". Colocá-la em

---

[8] DESCARTES, 1977, p. 54.

dúvida seria, na realidade, reforçá-la, seria exercitar novamente a dúvida, que implica pensamento, que implica, por fim, minha existência. Como afirma Bréhier: "A certeza de minha existência como pensamento é a condição de minha dúvida. Assim, Descartes chega a um primeiro juízo de existência, substituindo à vã procura dos objetos a reflexão sobre aquilo mesmo que procura"[9].

Portanto, a primeira certeza resultante do método de Descartes não é objetiva, mas subjetiva, funda-se e instala-se no pólo do sujeito, e é essencial no percurso da teoria do conhecimento, a partir da modernidade. A certeza inicial não é mais divina, a existência de Deus, as próprias escrituras, como na Idade Média, mas o próprio sujeito. Nas *Meditações*, Descartes repete o processo da dúvida metódica para chegar a essa primeira certeza de sua filosofia, se bem que com algumas variações. Ele desenvolve a questão do problema do engano durante os sonhos, e constrói a figura de um "gênio maligno", que teria a função de nos enganar, sempre, e que justificaria sua posição em duvidar de tudo, até mesmo das coisas materiais, de Deus e de seu próprio corpo. Finalizamos citando a passagem em que Descartes chega ao cogito, nas *Meditações*:

> [...] há algum, não sei qual, enganador mui poderoso e mui ardiloso que emprega toda a sua indústria em enganar-me sempre. Não há, pois, dúvida alguma de que sou, se ele me engana; e, por mais que me engane, não poderá jamais fazer com que eu nada seja, enquanto eu pensar ser alguma coisa. De sorte que, após ter pensado bastante nisto e de ter examinado cuidadosamente todas as coisas, cumpre enfim concluir e ter por constante que esta proposição, *eu sou, eu existo*, é necessariamente verdadeira todas as vezes que a enuncio ou que a concebo em meu espírito[10].

4.2 Empirismo Inglês

O empirismo inglês afirmará, de forma geral, que a única fonte para nossas idéias é a experiência sensível. Em contraposição à postura de recolhimento interior de Descartes, os empiristas valorizam os sentidos.

9 BRÉHIER, Émile. *História da filosofia*. Tradução Eduardo Sucupira Filho. São Paulo: Mestre Jou, 1979. t. 2. A filosofia moderna. Fasc. 1. O século XVII. p. 68.

10 DESCARTES, René. *Meditações*. Tradução J. Guinsburg e Bento Prado Júnior. São Paulo: Abril Cultural, 1973. p. 100. (Os Pensadores, XV).

4.2.1 John Locke

John Locke (1632-1704) é o autor, entre outras obras, de *O Ensaio sobre o entendimento humano*. Opõe-se à teoria, que vem desde Platão, de que existam idéias inatas. Não existiriam pensamento *a priori* nem princípios práticos inatos. As idéias, para Locke, derivam da sensação ou da reflexão (a mente observando seu próprio funcionamento), e todo o conhecimento está fundado na experiência. Nossa mente seria, no momento do nascimento, uma tábula rasa. As idéias podem ser simples ou complexas (resultado da comparação ou união das idéias simples), assim como as qualidades dos objetos podem ser primárias (inseparáveis dos objetos) ou secundárias (modalidades do espírito).

Locke desenvolve uma interessante explicação para os universais:

> Visto que todas as coisas que existem são apenas particulares, como formamos os termos gerais, ou onde encontramos estas naturezas gerais que eles supostamente significam? As palavras tornam-se gerais por serem estabelecidas como os sinais das idéias gerais; e as idéias tornam-se gerais separando-se delas as circunstâncias de tempo e lugar, e quaisquer outras idéias que possam determiná-las para esta ou aquela existência particular. Por este meio de abstração elas tornam-se capazes de representar mais do que um indivíduo, cada um dos quais, tendo nisto uma conformidade com esta idéia abstrata, é (como o denominamos) desta espécie[11].

Locke dá o exemplo das idéias de "mãe" e "ama", que para a criança estão limitadas inicialmente à individualidade. Com o tempo, percebemos que outros indivíduos compartilham da mesma forma de nossos pais e mães, e criamos então a noção de "homem", abstrata e geral, que engloba agora vários indivíduos. As naturezas gerais não seriam mais do que idéias abstratas, e aí se define o nominalismo de Locke. Os universais seriam, então, criações do entendimento, não possuiriam existência real. As idéias gerais representariam universalmente, por meio de uma relação mental, a individualidade das coisas. O entendimento captaria a similitude entre os objetos da natureza e realizaria um trabalho de classificação.

Locke determina então alguns passos para o conhecimento, abordando a questão das idéias claras e distintas, das hipóteses, da pro-

[11] LOCKE, John. *Ensaio acerca do entendimento humano*. Tradução Anoar Aiex. 3. ed. São Paulo: Abril Cultural, 1983. p. 227. (Os Pensadores).

babilidade, e assim por diante. Define então razão como a faculdade de abstração que diferencia o homem dos animais, e destaca suas quatro partes: a capacidade de descobrir e encontrar provas, a ordenação, a percepção da conexão entre essas provas e a capacidade de tirar conclusões.

4.2.2 George Berkeley

A obra principal de George Berkeley (1685-1753), *Tratado sobre os princípios do conhecimento humano*, apresenta-se como crítica a Locke. As idéias gerais abstratas não se construiriam por um processo de abstração, mas sim por um processo em que se incluem, na idéia geral, todas as idéias particulares possíveis. O processo de abstração, ao qual se refere Locke, não traria contribuição nem para a ampliação do conhecimento nem para a comunicação entre os homens. Levando essa restrição em conta, Berkeley aborda a questão dos universais:

> "*Universalidade*, tanto quanto compreendo, não consiste na absoluta, *positiva* natureza ou concepção de alguma coisa, mas na *relação* que significa entre particulares; por isso coisas, nomes e noções, por natureza *particulares*, tornam-se *universais*"[12].

As palavras ou os termos gerais, para Berkeley, não representariam uma idéia geral abstrata: "não há significação precisa e definida ligada ao nome geral, todos eles próprios para significar indiferentemente grande número de idéias particulares"[13]. Muitas palavras não estão associadas a idéias, e a comunicação de palavras por idéias não é o fim principal da linguagem. O estudo das idéias sem relação com a linguagem constituiria para Berkeley a solução para os problemas do entendimento. As palavras seriam empecilho ao progresso do conhecimento, e podemos ver aqui a ambição da lógica simbólica e matemática.

As idéias se dividiriam em: atualmente impressas no sentido, percebidas considerando as paixões e operações do espí-

[12] BERKELEY, George. *Tratado sobre os princípios do conhecimento humano*. Tradução Antonio Sérgio. São Paulo: Abril Cultural, 1973. p. 15. (Os Pensadores, XXIII, obras de George Berkeley e David Hume).

[13] Ibid., p. 16.

rito, e formadas com auxílio da memória e da imaginação, por meio da composição, divisão ou representação das anteriores[14]. Mas o que existe no homem que lhe permite conceber idéias?

> [...] ao lado da infinita variedade de idéias ou objetos do conhecimento há alguma coisa que os conhece ou percebe, e realiza diversas operações como querer, imaginar, recordar, a respeito deles. Este percipiente, ser ativo, é o que chamo *mente, espírito, alma* ou *eu*. Por estas palavras não designo alguma de minhas idéias mas alguma coisa distinta delas e onde elas existem, ou o que é o mesmo, por que são percebidas; porque a existência de uma idéia consiste em ser percebida[15].

Assim, para Berkeley as coisas só têm sentido quando percebidas pelo espírito (a única substância existente), o seu *esse* é *percipi* (o seu ser é serem percebidas). É impossível separar os objetos da sua percepção. Não podemos conceber pelo pensamento um objeto distinto de sua percepção. O ser de um objeto sensível é inseparável do ser do objeto percebido. A existência do objeto está condicionada à percepção do sujeito: não se pode conceder o caráter da existência a um objeto que não seja percebido.

As qualidades ditas *primárias* (extensão, forma, movimento, repouso, solidez e impenetrabilidade), que seriam imagens de coisas existentes fora do espírito, numa substância impensante (a matéria), não existiriam, na verdade — visto que elas só fazem sentido quando são percebidas pelo sujeito. Existiriam, assim como as qualidades secundárias, apenas no espírito.

O entendimento seria, portanto, a capacidade do espírito de perceber idéias, enquanto a vontade seria a capacidade de produzi-las ou operar com elas. Os objetos reais seriam idéias impressas em nossos sentidos pelo Espírito soberano ou Autor da natureza, e as geradas pela imaginação seriam as idéias ou imagens das coisas que representam.

A obra de Berkeley pode ser entendida como uma crítica aos conceitos de matéria ou substância corpórea. As idéias não seriam cópias ou representações da realidade exterior, pois as idéias só podem ser comparadas com outras idéias. A diferença entre "coisas" e "idéias" seria uma das causas do ceticismo, já que não poderíamos jamais ter certeza da devida representação dos objetos por nossas idéias.

---

14 BERKELEY, 1973, p. 19.

15 Ibid.

4.2.3 David Hume

David Hume (1711-1776) é o autor de *Investigação sobre o entendimento humano*. Para o filósofo inglês, as percepções da mente se dividiriam em impressões e idéias (ou pensamentos), que não seriam mais do que cópias das primeiras: "Pelo termo *impressão* entendo todas as nossas percepções mais vivazes, quando ouvimos, vemos, sentimos, amamos, odiamos, desejamos ou queremos. E as impressões distinguem-se das idéias, que são as impressões menos vivazes das quais temos consciência quando refletimos sobre qualquer dessas sensações ou movimentos acima mencionados"[16]. As sensações seriam fortes e vívidas, claras e distintas, ao contrário das idéias. Portanto, para clarear o sentido de um termo abstrato, bastaria perguntar de que impressão tal idéia deriva.

Hume aponta três princípios de conexão entre as idéias: semelhança, contigüidade de tempo ou lugar e causa e efeito. É importante lembrar que os princípios de semelhança e contigüidade são os que fundam respectivamente, na semiótica de Peirce, os signos icônicos e os índices. Ou, ainda, os fundamentos das noções de paradigma e sintagma. Vejamos alguns exemplos: uma pintura conduz naturalmente nossos pensamentos para o original; a menção de um aposento da casa desperta-nos para os outros e um ferimento, à idéia da dor que o acompanha[17].

Os objetos da razão ou do entendimento dividiriam-se em relações de idéias e questões de fato. Álgebra, geometria e aritmética seriam ciências de relações de idéias, ou seja, não dependem da realidade. Caracterizam-se por suas proposições intuitivas ou que possam ser demonstradas pelo próprio pensamento. Já nossos raciocínios sobre questões de fato fundar-se-iam nas relações de causa e efeito, que teriam sua origem na experiência, ou seja, na percepção de que objetos ou eventos encontrar-se-iam ligados uns aos outros.

Hume afirma que o que nos permite inferir, da experiência passada, previsões para a experiência futura, ou mesmo para objetos semelhantes, são meramente os hábitos ou costumes em nós gerados pelo efeito da repetição da experiência, e não regras ou princípios de nossa razão:

[16] HUME, David. *Investigação sobre o entendimento humano*. Tradução Leonel Vallandro. São Paulo: Abril Cultural, 1973. p. 134. (Os Pensadores).

[17] Ibid., 1973, p. 137.

> O hábito é, pois, o grande guia da vida humana. É aquele princípio único que faz com que nossa experiência nos seja útil e nos leve a esperar, no futuro, uma seqüência de acontecimentos semelhante às que se verificaram no passado. Sem a ação do hábito, ignoraríamos completamente toda questão de fato além do que está imediatamente presente à memória ou aos sentidos. Jamais saberíamos como adequar os meios aos fins ou como utilizar os nossos poderes naturais na produção de um efeito qualquer. Seria o fim imediato de toda ação, assim como da maior parte da especulação[18].

Hume busca, na realidade, fundamentos para o raciocínio indutivo, e os encontrará na analogia, no hábito e na crença, que fortalecem a conexão imaginativa e levam o intelecto de uma idéia a outra:

> Toda crença numa questão de fato ou de existência real deriva de algum objeto presente à memória ou aos sentidos, e de uma conjunção habitual entre esse objeto e algum outro. Ou, em outras palavras: após descobrir, pela observação de muitos exemplos, que duas espécies de objetos, como a chama e o calor, a neve e o frio, aparecem sempre ligadas, se a chama ou a neve se apresenta novamente aos sentidos, a mente é levada pelo hábito a esperar o calor ou o frio e a *acreditar* que tal qualidade realmente existe e se manifestará a quem lhe chegar mais perto[19].

4.3 Idealismo Alemão

4.3.1 Immanuel Kant[20]

Kant (1724-1804) é talvez, junto com Hegel, o mais importante filósofo da modernidade, aquele para o qual confluem as várias questões da filosofia até seu tempo e de quem se derivam as mais importantes correntes da filosofia contemporânea. A *Crítica da razão pura*, sua principal obra do ponto de vista da teoria do conhecimento, está dividida em "Introdução", "Doutrina transcendental dos elementos" e "Doutrina transcendental do método". O prefácio à segunda edição, pela densidade de seu conteúdo, pode ser considerado parte integrante da obra.

---

18 HUME, 1973, p. 146.

19 Ibid., p. 147.

20 O texto sobre Kant é uma adaptação de parte de nosso *O processo simbólico na Clepsidra de Camilo Pessanha*: a construção do discurso poético pela desconstrução das categorias da sensibilidade e do entendimento. São Paulo: Centro de Estudos Portugueses da USP, 1996. Nele, analisamos a obra do poeta simbolista português da ótica da teoria do conhecimento de Kant.

A "Doutrina transcendental dos elementos" (a parte que efetivamente nos interessa, ao lado do "Prefácio" e da "Introdução") subdivide-se em "Estética transcendental" e "Lógica transcendental".

A "Estética transcendental" está dividida em duas seções: "Do espaço" e "Do tempo".

Já a "Lógica transcendental", além de "Introdução", possui duas divisões: "Analítica transcendental" e "Dialética transcendental". A primeira possui dois livros: "Analítica dos conceitos" e "Analítica dos princípios". A "Dialética transcendental" possui também dois livros: "Dos conceitos da razão pura" e "Das inferências dialéticas da razão pura".

Um esquema dessa divisão, com destaque para as partes que mais nos interessam, é mostrado a seguir:

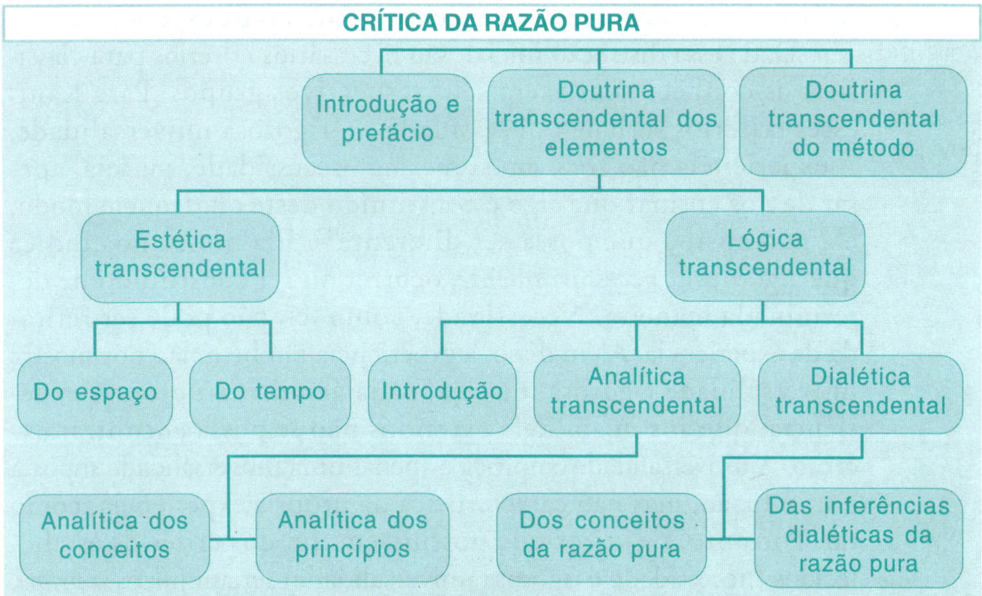

FIGURA 4.1

Cabe aqui, como introdução à obra de Kant, traçar brevemente as distinções entre conhecimento puro e empírico, assim como entre juízos analíticos e sintéticos, realizadas pelo filósofo alemão. Kant inicia sua "Introdução" à *Crítica da razão pura* distinguindo entre conhecimentos empíricos e conhecimentos *a priori.* O conhecimento tem início, do ponto de vista temporal, com a experiência, e isso não é colocado em dúvida. O que não significa, entretanto, que todos os nossos conhecimentos se originem da experiência, pois, como afirma Kant, "[...] poderia bem acontecer que mesmo o nosso conhecimento de experiência seja um composto daquilo que recebemos por impressões e daquilo que a nossa própria faculdade de conhecimento (apenas provocada por impressões sensíveis) fornece de si mesma, cujo aditamento não distinguimos daquela matéria-prima antes que um longo exercício nos tenha tornado atento a ele e nos tenha tornado aptos à sua abstração"[21].

Kant distingue os conhecimentos empíricos (ou ***a posteriori***), que se originam da experiência, dos conhecimentos ***a priori***, que não possuem elementos da experiência.

Temos aqui, portanto, uma primeira distinção. Conhecimentos empíricos teriam a sua origem *a posteriori*, ou seja, na experiência. Já os conhecimentos *a priori* baseados em nosso "poder de conhecimento", apesar de começarem também com a experiência, teriam a veracidade e a certeza determinadas de maneira independente de toda e qualquer experiência. Os *conhecimentos puros*, por sua vez, fariam parte dos conhecimentos *a priori*, mas não possuiriam elemento algum, nem mesmo conceitos, retirados da experiência.

Dada essa distinção inicial, são necessários critérios para classificar os conhecimentos em seus respectivos grupos. Para Kant, esses critérios seriam a necessidade e a rigorosa universalidade. A experiência não traz, em si mesma, necessidade, ou seja, apesar de nos ensinar que algo é constituído deste ou daquele modo, ela não ensina que possa ser diferente[22]. Ela nunca nos indica que algo deva, *necessariamente*, ocorrer ou ser constituído de determinada maneira. Necessidade, como lei, não pode ser retirada da experiência. Além disso, a experiência também não nos mostra universalidade rigorosa, ou seja, nada garante, na própria experiência, que aos juízos dela extraídos não se possa encontrar exceção. A universalidade empírica é apenas uma universalidade suposta por indução, mas não característica da própria experiência, como tal. Portanto, os juízos que possuíssem um dos critérios estabelecidos (necessidade e rigorosa universalidade) seriam juízos *a priori*, já que teriam características que não se poderiam retirar da experiência. Os juízos empíricos não possuiriam, portanto, nenhum desses dois critérios de distinção.

Kant procederá ainda a outra diferenciação entre juízos analíticos e sintéticos. Os analíticos[23] uniriam um predicado a um sujeito, sendo esse predicado já pensado, de maneira oculta ou mes-

[21] KANT, Immanuel. *Crítica da razão pura*. Tradução Valerio Rohden e Udo Baldur Moosburger. 3. ed. São Paulo: Nova Cultural, 1987. v. 1. p. 25. (Os Pensadores).

[22] Ibid., p. 26.

[23] Afirmativos, no caso, pois segundo Kant a aplicação aos negativos seria automática e não apresentaria maiores problemas.

mo confusa, no conceito do sujeito. Quando eu digo: "O cachorro late", a idéia que o predicado ("late") acrescenta ao conceito do sujeito ("cachorro") já faz parte do próprio conceito do sujeito, não adiciona nenhuma informação nova à idéia de cachorro. Esse seria, então, um exemplo de juízo analítico. Já nos juízos sintéticos, o predicado, por mais que se desmembrasse o conceito de sujeito, não faria parte integrante dele. O predicado efetivamente acrescentaria uma informação nova ao conceito do sujeito. "O cachorro morreu" seria um exemplo de juízo sintético, pois a idéia de "morrer", no passado, não faz parte do conceito de "cachorro". Sabemos que todo cachorro morrerá, mas o momento de sua morte, de qualquer forma, é uma informação que não está contida em seu conceito. Os juízos sintéticos seriam, pois, juízos de extensão, nos quais se acrescentaria um novo atributo a determinado conceito, ao contrário dos juízos analíticos, nos quais esse atributo já constituiria, essencialmente, esse conceito. Pode-se concluir, logicamente, que os juízos empíricos seriam todos sintéticos, já que não haveria necessidade de utilizar a experiência para a fundamentação de um juízo analítico. Esse já seria possível de modo *a priori*, por simples desdobramento de conceitos.

Kant distingue os **juízos analíticos**, em que o predicado já está implícito na idéia do sujeito, dos **juízos sintéticos**, em que o predicado não está implícito na idéia do sujeito.

Discutidos esses conceitos, podemos agora abordar a "Estética transcendental". Após distinguir as intuições (sensíveis) dos conceitos (pensados), Kant isola a sensibilidade do entendimento, e, nela, a forma da matéria. Restarão, para o filósofo alemão, apenas duas formas puras da intuição sensível: tempo e espaço. Essas duas formas seriam, pois, condições necessárias para todo e qualquer conhecimento, e também independentes de qualquer experiência sensível. As noções de tempo e espaço não decorrem da percepção dos fenômenos, mas subsistem a eles, como condição de sua possibilidade. É porque o sujeito possui tempo e espaço como estruturas *a priori* de sua sensibilidade que ele pode perceber os objetos distribuídos pelo espaço e organizados no tempo. Assim, os próprios fenômenos poderiam deixar de ser percebidos, poderíamos abstrair sua existência, mas não sua temporalidade nem sua espacialidade.

Para Kant, **tempo** e **espaço** seriam as formas *a priori* da **sensibilidade**.

Após se ocupar dos conceitos *a priori* da sensibilidade na "Estética transcendental" (tempo e espaço), na "Analítica transcendental" Kant tratará dos conceitos *a priori* do entendimento. Esses conceitos deveriam possuir as seguintes características: ser puros (ou seja, não empíricos); pertencer ao entendimento (pensamento), e não à intuição ou sensibilidade; e ser elementares, para que não sejam assumidos como *a priori* conceitos, na verdade, compostos, derivados de conceitos elementares.

Nesse processo, Kant adotará como parâmetro inicial, para identificar tais conceitos, a função lógica do entendimento nos juízos. Ao abstrair o conteúdo de um juízo, "veremos que a função do pensamento nesse juízo pode ser reconduzida a quatro títulos, cada um deles contendo três momentos"[24]. Os quatro grupos, que representariam a forma lógica sob a qual o pensamento se apresentaria nos juízos, seriam: quantidade, qualidade, relação e modalidade.

Para Kant, as formas *a priori* do entendimento estão agrupadas em função da **quantidade**, **qualidade**, **relação** e **modalidade**.

A **quantidade** dos juízos seria representada pela forma universal, particular ou singular. A **qualidade** agruparia a forma lógica dos juízos afirmativos, negativos e infinitos. A **relação** entre os juízos agruparia as formas de juízos categóricos, hipotéticos e disjuntivos. Por fim, a **modalidade** agruparia as formas de juízos problemáticos, assertóricos e apodíticos.

Antes de passarmos a abordar mais especificamente cada grupo, cabe dizer que, a partir dessa tábua de formas lógicas dos juízos, Kant derivará sua tábua de categorias (que seriam, efetivamente, os conceitos *a priori* do entendimento), as quais também se organizam em quatro grupos: quantidade (unidade, pluralidade e totalidade); qualidade (realidade, negação e limitação); relação (inerência e subsistência; causalidade e dependência; comunidade) e modalidade (possibilidade/impossibilidade, existência/não-ser, necessidade/contingência).

A **quantidade** representaria as diferenças entre os três juízos que seguem:

Camilo Pessanha é um bom escritor.

Os simbolistas são bons escritores.

Todos os escritores são bons.

No primeiro caso, lidamos com um juízo em que a singularidade ou unidade (Camilo Pessanha) está representada. No segundo exemplo, a idéia de particularidade ou pluralidade (um grupo de escritores, os simbolistas) aparece representada. No último exemplo, a noção de totalidade ou universalidade (todos os escritores) caracteriza o juízo.

---

[24] KANT, 1987, p. 65.

A **qualidade** pode ser representada nos três exemplos abaixo:

Camilo Pessanha é escritor.

Camilo Pessanha não é escritor.

Camilo Pessanha é não escritor.

No primeiro caso, a afirmação caracteriza a realidade de Camilo Pessanha como escritor. No segundo exemplo, a negação marca logicamente o juízo. No terceiro caso, limitam-se as qualidades do sujeito a tudo que não implique a noção de escritor (no caso, como a limitação é negativa, suas qualidades continuam sendo positivamente infinitas — tudo o que não for escritor).

As categorias agrupadas sob o título de **relação** apontam para as relações do pensamento nos juízos. Categóricos seriam juízos em que se afirmasse determinada relação entre o sujeito e o predicado. Hipotéticos seriam os juízos de causa e efeito — *caso ocorra o evento A, então B deve ocorrer.* Juízos disjuntivos possuem uma relação de oposição lógica (e ao mesmo tempo de comunidade, pois todas as relações expostas devem preencher todo o campo da possibilidade). Por exemplo, *para chegar em casa, devemos seguir em frente, à direita ou à esquerda.*

A **modalidade** pode ser muito bem entendida quando observamos a organização dos modos verbais no português: indicativo, subjuntivo e imperativo. O indicativo é o modo verbal que representa a existência, e os juízos que utilizam o indicativo podem ser classificados como assertóricos: *Camilo Pessanha é um escritor simbolista.* O subjuntivo é o modo da possibilidade, no qual aparecem os juízos problemáticos: *Quando Camilo Pessanha for considerado um escritor simbolista...* . Já o imperativo é o modo em que a categoria da necessidade se apresenta e forma juízos apodíticos: *Escreva uma tese sobre Camilo Pessanha.*

Várias críticas já foram realizadas às categorias do entendimento kantianas, basicamente nas relações que apresentam com o pensamento de Aristóteles e na fragilidade das conexões entre as formas lógicas dos juízos e as categorias *a priori* do entendimento. Cabe lembrar que para Kant nós não percebemos senão os fenômenos, ou seja, as coisas como objetos da intuição sensível. O *noûmenon*, ou a coisa em si mesma, seria inacessível ao conhecimento.

4.3.2 Georg Wilhelm Friedrich Hegel

A obra de Hegel (1770-1831) é uma das mais complexas e difíceis da história da filosofia, e ao mesmo tempo uma das mais influentes no pensamento contemporâneo. A filosofia hegeliana é sistemática e enciclopédica, e nela a noção de totalidade é essencial. Sua obra é em geral batizada de *idealismo absoluto*, pois identifica a realidade com a razão ("O que é racional é real e o que é real é racional"[25], revolução mundial preparada por Platão, segundo Hegel), e as estuda por meio do desenvolvimento histórico da consciência como cultura (principalmente em sua obra *Fenomenologia do espírito*). Tanto o espírito enciclopédico quanto a idéia de que uma "consciência" move o mundo são, na verdade, características da época — lembremos, por exemplo, de *A Riqueza das nações*, de Adam Smith, publicado em 1776, em que o mercado ou o mecanismo produtivo aparecem como a força latente que move a realidade.

O filósofo alemão retoma e dialoga constantemente com a obra de diversos filósofos, como Descartes, Spinoza, Kant, Fichte e Schelling, dentre outros. Sua filosofia é um esforço de síntese das contradições do pensamento que o precede: o indivíduo e o universal, o real e o ideal, essência e aparência, interior e exterior, idéias e objetos, o *logos* grego e o cristianismo, idealismo e materialismo:

> Não se pode, pensa Hegel, partir da matéria para daí tirar a consciência, nem da pura consciência de si para daí tirar a matéria. Para além do materialismo mecanicista e do idealismo subjetivo, Hegel busca nas perspectivas do idealismo objetivo um método para dar conta da totalidade do real.
>
> A identidade do sujeito e do objeto deve ser estabelecida de tal maneira que cada um possa aí chegar: é necessário provar que está na natureza do subjetivo transformar-se em objetivo e que o objetivo deve se transformar em subjetivo[26].

Sujeito e objeto são entendidos, portanto, como processos de transformação do Absoluto, e a característica marcante do Absoluto é justamente esse movimento entre ambos. O conceito de *vir a ser* é essencial na obra de Hegel: a vida é desenvolvimento, devir,

---

[25] HEGEL, G. W. F. *Princípios da filosofia do direito*. Tradução Orlando Vitorino. 4. ed. Lisboa: Guimarães, 1990. p. 13.

[26] GARAUDY, Roger. *Para conhecer o pensamento de Hegel*. Tradução Suely Bastos. Porto Alegre: L&PM, 1983. p. 21.

implica a contradição. O mundo é comparado a um ser vivo, a um organismo em desenvolvimento circular. A bela passagem a seguir exemplifica muito bem essa idéia:

> O botão desaparece no desabrochar da flor, e poderia dizer-se que a flor o refuta; do mesmo modo que o fruto faz a flor parecer um falso ser-aí da planta, pondo-se como sua verdade em lugar da flor: essas formas não só se distinguem, mas também se repelem como incompatíveis entre si. Porém, ao mesmo tempo, sua natureza fluida faz delas momentos da unidade orgânica, na qual, longe de se contradizerem, todos são igualmente necessários. É essa igual necessidade que constitui unicamente a vida do todo[27].

Pensamento e realidade identificam-se na dialética: o pensamento não é apenas reprodução da realidade, é a própria realidade em movimento, tem realidade objetiva. A dialética é uma lógica da relação, do conflito, da negação, do movimento e da vida. O desenvolvimento da lógica, desde os gregos até Kant, teria partido sempre de um pensamento exterior aos objetos. Com Hegel, o pensamento reconcilia-se com o objeto: o movimento de ambos torna-se único e o mesmo. Objeto e conceito identificam-se:

> O princípio motor do conceito — enquanto não é simplesmente análise mas também produção das particularidades do universal — é o que eu chamo dialética. Não se trata de uma dialética que dissolve, confunde, perturba um princípio ou um objeto apresentado ao sentimento ou à consciência imediata e apenas cuida em deduzir um contrário; em suma, não se trata de uma dialética negativa como quase sempre se encontra, até em Platão. Poderá ela considerar seu último fim o atingir o contrário de uma representação, que lhe aparece quer como sua contradição num cepticismo concludente, quer, de uma maneira mais amável, como aproximação da verdade, meio termo muito moderno.
>
> A dialética superior do conceito consiste em produzir a determinação, não como um puro limite e um contrário, mas tirando dela, e concebendo-o, o conteúdo positivo e o resultado; só assim a dialética é desenvolvimento e progresso imanente. Tal dialética não é, portanto, a ação extrínseca de um intelecto subjetivo, mas sim a alma própria de um conteúdo de pensamento de onde organicamente crescem os ramos e os frutos. Como objetivo, o pensamento apenas assiste ao desenvolvimento da idéia como atividade própria da sua razão e nenhum complemento lhe acrescenta da sua

[27] HEGEL, G. W. F. *Fenomenologia do espírito*. Tradução Paulo Meneses. 2. ed. Petrópolis: Vozes, 1992. parte I, p. 22.

> parte. Considerar algo racionalmente não é vir trazer ao objeto uma razão e com isso transformá-lo, mas sim considerar que o objeto é para si mesmo racional. Assim é o espírito em sua liberdade, a mais alta afirmação da razão consciente de si, que a si mesma se dá a realidade e se produz como mundo existente. A ciência apenas se limita a trazer à consciência este trabalho que é próprio da razão da coisa[28].

O sujeito inicia seu percurso já imerso no mundo, é sempre um ser social, cultural e histórico. O percurso se dá em direção ao saber absoluto. A seguinte passagem representa muito bem a interpenetração entre o pensamento e a realidade:

> Com efeito, o racional, que é sinônimo da Idéia, adquire ao entrar com a sua realidade na existência exterior, uma riqueza infinita de formas, de aparências e de manifestações, envolve-se, como as sementes, num caroço onde a consciência primeiro se abriga, mas que o conceito acaba por penetrar para surpreender a pulsação interna e senti-la bater debaixo da exterior aparência[29].

Na filosofia hegeliana, o **conceito** realiza esta unificação entre pensamento e realidade: "O que há entre a razão como espírito consciente de si e a razão como realidade dada, o que separa a primeira da segunda e a impede de se realizar é o estar ela enleada na abstração sem que se liberte para atingir o conceito"[30].

A dialética hegeliana está baseada num movimento contínuo de superação do confronto entre uma **tese** com sua **antítese** por uma **síntese**.

Podemos lembrar os gregos, para quem a noção de *logos* implicava a identidade entre pensamento, lógica, linguagem e realidade (ou ser). A obra de Hegel *Ciência da lógica* divide-se em: lógica do ser (que estuda as categorias que determinam a percepção imediata dos objetos isolados), lógica da essência (que procura o absoluto não mais na percepção sensível, mas em sua negação: as essências) e a lógica do conceito (momento de síntese, negação da essência que retorna ao ser, momento em que pensamento e ser se identificam, vida e unidade se reconciliam). **Tese**, **antítese** e **síntese** são os momentos por meio dos quais o método dialético é em geral conhecido em Hegel.

A verdade para Hegel não é um fato, não mede o grau de pertinência entre o discurso, o pensamento e o objeto, nem se assemelha ao que

[28] HEGEL, 1990, p. 50-51.
[29] Ibid., p. 14.
[30] Ibid., p. 15.

consideramos a validade lógica de um raciocínio, mas é **resultado**, que só se concretiza enquanto exibe o processo de seu desenvolvimento:

> O *dogmatismo* — esse modo de pensar no saber e no estudo da filosofia — não é outra coisa senão a opinião de que o verdadeiro consiste numa proposição que é um resultado fixo, ou, ainda, que é imediatamente conhecida. A questões como estas — Quando nasceu César? Que estádio era e quanto media? — deve-se dar uma resposta *nítida*. Do mesmo modo, é rigorosamente verdadeiro que no triângulo retângulo o quadrado da hipotenusa é igual à soma dos quadrados dos catetos. Mas a natureza de uma tal verdade (como a chamam) é diferente da natureza das verdades filosóficas[31].

Esse processo é exatamente sua dialética, e deve ser descrito dialeticamente. Não interessa à dialética fixar-se na proposição inicial nem mesmo em sua negação, assim como não lhe importa apenas o resultado, a síntese. A dialética hegeliana implica a exposição do processo todo:

> Com efeito, a coisa não se consuma no seu *fim* mas na sua *atuação*, e o todo *efetivo* não é o *resultado*, a não ser juntamente com o seu devir. O fim para si é o universal sem vida, assim como a tendência é o puro impulso que ainda carece de sua realidade efetiva; e o resultado nu é o cadáver que a tendência deixou atrás de si. Do mesmo modo, a *diversidade* é sobretudo o *limite* da coisa. Ela começa onde a coisa termina e é o que a coisa não é. Esse atarefar-se com o fim e os resultados, assim como com as diversidades de um e de outro e os juízos a respeito deles constitui, por conseguinte, um trabalho mais fácil do que talvez pareça. Com efeito, em lugar de se prender à coisa, esse modo de proceder sempre passa superficialmente sobre ela. Em lugar de nela demorar-se e de esquecer-se a si mesmo nela, esse saber se prende sempre a algo diverso e permanece de preferência em si mesmo, ao invés de estar na coisa e de se entregar a ela. O que há de mais fácil é julgar o que possui conteúdo e densidade. Mais difícil é apreendê-lo e o mais difícil é produzir a sua exposição, que unifica a ambos[32].
>
> A impaciência exige o impossível, ou seja, a obtenção do fim sem os meios. De um lado, há que suportar as *longas distâncias* desse caminho, porque cada momento é necessário. De outro lado, há que *demorar-se* em cada mo-

---

[31] HEGEL, 1992, p. 42.

[32] Id. *A Fenomenologia do espírito*. Tradução Henrique Cláudio de Lima Vaz. 2. ed. São Paulo: Abril Cultural, 1980. p. 6-7. (Os Pensadores).

mento, pois cada um deles é uma figura individual completa, e assim cada momento só é considerado absolutamente enquanto sua determinidade for vista como todo ou concreto, ou o todo [for visto] na peculiaridade dessa determinação[33].

Hegel propõe-se a ambição de uma filosofia científica, de um saber que almeje uma sistematização nos moldes das ciências. Assim, a filosofia de Hegel estuda a religião, a história, o direito, a política, a arte etc., procurando resgatar e sistematizar todos os momentos do desenvolvimento do saber absoluto. Devemos nos lembrar de que sua filosofia é contemporânea da Revolução Francesa. Podemos notar como, na belíssima passagem seguinte, Hegel refere-se ao Espírito tendo em vista sobretudo as grandes mudanças geradas pela Revolução:

> De resto, não é difícil ver que o nosso tempo é um tempo de nascimento e passagem para um novo período. O Espírito rompeu com o mundo de seu existir e do seu representar que até agora subsistia e, no trabalho da sua transformação, está para mergulhar esse existir e representar no passado. Na verdade, o Espírito nunca está em repouso, mas é concebido sempre num movimento progressivo. Mas, assim como na criança, depois de um longo e tranqüilo tempo de nutrição, a primeira respiração — um salto qualitativo — quebra essa continuidade de um progresso apenas quantitativo e nasce então a criança, assim o Espírito que se cultiva cresce lenta e silenciosamente até a nova figura e desintegra pedaço por pedaço seu mundo precedente. Apenas sintomas isolados revelam seu abalo. A frivolidade e o tédio que tomam conta do que ainda subsiste, o pressentimento indeterminado de algo desconhecido, são os sinais precursores de que qualquer coisa diferente se aproxima. Esse lento desmoronar-se, que não alterava os traços fisionômicos do todo, é interrompido pela aurora que, num clarão, descobre de uma só vez a estrutura do novo mundo[34].

---

[33] HEGEL, 1992, p. 36.

[34] HEGEL, 1980, p. 10. É interessante notar que na literatura portuguesa, contemporaneamente ao movimento simbolista (em que se destacam autores como Camilo Pessanha, Antônio Patrício e Antônio Nobre), temos um movimento denominado *saudosismo*, que encontra eco nas obras de Fernando Pessoa e Teixeira Pascoaes, dentre outros. Uma das idéias fundamentais dos saudosistas é a de que a poesia portuguesa anuncia uma nova era para Portugal, uma época de glórias, sucesso, liderança etc. A Revolução Francesa, assim como as obras teóricas que a sustentaram intelectualmente, e principalmente a obra de Hegel serviram como impulso para diversos movimentos de renovação e libertação por todo o mundo, até do ponto de vista puramente intelectual.

Esse desenvolvimento do Espírito, segundo Hegel, deve ser descrito e exposto de forma científica. Deve deixar de ser saber esotérico para se tornar saber exotérico[35].

4.4 Nietzsche, a Psicologia e a Teoria do Conhecimento

Para falar rigorosa e corretamente de psicologia e filosofia, precisaríamos realizar um esforço conceitual semelhante ao de Michel Arrivé, em *Lingüística e psicanálise*, quando ele estuda comparativamente a evolução dos conceitos de "símbolo" (em Freud e Saussure) e "significante" (em Lacan e Saussure), visando mapear os termos e os campos semânticos usados por cada ciência. Lingüística e psicanálise, assim como psicologia e filosofia, são campos do conhecimento entre os quais não se sabe, com certeza, se existem inúmeros ou escassos pontos de contato. Talvez, para ilustrar tal incerteza, possamos nos utilizar da mesma imagem, belíssima, de Arrivé:

> Lingüística e psicanálise têm, ambas, que ver com a linguagem. Constituem então dois domínios contíguos. O problema que de início se levanta é o da fronteira que as separa: intransponível muralha da China — como dizem às vezes? Ou frágil treliça? Para instalar-me na metáfora, prefiro descrevê-la como um biombo ao mesmo tempo poroso e trespassado de aberturas. Desse modo se oferecem duas possibilidades de passagem. Escolhi a mais fácil — pelo menos a que assim parece: a passagem pelas aberturas. Cabe-nos descobri-la[36].

O conceito de **inconsciente** ampliou imensamente os horizontes da teoria do conhecimento. Afinal, já não temos mais apenas dois pó-

[35] Hegel realiza, no "Prefácio" da sua obra *Fenomenologia do espírito*, uma diferenciação interessante entre estes dois tipos de saber.
"Verbete: exotérico (z) [Do gr. *exoterikós*, pelo lat. *exotericu*.] Adj. Filos. 1. Diz-se de ensinamento que, em escolas da Antigüidade grega, era transmitido ao público sem restrição, dado o interesse generalizado que suscitava e a forma acessível em que podia ser exposto, por se tratar de ensinamento dialético, provável, verossímil. Verbete: esotérico [Do gr. esoterikós.] Adj. 1. Filos. Diz-se do ensinamento que, em escolas filosóficas da Antigüidade grega, era reservado aos discípulos completamente instruídos. 2. P. ext. Todo ensinamento ministrado a círculo restrito e fechado de ouvintes. 3. Filos. Diz-se de ensinamento ligado ao ocultismo. 4. Fig. Compreensível apenas por poucos; obscuro, hermético." FERREIRA, Aurélio Buarque de Holanda. *Novo Aurélio*: o dicionário da língua portuguesa — século XXI. Dicionário eletrônico. Versão 3.0. São Paulo: Nova Fronteira, [200-]. 1 CD-ROM.

[36] ARRIVÉ, Michel. *Lingüística e psicanálise*: Freud, Saussure, Hjelmslev, Lacan e os outros. Tradução Mário Laranjeira e Alain Mouzat. São Paulo: Edusp, 1994. p. XXII.

los agindo durante o ato do conhecimento, o sujeito e o objeto. O sujeito ele mesmo não é uno, encontra-se cindido, dividido. O pólo ativo da relação, aquele que efetivamente *conhece*, na realidade, não se conhece totalmente a si mesmo. O conhecer racional do sujeito é, a partir de então, considerado apenas uma das formas de conhecimento. O sujeito não se identifica mais apenas com a razão ou a consciência — o inconsciente também faz parte de sua estrutura. O inconsciente também aprende, e aprende-se por meio do inconsciente.

O alemão Friedrich Wilhelm Nietzsche (1844-1900) talvez seja o filósofo que mais intensamente tenha captado a importância desses conceitos na história da filosofia. Tanto que se torna um crítico radical da razão ocidental. Decidimo-nos, aqui, por uma análise de alguns pontos da obra do filósofo alemão, sempre levando em conta o vocabulário e referencial da nova ciência psicológica. O que nos interessa é traçar alguns pontos de contato (sem esgotá-los) entre filosofia e psicologia.

4.4.1 Forças e Vontade de Poder

> "Não há nada na vida que tenha valor, a não ser o grau de potência — suposto, justamente, que a vida mesma é vontade de potência."[37]

Um dos conceitos que move o pensamento nietzschiano é o conceito de "vontade de poder". A tendência mais imediata seria entendermos "vontade de poder" como algo semelhante a "querer *o* poder", interpretação que caminha contra o próprio espírito do filósofo. Na verdade, uma vontade *do* poder não implica conivência com os valores estabelecidos? Ou seja, querer simplesmente o poder não seria aceitar esse poder como algo definitivamente estabelecido numa sociedade, sendo importante, então, apenas a luta por ele? Mas como, se Nietzsche nos propõe justamente uma transvaloração dos valores, estando o poder, da forma como é concebido hoje em dia, incluído nesses valores?

O poder, no sentido de pura posse, também não pode ser considerado o elemento primordial da "vontade de poder". A vontade desenfreada de posse pode indicar um domínio dos valores estabelecidos sobre essa mesma vontade:

[37] NIETZSCHE, Friedrich. Sobre o niilismo e o eterno retorno. § 55. In: ______. *Obras incompletas*. Tradução Rubens Rodrigues Torres Filho. 3. ed. São Paulo: Abril Cultural, 1983. p. 384. (Os Pensadores).

> Somente até certo grau a posse torna o homem independente, mais livre; um grau a mais — e a posse se torna senhor, e o possuidor, escravo: o qual tem de lhe oferecer em sacrifício seu tempo, sua meditação, e daí em diante se sente comprometido a um relacionamento, pregado a um lugar, incorporado a um Estado — tudo, talvez, contra sua necessidade mais íntima e essencial[38].

Outra interpretação que pode suscitar a expressão "vontade de poder" é a de que equivale a uma vontade de dominar. É preciso cuidado, aqui. A vontade de poder é, por definição, aquilo que quer em uma força, faz-se representar por ela, mas é também, simultaneamente, determinada pela relação das próprias forças. Não se pode entender vontade de poder como um princípio exterior às forças, que consiga guiá-las, simplesmente, como foi entendida até hoje, por exemplo, a função de um Deus na cultura cristã e ocidental. A vontade de poder é um complemento interno da própria força, que só tem seu sentido determinado pela atuação desta. Nesse sentido, não só as forças dominantes, num dado instante, mas também as forças dominadas e subjugadas, teriam como seu complemento interno uma vontade de poder. "Se, ao fazer bem ou mal, fazemos sacrifícios, isso não altera o valor último de nossas ações, mesmo se pomos nisso nossa vida, como o mártir por sua Igreja — é um sacrifício feito ao *nosso* desejo de potência ou para fins de conservação de nosso sentimento de potência."[39]

Quando a vontade de poder age, pois, de maneira afirmativa, seu sentido primordial passa a ser o de criação de valores. É apenas quando a negação impera na vontade de poder, quando as forças chamadas reativas prevalecem, que ela pode ser definida como simples vontade *do* poder, e, automaticamente, as forças opostas (afirmativas, criativas) são então encaradas como perigosas, más. Essas distinções são, portanto, essenciais: a vontade de poder pode ser afirmativa e negativa; a força pode ser ativa e reativa. Ambas conterão sempre essa polaridade em si mesmas, com a predominância de um ou outro pólo. A vontade de poder pode, então, representada pelas forças, ser encontrada na forma da potência e da impotência.

Entretanto, uma questão ainda paira sem resposta: uma força que exerce domínio, num instante qualquer, sobre outras forças, pode

---

38 NIETZSCHE, Friedrich. Humano, demasiado humano: um livro para espíritos livres. § 317. In: ______, 1983, p. 139-140.

39 Id. A gaia ciência. § 13. In: ______, 1983, p. 193.

ser considerada ativa apenas por causa de seu domínio? Não! Se assim fosse, a genealogia da força e da vontade estaria fundada nos fatos, e seria extremamente simplificada a tarefa do intérprete-avaliador: determinando-se a posição exata de cada força num movimento dado (dominante ou dominada), poder-se-ia facilmente relacioná-la a uma vontade de poder afirmativa ou negativa. Mas como, se "não existem fatos, apenas interpretações"? Além do mais, como seria possível falar de escravos no poder, ou até mesmo em proteger os fortes contra os fracos, se os fortes sempre seriam os dominadores e os fracos é que necessitariam de proteção?

De imediato, pode-se dizer que a diferenciação entre o forte e o fraco não é feita em função do resultado de seu confronto, mas sim em função de dada qualidade original: o forte é aquele que afirma, aquele que vai até o fim de seu poder, enquanto o fraco é o que nega, diz não à vida, aos outros e a si mesmo. Não que a negação deixe de ocorrer na afirmação do forte, mas essa negação vem a serviço da própria afirmação, como negação do que é mais baixo em potência em relação àquele que afirma a si mesmo. Nos fracos, ocorre inicialmente a negação, é apenas pela negação que o fraco pode definir-se.

Na análise das diversas concepções reservadas aos conceitos "bom" e "mau", por exemplo, Nietzsche deixa bem claro essa decisiva diferença entre o forte, senhor ou nobre, e o fraco ou escravo: "As diferenciações morais de valor nasceram, seja sob uma espécie dominante, que se sentia bem ao tomar consciência de sua diferença em relação à dominada — ou entre os dominados, os escravos e dependentes de todo grau"[40].

No forte age a força ativa, em que a afirmação da própria potência jorra incessantemente, enquanto no fraco notamos a negação, predominando a reação. O fraco que se afirma a si próprio, que leva o seu poder até o fim do que ele pode, é tão forte quanto o mais forte. Daí decorrem as classificações nietzschianas: a consciência, a linguagem, a moral, todas elas agem como aprisionadoras de potência, impedindo uma força de se afirmar plenamente. Nesse sentido, elas se caracterizam (a moral, a consciência etc.) como representantes das forças reativas.

[40] NIETZSCHE, Friedrich. Para além de bem e mal: prelúdio de uma filosofia do porvir. § 260. In: ______, 1983, p. 291.

4.4.2 O Ressentimento e a Má Consciência

A primeira etapa de extensa investigação psicológica realizada pelo filósofo alemão pode ser definida como a análise do "ressentimento". Nesse ponto, os conhecimentos filológicos de Nietzsche auxiliam-no bastante quando, por exemplo, ele parte para uma "genealogia da Moral", utilizando-se dos conceitos "bom" e "mau". Segundo Nietzsche, o conceito "bom" teve sua origem na própria nobreza, na aristocracia, na própria auto-afirmação. O "bom" era o nobre, ele mesmo se designava assim, ele mesmo se vangloriava de seu poder: "[...] quando são os dominantes que determinam o conceito 'bom', são os estados de alma elevados, orgulhosos, que são sentidos como o distintivo e determinante da hierarquia"[41]. O oposto dos nobres aparece apenas como conseqüência da primeira nomeação: como o "bom" é o ser humano no qual transborda a potência, a confiança, a própria vida, o "mau" será, então, o impotente, aquele ser humano que se coloca muito abaixo da nobreza e que, por isso mesmo, pode ser desprezado por ela. "Desprezado é o covarde, o medroso, o mesquinho, o que pensa na estreita utilidade; assim como o desconfiado, com seu olhar sem liberdade, o que se rebaixa, a espécie canina de homem, que se deixa maltratar, o adulador que mendiga, antes de tudo o mentiroso: — é uma crença fundamental de todos os aristocratas que o povo comum é mentiroso"[42].

Como a diferença entre o nobre e o mentiroso, na moral aristocrática, é grande demais, certos sentimentos como de compaixão e de injustiça não podem nascer aqui, devendo ter sua origem em outra forma de moral. Afinal, como poderia o nobre ter compaixão de um ser tão mesquinho quanto o mentiroso? Como poderia o nobre sentir-se injusto com um ser que nem lhe entra em consideração? "A injustiça do poderoso, a que mais revolta na história, está longe de ser tão grande como parece. Já o sentimento herdado de ser um ser superior com direitos superiores torna devidamente frio e deixa a consciência tranqüila: nós mesmos, quando a diferença entre nós e um outro ser é muito grande, não sentimos mais nada de injustiça e matamos uma mosca, por exemplo, sem nenhum

---

[41] NIETZSCHE, Friedrich. Para além de bem e mal: prelúdio de uma filosofia do porvir. § 260. In: ______, 1983, p. 291.

[42] Ibid.

remorso na consciência."[43] Portanto, quando Nietzsche responde à questão "O que é 'bom'?" dizendo "Tudo o que eleva o sentimento de poder, a vontade de poder, o poder mesmo no homem", ele o faz do ponto de vista da moral nobre.

A fórmula dessa moral é, portanto, a seguinte: "Eu sou bom, logo você é mau". Essa distinção liga-se apenas a diferenças de poder entre os homens, e pode ser referida diretamente às definições nietzschianas: a vontade de poder reconhece-se como afirmação, a força reconhece-se como força ativa, e decorre aí a glorificação desse excesso de potência por parte dos nobres. Ao designar-se "bom", o nobre apenas reafirma seu poder, sua própria ação.

Do outro lado, Nietzsche vislumbra um diferente tipo de moral, aquela que já nasce dos mais fracos, da plebe, da própria impotência: a moral dos escravos. Esta identifica toda a potência e o orgulho característicos da aristocracia como uma coisa perigosa, e, na impossibilidade de glorificar a si mesmos, de referir a si mesmos de forma positiva, os escravos partem, então, de uma negação: "Você é mau, logo, eu sou bom", eis aí a fórmula do escravo. A moral do escravo opera uma reviravolta nos valores: o "bom" da moral dos senhores passa a ser considerado perigoso, sua potência é condenada, ele é agora tachado de "mau". E é inevitável que o pessimismo reine nessa moral: ela toma como ponto de partida a negação da potência, que só pode resultar na negação da própria vida. "O olhar do escravo é desfavorável às virtudes do poderoso: ele tem *skepsis* e desconfiança, tem *refinamento* de desconfiança contra todo o 'bom' que é honrado ali — gostaria de persuadir-se de que, ali, a própria felicidade não é genuína"[44].

Mas para os escravos essa primeira revolução nos valores é ainda insuficiente. O escravo tem necessidade de vingança e, reconhecendo sua incapacidade para isso, vai mais longe no bordado de sua ficção, transformando a diferença original entre "bom" e "mau" em outra diferença, que deixa de lado a própria referência à distinção de forças: cria-se agora a mais alta idealização, os conceitos "bem" e "mal", que não mais são aplicados aos homens, mas às suas próprias ações. Toda ação agressiva, toda confiança, tudo o que até agora fora encontrado no modo de agir nobre é incluído no reino do "mal". É necessário, a partir daí, fazer o "bem", ou seja, é preciso que o mais forte aja justamente da maneira que interessa ao escravo: com com-

[43] NIETZSCHE, Friedrich. Humano, demasiado humano. § 81. In: ______, 1983, p. 98.

[44] Id. Para além de bem e mal. § 260. In: ______, 1983, p. 292-293.

paixão, piedade, amor e tudo o mais que possibilite, ainda, sua sobrevivência. Assim podemos entender as críticas nietzschianas aos ideais democratas: a necessidade de igualar os homens tem sua origem justamente na moral de escravos, é uma reivindicação dos mais fracos originada da sonegação dos valores morais:

> O veneno da doutrina 'direitos *iguais* para todos' — foi o cristianismo que mais fundamentalmente o disseminou; a todo sentimento de veneração e de distância entre homem e homem, isto é, ao *pressuposto* de toda elevação, de todo crescimento de civilização, o cristianismo fez uma guerra de morte, a partir dos mais secretos escaninhos dos instintos ruins — a partir do *ressentimento* das massas ele forjou para si a *principal arma* que tem contra *nós*, contra tudo o que é nobre, alegre, magnânimo sobre a terra, contra nossa felicidade sobre a terra...[45].

Um fato curioso, nessa análise nietzschiana, é que os escravos acabam criando valores determinantes em nossa sociedade, e acabam por derrotar os nobres, passando a dominá-los. Nesse ponto, não faltam exemplos na obra de Nietzsche: a vitória do cristianismo, da democracia, do socialismo, da dialética, e assim por diante. E é aqui que surge um problema, talvez o principal para uma interpretação das forças e uma avaliação da vontade de poder: como distinguir os escravos dos senhores, se ambos podem estar no poder e criar valores?

Aqui entra em jogo, então, o conceito nietzschiano de "ressentimento". Os fatos não podem mostrar, por si só, a diferença entre escravos e senhores. Essa diferença já se faz necessária: o escravo, o fraco, é o homem ressentido, esteja ou não no poder. O escravo fundou sua moral no ressentimento, na vingança: "[...] a moral de escravos precisa sempre, para surgir, de um mundo oposto e exterior, precisa, dito fisiologicamente, de estímulos externos para em geral agir — sua ação é, desde o fundamento, por reação"[46]. Aqui é preciso cautela ao lidar com as forças: o escravo não pode agir, por estar dominado, e então sua moral fica automaticamente caracterizada pela reação, pela negação. Mas o escravo não pode nem mesmo reagir: é impotente para isso. Ele só consegue reagir imaginariamente, na sua moral de ficção. Sua reação torna-se ressentida, como reação que não mais pode ser ativada, e é esse próprio ressentimento que cria valores, para que

[45] NIETZSCHE, Friedrich. O anticristo: ensaio de uma crítica do cristianismo. § 43. In: ______, op. cit., p. 353.

[46] Id. Para a genealogia da moral, § 10. In: ______, 1983, p. 301.

a reação possa, de forma fictícia, realizar-se. "O levante dos escravos na moral começa quando o ressentimento mesmo se torna criador e pare valores: o ressentimento de seres tais, aos quais está vedada a reação propriamente dita, o ato, e que somente por uma vingança imaginária ficam quites."[47] O ressentido, na verdade, não age nem reage, daí suas principais características: passivo, prudente, "bondoso". Reagir seria ainda um tipo de ação: o ressentido faz de sua reação um bloqueamento ininterrupto de qualquer ação, que por isso mesmo difere da reação que ocorre instintivamente numa relação de forças. Nem mesmo as forças entram mais em jogo, para o ressentido, que não aceita mais absolutamente nada, não acolhe nada de dentro de si, não reage mais. O ressentido torna-se insensível, e essa insensibilidade só pode resultar num niilismo profundo, numa reação contra qualquer possibilidade de ação. É da seguinte forma que o filósofo Gilles Deleuze, analisando a filosofia de Nietzsche, refere-se à capacidade de amar do homem ressentido: "O homem de ressentimento não sabe e não quer amar, mas quer ser amado"[48].

A reação não deixa de estar presente no homem nobre, mas apenas como reguladora das próprias ações, como resposta a essas ações: "O próprio ressentimento do homem nobre, quando aparece nele, cumpre-se e esgota-se, com efeito, em uma reação de imediato, por isso não *envenena*"[49]. No tipo ressentido, a ação submerge totalmente ante a reação: nesse ponto, pode-se identificar o ressentimento com uma doença. Os instintos, que tenderiam naturalmente a se exteriorizar, voltam-se contra si mesmos, devorando o próprio homem. O filósofo é agora, além de intérprete, médico. Uma descrição da patologia: os instintos vêm acompanhados, no homem, de uma dose de crueldade, um prazer de crueldade tão comum nos povos primitivos (que a psicologia junguiana talvez dissesse que foi reprimido mas permaneceu extremamente ativo no inconsciente coletivo). No tipo ressentido, essa crueldade não tem a chance de se exteriorizar. Resultado: o homem torna-se cruel consigo mesmo, corrói suas próprias entranhas, oferecendo esse prazer ao seu Deus. A má consciência e o ideal ascético têm sua origem justamente aí,

---

47 NIETZSCHE, 1983, p. 301.

48 DELEUZE, Gilles. *Nietzsche e a filosofia*. Tradução Edmundo Fernandes Dias e Ruth Joffily Dias. Rio de Janeiro: Ed. Rio, 1976. p. 98.

49 NIETZSCHE, Friedrich. Para a genealogia da moral, § 10. In: ______, 1976, p. 302.

no ressentimento. O homem transforma-se em objeto de prazer e esse prazer é transferido a um ser imaginário. As projeções são infinitas: a sede de vingança do ressentido cristaliza-se na vingança que esse mesmo ser imaginário realizaria num Juízo Final. Daí decorre uma explicação de uma das grandes contradições bíblicas: como ao homem não é delegado nenhum poder para julgar o outro se seu próprio Deus não fez mais do que criar homens pelo simples prazer de julgá-los e poder mandá-los para o inferno? É que os próprios escravos não podiam nem julgar; nem isso lhes era permitido pelos nobres, e eles precisaram forjar e inventar sua própria vingança e seu próprio julgamento; e, além do mais, isentaram-se da própria responsabilidade do julgamento, delegando-a a Deus.

O médico observa outros efeitos colaterais do ressentimento: algumas funções reguladoras dos instintos passam a funcionar indevidamente. O homem, por exemplo, já não consegue mais se esquecer de nada: a memória cresce avassaladoramente como um tumor. Nesse sentido, Nietzsche entende a capacidade de esquecimento como uma função reguladora no homem similar à dos órgãos fisiológicos. A consciência cresce então terrivelmente sem o auxílio dessa capacidade de esquecimento, tornando o homem ressentido presa de seus próprios fantasmas: "[...] há um grau de insônia, de ruminação, de sentido histórico, no qual o vivente chega a sofrer dano e por fim se arruína, seja ele um homem ou um povo ou uma civilização"[50].

Sem a capacidade de esquecimento não pode haver felicidade, jovialidade, esperança nem orgulho. A capacidade de se sentir, de tempos em tempos, a-histórico, passa a ser uma das características da afirmação na vontade de poder, uma das características das próprias forças ativas. "Perder a si mesmo" é o nome de um dos mais belos aforismos nietzschianos, e também um dos menores: "Uma vez que se tenha encontrado a si mesmo, é preciso saber, de tempo em tempo, *perder-se* — e depois reencontrar-se: pressuposto que se seja um pensador. A este, com efeito, é prejudicial estar sempre ligado a *uma* pessoa"[51].

Sem esquecimento não há digestão: daí os célebres textos de Nietzsche em que há uma importância destacada para os aspectos digestivos dos povos. O homem que não digere tem problemas intestinais; os problemas do homem que não esquece não deixam de ser cu-

[50] NIETZSCHE, Friedrich. Considerações extemporâneas, § 1. In: ______, 1983, p. 58.

[51] Id. Humano, demasiado humano, § 306. In: ______, op. cit., p. 150.

riosos: o conhecimento, por exemplo, fica entalado na garganta, não consegue nem mesmo ser mastigado. A excessiva vontade de verdade do homem faz com que todo conhecimento seja mal digerido. E Nietzsche avisa: "'Vontade de verdade' — isso poderia ser uma velada vontade de morte"[52]. Esse desarranjo intestinal do homem moderno precisa ser tratado: e é grave, há perigo de vida.

O ressentimento ainda tem outras conseqüências: um momento de total interiorização, no qual a força ativa, já totalmente debilitada pela ação das forças reativas, volta-se contra si mesma, produzindo o que Nietzsche chama de **má consciência**. Aqui, o sacerdote cristão tem a principal função: ele inverte a direção do ressentimento, ele organiza a própria interiorização. A causa da infelicidade do escravo, a culpa dessa própria infelicidade, que antes era procurada no poder do nobre, ou seja, exteriormente, é agora buscada nele mesmo. O escravo tem que se convencer, agora, de que a causa de sua dor é ele mesmo. A ação sucumbe de uma vez: o homem transforma-se num homem melancolicamente interiorizado. "A hostilidade, a crueldade, o gosto pela perseguição, pelo assalto, pela mudança, pela destruição — tudo isso se voltando contra os possuidores de tais instintos: *essa* é a origem da 'má consciência'."[53]

O homem é, agora, um animal amansado, idiotizado, perseguido pela sua própria culpa, pelo maior de seus fantasmas: o do pecado. Não basta o medo incutido no homem pelo conceito de pecado — os sacerdotes ainda acrescentam uma conseqüência a esse pecado: o castigo. A inversão de valores levada a efeito pelos sacerdotes judeus e cristãos, a ficção pacientemente criada por eles, transforma-se numa carga extremamente pesada para o homem, sufocando-o e reprimindo-o. É nesse sentido que Nietzsche precisa gritar para que esse burro de carga possa ouvir: "Prestai auxílio, vós que sois prestativos e bem-intencionados, a esta *única* obra — afastar do mundo o conceito de castigo, que se alastrou sufocando o mundo inteiro! Não há pior erva daninha!"[54].

Esse carregador de cabeça baixa não pode ter outro fim: depois da negação da vida, do próprio mundo em que habita, do ressentimento, da má consciência, de um sofisticado ascetismo, tem

---

[52] NIETZSCHE, Friedrich. A gaia ciência, § 344. In: ______, 1983, p. 213.

[53] Id. Para a genealogia da moral, § 16. In: ______, 1983, p. 310.

[54] Id. Aurora: pensamentos sobre os preconceitos morais, § 13. In: ______, op. cit., p. 161.

de desembocar num niilismo total. Vontade de nada: não resta mais nada a esse animal que a "vontade de nada". O triunfo das forças reativas e da negação da vontade de poder conduz o homem ao seu dramático destino: a vida não tem mais valor nenhum, os valores foram tão deslocados que a própria vida é sentida pelo escravo como incômoda. O escravo é, agora, camelo: transporta, cada vez mais, seus próprios valores, alheio ao mundo e vacinado contra qualquer tentação. Ao camelo só resta carregar.

Nesse ponto, confundem-se a interpretação e as próprias forças na filosofia de Nietzsche: ele quer acelerar o processo de desenvolvimento das forças reativas para sentir até onde elas podem chegar. Caminhar com Nietzsche é caminhar na própria autodestruição das forças reativas. Ele ainda nos fala da transvaloração dos valores, ou seja, de uma filosofia de marteladas, de destruições, capaz de libertar a vontade para uma nova afirmação, e criação: uma filosofia com espírito de leão. "Criar novos valores — disso nem mesmo o leão ainda é capaz: mas criar liberdade para nova criação — disso é capaz a potência do leão."[55]

O homem, então, justamente esse animal que se tornou demasiado interessante sobre a face da Terra, depois de todas as transformações por que passou, deve então sucumbir para dar lugar ao "além-do-homem":

> O homem é uma corda, atada entre o animal e o além-do-homem — uma corda sobre um abismo.
>
> Perigosa travessia, perigoso a-caminho, perigoso olhar-para-trás, perigoso arrepiar-se e parar.
>
> O que é grande no homem, é que ele é uma ponte e não um fim: o que pode ser amado no homem, é que ele é um *passar* e um *sucumbir*[56].

Entre o animal e o além-do-homem abre-se esse abismo que o homem tem de percorrer. Difícil percurso: é necessária toda a potência até agora aprisionada em sua vontade. É uma travessia que necessita de economia, de esperteza do espírito para com sua própria vontade. Travessia digna de dançarinos, de "espíritos livres". Toda leveza de um dançarino, toda liberdade de um "espírito livre". É o próprio Nietzsche quem nos diz:

---

55 NIETZSCHE, Friedrich. Assim falou Zaratustra: um livro para todos e ninguém. In: ______, 1983, p. 230.

56 Ibid., p. 227.

> *Onde* um homem chega à convicção fundamental de que *é preciso* que mandem nele, ele se torna 'crente'; inversamente, seria pensável um prazer e força da autodeterminação, uma *liberdade* da vontade, em que um espírito se despede de toda crença, de todo desejo de certeza, exercitado, como ele está, em poder manter-se sobre leves cordas e possibilidades, e mesmo diante de abismos dançar ainda. Um tal espírito seria o *espírito livre par excellence*[57].

A psicanálise e a psicologia analítica, a par de todas suas desavenças conceituais e mesmo pessoais, contribuem juntas para aprofundar a discussão sobre o homem "racional" do século XX. As sutis diferenciações de grau apontadas na psique humana, desde a separação da consciência do inconsciente até a caracterização de um "inconsciente coletivo", desenvolvem a demolição da teoria do conhecimento tradicional, baseada na polaridade sujeito-objeto, que encontra paralelos nos martelos nietzschianos. É da análise dos soçobros dessa destruição que continuaremos.

4.4.3 O Inconsciente Freudiano

Freud vislumbrou, em seus escritos, a origem de certa resistência às teorias psicanalíticas que pode ser batizada de "obstáculo conscíencialista"[58]. Esse obstáculo caracterizar-se-ia por uma visão filosófica do homem e do mundo, já profundamente entranhada na tradição popular ocidental, que remeteria todos os fatos psíquicos ao que se chama comumente de 'consciência', no seu sentido mais amplo. Os atos conscientes esgotariam, assim, as possibilidades de expressão da psique humana. A partir do momento em que Freud propôs uma nova dinamicidade para a explicação da psique, acrescentando a noção de inconsciente, a psicanálise e a tradição consciencialista tornaram-se inimigas mortais. Nesse sentido, as críticas de Freud dirigem-se à herança filosófica como um todo, herança que, ou rejeitaria totalmente a admissão de processos inconscientes, ou, admitindo-os, colocá-los-ia fora da razão, apontando assim a primazia desta última. O inconsciente seria, assim, exterior ao pensamento, estando este último garantido dos seus perigos.

---

57 NIETZSCHE. A gaia ciência, § 347. In: ______, 1983, p. 215.

58 ASSOUN, Paul-Laurent. *Freud, a filosofia e os filósofos*. Tradução Hilton Japiassu. Rio de Janeiro: F. Alves, 1978. p. 23 et seq.

Nietzsche endossa, extemporaneamente, essas críticas ao conscienciali smo. Desmistificando a suposta completude dos sistemas filosóficos, ele instaura, no discurso filosófico, a mesma cisão que Freud introduz no discurso psicológico, mediante o que se pode chamar de contrafilosofia. Como menciona Deleuze: "[...] um discurso, antes de tudo, nômade, cujos enunciados não seriam produzidos por uma máquina racional administrativa, os filósofos considerados como burocratas da razão pura, mas por uma máquina de guerra móvel"[59]. Isso significa introduzir na filosofia algo tão incômodo ao pensamento racionalista quanto a noção de inconsciente veiculada pela psicanálise. Essas duas proposições possuem nitidamente um ponto de confluência: afinal, o que garantia a racionalidade do real não era justamente a suposta identificação entre a psique e a consciência? Se a racionalidade é agora apenas uma das expressões da psique, o que garante a identificação dessa manifestação com a realidade? O reinado da consciência é totalmente abalado na filosofia nietzschiana: "[...] o homem, como toda criatura viva, pensa continuamente, mas não sabe disso; o pensamento que se torna *consciente* é apenas a mínima parte dele, e nós dizemos: a parte mais superficial [...]"[60].

À medida que a importância dos processos conscientes da mente diminui em relação à dos processos inconscientes, as obras de Nietzsche e Freud abrem-se para compreender o dinamismo da psique. Nietzsche, de um lado, criticando a suposta identidade do discurso racional, considerado fechado em si mesmo, sem brechas. Freud, de outro lado, analisando o que restou do velho conceito de "consciência". Ambos apontando a existência de fissuras em estruturas que pareciam densas e compactas.

4.4.4 Os Sonhos

Para Freud, os sonhos não oferecem mais que fragmentos de reproduções, o que desnuda a psique em seu caráter fragmentário e encontra respaldo na própria forma de expressão nietzschiana. Seus aforismos, na maioria das vezes breves e concisos, funcionam como estratégia de diversificação de ataques contra qualquer tentativa de sistematização de idéias. Isso não indica que o pensamento nietzschiano não possua

[59] DELEUZE, Gilles. Pensamento nômade. Tradução Milton Nascimento. In: MARTON, Scarlett (Org.). *Nietzsche hoje?* colóquio de Cerisy. São Paulo: Brasiliense, 1985. p. 66.

[60] NIETZSCHE, Friedrich. A gaia ciência, § 354. In: ______, 1983, p. 217.

pressupostos, coerência, até um desenvolvimento lógico, mas sim que reconhece que o pensamento só possa ser transmitido de forma fragmentária por palavras, assim como, do inconsciente, o psicólogo esteja fadado a conhecer apenas sintomas, como os sonhos.

Em *Interpretação dos sonhos*, Freud destaca a importância dos estímulos orgânicos no processo de formação onírica. Isso vai diretamente contra a concepção de que os sonhos se originariam fora da mente humana, enviados como recados dos deuses ou demônios. É impossível, aqui, deixarmos de lembrar a irônica importância do intestino e do aparelho digestivo nos homens de ressentimento, caracterizados por Nietzsche em sua *Genealogia da moral*. E mais: da presunção do homem de elevar seus pensamentos em direção à sua "alma", processo que significaria esquecer completamente o funcionamento interno de seus órgãos.

Nota-se que os sonhos, para Freud, não são a expressão *direta* de um instinto ou de um desejo, sofrendo o que se pode chamar de "deformação". O desejo encontraria uma resistência contra sua força, resistência capaz até de inverter totalmente sua direção, transformando, por exemplo, uma sedenta vontade de potência em um sonho de submissão. Esse processo de deformação encontra um significativo paralelo na obra de Nietzsche: a inversão de valores, que os escravos são capazes de realizar na moral. Estes, modificando a perspectiva dos nobres, tacham de "mau" ou "ruim" o indivíduo que se glorifica de sua força e de sua potência, auto-intitulando-se "bondosos" ou "caridosos". No fundo, como analisamos, é uma vontade de potência que age na própria valoração dos escravos, capaz de se disfarçar, de se mascarar de maneira enganosa. A tarefa do intérprete-avaliador, nos dois casos, é extremamente complexa: nem uma situação determinada de dominação nem um sonho definem, de imediato, a qualidade original do desejo que os move. O escravo que se encontra dominando num dado instante nem por isso deixa de ser escravo, do mesmo modo que um sonho, pelo próprio processo de deformação que sofre, não indica autenticamente o desejo que o fundamenta.

"Nada, ao que parece, pode atingir a consciência a partir do primeiro sistema sem passar pela segunda instância; e a segunda instância não permite que passe coisa alguma sem exercer seus direitos e fazer as modificações que julgue adequadas no pensamento que busca acesso à consciência."[61] A primeira instância seria a dos instintos (ou id), a se-

[61] FREUD, Sigmund. *A interpretação dos sonhos*. Tradução Jayme Salomão. 2. ed. Rio de Janeiro: Imago, 1987. parte I, p. 178. (Obras psicológicas completas de Sigmund Freud, 4).

gunda a da censura (ou superego). A censura ocorre, segundo Freud, filtrando o desejo para admiti-lo na consciência. Isso indica que o pensamento não esgota o pensar, como diz o próprio Nietzsche, que o que ocorre na consciência é uma parte adulterada dos movimentos mais profundos da psique. Daí a necessidade de o intérprete de forças ter que lidar freqüentemente com uma sucessão de máscaras. Nietzsche destaca a importância da aptidão da comunicação humana na formação da censura imposta pela consciência, que atuaria como que vulgarizando nossas vivências mais íntimas. Como ele mesmo diz: "[...] nosso pensamento mesmo, pelo caráter da consciência — pelo 'gênio da espécie' que nele comanda —, é constantemente como que *majorizado* e retraduzido para a perspectiva do rebanho"[62]. Freud acrescenta que a censura não tem relações apenas no sentido de comunicação verbal ou gestual entre os homens, mas que ela se dá até nas imagens deformadas que aparecem em nossos sonhos.

> Os sonhos são excreções de pensamentos que foram sufocadas no nascimento. 'Um homem privado da capacidade de sonhar ficaria, com o correr do tempo, mentalmente transtornado, pois grande massa de pensamentos incompletos e não elaborados e de impressões superficiais se acumularia em seu cérebro e, por seu grande volume, estaria fadada a sufocar os pensamentos que deveriam ser assimilados em sua memória como conjuntos completos'. Os sonhos servem de válvula de escape para o cérebro sobrecarregado. Possuem o poder de curar e aliviar[63].

Para Freud, portanto, os sonhos são entendidos como relaxantes. Nesse sentido é interessante lembrar as críticas de Nietzsche ao processo de interiorização que ocorre no homem, tendo como principal característica o grande desenvolvimento da memória. No extremo, teríamos o homem que não conseguisse mais esquecer, movido por uma poderosa vontade de conhecimento e de verdade. Os danos dessa má digestão, em que faltariam à consciência órgãos excretores, são os mesmos do homem impossibilitado de sonhar: a consciência atormenta-o cada vez mais, sufocando-o, formando uma pesada carga que ele tem que carregar para o resto da vida, até que seja totalmente envolvido por ela. Provavelmente, seu amor à verdade faria com que ele não dormisse mais, evitando assim também seus sonhos.

---

[62] NIETZSCHE, Friedrich. A gaia ciência, § 354. In: ______, 1983, p. 217.

[63] FREUD, 1987, p. 114.

Uma das características da criança, por exemplo, no célebre texto de Nietzsche "Das três transmutações", é justamente o esquecimento.

Freud afirma que a relação da segunda instância para com os sonhos é de natureza *defensiva*, e não *criativa*[64]. Talvez seja possível entender aqui um movimento criativo que, ao mesmo tempo que aniquilasse as resistências para com o desejo natural, pudesse levá-lo adiante sem as deformações da censura[65].

4.4.5 A Autoridade e o Superego

Em seu livro *Psicologia de grupo* Freud destaca a importância de um líder na condução de um grupo de pessoas. Seu poder adviria da identificação libidinal que estabilizasse as relações entre ele e os membros desse grupo. Essa submissão à autoridade é preparada pela sociedade desde a infância do indivíduo. Na família, a figura do pai. Na Igreja, a figura do padre e, mais ainda, a do Cristo. No partido político e no Estado, a figura do presidente. No Universo, a figura de Deus. O interessante é que a submissão, inicialmente relacionada a uma pessoa próxima à criança (o pai), caminha em direção a idéias extremamente genéricas como a da pátria. Um processo que vai do concreto ao abstrato sem retorno, assim como a moral de escravos realiza uma passagem de qualificação de "bom" ou "mau" para "bem" e "mal", os últimos nem mais sendo aplicados a indivíduos concretos, mas a ações em geral.

Uma das principais críticas nietzschianas, que perpassa quase toda sua obra, é a da introjeção dessa autoridade e das penosas conseqüências daí resultantes. É preciso desmistificar os ídolos, desde um redentor até o Estado, passando pela crítica da "razão", como formas de dominação. Zaratustra, o espírito livre, não queria seguidores. Isso tem como pressuposto a necessidade da crítica das noções de finalidade, causalidade, necessidade e outras, também já introjetadas pelo homem ocidental. Nietzsche levou essas críticas mais longe, tentando retirar essas noções não só da estruturação da psique, mas também do Universo. O Eterno Retorno é esta concepção que tenta dar conta da irracionalidade do todo, do inconsciente do Universo. E é possível pensá-lo: "O 'caos do todo' como exclusão de toda atividade finalista *não* está em contradi-

---

64 FREUD, 1987, p. 180.

65 NIETZSCHE. A gaia ciência. In: ______, 1983, p. 197.

ção com o pensamento do curso circular: este último é justamente uma *necessidade irracional*, sem qualquer consideração formal, ética, estética. O arbítrio falta, no mínimo e no inteiro"[66].

As religiões, mesmo utilizando-se de conceitos como **ressurreição** e **reencarnação**, combatem sempre uma falta de sentido para a existência. E vão longe nisso: "Fundamentalmente, na verdade, toda religião é [...] uma religião de amor para todos aqueles a quem abrange, ao passo que a crueldade e a intolerância para com os que não lhes pertencem, são naturais a todas as religiões"[67]. As palavras de Freud endossam aqui a noção de vontade de potência em Nietzsche. Uma reunião de escravos, mesmo que do ponto de vista da bondade, da caridade, não deixa de ter onde descarregar seus instintos cruéis: nos outros, nos não-crentes, naqueles que se recusam a aceitar os pressupostos do grupo. Essa união traz ao grupo a força que torna, agora, possível derrotar aqueles que antes pareciam perigosos e poderosos. Mesmo que isso aconteça imaginariamente, num futuro mundo de justiça divina. A submissão e o sofrimento dos cristãos, por exemplo, têm como contraponto a esperança no paraíso e a vingança daí advinda: o inferno para os que dominavam.

"'Não julgueis!', dizem eles, mas mandam para o inferno tudo o que fica em seu caminho."[68] É inegável que a força de sedução do cristianismo seja muito mais forte quando se dirige aos decepcionados, descrentes da vida, infelizes: para quem já não via valor algum na sua vida, entregá-la em troca de algo tão maravilhoso quanto a eternidade, ou do prazer de assistir de uma poltrona de ouro os "maldosos" queimando no inferno, parece extremamente vantajoso. E esse prazer na crueldade encontra-se até na autoridade máxima dos cristãos, seu Deus. Afinal, por que haveria Deus de criar um mundo com céu e inferno, sendo ele onipotente, onipresente e onisciente, a não ser para regozijar-se posteriormente dos filés de infiéis? E a velha desculpa do livre-arbítrio não tem valor algum aqui, pois é contraditória com a própria noção de Deus, nesse caso: não teria tido o criador do Universo forças para derrotar Lúcifer e espantar o pecado? Ou não tem **vontade**?

---

66 NIETZSCHE, Friedrich. Sobre o niilismo e o eterno retorno, § 21. In: ______, 1983, p. 389.

67 FREUD, Sigmund. Psicologia de grupo e análise do ego. Tradução Christiano Monteiro Oiticica. In: ______. *Além do princípio do prazer, Psicologia de grupo e outros trabalhos*. Rio de Janeiro: Imago, 1976. p. 125. (Obras psicológicas completas de Sigmund Freud, 18.)

68 NIETZSCHE, Friedrich. O anticristo, § 44. In: ______, 1983, p. 354.

A interiorização da autoridade resulta na repressão, que tem sua imagem no superego ou ideal de ego para Freud. O primeiro instinto já reprimido, pela impossibilidade de realizar os desejos do Complexo de Édipo, introjeta a figura do pai. Freud menciona, em *O ego e o id*: "Como substituto de um anseio pelo pai, ele contém o germe do qual todas as religiões evolveram" e mais à frente: "A religião, a moralidade e um senso social — os principais elementos do lado superior do homem — foram originalmente uma só e mesma coisa"[69]. As relações que podemos traçar são múltiplas. Temos, também, a interiorização de um sentimento de culpa, resultado de um instinto não realizado e julgado, depois, moralmente. Freud destaca a necessidade de trazer à consciência todo esse processo do desenvolvimento psíquico do indivíduo, com finalidades terapêuticas. Nietzsche aparece aqui como um instrumento de trabalho, um martelo que destrói as ilusões que impedem que esse processo aflore à consciência, travestindo a vontade de potência num mar de falsificações psicológicas:

> Prestai auxílio, vós que sois prestativos e bem-intencionados, a esta *única* obra — afastar do mundo o conceito de castigo, que se alastrou sufocando o mundo inteiro! Não há pior erva daninha! Não somente o colocaram nas conseqüências de nossas maneiras de agir — e como já é apavorante e contrário à razão entender causa e efeito como causa e castigo! —, mas foram mais longe, e despojaram a pura contingência do acontecer de sua inocência, com essa infame arte de interpretação do conceito de castigo. Sim, levaram tão longe o desatino, a ponto de mandar sentir a própria existência como castigo — é como se as fantasias de carcereiros e verdugos tivessem guiado, até agora, a educação do gênero humano![70]

Os componentes sádicos da personalidade, que naturalmente se direcionariam para o exterior, nesse longo processo de inversão acabaram revestindo-se de um perigoso sentido de autodestruição. Reprimidos, acumular-se-iam no superego, que passaria a se utilizar de crueldade no trato com o próprio ego de forma cada vez mais violenta. Freud vê aí uma explicação para a melancolia. Esse processo de fortalecimento do superego tem inúmeras semelhanças com as etapas do triunfo do niilismo explicitadas por Nietzsche: o res-

---

[69] FREUD, Sigmund. O ego e o id. Tradução Jayme Salomão. p. 52. In: ______. *O ego e o id e outros trabalhos*. Rio de Janeiro: Imago, 1976. (Obras psicológicas completas de Sigmund Freud, 19).

[70] NIETZSCHE, Friedrich. Aurora, § 13. In: ______, 1983, p. 161.

sentimento (quando existe ainda uma externalização de sentimentos, só que procurando um culpado para a própria infelicidade), a má consciência (a introjeção da culpa) e o ideal ascético.

Na questão dos instintos desviados de seu curso natural e acumulados no superego, as palavras de Nietzsche e Freud parecem até as mesmas. Talvez ressalte a poesia nietzschiana, quando o filósofo alemão fala da má consciência, por exemplo:

> Com ela [...] foi introduzido o maior e mais inquietante adoecimento, do qual a humanidade até hoje não convalesceu, o sofrimento do homem *com o homem, consigo mesmo*: como a conseqüência de uma violenta separação do passado animal, de um salto e mergulho, por assim dizer, em novas condições de existência, de uma declaração de guerra contra os velhos instintos sobre os quais, até então, repousara sua força, prazer e terribilidade[71].

4.4.6 As Transmutações e a Individuação

Vamos inicialmente reproduzir uma passagem de *Assim falou Zaratustra* intitulada "Das três transmutações":

> Três transmutações vos cito do espírito: como o espírito se torna em camelo, e em leão o camelo, e em criança, por fim, o leão.
>
> Muito de pesado há para o espírito, para o espírito forte, que suporta carga, em que reside o respeito: pelo pesado e pelo pesadíssimo reclama sua força.
>
> O que é pesado? assim pergunta o espírito de carga, assim ele se ajoelha, igual ao camelo, e quer ser bem carregado.
>
> O que é o pesadíssimo, ó heróis? assim pergunta o espírito de carga, para que eu o tome sobre mim e me alegre de minha força.
>
> Não é isto: abaixar-se, para fazer mal a sua altivez? Deixar brilhar sua tolice, para zombar de sua sabedoria?
>
> Ou é isto: apartar-nos de nossa causa, quando ela festeja sua vitória? Galgar altas montanhas, para tentar o tentador?
>
> Ou é isto: nutrir-se de bolotas e grama do conhecimento e por amor à verdade sofrer fome na alma?
>
> Ou é isto: estar doente e mandar embora os consoladores e fazer amizade com surdos, que nunca ouvem o que tu queres?
>
> Ou é isto: entrar em água suja, se for a água da verdade, e não afastar de si frias rãs e sapos que queimam?

71 NIETZSCHE, Friedrich. Para a genealogia da moral, § 16. In: ______, op. cit., p. 311.

Ou é isto: amar aqueles que nos desprezam e estender a mão ao espectro quando ele nos quer fazer medo?

Todo esse pesadíssimo o espírito de carga toma sobre si: igual ao camelo, que carregado corre para o deserto, assim ele corre para seu deserto.

Mas no mais solitário deserto ocorre a segunda transmutação: em leão se torna aqui o espírito, liberdade quer ele conquistar, e ser senhor de seu próprio deserto.

Seu último senhor ele procura aqui: quer tornar-se inimigo dele e de seu último deus, pela vitória quer lutar com o grande dragão.

Qual é o grande dragão, a que o espírito não quer mais chamar de senhor e deus? 'Tu-deves' se chama o dragão. Mas o espírito do leão diz 'eu quero'.

'Tu-deves' está em seu caminho, cintilante de ouro, um animal de escamas, e em cada escama resplandece em dourado: 'Tu deves!'

Valores milenares resplandecem nessas escamas, e assim fala o mais poderoso de todos os dragãos: 'todo o valor das coisas — resplandece em mim'.

'Todo o valor já foi criado, e todo valor criado — sou eu. Em verdade, não deve haver mais nenhum 'Eu quero!' Assim fala o dragão.

Meus irmãos, para que é preciso o leão no espírito? Em que não basta o animal de carga, que renuncia e é respeitoso?

Criar novos valores — disso nem mesmo o leão ainda é capaz: mas criar liberdade para nova criação — disso é capaz a potência do leão.

Criar liberdade e um sagrado Não, mesmo diante do dever: para isso, meus irmãos, é preciso o leão.

Tomar para si o direito a novos valores — eis o mais terrível tomar, para um espírito de carga e respeitoso. Em verdade, para ele é uma rapina, e coisa de animal de rapina.

Como seu mais sagrado amava ele outrora o 'Tu-deves': agora tem de encontrar ilusão e arbítrio até mesmo no mais sagrado, para conquistar sua liberdade desse amor: é preciso o leão para essa rapina.

Mas dizei, meus irmãos, de que ainda é capaz a criança, de que nem mesmo o leão foi capaz? Em que o leão rapinante tem ainda de se tornar em criança?

Inocência é a criança, e esquecimento, um começar-de-novo, um jogo, uma roda rodando por si mesma, um primeiro movimento, um sagrado dizer-sim.

Sim, para o jogo do criar, meus irmãos, é preciso um sagrado dizer-sim: *sua* vontade quer agora o espírito, *seu* mundo ganha para si o perdido do mundo.

Três transmutações vos citei do espírito: como o espírito se tornou em camelo, e em leão o camelo, e o leão, por fim, em criança.

Assim falou Zaratustra. E naquele tempo ele se demorava na cidade, que é chamada: A vaca colorida[72].

[72] NIETZSCHE, Friedrich. Assim falou Zaratustra. In: ______, 1983, p. 229-230.

Seria muito arriscado dizer que Nietzsche se utiliza de conceitos com o mesmo sentido do "inconsciente coletivo" junguiano. Entretanto, é possível encontrar pontos de aproximação em sua obra: "[...] o passado continua a correr em nós em cem ondas, nós próprios nada somos senão aquilo que sentimos dessa correnteza a cada instante"[73]. Outras noções poderiam ser ainda mais aproximadas. Jung acredita ser Zaratustra a própria sombra de Nietzsche, e no *Assim falou Zaratustra* existe um aforismo denominado "a sombra" que mereceria uma análise com um instrumental junguiano. Entretanto, abordaremos aqui aquilo que Jung entende por *persona.*

Essa noção relaciona-se com a figura do camelo em Nietzsche. Sabe-se que a persona pode funcionar como uma máscara por meio da qual nos separamos e nos escondemos do mundo e de nós mesmos. A persona, apesar de servir de ponto de equilíbrio para a psique, corre o risco de ser tomada como a origem da própria psique. O indivíduo pode estar cegamente identificado com seus cargos e funções na sociedade, a ponto de não mais se diferenciar, nem diferenciar os problemas objetivos do mundo, de sua própria persona. Um ator, por exemplo, necessita sempre do momento de identificação com o papel que está desempenhando, mas necessita também do momento de afastamento desse papel, em busca de um poder de comunicação mais crítica com o público. É a mesma necessidade que se tem de viver nossa *persona* e, ao mesmo tempo, reconhecer-nos diferentes dela, diferentes de nosso suposto papel desempenhado na sociedade, evitando que essa *persona* nos sirva de pesada carga, tão pesada que seja capaz de reprimir nosso mundo sombrio e arquetípico.

É nítido que Jung encara a persona com uma visão crítica, apontando a possibilidade dela servir de empecilho no processo de individuação. É claro também que o camelo carrega consigo valores que se relacionam ao seu papel desempenhado na sociedade: submissão, ascetismo, amor ao conhecimento, moral etc. O camelo seria aquele que tivesse suas funções psicológicas enferrujadas, sem a energia para trabalhar a relação do mundo interior com o exterior, criando um abismo entre esses dois mundos. Fixar-se-ia em sua mais forte função consciente (pensamento, sentimento etc.) bloqueando o próprio movimento das outras funções, que poderiam servir de ponte para o inconsciente.

[73] NIETZSCHE, Friedrich. Humano, demasiado humano. In: ______, 1983.

O camelo aceita o "Tu-Deves", o leão aparece dizendo "Eu Quero". O interessante aqui é que, do ponto de vista junguiano, o desmascaramento da *persona* pode caminhar em sentido inverso ao desejado, na direção de um estado psicótico no qual os conteúdos do inconsciente passariam a dominar a consciência e a vontade do próprio indivíduo. A figura do leão em Nietzsche pode ser lida por aí: o sagrado "não" que o leão traz consigo, em relação aos valores, mesmo tentando dizer "sim" à vida, transparece como uma espécie de inflação da consciência de que fala Jung. Ou seja: o indivíduo, ao entrar em contato com as imagens primordiais do inconsciente coletivo, caminharia para um individualismo do "eu quero" ignorando o mundo e o outro, até que essas imagens se apoderassem totalmente da pessoa. Sempre que Jung fala do homem Nietzsche, aponta seu tropeço: Nietzsche teria incorporado brilhantemente seus conteúdos inconscientes, seus aspectos sombrios, resultando em obras de riqueza inegável em todos os aspectos, até no psicológico, mas não teria conseguido conviver com essas imagens, suportá-las, resultando na loucura do fim de sua vida. Esse julgamento junguiano não parece determinado para condenar o filósofo alemão, e, de qualquer forma, não merece como resposta a simples: " Mas deixemos o Sr. Nietzsche: que nos importa que o Sr. Nietzsche está outra vez com saúde? [...]"[74].

A figura do leão tem correspondência na própria obra de Jung. Jung sempre destacou que a possibilidade de um afastamento do sujeito em relação aos valores do mundo pode ser entendida como etapa, nunca como finalidade, no processo de individuação. O equilíbrio psicológico não é entendido por Jung de maneira estática, mas sempre como movimentos de adaptação e inadaptação em relação ao mundo exterior e interior. Colocar em xeque os valores da sociedade é uma etapa pela qual o espírito pode passar em busca de novos caminhos. Não tem sentido aqui falar em etapa necessária, nem para Jung (pois desrespeitaríamos a individualidade), nem para Nietzsche (pois iríamos contra seu próprio espírito filosófico). O leão, por meio de seu niilismo, cria um espaço de liberdade, possibilitando a afloração de novos sentidos para a vida.

[74] NIETZSCHE, Friedrich. A gaia ciência. In: _____, 1983, p. 189.

Nietzsche encara como ponto crucial, para a filosofia, a constante mudança de perspectiva, a dança do andarilho: é preciso que se destaque o papel crítico que um discurso vindo do lado doentio poderia realizar, apontando muitas brechas no discurso filosófico dito "saudável". A dinâmica entre doença e saúde é também apontada por Jung — a importância de encarar o lado afirmativo dos ditos "doentes mentais", a possibilidade de esse desvio funcionar como caminhos para quebrar barreiras para a expressão do inconsciente. Seria possível imaginar uma vontade que, com sua força, conseguisse variar seu estado entre a doença e a saúde, como o espírito livre consegue dançar sobre abismos.

A meta da individuação é despojar o si mesmo dos invólucros falsos da *persona* assim como do poder sugestivo das imagens primordiais, defende Jung. Aí entra finalmente a figura da criança. Derivada do processo individualista do leão, a criança aparece dizendo sim ao mundo e ao inconsciente. Depois de trilhar duros caminhos, o espírito pode novamente brincar. A imagem da "roda rodando sobre si mesma" que marca a criança indica a infinita possibilidade de auto-superação. Encontra também ampla ressonância na obra de Jung, como um dos mais importantes símbolos do inconsciente coletivo. O indivíduo consegue agora lidar ingenuamente com suas funções conscientes e inconscientes, sem a necessidade de separá-las. O caminho do espírito pode ser comparado ao caminho da individuação, quando é preciso despojar-se da *persona*, perambular pelos lados sombrios da psique, até alcançar o que Jung denomina *self*. O equilíbrio faz-se agora com a ingenuidade da criança, seus esquecimentos e suas recordações, sua consciência e sua inconsciência, "seu mundo ganha para si o mundo perdido", como afirma Nietzsche. O próprio Jung fala da "Criança Divina" como símbolo de unidade.

O dinamismo da psique parece marcar o pensamento de Nietzsche e de Jung: a necessidade das mudanças, de invasão e de união, as relações entre individual e coletivo. O super-homem de Nietzsche não quer dizer muito mais que isso: não tem intenções discriminatórias ou elitistas. Quando Nietzsche diz que o homem é uma ponte e não um fim, indica essa possibilidade de constante mutação, superação, da liberdade primordial do espírito ou do *self*, para Jung.

4.5 Fenomenologia e Existencialismo

Sob o nome de **fenomenologia** ou **existencialismo** classifica-se em geral grande parte da filosofia contemporânea, desde a filosofia teológica do dinamarquês Sören Aabye Kierkegaard (1813-1855), o voluntarismo de Arthur Schopenhauer (1788-1860), a fenomenologia do alemão Edmund Husserl (1859-1938), a filosofia do ser do alemão Martin Heidegger (1889-1976), a fenomenologia da percepção de Maurice Merleau-Ponty (1908-1961), até a obra do escritor e filósofo francês Jean-Paul Sartre (1905-1980). Em geral, essas obras colocam-se em posição de reação contra o legado do idealismo alemão e do positivismo comtiano.

Privilegiaremos um autor, Sartre, e uma obra, sua conferência *O existencialismo é um humanismo*. Com base na discussão de alguns conceitos que Sartre define e utiliza em sua exposição, procuramos dar alguns breves esclarecimentos sobre o sentido da fenomenologia e do existencialismo.

O que talvez tenha assustado e ainda hoje assuste aquele que compreende a noção de "homem" em Sartre, e no existencialismo em geral, é que ela implica a possibilidade de escolha. Isso se complica mais ainda para o leitor movido por uma moral maniqueísta, fundada na dualidade bem/mal: afinal, o mal não seria mais uma entidade "em si", separada da consciência, um conceito ou uma idéia que representassem uma essência no sentido platônico, anterior à existência, mas um valor determinado pela própria escolha do ser humano. E aí se justificam os maus olhares para os existencialistas: afinal, são esses corrompedores de morais que dizem que o homem é capaz de criar o mal. Dizem até mesmo que o homem é capaz de sentir náusea, de lançar para fora o que se denomina (e dá até nojo falar nisso) seu "vômito".

Essas objeções fundam-se num entendimento incorreto da noção sartreana de "liberdade". Sem dúvida existe uma liberdade "natural", que possibilitaria a cada um escolher o que bem entendesse. Mas é interessante observar os limites dessa liberdade, até que ponto esse conceito não passa da mais pura abstração. Quando se utiliza o conceito de liberdade, referimo-nos à existência humana, e toda existência é determinada por uma situação concreta, limitada pelo espaço e pelo tempo. A existência sem esses limites seria um conceito tão vazio quanto a liberdade pensada sem a necessidade de escolha. Toda escolha implica uma responsabilidade (já que não existem, para Sartre, tábuas morais que possam decidir pelo indivíduo), e é a isso que Sartre se refere quando fala de liberdade. Mesmo a pretensão de uma atitude impassível, que se desinteressasse pelo mundo e que entendesse não mais ser necessária a ação, faz, na verdade, uso dessa liberdade de escolha e traz consigo toda responsabilidade dessa opção. Em casos críticos, como quando alguém está sendo agredido covardemente à nossa frente, fica evidente que a impassibilidade (no sentido de não agirmos) é uma forma de escolha, até mais radical do que a ação.

O medo advém justamente dessa liberdade primordial da subjetividade, de podermos optar por um caminho ao nos defrontarmos com uma situação, limitada por todos os aspectos já citados. É o que se pode chamar de angústia da escolha, que todos já sentimos pelo menos uma vez na vida, e que Sartre explora bastante em seus textos. Nossa existência é um compromisso com nossa liberdade, nesse sentido. E mais: o homem é alguma coisa onde "ser" e "nada" se entrecruzam, e esse já é o primeiro conflito, mesmo que encarado apenas pelo seu aspecto ontológico, que o sujeito está fadado a enfrentar. É a consciência que instaura uma "fissura" no reino do ser, e que ao mesmo tempo encontra no ser seu próprio limite. O homem se vê assim condenado a ser um foco de luz na escuridão, tendo que escolher sempre a direção a que lançar essa luz, sabendo que essa escolha implica deixar muitas coisas nas trevas. A angústia da escolha se dá também na consciência de que um caminho sempre implica a negação de vários outros.

Nesse sentido é que o rigor de um ideal de sinceridade pode ser discutido. Hoje posso escolher ser isto, amanhã aquilo. Esses caminhos podem até ser contraditórios entre si, mas não fazem uma pessoa "insincera" por tê-los escolhidos a ambos: o que conta aqui é que as escolhas são sempre determinadas, e o tempo pode fazer com que surjam novas possibilidades de desenvolvimento pessoal. A eterna possibilidade de renovar suas escolhas é o que caracteriza o homem. Exigir que o homem escolhesse uma vez e que a partir dessa escolha tivesse todo seu ser determinado, seria o mesmo que anular a distância de si mesmo, do "para-si" à densidade do compacto "em-si"[75]. O homem se faz, é claro, por suas escolhas, mas o importante é que lhe é dada a possibilidade de sempre revê-las.

Isso indica o caráter dinâmico da filosofia de Sartre, já que o homem está fadado a criar o mundo em vez de carregá-lo em suas costas. O sujeito, projetando-se sobre o mundo, é que dá o sentido às coisas, e é uma extrema ingenuidade filosófica, política e psicológica considerar que todos os valores já estejam criados e que o homem deva submeter-se a eles. Pode-se aqui utilizar Sartre para compreender o papel que desempenha a figura do "camelo" em Nietzsche: o camelo é aquele que carrega as verdades consigo sem a mínima visão crítica delas, atuando contra a sua própria essência, que é a liberdade. Age de má-fé, em suma, assim como o indivíduo que, segundo Jung, vive identificado com sua persona, com seus cargos e funções desempenhados na sociedade, sem reconhecer, no meio dessa nebulosidade, a si mesmo.

A existência implica liberdade, esta implica responsabilidade, esta por sua vez implica compromisso, e o compromisso implica, por fim, conflito. O homem é assim um guerreiro que busca sempre a si mesmo e ao mundo. Um "caçador de si". O conflito é a decorrência de cada escolha, pois a escolha implica justamente recusar algumas posições em desfavor de outras. Nesse sentido, escolher é escolher pela humanidade, e é também receber resistência dessa mesma humanidade, pois é a liberdade que caracteriza o homem. E, como já foi dito, furtar-se ao conflito seria cair numa suposta liberdade que anularia o próprio valor da existência. E o que o existencialismo prega é que justamente a vida tem um valor, que ela vale a pena ser vivida. E o conflito é seu motor: afinal, onde não há diferença de potencial não há energia, e, por conseqüência, cessa a vida.

[75] Esses são dois conceitos essenciais para o pensamento de Sartre. O homem seria um ser 'para-si', ou seja, ele consegue se colocar como objeto para si mesmo, tem consciência de si mesmo. Já os objetos materiais seriam 'em-si', ou seja, não conseguem se colocar como objetos para si próprios. "Esta forma inerte, que está aquém de todas as espontaneidades conscientes, que devemos observar, conhecer pouco a pouco, é o que chamamos uma *coisa*. Em hipótese alguma minha consciência seria capaz de ser uma coisa, porque seu modo de ser em si é precisamente um *ser para si*." SARTRE. Jean Paul. *A imaginação*. Tradução Luiz Roberto Salinas Fortes. São Paulo: Abril Cultural, 1978. p. 35. (Os Pensadores).

É do homem, que contém em si a polaridade do ser e do nada, que brota a vida. Ele é responsável por essa vida, é no outro que ele encontra essa mesma responsabilidade. O pessimismo de Sartre com relação ao amor desmascara-se, na verdade, num otimismo: no outro eu encontro um limite à minha liberdade, uma subjetividade que se recusa a ser submissa, um olhar que me intimida. O outro é o inferno que me atormenta, é a essência do conflito. Contudo, encontro no outro meu espelho, já que meu ser contém em si mesmo o conflito, a luta dos opostos, um buraco, por assim dizer. Se o outro é o inferno que me espelha e não meu complemento, então o paraíso não existe, e a sua suposta "harmonia" vai por água abaixo. Ou melhor: o paraíso é a própria morte, já que, então, cessam os conflitos, cessam os olhares, cessam os corpos. Antes disso, o homem "existe", no mundo, para si, para o outro, e só pode recusar essa existência ao se encarar um anjo intocável perambulando pela Terra.

A existência do homem é um impulso para a invenção do homem. Nesse sentido, o outro é um limite como ser, mas uma infinitude como possuidor do mesmo poder "nadificante" que eu possuo. "A liberdade do outro amplia a minha ao infinito", eis uma frase de Bakunin pichada em 1968, na Sorbonne. Reconheço no outro os limites e as possibilidades de minha própria liberdade. Furtar-se a esse confronto é agir, literalmente, de má-fé: é negar a essência do homem, que é a sua existência. Assim se explica o lema do existencialismo: "a existência precede a essência". É existindo que o homem se afirma, se define, se determina, se constrói. Sua essência se constrói durante sua existência, não está dada previamente.

O lema do existencialismo é: a **existência** precede a **essência**.

É aqui que Sartre se aproxima de Freud, apesar de todas as divergências (Sartre recusa-se a aceitar, por exemplo, a noção de inconsciente freudiano, pois essa noção tiraria de alguma forma a responsabilidade de escolha do ser humano): a vida com o outro só é possível por meio da variação entre sadismo e masoquismo. Não existe o respeito à liberdade do outro de forma total nem vice-versa. O homem, a mulher e toda a sociedade estão condenados a lidar com as diferenças. O homem precisa aprender a dançar sobre abismos, como já dizia Nietzsche.

Capítulo 5

ÉTICA, FILOSOFIA POLÍTICA E FILOSOFIA DO DIREITO

5.1 Introdução

Já vimos alguns pontos da filosofia grega que servem de introdução a esse tema. Desde as obras de Hesíodo e Homero até as tragédias gregas, encontramos importantes discussões sobre a justiça, a ética e a política. Alguns diálogos de Platão abordam temas éticos como a justiça, a virtude, a amizade etc. *A República* é um dos documentos de filosofia política mais importantes do Ocidente. Aristóteles tem uma imensa obra que trata de diversos temas de ética e política, com destaque para sua *Ética a Nicômaco.* Como vimos, ética (no sentido de estudo dos **problemas individuais**) e política (no sentido de estudo dos **problemas sociais**) eram inseparáveis para os antigos. Observamos, entretanto, que no período helenístico, e posteriormente em Roma, surgem alguns movimentos com preocupações basicamente éticas, centrados no indivíduo. Já fizemos também algumas observações sobre a importância do direito em Roma. O cristianismo, que domina a Idade Média, introduz noções que serão essenciais na formação da consciência ética ocidental e que merecerão, por parte de Nietzsche, profundas críticas e severas objeções, em obras como *O anticristo*, *Genealogia da moral* e *Para além do bem e do mal.* O final da Idade Média constitui, com a invenção da impressão pelo método tipográfico, um momento decisivo na formação da sociedade moderna.

Iniciaremos nossa discussão a partir do Renascimento, quando efetivamente o poder político começa a se libertar da teologia, e o Estado, a se diferenciar da Igreja.

5.2 O início da filosofia política moderna: Maquiavel e Hobbes

No início do século XVI, o italiano Niccolò Machiavelli (1469-1527), ou Maquiavel, escreve uma obra que modificará totalmente o pensamento político e será um marco da modernidade, principalmente do Absolutismo: *O príncipe*. Essa obra não está fundada nem na herança política grega, com as formas de governo ideais de Platão e Aristóteles, nem no direito romano, nem no cristianismo: está, na verdade, fundamentada decididamente na experiência real de seu tempo. É enorme a quantidade de governantes e personalidades políticas históricas citados nesse livro. Maquiavel procura deixar de lado as coisas até então imaginadas sobre os príncipes para falar da realidade:

> Muitos imaginaram repúblicas e principados que jamais foram vistos e que nem se soube se existiram na verdade, porque há tamanha distância entre como se vive e como se deveria viver, que aquele que trocar o que se faz por aquilo que se deveria fazer aprende antes sua ruína do que sua preservação [...][1].

As monarquias e o mercantilismo exigiam uma nova forma de pensar, tanto ética quanto política. Maquiavel ressalta as lutas políticas e a necessidade de um poder superior para reger as cidades. Expõe as lutas pelo poder como essencialmente constitutivas da sociedade, ao contrário da visão social clássica que idealizava uma sociedade harmoniosa. A obra de Maquiavel pode ser, desse ponto de vista, tomada como precursora do conceito marxista de luta de classes. A passagem seguinte é célebre, nesse sentido: "o povo não quer ser comandado nem oprimido pelos grandes, enquanto os grandes desejam comandar e oprimir o povo"[2].

A moral, a virtude e a honestidade não são mais características essenciais do príncipe, como governante: ele deve, em princípio, de uma forma ou de outra, garantir o poder, sempre se associando ao povo. A astúcia e a maleabilidade tornam-se uma de suas características mais importantes:

---

[1] MAQUIAVEL, Nicolau. *O príncipe*. Tradução Maria Júlia Goldwasser. São Paulo: Martins Fontes, 1995. p. 72. (Clássicos).

[2] Ibid., p. 44.

> [...] não deverá importar-se de incorrer na infâmia dos vícios sem os quais lhe seria difícil conservar o estado porque, considerando tudo muito bem, se encontrará alguma coisa que parecerá *virtù* e, sendo praticada, levaria à ruína; enquanto uma outra que parecerá vício, quem a praticar poderá alcançar segurança e bem-estar[3].

Não é necessário que o príncipe, por exemplo, mantenha sua palavra:

> [...] um príncipe prudente não pode, nem deve, guardar a palavra dada, quando isso se torna prejudicial ou quando deixem de existir as razões que o haviam levado a prometer. Se os homens fossem todos bons, este preceito não seria bom, mas, como são maus e não mantêm sua palavra para contigo, não tens também que cumprir a tua[4].

Numa passagem que se torna sugestiva, quando lida pela ótica da teoria moderna do marketing (do ponto de vista da construção e do cultivo de uma imagem), Maquiavel expõe a idéia de que o príncipe deve *parecer* sempre ser bondoso, apesar de necessitar muitas vezes *ser* o contrário de sua imagem:

> A um príncipe, portanto, não é necessário ter de fato todas as qualidades supracitadas, mas é indispensável parecer tê-las. Aliás, ousarei dizer que, se as tiver e utilizar sempre, serão danosas, enquanto, se parecer tê-las, serão úteis. Assim, deves parecer clemente, fiel, humano, íntegro, religioso — e sê-lo, mas com a condição de estares com o ânimo disposto a, quando necessário, não o seres, de modo que possas e saibas como tornar-se o contrário. [...]
>
> Logo, deve um príncipe cuidar para que jamais lhe escape da boca qualquer coisa que não contenha as cinco qualidades citadas. Deve parecer, para os que o virem e ouvirem, todo piedade, todo fé, todo integridade, todo humanidade e todo religião. Não há nada mais necessário do que parecer ter esta última qualidade[5].

A conquista, por exemplo, é uma idéia central na obra de Maquiavel: "É, de fato, muito natural e comum o desejo de conquistar. Quando, podendo, os homens o realizam, merecem ser

---

[3] MAQUIAVEL, 1995, p. 73-74.
[4] Ibid., p. 83.
[5] Ibid., p. 84-85.

louvados e não criticados; mas, quando não podem e querem realizá-lo de qualquer modo, neste caso estão errados e devem ser recriminados"[6].

O grande evento na história do pensamento, representado pela obra de Maquiavel, é que a política torna-se independente da religião e da moral[7].

Fazer política, para Maquiavel, não é mais sinônimo de uma atividade que tem suas regras determinadas pela Igreja ou pela Ética: "É preciso entender que um príncipe, sobretudo um príncipe novo, não pode observar todas aquelas coisas pelas quais os homens são considerados bons, sendo-lhe freqüentemente necessário, para manter o poder, agir contra a fé, contra a caridade, contra a humanidade e contra a religião"[8].

Na belíssima passagem seguinte, é patente um esforço de libertação das garras da religião e mesmo do pensamento clássico, apontando para a modernidade, apesar de, nesta mesma passagem, encontrarmos claramente o peso e a resistência do espírito medieval, que ainda rege de alguma forma o pensamento de Maquiavel — os grifos, para destacar esta ambigüidade, são nossos:

> Não ignoro que muitos foram e são de opinião de que as coisas desse mundo são governadas pela fortuna e por Deus, e que os homens prudentes não se lhes podem opor, e até não têm remédio algum contra elas[9]. Por isso, poder-se-ia jul-

---

[6] MAQUIAVEL, 1995, p. 15.

[7] É interessante citar aqui parte da conclusão de Newton Bignotto, em seu *As fronteiras da ética*: Maquiavel: "O que Maquiavel descobre [...] não é a independência da ética e da política [...] O que ele mostra é que nas fronteiras do político, lá onde a ética e a religião fracassam, continua a existir uma forma de governo que conserva elementos fundamentais de todas as outras. [...] lá onde os valores não contam mais, continua a existir uma sociedade política. [...] Maquiavel nos leva a pensar que o que é terrível na tirania é que ela não cria um novo território para a existência humana, onde o homem comum de uma república não mais reconhece os traços de sua cidade, mas que ela exista como uma prolongação da vida política normal, em que a grande maioria dos homens continua a conviver e a agir normalmente, demonstrando pelo silêncio, pelo medo ou pelo cinismo a incapacidade da ética em evitar a irrupção da barbárie. [...] A tirania aponta para as fronteiras da ética, mas nos confronta com a impossibilidade de olharmos com um olhar estrangeiro para seus horrores. Seus limites não são os de um corpo estranho, que se desfigurou inteiramente com a ação do tempo, mas o horizonte de todas as formas políticas, de todas as ações humanas, de toda vontade criadora." In: NOVAES, Adauto (Org.). *Ética*. São Paulo: Companhia das Letras: Secretaria Municipal de Cultura, 1992. p. 125.

[8] MAQUIAVEL, 1995, p. 84.

[9] Podemos lembrar, por exemplo, o mito de Édipo, que procura fugir desesperadamente do destino que lhe é mostrado pelo oráculo de Delfos, mas acaba, inconscientemente, cumprindo-o, ou seja, matando o pai e casando-se com a mãe. Assim como podemos lembrar a onipotência, onisciência e onipresença divina, segundo o cristianismo.

> gar que não devemos incomodar-nos demais com as coisas, mas deixar-nos governar pela sorte. Esta opinião tem-se reforçado em nossos dias devido às grandes variações que foram e são vistas todos os dias, além de qualquer conjetura humana. Pensando nisso, às vezes me sinto um tanto inclinado a esta opinião: entretanto, já que o nosso livre arbítrio não desapareceu, julgo possível ser verdade que a *fortuna seja árbitro de metade de nossas ações*, mas *que também deixe ao nosso governo a outra metade*, ou quase. Comparo a sorte a um desses rios impetuosos que, quando se irritam, alagam as planícies, arrasam as árvores e as casas, arrastam terras de um lado para levar a outro: todos fogem deles, mas cedem ao seu ímpeto, sem poder detê-los em parte alguma. Mesmo assim, nada impede que, voltando a calma, os homens tomem providências, construam barreiras e diques, de modo que, quando a cheia se repetir, ou o rio flua por um canal, ou sua força torne-se menos livre e danosa. O mesmo acontece com a fortuna, que demonstra a sua força onde não encontra uma *virtù* ordenada, pronta para lhe resistir e volta o seu ímpeto para onde sabe que não foram erguidos diques ou barreiras para contê-la[10].

Se Maquiavel, nessa passagem, apresenta, a princípio, a batalha entre o destino e a força de vontade do ser humano, podemos também lê-la, metaforicamente, como uma batalha entre o espírito medieval (representado pela Fortuna) e o espírito moderno nascente (representado pela *virtù* ordenada, ou pela ordenação instaurada pelas barreiras e diques), um combate entre a racionalidade nascente e a espiritualidade medieval.

A política começa agora a ter uma lógica própria, não mais subordinada a princípios éticos, morais ou religiosos. Pode-se, por exemplo, fazer o mal e ao mesmo tempo governar bem, e a obra de Maquiavel procura ser didática e exemplar acerca disso:

> [...] ao tomar um estado, o conquistador deve examinar todas as ofensas que precisa fazer, para perpetuá-las todas de uma só vez e não ter que renová-las todos os dias. Não as repetindo, pode incutir confiança nos homens e ganhar seu apoio através de benefícios. Quem age de outro modo, por timidez ou mau conselho, precisa estar sempre com a faca na mão, não podendo jamais confiar em seus súditos, como tampouco podem eles confiar no príncipe devido às suas contínuas e renovadas injúrias. As injúrias devem ser feitas todas juntas a fim de que, tomando-se menos o seu gosto, ofendam menos, enquanto os benefícios devem ser feitos pouco a pouco, para serem melhor apreciados[11].

---

[10] MAQUIAVEL, 1995, p. 116-117, grifo nosso.

[11] Ibid., p. 43.

O Direito aparece associado, em *O príncipe*, ao poder militar de um Estado: "Os principais fundamentos de todos os estados, tanto dos novos como dos velhos ou dos mistos, são boas leis e boas armas. Como não se podem ter boas leis onde não existem boas armas, e onde são boas as armas costumam ser boas as leis, deixarei de refletir sobre as leis e falarei das armas"[12].

A principal preocupação do príncipe deve ser com a guerra. Ele deve organizar seu exército, conhecer a geografia de seu país e ler sobre os feitos heróicos dos homens que venceram guerras passadas.

Para encerrar, gostaríamos de citar mais uma passagem do livro de Maquiavel, que como reflexão ética é no mínimo curiosa e polêmica — e fica a sugestão para debate:

> Estou convencido do seguinte: é melhor ser impetuoso do que tímido, porque a fortuna é mulher, e é necessário, para dominá-la, bater-lhe e contrariá-la. Vê-se que ela se deixa vencer mais pelos que agem assim do que pelos que agem friamente; e, como mulher, é sempre amiga dos jovens, porque são menos tímidos, mais ferozes e a dominam com maior audácia[13].

O inglês **Thomas Hobbes** (1588-1679) é geralmente tido como o fundador da filosofia moral e política inglesa. É também um dos primeiros pensadores a teorizar sobre o estado da natureza. Este se caracterizaria ao mesmo tempo como um estado de plena liberdade e constante terror, e o Estado seria, a partir de então, necessário como fundamento da sobrevivência do ser humano. A existência coletiva, representada pelo Estado, teria o fim de preservar e proteger a vida individual. Sua obra mais conhecida intitula-se *Leviathan.*

5.3 O Iluminismo: Rousseau, Montesquieu e John Locke

Um nome essencial na história da filosofia política, da ética e mesmo dos princípios do direito, como representante do espírito do Iluminismo, é Jean-Jacques **Rousseau** (1712-1778). Duas de suas obras, que tratam desse tema, são fundamentais: *Discurso sobre a origem e os fundamentos da desigualdade entre os homens* (1754/55) e *Do contrato social* (1757/62). Rousseau introduz o **mito do bom selvagem**:

[12] MAQUIAVEL, 1995, p. 56.

[13] Ibid., p. 119.

o homem seria originalmente bom, e a sociedade o corromperia. Ao instinto e à amoralidade da vida natural, a sociedade viria impor a razão e a moral. As desigualdades no estado natural, para Rousseau, seriam muito menores do que na vida social. A invenção da propriedade seria o primeiro passo para aumentar significativamente a desigualdade entre os homens. As leis e os magistrados surgem, então, para garantir o domínio dos mais fortes, e o direito natural é substituído pelo poder dos mais fortes. O despotismo seria, conseqüentemente, o limite do abuso desse poder. A liberdade natural encontra-se, nesse estado, totalmente comprometida. Se o estado natural não poderia ter se mantido, por muito tempo, pelas dificuldades que implica a sobrevivência do ser humano, Rousseau aponta, entretanto, que o caminho da socialização teria seguido rumos inadequados:

> Suponhamos os homens chegando àquele ponto em que os obstáculos prejudiciais à sua conservação no estado de natureza sobrepujam, pela sua resistência, as forças de que cada indivíduo dispõe para manter-se nesse estado. Então, esse estado primitivo já não pode subsistir, e o gênero humano, se não mudasse de modo de vida, pereceria[14].

Essa mudança de estado teria, entretanto, justamente gerado grande parte das desigualdades entre os homens. A passagem abaixo é uma das mais conhecidas de Rousseau: "O homem nasce livre, e por toda a parte encontra-se a ferros"[15].

Rousseau busca então definir a melhor forma, de direito, para o pacto social. Sua ambição é fundar bases racionais para o Estado e estabelecer os princípios do direito. O filósofo francês exprime essa ambição da seguinte forma: "Encontrar uma forma de associação que defenda e proteja a pessoa e os bens de cada associado com toda a força comum, e pela qual cada um, unindo-se a todos, só obedece contudo a si mesmo, permanecendo assim tão livre quanto antes"[16].

Assim, da **liberdade natural**, o homem passa **à liberdade convencional**, em que cumpre submeter-se à vontade de todos, às leis. O governo deve, portanto, representar essa vontade geral, deve garantir que o cidadão respeite essa vontade do povo: "aquele que re-

[14] ROUSSEAU, Jean-Jacques. *Do contrato social*. Tradução Lourdes Santos Machado. 3. ed. São Paulo: Abril Cultural, 1983. p. 31. (Os Pensadores).

[15] Ibid., p. 22.

[16] Ibid., p. 32.

Em Rousseau, observamos a substituição da noção de **liberdade natural** pela de **liberdade convencional**, segundo a qual o homem é livre quando está submetido à lei.

cusar obedecer à vontade geral a tanto será constrangido por todo um corpo, o que não significa senão que o forçarão a ser livre, pois é essa a condição que, entregando cada cidadão à pátria, o garante contra qualquer dependência pessoal"[17].

Dessa forma podem ser construídas as noções de justiça e moralidade civis. A liberdade natural é substituída pela liberdade civil e pela propriedade, legitimada agora pelo direito, que não se baseia na força, mas sim na representação da vontade geral. Assim, em *Do contrato social* Rousseau aborda a passagem do estado de natureza para o estado social de forma mais otimista que no *Discurso*, tentando justificá-la de direito: "o pacto fundamental, em lugar de destruir a igualdade natural, pelo contrário, substitui por uma igualdade moral e legítima aquilo que a natureza poderia trazer de desigualdade física entre os homens, que, podendo ser desiguais na força ou no gênio, todos se tornam iguais por convenção e direito"[18].

Essa oscilação do pensamento de Rousseau pode ser explicada, em oposição a Maquiavel, pela tentativa de combater o Absolutismo, o direito despótico dos reis, e ao mesmo tempo justificar a função do Estado, fundando o direito em algum princípio abstrato. O que deve guiar o Estado é o interesse comum, segundo Rousseau. O direito funcionaria, no pacto social, para garantir a igualdade e a liberdade. O filósofo francês passa então a discutir as leis, a função do legislador, o interesse comum representado no Estado, a pena de morte, os magistrados e os governantes, o povo, as formas de governo (democracia, aristocracia e monarquia), os deputados e representantes, as eleições, a censura e a religião, entre outros temas.

Montesquieu divide os poderes do Estado em **Executivo**, **Legislativo** e **Judiciário**, e Aristóteles divide os governos em **monarquia**, **aristocracia** e **república**.

Outra figura de destaque do Iluminismo francês é **Montesquieu**. Sua obra *O espírito das leis* estabelece a divisão dos poderes como ainda a conhecemos: Executivo, Legislativo e Judiciário. Se Rousseau procura fundamentar o Estado, Montesquieu, por sua vez, procura uma fundamentação não natural e não religiosa para as próprias leis. A discussão das relações entre as leis divinas e as leis humanas ocupa uma parte de seu livro.

Aristóteles distinguia três tipos de governo: monarquia (governo de um), aristocracia (governo de alguns) e república (governo de todos). Montesquieu distingue também três tipos de governo, em-

[17] ROUSSEAU, 1983, p. 36.

[18] Ibid., p. 39.

bora diversos da classificação aristotélica: despotismo (em que o governo se estabelece baseado no medo), monarquia (em que toda a fonte de poder político e civil vem do príncipe, que entretanto baseia seu governo em leis fundamentais) e república (que englobaria a aristocracia, em que o poder soberano está nas mãos de apenas algumas pessoas, e a democracia, em que este poder é do povo). Da mesma forma que em *O príncipe*, em *O espírito das leis* encontramos farta referência às mais diversas civilizações e aos diversos governos da época.

Montesquieu chama de **virtude** o amor ao governo republicano, o amor pela pátria. Em seu livro, discute diversos temas, como as penas aos criminosos, a função das mulheres nos diversos governos, a corrupção, a segurança, a guerra, as leis criminais, a arrecadação de tributos, as relações entre as leis e os climas, a escravidão, o comércio, o uso da moeda, a religião.

Novamente, encontramos em Montesquieu a preocupação em definir a liberdade em função das leis. Podemos exemplificar essa posição com duas passagens:

> "A liberdade é o direito de fazer tudo o que as leis permitem; se um cidadão pudesse fazer tudo o que elas proíbem, não teria mais liberdade, porque os outros também teriam tal poder"[19].
>
> "A liberdade filosófica consiste no exercício de sua vontade ou, pelo menos (se é preciso falar em todos os sistemas), na opinião que se tem do exercício da vontade. A liberdade política consiste na segurança ou, pelo menos, na opinião que se tem de sua segurança"[20].

A divisão dos poderes em Executivo, Legislativo e Judiciário, na verdade, pode ser encontrada já em Aristóteles e mesmo em Locke. Vejamos como se dá a exposição das relações dos três poderes em Montesquieu, talvez o ponto pelo qual sua obra seja mais conhecida:

> Há, em cada Estado, três espécies de poderes: o poder legislativo, o poder executivo das coisas que dependam do direito das gentes, e o executivo das que dependem do direito civil.
>
> Pelo primeiro, o príncipe ou magistrado faz leis por certo tempo ou para sempre e corrige ou ab-roga as que estão feitas. Pelo segundo, faz a paz ou a guerra, en-

[19] MONTESQUIEU, Charles Louis Secondat, baron de la Brède et de. *O espírito das leis*. Tradução Fernando Henrique Cardoso e Leôncio Martins Rodrigues. 2. ed. rev. Brasília: Editora Universidade de Brasília, 1995. p. 118.

[20] Ibid., p. 141.

via ou recebe embaixadas, estabelece a segurança, previne as invasões. Pelo terceiro, pune os crimes ou julga as querelas dos indivíduos. Chamaremos este último o poder de julgar e, o outro, simplesmente o poder executivo do Estado.

[...]

Quando, na mesma pessoa ou no mesmo corpo de magistratura, o poder legislativo está reunido ao poder executivo, não existe liberdade, pois pode-se temer que o mesmo monarca ou o mesmo senado apenas estabeleçam leis tirânicas para executá-las tiranicamente.

Não haverá também liberdade se o poder de julgar não estiver separado do poder legislativo e do executivo. Se estivesse ligado ao poder legislativo, o poder sobre a vida e a liberdade dos cidadãos seria arbitrário, pois o juiz seria legislador. Se estivesse ligado ao poder executivo, o juiz poderia ter a força de um opressor.

Tudo estaria perdido se o mesmo homem ou o mesmo corpo dos principais, ou dos nobres, ou do povo, exercesse esses três poderes: o de fazer leis, o de executar as resoluções públicas, e o de julgar os crimes ou as divergências dos indivíduos.

[...]

O poder de julgar não deve ser outorgado a um senado permanente, mas exercido por pessoas extraídas do corpo do povo, num certo período do ano, de modo prescrito pela lei, para formar um tribunal que dure apenas o tempo necessário.

Dessa maneira, o poder de julgar, tão terrível entre os homens, não estando ligado nem a uma certa situação, nem a uma certa profissão, torna-se, por assim dizer, invisível e nulo. Não se tem constantemente juízes diante dos olhos e teme-se a magistratura mas não os magistrados.

[...]

Os outros dois poderes poderiam, preferivelmente, ser outorgados a magistrados ou a corpos permanentes, porque não se exercem sobre nenhum indivíduo, sendo um somente a vontade geral do Estado, e outro, somente a execução dessa vontade geral.

[...]

O poder executivo deve permanecer nas mãos de um monarca porque esta parte do governo, que quase sempre tem necessidade de uma ação momentânea, é melhor administrada por um do que por muitos; ao passo que o que depende do poder legislativo é, amiúde, mais bem ordenado por muitos do que por um só[21].

[21] MONTESQUIEU, 1995, p. 118-121.

Por fim, é muito interessante e curiosa a reflexão que faz Montesquieu sobre o casamento, da qual reproduzimos algumas passagens a seguir (e, lembrando as observações de Maquiavel sobre a fêmea-fortuna, pode-se estender o debate):

> As fêmeas dos animais têm uma fecundidade quase que constante. Mas, na espécie humana, a maneira de pensar, o caráter, as paixões, as fantasias, os caprichos, a idéia de conservar a beleza, o incômodo da gravidez, o de uma família numerosa, perturbam de mil maneiras a propagação.
>
> [...]
>
> As conjunções ilícitas pouco contribuem para a propagação da espécie. O pai, que tem a obrigação natural de alimentar e educar os filhos, não é nesse caso fixado, e a mãe, em quem recai a obrigação, encontra mil obstáculos; pela vergonha, pelos remorsos, pelos incômodos de seu sexo, pelo rigor das leis: quase sempre faltam-lhe meios.
>
> As mulheres que se submeteram à prostituição pública não podem ter a comodidade de educar seus filhos. Os cuidados dessa educação são mesmo incompatíveis com sua condição; e elas são tão corrompidas que não poderiam gozar da confiança da lei.
>
> Decorre de tudo isso que a continência pública está naturalmente unida à propagação da espécie.
>
> [...]
>
> O consentimento dos pais [para o casamento] está baseado em seu poder, isto é, em seu direito de propriedade; está ainda baseado em seu amor, em sua razão e na incerteza da de seus filhos, que a idade mantém no estado de ignorância, e as paixões, no estado de embriaguez.
>
> [...]
>
> As jovens, que só pelo casamento são levadas ao prazer e à liberdade, que têm um espírito que não ousa pensar, um coração que não ousa sentir, olhos que não ousam ver, ouvidos que não ousam ouvir, que só se apresentam para se mostrar estúpidas, condenadas incessantemente a futilidades e a preceitos, são muito dadas ao casamento; são os rapazes que se torna necessário encorajar[22].

John Locke, que já estudamos como filósofo empirista, também se destaca como teórico do Iluminismo. Seu *Segundo tratado sobre o governo* (1690) é uma obra de destaque no liberalismo político moderno. Nela Locke procura determinar a origem, a exten-

[22] MONTESQUIEU, 1995, p. 309-313.

são e o objetivo do governo civil. O filósofo inglês desautoriza as idéias que fundam o direito e o poder na força e violência, de um lado, e na hereditariedade ou poder divino, de outro. A lei da natureza para Locke implicaria razão e eqüidade, e aqueles que transgredissem essa lei deveriam então ser castigados. A **liberdade política**, assim como para Rousseau e Montesquieu, teria um sentido diferente da **liberdade natural**, além de também não incluir a idéia de subordinação incondicional ao poder e à vontade de alguns, mas apenas ao bem comum da sociedade:

> A liberdade natural do homem consiste em estar livre de qualquer poder superior na Terra, e não sob a vontade ou a autoridade legislativa do homem, tendo somente a lei da natureza como regra. A liberdade do homem na sociedade não deve ficar sob qualquer outro poder legislativo senão o que se estabelece por consentimento na comunidade, nem sob o domínio de qualquer vontade ou restrição de qualquer lei senão o que esse poder legislativo promulgar de acordo com o crédito que lhe concedem. A liberdade, portanto, não consiste no que nos diz Sir Robert Filmer, 'uma liberdade para qualquer um fazer o que lhe apraz, viver como lhe convém, sem se ver refreado por leis quaisquer'; a liberdade dos homens sob governo importa em ter regra permanente pela qual viva, comum a todos os membros dessa sociedade e feita pelo poder legislativo nela erigido: liberdade de seguir a minha própria vontade em tudo quanto a regra não prescreve, não ficando sujeita à vontade inconstante, incerta e arbitrária de qualquer homem; como a liberdade de natureza consiste em não estar sob qualquer restrição que não a lei da natureza[23].

A fundamentação filosófica que Locke dá ao direito da propriedade (cuja preservação é considerada no *Tratado* como o principal objetivo da união dos homens em comunidade) é bastante interessante, e aparece associada à idéia da propriedade natural que o homem tem sobre sua própria pessoa e seu próprio trabalho, e por conseqüência sobre os frutos de seu trabalho:

> Embora a terra e todas as criaturas inferiores sejam comuns a todos os homens, cada homem tem uma propriedade em sua própria pessoa; a esta ninguém tem qualquer direito senão ele mesmo. O trabalho do seu corpo e a obra das suas

[23] LOCKE, John. *Segundo tratado sobre o governo*. Tradução E. Jacy Monteiro. 3. ed. São Paulo: Abril Cultural, 1983. p. 43. (Os Pensadores).

mãos, pode dizer-se, são propriamente dele. Seja o que for que ele retire do estado que a natureza lhe forneceu e no qual o deixou, fica-lhe misturado ao próprio trabalho, juntando-se-lhe algo que lhe pertence, e, por isso mesmo, tornando-o propriedade dele. Retirando-o do estado comum em que a natureza o colocou, anexou-lhe por esse trabalho algo que o exclui do direito comum de outros homens. Desde que esse trabalho é propriedade exclusiva do trabalhador, nenhum outro homem pode ter direito ao que se juntou, pelo menos quando houver bastante e igualmente de boa qualidade em comum para terceiros[24].

Apesar de Locke procurar derivar o direito de propriedade do próprio indivíduo, do direito inalienável que este possui sobre si mesmo, a noção de propriedade de terra aparece em sua obra, curiosamente, associada à religião:

Sendo agora, contudo, a principal matéria da propriedade não os frutos da terra e os animais que sobre ela subsistem, mas a própria terra, como aquilo que abrange e consigo leva tudo o mais, penso ser evidente que aí também a propriedade se adquire como nos outros casos. A extensão de terra que um homem lavra, planta, melhora, cultiva, cujos produtos usa, constitui a sua propriedade. Pelo trabalho, por assim dizer, separa-a do comum. Nem lhe invalidará o direito dizer que qualquer outro terá igual direito a essa extensão de terra, não sendo possível, portanto, àquele apropriar-se ou fechá-la sem o consentimento de todos os membros da comunidade — todos os homens. Deus, ao dar o mundo em comum a todos os homens, ordenou-lhes também que trabalhassem; e a penúria da condição humana assim o exigia. Deus e a própria razão lhes ordenavam dominar a terra, isto é, melhorá-la para benefício da vida e nela dispor algo que lhes pertencesse, o próprio trabalho. Aquele que, em obediência a essa ordem de Deus, dominou, lavrou e semeou parte da terra, anexou-lhe por esse meio algo que lhe pertencia, a que nenhum outro tinha direito, nem podia, sem causar dano, tirar dele[25].

A noção de pacto social, presente em Rousseau, também aparece em Locke, assim como a importância da vontade da maioria como guia para a sociedade:

Quando qualquer número de homens, pelo consentimento de cada indivíduo, constituiu uma comunidade, tornou, por isso mesmo, essa comuni-

[24] LOCKE, 1983, p. 45-46.

[25] Ibid., p. 47.

> dade um corpo, com o poder de agir como um corpo, o que se dá tão-só pela vontade e resolução da maioria. Pois o que leva qualquer comunidade a agir sendo somente o consentimento dos indivíduos que a formam, e sendo necessário ao que é um corpo para mover-se em um sentido, que se mova para o lado para o qual o leva a força maior, que é o consentimento da maioria, se assim não fosse, seria impossível que agisse ou continuasse a ser um corpo, uma comunidade, que a aquiescência de todos os indivíduos que se juntaram nela concordou em que fosse; dessa sorte todos ficam obrigados pelo acordo estabelecido pela maioria. E, portanto, vemos que, nas assembléias que têm poderes para agir mediante leis positivas, o ato da maioria considera-se como sendo o ato de todos e, sem dúvida, decide, como tendo o poder de todos pela lei da natureza e da razão[26].

Locke discutirá ainda em seu livro o poder dos pais sobre os filhos, o casamento, a relação entre senhor e servo, a sociedade civil, o absolutismo, a tirania e o despotismo, as relações entre os poderes Legislativo, Executivo e Federativo, as guerras e as conquistas etc.

5.4 Kant e seu legado

As obras dos dois principais filósofos idealistas alemães, Kant e Hegel, tornaram-se essenciais para a filosofia do direito e para a filosofia política contemporâneas. Em *Fundamentação da metafísica dos costumes* (1785), Kant discute o fundamento da moral. A **lógica** seria a ciência formal por excelência. Contudo, também as ciências, em princípio, não-formais, tanto a física (ciência da natureza) quanto a ética (ciência do homem), teriam, além de sua parte propriamente empírica, uma parte pura, constituída de princípios *a priori*. Kant chama então de metafísica à filosofia *a priori*, que, ao contrário da lógica, limita-se a determinados objetos. Assim, à parte propriamente empírica da ética, a antropologia prática, Kant contrapõe sua parte puramente racional, a moral, que efetivamente nos interessa.

Na passagem seguinte, podemos observar a apresentação de um método que se distingue, radicalmente, do pensamento de Maquiavel. "Com efeito, a metafísica dos costumes deve inves-

[26] LOCKE, 1983, p. 71.

tigar a idéia e os princípios de uma possível vontade *pura*, e não as ações e condições do querer humano em geral, as quais são tiradas na maior parte da psicologia."[27]

Kant explora, em sua obra, as relações entre a razão e a vontade. Noções como as de caráter, dever, felicidade, entre outras, são analisadas. Sua reflexão determina um imperativo categórico, que deveria fundamentar toda nossa ação: "Age apenas segundo uma máxima tal que possas ao mesmo tempo querer que ela se torne lei universal"[28].

A *máxima* seria o princípio subjetivo do meu querer, da minha vontade. Minhas atitudes práticas devem ser orientadas para que eu queira, também, que esse princípio se torne universal, que possa ser também o princípio da vontade de todo e qualquer sujeito. Podemos perceber que várias noções estudadas em Maquiavel, como as de dominação, a amoralidade dos príncipes ou a mentira, tornam-se incompatíveis com o princípio de Kant. Aqui o princípio da vontade geral, do bem comum, fundamento do Estado em Montesquieu, Rousseau e Locke, é ampliado. A vontade encontra-se submetida a leis racionais, e a ética não está totalmente desvinculada do Estado, como em Maquiavel: se o pacto social é erigido sobre a vontade comum, minhas ações, como indivíduo, também devem se comportar como se representassem uma vontade universal. Cada uma das minhas ações individuais deve, na realidade, fundar uma lei universal. Como afirma Kant: "A vontade não está pois simplesmente submetida à lei, mas sim submetida de tal maneira que tem de ser considerada também como *legisladora ela mesma*, e exatamente por isso e só então submetida à lei (de que ela se pode olhar como autora)"[29].

Assim, pelo imperativo categórico e o princípio prático kantianos, eu sou ao mesmo tempo o legislador (universal) e aquele que age, por dever, em acordo com as leis. Como seres racionais, nossa vontade teria a capacidade de construir suas leis morais independentes de qualquer

---

27 KANT, Immanuel. Fundamentação da metafísica dos costumes. Tradução Paulo Quintela. In: ______. *Crítica da razão pura e outros textos filosóficos*. Sel. Marilena de Souza Chaui Berlinck. São Paulo: Abril Cultural, 1974. p. 199. (Os Pensadores, XXV).

28 Ibid., 1974, p. 223.

29 Ibid., p. 231.

objeto exterior, de qualquer necessidade ou causalidade, fundada apenas nela mesma, em sua capacidade de legislar. A liberdade, para Kant, seria definida exatamente como a autonomia da vontade, ou seja, a propriedade que a vontade tem de ser lei para si própria. Liberdade seria, portanto, sinônimo de agirmos submetidos a leis morais. Caso contrário, a liberdade se torna uma noção vazia e egoísta, pois só incluiria a minha vontade individual, a minha felicidade, a minha liberdade individual como sujeito, mas não poderia ser estendida, como noção universal, a todos os outros sujeitos. Assim, o homem está, segundo a filosofia kantiana, obrigado a ser livre, obrigado a agir livremente (de acordo com as leis morais), o que será retomado, com algumas nuances, pela filosofia existencialista de Sartre.

Um interessante e hoje bastante reconhecido desdobramento das teorias sobre o contrato social de Locke, Rousseau e Kant ocorre na obra de John Rawls. Em seu *Uma teoria da justiça*[30], publicado originalmente em 1971, ele defende que os princípios da justiça para a estrutura básica da sociedade são o objeto de um contrato original hipotético. Esse contrato hipotético fundamenta-se em princípios de justiça escolhidos por trás de um véu de ignorância, em que não teríamos nenhum conhecimento sobre nosso lugar na sociedade, nossa classe ou posição social, nossas riquezas ou propriedades, nossa inteligência, nossa força, nossas concepções sobre o bem e nossas propensões psicológicas. Pode-se formular um princípio geral da justiça que escolheríamos nessa posição original: todos os valores sociais — liberdade e oportunidade, renda e riqueza etc. — devem ser distribuídos igualmente a menos que uma distribuição desigual de um, ou todos, desses valores traga vantagens para todos. Assim, deve-se procurar defender o princípio da igualdade de oportunidades associado ao princípio da diferença, permitindo que habilidades desiguais desenvolvessem-se, mas apenas enquanto necessário e benéfico para o bem de todos.

Um ferrenho crítico das teorias de justiça distributiva de Rawls é o libertário-anarquista Robert Nozick, que defende a liberdade e os direitos dos indivíduos contra o papel do Estado na economia pelo conceito de "Estado mínimo". Ao contrário de Rawls, Nozick defende que a aquisição e a transferência de bens, desde que reali-

---

[30] RAWLS, John. *Uma teoria da justiça*. 3. ed. São Paulo: Martins Fontes, 2000.

zadas segundo princípios de justiça, devem ser encaradas independentemente de sua contribuição para um estado final das coisas[31].

Miguel Reale, em seu *Filosofia do direito*, levanta a seguinte questão: o fato é a causa ou a condição do direito?[32] Para Reale, no estudo do conhecimento quanto à sua origem, três correntes se destacariam — o empirismo, o racionalismo e o criticismo. A cada uma delas corresponderiam posições distintas em relação ao direito:

> Os empiristas sustentam que o direito é um fato que se liga a outros fatos através de nexos de causalidade. Do fato, seja ele econômico, geográfico, demográfico ou racial, passar-se-ia à regra jurídica, através de um laço necessário de causalidade. Esta é a tese do empirismo jurídico: — até mesmo os princípios mais gerais do direito seriam afinal redutíveis a fontes empíricas[33].

Uma dessas figuras seria Norberto Bobbio, paralelamente ao chamado direito positivo.

> Racionalistas, na tela do Direito, são muitos autores, antigos e modernos, que sustentam que, acima ou ao lado de um direito empírico, desenrolado na experiência, existe um Direito Ideal, um Direito Racional, ou um *Direito Natural*, em razão de cujos ditames seria possível afirmar-se a validade ou a obrigatoriedade das regras jurídicas *positivas*[34].

No Livro V da *Ética a Nicômacos*, de Aristóteles, segundo Miguel Reale, estabelece-se pela primeira vez a noção de direito natural. Seguem algumas passagens do texto do filósofo grego, em que ele procura diferenciar a justiça **natural** da justiça **legal**:

> A justiça política é em parte natural e em parte legal; são naturais as coisas que em todos os lugares têm a mesma força e não dependem de as aceitarmos ou não, e é legal aquilo que a princípio pode ser determinado indiferentemente de uma maneira ou de outra, mas depois de determinado já não é indiferente — por exemplo, que o resgate de um prisioneiro será uma mina [antiga moeda grega], ou que deve ser sacrificado um bode, e não duas ovelhas —,

[31] NOZICK, Robert. *Anarquia, estado e utopia*. Tradução Ruy Jungmann. São Paulo: J. Zahar, 1991.

[32] REALE, Miguel. *Filosofia do direito*. 17. ed. São Paulo: Saraiva, 1996. p. 92.

[33] Ibid., p. 92.

[34] Ibid., p. 97.

> além de todos os dispositivos legais promulgados com vistas a casos particulares — por exemplo, que devem ser feitos sacrifícios em honra de Brasidas —, e dispositivos legais constantes de decretos. Algumas pessoas pensam que toda justiça é deste tipo, porque aquilo que existe por natureza é imutável e tem a mesma forma em todos os lugares (como o fogo queima aqui e na Pérsia), ao passo que tais pessoas vêem mudanças no que é tido como justo. Isto, porém, não é verdadeiro de maneira irrestrita, mas apenas em certo sentido; com os deuses, realmente, isto não é verdadeiro de modo algum, enquanto conosco, embora exista algo verdadeiro até por natureza, todos os dispositivos legais são mutáveis. Seja como for, existem uma justiça natural e uma justiça que não é natural. É possível ver claramente quais as coisas entre as que podem ser de outra maneira que são como são por natureza, e quais as que não são naturais, e sim legais e convencionais, embora ambas as formas sejam igualmente mutáveis. Em relação a todas as outras coisas que se pode fazer a mesma distinção; com efeito, a mão direita é mais forte por natureza, mas é possível que qualquer pessoa se torne ambidestra. As coisas que são justas apenas por convenção e conveniência são como se fossem instrumentos para medição; de fato, as medidas para vinho e trigo não são iguais em toda parte, sendo maiores nos mercados atacadistas e menores nos varejistas. De maneira idêntica, as coisas que são justas não por natureza mas por decisões humanas não são as mesmas em todos os lugares, já que as constituições não são também as mesmas, embora haja apenas uma que em todos os lugares é a melhor por natureza[35].

Ignorando a classificação de criticista dada à filosofia de Kant, por Reale, percebemos em nossa leitura, claramente, uma diferença entre o pensamento de Maquiavel, de um lado, e o de Rousseau, Locke e mesmo Kant, de outro. Maquiavel funda o direito e a própria moral no fato, enquanto os outros filósofos estudados concebem um direito ideal, racional ou natural.

Vários autores basearão sua reflexão sobre o direito na filosofia de Kant, não sendo exagero afirmar que a própria renovação da Filosofia do Direito, ocorrida na primeira metade do século XX, se prende à atitude dos neokantianos. Ela é considerada mais poderosa do que qualquer outra corrente, mesmo no domínio do Direito Positivo[36].

---

[35] ARISTÓTELES. *Ética a Nicômacos*. Tradução Mário da Gama Kury. 2. ed. Brasília: Editora Universidade de Brasília, 1992. p. 103.

[36] REALE, 1996, p. 113. Como exemplos de representantes do Criticismo, Reale cita os neokantianos. E lista nomes como os de Rudolf Stammler, Giorgio Del Vecchio e Hans Kelsen.

Um dos teóricos mais estudados no Brasil, nessa corrente, é Hans Kelsen (1881-1973), autor de *Teoria pura do direito*. Sua teoria pretende-se **pura** da mesma forma que a crítica de Kant à razão, e da mesma forma que a moral é a teoria da razão pura prática, ou seja, seu objeto são os princípios *a priori* da razão prática. Para Kelsen, interessa isolar teoricamente o direito da psicologia, da sociologia, da ética e da teoria política. A sociedade é pensada como parte da natureza, e o direito, por conseqüência, também teria uma parte de seu ser situado no domínio da natureza — mas poderíamos mesmo assim pensar em princípios do direito *a priori*.

Os atos teriam, para Kelsen, uma significação geral e exterior, ao mesmo tempo que teriam um significado específico, do ponto de vista do direito. E observados desse ponto de vista específico, os atos jurídicos possuem uma característica especial, que os distinguiria dos demais: se uma planta, por exemplo, não diz nada de imediato sobre si própria a um estudioso da natureza (e precisa ser estudada para revelar-se ao cientista), os atos jurídicos podem comunicar, eles mesmos, algo sobre seu estatuto jurídico. Pode-se num parlamento, por exemplo, declarar que se está votando uma lei. O ato de declarar que se está votando uma lei é, ao mesmo tempo, um ato jurídico e uma referência ao próprio ato — assim como a enunciação da frase "Eu os declaro marido e mulher" é, ao mesmo tempo, a celebração do casamento e uma referência ao próprio ato declarativo. O objeto de estudo do direito, portanto, já traria em si uma auto-explicação — possuiria, em muitos casos, um aspecto cerimonial e metalingüístico.

O ato jurídico, do seu ponto de vista exterior, entretanto, seria apenas um elemento da natureza, não traria em si, imediatamente, nem mesmo seu estatuto jurídico. É necessária, portanto, a **norma** para que esse ato possa ser interpretado do ponto de vista jurídico. Como afirma o próprio Kelsen: "A norma funciona como esquema de interpretação"[37]. E essa norma é ela mesma produzida por um ato jurídico, cuja significação se dá em função de uma outra norma. O direito poderia ser definido justamente como esse conjunto de normas que regulam a conduta humana.

[37] KELSEN, Hans. *Teoria pura do direito*. Tradução João Baptista Machado. São Paulo: Martins Fontes, 1985. p. 4.

Kelsen utiliza o conceito de **dever**, retomando Kant, com o sentido não apenas de ordenar, mas também de permitir ou mesmo de conferir competência e poder de agir de determinada maneira. A norma, portanto, associa-se a esse dever, não ao ato propriamente dito. Ela representa um dever-ser, enquanto o ato engloba o próprio ser. Assim, como vontade individual, um dever-ser tem apenas sentido subjetivo, assumindo seu caráter objetivo apenas quando convertido em norma, ou seja, quando representativo da vontade comum, universal. Veja a influência de Kant e a noção de um "terceiro desinteressado" associada ao imperativo categórico kantiano:

> A circunstância de o 'dever-ser' constituir também o sentido objetivo do ato exprime que a conduta a que o ato intencionalmente se dirige é considerada obrigatória (devida), não apenas do ponto de vista do indivíduo que põe o ato, mas também do ponto de vista de um terceiro desinteressado — e isso muito embora o querer, cujo sentido subjetivo é o dever-ser, tenha deixado faticamente de existir, uma vez que, com a vontade, não desaparece também o sentido, o dever-ser; uma vez que o dever-ser 'vale' mesmo depois de a vontade ter cessado, sim, uma vez que ele vale ainda que o indivíduo cuja conduta, de acordo com o sentido subjetivo do ato de vontade, é obrigatória (devida) nada saiba desse ato e do seu sentido, desde que tal indivíduo é considerado tendo o dever ou o direito de se conduzir de conformidade com aquele dever-ser. Então, e só então, o dever-ser, como dever-ser 'objetivo', é uma 'norma válida' ('vigente'), vinculando os destinatários[38].

O próprio costume poderia ser considerado criador de normas, quando assim admitido por uma Constituição de determinada comunidade. De qualquer forma, a norma e sua vigência não se resumiriam a uma vontade individual, a um ato de vontade psicológica, à vontade do legislador ou do Estado, pois a norma vale para todos, independentemente dos atos, apesar de um mínimo de eficácia ser necessário para sua vigência. Há para Kelsen um domínio espacial e temporal da norma — o que novamente nos remete a Kant e à importância decisiva do tempo e do espaço como categorias *a priori* da sensibilidade. A norma pode valer por um determinado tempo, em um determinado local — espaço e tempo fazem

[38] KELSEN, 1985, p. 8.

parte de seu escopo, de sua vigência. A norma também possui um domínio pessoal, ou seja, uma norma pode valer para todos os homens, para os habitantes de um determinado país ou estado. Além de também possuir um domínio material, ou seja, pode disciplinar diferentes aspectos, como econômicos, religiosos, políticos, entre outros.

Outra característica da norma é a permissão, ordenação ou conferência de poder para determinado ato, para que um sujeito proceda de determinada maneira. Quando esse sujeito procede de forma inadequada em relação à norma, dizemos que ela é violada. As condutas que correspondem à norma, para Kelsen, têm valor positivo, e aquelas que contrariam a norma possuem valor negativo. A norma funciona, portanto, como medida de valor para a conduta real: "O valor, como dever-ser, coloca-se em face da realidade, como ser; valor e realidade — tal como o dever-ser e o ser — pertencem a duas esferas diferentes"[39].

Podemos diferenciar o valor subjetivo (que mede a relação da vontade ou querer de um ou alguns e uma determinada conduta) e o valor objetivo (que mede a relação entre uma norma ou vontade geral e um ato). As normas, por serem fundamentos desses juízos de valor, criadas pelos homens e, portanto, arbitrárias (assim como a relação entre significante e significado nas línguas, conforme estudamos) podem ser modificadas. Uma norma não exclui a possibilidade da existência de outra norma, que implique seu oposto e mude radicalmente um juízo de valor, mas as duas não podem coexistir, no mesmo lugar e ao mesmo tempo — e aqui Kelsen segue o princípio da não-contradição, que já estudamos em Lógica.

A obra de Kelsen abordará ainda as relações do direito com a natureza, a moral, a ciência e o Estado.

5.5 Hegel e o marxismo

Princípios da filosofia do direito, de Hegel, é um livro que gerou diferentes e contraditórias interpretações. Como afirma seu tradutor português: "Não pode deixar de suscitar um impressionante espanto que a este mesmo livro e uno pensamento de um filó-

39 KELSEN, 1985, p. 8.

sofo possam ir buscar seus princípios movimentos tão diferentes como o individualismo e o fascismo, o corporativismo e o estatismo, o marxismo e o monarquismo"[40].

Hegel critica, na filosofia do direito de Kant, o caráter formal atribuído ao conceito de liberdade da vontade. O imperativo categórico de Kant representa apenas o momento de negatividade da vontade, de limitação, fundamentando-se no princípio da não-contradição. Sua teoria está fundada, assim como a de Rousseau, na vontade individual, particular (projetada apenas ao campo da vontade geral), e não no conceito universal de vontade.

Por meio da razão, o homem chega ao conceito de **consciência de si**, e esse conceito seria o princípio do direito e da moralidade. Assim Hegel critica as teorias do direito que recusam a razão para fundar-se no sentimento:

> "Os que, ao falarem filosoficamente do direito e da moralidade subjetiva e objetiva, querem afastar o pensamento desse domínio e nos remetem para o sentimento, para o coração, para o furor e o entusiasmo, mostram-nos como é profundo o desprezo em que caíram o pensamento e a ciência, pois a própria ciência sucumbe de desespero e lassidão e aceita como princípio a barbárie e a ausência de pensamento; tanto quanto pode, arrebata, então, ao homem tudo o que seja valor, dignidade e verdade"[41].

Hegel divide o desenvolvimento do **direito** (ou **moralidade**) em três estágios: **abstrato**, **subjetivo** e **objetivo**.

Seguindo o movimento triádico, característico de sua dialética, Hegel divide o desenvolvimento da vontade em três estágios: (a) o direito abstrato ou formal; (b) o direito ou a moralidade subjetivos; (c) a moralidade objetiva.

No **direito abstrato**, Hegel destaca a importância da personalidade, que confere inicialmente direito às coisas: "É a personalidade que principalmente contém a capacidade do direito e constitui o fundamento (ele mesmo abstrato) do direito abstrato, por conseguinte formal. O imperativo do direito é portanto: sê uma pessoa e respeita os outros como pessoas"[42].

[40] VITORINO, Orlando. Prefácio do tradutor à 1ª edição. In: HEGEL, G. W. F. *Princípios da filosofia do direito*. 4. ed. Lisboa: Guimarães, 1990. p. XXI.

[41] HEGEL, Georg Wilhelm Friedrich. *Princípios da filosofia do direito*. Tradução Orlando Vitorino. 4. ed. Lisboa: Guimarães, 1990. p. 43-44.

[42] Ibid., 1990, p. 56.

As características do direito, nesse estágio, seriam basicamente a interdição e a permissão: "não ofender a personalidade", essa seria a máxima do direito abstrato. Nesse caráter de imediatez da vontade, três elementos são essenciais: a propriedade (como posse da personalidade), o contrato (que regula a transferência da propriedade, forma como uma personalidade se relaciona com a outra) e a injustiça (ou o crime contra outra personalidade).

A propriedade seria a realização da vontade nas coisas exteriores. Na passagem seguinte, Hegel realiza uma interessante defesa da noção de propriedade, que pode ser lida como crítica profética ao socialismo:

> A igualdade é a identidade abstrata do intelecto; sobre ela se funda a mediocridade do espírito, sempre que depara com a relação da unidade a uma diferença. Aqui, a igualdade só poderia consistir na igualdade das pessoas abstratas como tais; ora tudo o que se refere à posse, domínio de desigualdade, fica à margem da pessoa abstrata.
>
> A reivindicação algumas vezes apresentada da igualdade na divisão das propriedades de raiz e até de todo o gênero de fortunas é uma concepção vaga e superficial, tanto mais que neste caso, intervêm não só a contingência exterior da natureza mas ainda todo o domínio da natureza do espírito com o que ela tem de particular de diversidade infinita e de sistematização racional.
>
> Não se pode falar de uma injustiça da natureza a propósito da desigual repartição da riqueza e da fortuna, pois a natureza, não sendo livre, não é justa nem injusta. Desejar que todos os homens tenham proventos para satisfazer as suas exigências, não é mais do que um desejo da moralidade subjetiva e, nesta sua vaga expressão, constitui uma idéia corrente que, como todo o lugar comum, não possui objetividade. Aliás, os proventos são coisa diferente da posse e deverão, portanto, ser estudados na parte em que nos ocupamos da sociedade civil[43].

Na citação seguinte, Hegel introduz a interessante noção de inalienabilidade das coisas espirituais:

> Posso eu desfazer-me da minha propriedade (porquanto ela só é minha na medida em que nisso tenho a minha vontade), ou abandoná-la como se não tivesse dono (*derelinquo*), ou transmiti-la à vontade de outrem — mas só o posso fazer na medida em que a coisa é, por natureza, exterior.

[43] HEGEL, 1990, p. 66.

> São, portanto, inalienáveis e imprescritíveis, como os respectivos direitos, os bens ou, antes, as determinações substanciais que constituem a minha própria pessoa e a essência universal da minha consciência de mim, como sejam a minha personalidade em geral, a liberdade universal do meu querer, a minha moralidade objetiva, a minha religião[44].

Interessantes exemplos de alienação das coisas espirituais seriam: escravatura, propriedade corporal, incapacidade de ser proprietário ou de dispor livremente da sua propriedade, superstição, autoridade conferida a outrem sobre minha vontade, ou para me ditar o que é meu dever de consciência, de verdade religiosa etc. Hegel discutirá, em seguida, uma série de conceitos relativos à propriedade intelectual, extremamente interessantes e atuais. Logo depois refletirá sobre as características do contrato, que funda a propriedade: contratos de doação, de troca, e garantia de um contrato (caução) por penhora. Abordará ainda o dano civil, a impostura, a violência e o crime.

No *Direito ou moralidade subjetivos*, Hegel estuda a ação como expressão da moral ou vontade subjetivas. São abordados, aqui, os conceitos de projeto e responsabilidade, intenção e bem-estar, bem e certeza moral, dever, entre outros.

Novamente veremos em Hegel a idéia de liberdade associada à de dever, agora num sentido moral:

> O direito que os indivíduos têm de estarem subjetivamente destinados à liberdade, satisfaz-se quando eles pertencem a uma realidade moral objetiva. Com efeito, é numa tal objetividade que reside a verdade da certeza da sua liberdade e na realidade moral possuem eles realmente a sua essência própria, a sua íntima universalidade[45].

Quando aborda a *Moralidade objetiva*, momento de síntese e superação da moralidade subjetiva, na qual estariam incluídas as obras de Kant e Rousseau, Hegel dividirá sua exposição em três partes: a família (espírito moral imediato), a sociedade civil e o Estado como liberdade. Com relação à família, Hegel estuda o casamento, a propriedade e os bens, a educação dos filhos e a dissolução familiar. Sobre a sociedade civil, Hegel discutirá os sistemas de carências (as modalidades das carências e suas satisfações, as modalidades de trabalho e a riqueza), a jurisdição (o direito como lei, a existência da lei e o tribunal) e a administração e corporação.

---

[44] HEGEL,1990, p. 78.
[45] Ibid., p. 158.

Ao tratar dos sistemas de carências, mais particularmente das riquezas, Hegel exporá sua conhecida teoria das três classes sociais. O capital, as aptidões e as circunstâncias fundariam a desigualdade das fortunas. As classes seriam pois a classe imediata ou substancial (associada à exploração agrícola e à família), a reflexiva ou formal (comercial e industrial, que atua na transformação e troca dos bens), e a universal (que se ocupa dos interesses gerais, da vida social, e deve ser dispensada do trabalho direto, seja pela fortuna privada, seja por indenização do Estado).

Finalmente, quando trata do Estado, Hegel observa aspectos como a Constituição, o poder do Príncipe, do Governo e legislativo, assim como o Direito Internacional.

No estudo do conhecimento quanto à essência, Reale vê uma polaridade entre realismo e idealismo, e também traça relações entre filosofia e direito, quando se refere especificamente às obras de Kant e Hegel:

> Realistas entender-se-ão aqueles para os quais a realidade jurídica é algo que se não reduz ao sujeito cognoscente, sendo suscetível de ser conhecida total ou parcialmente tal como é (*realismo tradicional* prevalecente entre os juristas adeptos do racionalismo clássico) ou na funcionalidade sujeito-objeto (*realismo crítico*, consoante temos desenvolvido), ou seja, reconhecendo-se na experiência jurídica a polaridade de *ser* e de *dever ser*, de elementos reais e valores, insuscetível de compreensão sem referibilidade ao espírito, mas não redutível a ele.
>
> Já os idealistas concebem o direito como forma ou projeção do pensamento ou da consciência, ou momento do *espírito objetivo*, como disse Hegel, identificando-se, desse modo, em última análise, o Direito Natural e o Direito Positivo, 'tendo a ciência filosófica do direito por objeto a idéia do direito, isto é, o conceito do direito e sua realização', estando o Direito Natural ou Filosófico para o Positivo como as Institutas[46] para as Pandectas[47]. O jurista pode, pois, considerar as leis positivas como 'dadas' na medida de sua significação e utilidade no conjunto das circunstâncias, mas sem esquecer que são, em si mesmas, 'momento ou expressão do espírito objetivo em que se resolve a sua contingência'.

[46] Verbete: institutas [Do lat. *instituta*.] S. f. pl. 1. As obras elementares que encerram os princípios do direito, e especialmente o código mandado redigir por Justiniano, imperador do Oriente (533). In: FERREIRA, Aurélio Buarque de Holanda. *Novo Aurélio*: o dicionário da língua portuguesa — século XXI. Dicionário eletrônico. Versão 3.0. São Paulo: Nova Fronteira, [200-]. 1 CD-ROM.

[47] Verbete: digesto [Do lat. *digestu*.] S. m. 2. Coleção das decisões dos jurisconsultos romanos mais célebres, transformadas em lei por Justiniano, imperador romano do Oriente (cerca de 483-565), e que é uma das quatro partes do *Corpus Juris Civilis*; *Pandectas*. In: FERREIRA, [200-].

No idealismo subjetivo de Kant, essa identificação entre *ser* e *dever ser* não se realiza, nem mesmo a apontada integração que os neo-realistas concebem: as duas ordens de realidade permanecem distintas, a da *efetividade fenomenal* e a da *idealidade*, havendo entre elas mera correspondência formal. O direito que historicamente se processa é o fruto de uma experiência tornada possível por formas *a priori* transcendentais, como Stammler e Del Vecchio procuraram determinar; o primeiro com a sua concepção de um *Direito Natural de conteúdo variável*. Em análoga direção se desenvolvem os trabalhos de Hans Kelsen, não obstante certos desvios que seu neokantismo sofreu sob influxos neopositivistas.

Finalmente, para os positivistas e os empiristas em geral, o fenômeno jurídico estudado pela ciência é o mesmo de que tratam os filósofos, pois não há conhecimento que se não reduza a relações entre fatos: o filósofo do Direito não teria outra missão senão a de sistematizar os resultados das disciplinas jurídicas positivas, assentes sobre dados insuscetíveis de redução além do plano de fato observáveis e verificados. Daí a inexistência de uma instância filosófica distinta, concebendo-se a Filosofia do Direito, implícita ou explicitamente, como *Enciclopédia jurídica*, ou, consoante prevalece atualmente, como *Teoria Geral do Direito Positivo*, não raro vista como simples análise lingüística do sistema das normas jurídicas e sua aplicação[48].

Mediante crítica da Filosofia do Direito de Hegel, surge o que costumamos chamar de esquerda hegeliana. Com **Karl Heinrich Marx** (1818-1883), temos uma grande revolução no pensamento filosófico, político e econômico. Se, de um lado, a decadência rápida e impressionante dos países comunistas, no final do século XX, coloca em questão todos os pressupostos do marxismo e gera a necessidade de sua revisão rigorosa, de outro lado serve também para desmistificar toda uma teoria que foi defendida apaixonadamente durante décadas, permitindo uma leitura mais crítica.

Marx defende que o pensamento é fundamentalmente determinado por condições históricas, políticas e sociais.

Marx opera um interessante deslocamento de perspectiva na filosofia. As idéias e o pensamento não devem mais ser encarados como produtos da mente de um ser humano, ou mesmo como anteriores à experiência, como puros, geradores das posições sociais que os seres humanos e os grupos assumem. O pensamento, ao contrário, seria determinado diretamente pelas condições histórico-político-sociais e estabeleceria uma relação dinâmica com

[48] REALE, 1996, p. 128-129.

elas. O pensamento só adquire sentido quando relacionado com a realidade concreta — é, na verdade, por ela determinado. Châtelet define assim essa característica acentuada pelo marxismo:

> [...] não apenas a religião, a filosofia, as teorias políticas, a ideologia em geral são, em *suas formas*, meios ideais para resolver *idealmente* as contradições terrenas, mas elas são — em *seus conteúdos* — produtos dessas contradições. São respostas a tais contradições. Desse modo, quando se tenta tornar inteligível uma sociedade dada e suas transformações, devem-se analisar as condições materiais de existência dessa sociedade, as relações econômicas que nela se estabelecem, a dominação sociopolítica que nela se exerce e os mecanismos que essa dominação utiliza. Somente no interior desse contexto é que aparecem claramente a significação das idéias. As idéias não são unicamente a expressão da inteligência especulativa: são tomadas de posição que têm relação com as práticas sociais[49].

O marxismo, com seu materialismo histórico, abre um vasto campo de estudo, no qual podemos partir das idéias para entender sua gênese social, as determinações históricas do pensamento, as condições que definem o surgimento de uma dada filosofia. Dominação, jogos de poder, pequenos acontecimentos, todos esses elementos podem nos apontar essas relações. A luta de classes seria o motor da história, e o proletariado a classe radical, seu sujeito último. A história, para Marx, seguiria um movimento dialético de constante superação, semelhante (do ponto de vista formal) a Hegel. Para cada fase da história, para cada predomínio de determinado modo de produção, um arcabouço jurídico e político seria erigido, em função de determinada consciência social. No capitalismo, especificamente, a burguesia dominaria o proletariado. Daí a necessidade de uma revolução.

Um dos mais importantes princípios do marxismo, como crítica da filosofia hegeliana, é a revisão do conceito de propriedade privada. Surge, assim, a idéia da apropriação coletiva dos meios de produção como tentativa de superar a alienação do trabalho. Convém lembrar que *O capital* é a obra máxima de Marx.

Vamos, entretanto, apenas reproduzir a seguir um outro minúsculo texto, as famosas teses contra Feuerbach, escritas em 1845, que funcionam como uma síntese do materialismo histórico marxista, e em que a noção de **práxis** é apresentada como tentativa de

---

49 CHÂTELET, François; DUHAMEL, Olivier; PISIER-KOUCHNER, Évelyne. *História das idéias políticas*. Tradução Carlos Nelson Coutinho. Rio de Janeiro: J. Zahar, 1985. p. 126.

superação da dualidade sujeito/objeto. Apesar de curtas e rápidas, essas teses-meteoritos prestam-se muito bem a um debate, em função das teorias estudadas anteriormente, de outros filósofos:

"1

A falha capital de todo materialismo até agora (incluso o de Feuerbach) é captar o objeto, a efetividade, a sensibilidade apenas sob a forma de *objeto ou de intuição,* e não como *atividade humana sensível, práxis*; só do ponto de vista subjetivo. Daí, em oposição ao materialismo, o lado *ativo* ser desenvolvido, de um modo abstrato, pelo idealismo, que naturalmente não conhece a atividade efetiva e sensível como tal. Feuerbach quer objetos sensíveis — efetivamente diferenciados dos objetos de pensamento, mas não capta a própria atividade humana como atividade *objetiva.* Por isso considera, na *Essência do Cristianismo,* apenas como autenticamente humano o comportamento teórico, enquanto a *práxis* só é captada e fixada em sua forma fenomênica, judia e suja. Não compreende por isso o significado da atividade 'revolucionária', 'prático-crítica'.

2

A questão se cabe ao pensamento humano uma verdade objetiva não é teórica mas *prática.* É na *práxis* que o homem deve demonstrar a verdade, a saber, a efetividade e o poder, a citerioridade[50] de seu pensamento. A disputa sobre a efetividade ou não-efetividade do pensamento — isolado da *práxis* — é uma questão puramente *escolástica.*

3

A doutrina materialista sobre a mudança das contingências e da educação se esquece de que tais contingências são mudadas pelos homens e que o próprio educador deve ser educado. Deve por isso separar a sociedade em duas partes — uma das quais é colocada acima da outra.

A coincidência da alteração das contingências com a atividade humana e a mudança de si próprio só pode ser captada e entendida racionalmente como *práxis revolucionária.*

4

Feuerbach parte do fato da auto-alienação religiosa, da duplicação do mundo em religioso e terreno. Seu trabalho consiste em resolver o mundo religioso em seu fundamento terreno. Mas que este fundamento se desloque de si mesmo e

[50] Verbete: citerior (ô) [Do lat. *citeriore.*] Adj. 2 g. 1. Que está do lado de cá. [Antôn.: ulterior.]. In: FERREIRA, [200-].

se fixe nas nuvens como um reino autônomo, isto só se ilumina a partir do autodilaceramento e da autocontradição do próprio fundamento terreno. Este deve ser pois entendido em si mesmo, em sua contradição, como praticamente revolucionado. Porquanto, depois de, por exemplo, descobrir na família terrestre o segredo da família sagrada, cabe aniquilar a primeira teórica e praticamente.

5

Feuerbach, descontente com o *pensamento abstrato*, recorre à *intuição*; mas não capta a sensibilidade como atividade prática, humana e sensível.

6

Feuerbach resolve o mundo religioso na essência *humana*. Mas a essência humana não é abstrato residindo no indivíduo único. Em sua efetividade é o conjunto das relações sociais.

Feuerbach, que não entra na crítica dessa essência efetiva, é por isso forçado:

1) A abstrair o curso histórico e fixar o ânimo religioso como para-si, pressupondo um indivíduo humano, abstrato e *isolado*.

2) Por isso a essência só pode ser captada como 'gênero', generalidade interna, muda, que liga muitos indivíduos de *modo natural*.

7

Feuerbach não vê, pois, que o próprio 'ânimo religioso' é um produto social e que o indivíduo abstrato, analisado por ele, pertence a uma forma social determinada.

8

Toda vida social é essencialmente *prática*. Todos os mistérios, que induzem às doutrinas do misticismo, encontram sua solução racional na *práxis* humana e no compreender dessa *práxis*.

9

O extremo a que chega o materialismo intuitivo, a saber, o materialismo que não compreende a sensibilidade como uma atividade prática, é a intuição dos indivíduos únicos e a sociedade civil.

10

O ponto de vista do materialismo antigo é a sociedade civil, o do materialismo moderno, a sociedade humana ou a humanidade social.

11

Os filósofos se limitaram a *interpretar* o mundo diferentemente, cabe *transformá-lo*[51]".

5.6 Michel Foucault

Encerraremos nossa reflexão sobre os princípios do direito, da ética e da política com o filósofo francês Michel Foucault (1926-1984). Sua instigante obra procura abordar os micropoderes que atuam na sociedade, além do poder dos discursos, dos saberes oficiais e não-oficiais, fundamentando-se para isso tanto no pensamento marxista como na obra de Nietzsche. Huizinga pode nos ajudar a iniciar a discussão, em algumas passagens em que aborda o fenômeno do direito por ângulos pouco comuns, guiados por sua ótica do *homo ludens*:

> Hoje somos incapazes de conceber a justiça independentemente de um direito abstrato, por mais vaga que seja nossa idéia deste último. Para nós, o julgamento é antes de mais nada uma disputa entre o bem e o mal, e ganhar ou perder ocupam apenas um lugar secundário. Ora, é precisamente esta preocupação com os valores éticos que devemos abandonar, se quisermos compreender a justiça primitiva. Se fizermos com que nosso olhar passe da administração da justiça nas civilizações altamente desenvolvidas para aquela que se encontra nas fases menos adiantadas da cultura, veremos que a idéia do bem e do mal, a concepção ético-jurídica, é ultrapassada pela idéia de ganhar ou perder, isto é, pela concepção puramente agonística[52]. O que interessa ao espírito primitivo não é tanto o problema abstrato do bem e do mal, mas principalmente o problema extremamente concreto de ganhar ou perder. Dada esta fraqueza dos padrões éticos, o fator agonístico vai ganhando imenso terreno na prática judicial à medida que recuamos no tempo. E, à medida que o elemento agonístico vai aumentando, o

[51] MARX, Karl. Teses contra Feuerbach. Tradução José Arthur Giannotti. In: ______. *Manuscritos econômico-filosóficos e outros textos escolhidos*. Sel. textos José Arthur Giannotti. Tradução José Carlos Bruni et al. 2. ed. São Paulo: Abril Cultural, 1978. p. 50-53. (Os Pensadores).

[52] Verbete: agonístico [Do gr. *agonistikós* pelo lat. *agonisticu*.] Adj. 1. Relativo à agonística. 2. Relativo à luta, em particular à luta pela vida. 3. Filos. Diz-se das doutrinas favoráveis à luta por verem nela o instrumento do progresso.
Verbete: agonística [Do gr. *agonistiké*, i. e., téchne *agonistiké*, "arte da luta", pelo lat. agonistica.] S. f. 1. Entre os gregos antigos, parte da ginástica que tratava da luta dos atletas. In: FERREIRA, [200-].

mesmo acontece com o fator sorte, e daqui resulta que depressa nos encontramos na esfera lúdica. Estamos perante um mundo espiritual em que a idéia da decisão por oráculos, pelo juízo divino, pela sorte, por sortilégio — isto é, pelo *jogo* — e a da decisão por sentença judicial fundem-se num único complexo de pensamento. E ainda hoje reconhecemos o caráter absoluto dessas decisões todas as vezes que, quando não conseguimos ser nós próprios a decidir qualquer coisa, resolvemos 'tirá-la à sorte'[53].

Para o espírito primitivo o fato de ganhar, *enquanto tal*, é prova da posse da verdade e do direito; o resultado de qualquer competição, seja uma prova de força ou um jogo de sorte, é uma decisão sagrada, concedida pelos deuses. Ainda hoje somos dominados por este hábito mental quando aceitamos como regra que as questões serão decididas por unanimidade, ou quando aceitamos o voto da maioria. Só numa fase mais avançada da experiência religiosa a fórmula será a seguinte: a competição (ou ordálio[54]) é uma revelação da verdade e da justiça porque há uma divindade que dirige a queda dos dados ou o resultado da batalha. Assim, quando Ehrenberg diz que 'a justiça secular nasce do ordálio', parece estar invertendo, ou pelo menos exagerando, a seqüência histórica das idéias. Não seria mais verdadeiro dizer que o proferimento da sentença (e, portanto, a própria justiça legal) e o julgamento por ordálio têm ambos suas raízes na decisão agonística, na qual a última palavra é dada pelo resultado de uma competição (seja por sorteio, pelo acaso, seja por uma prova de força, resistência etc.)? A luta pela vitória é sagrada em si mesma, mas, uma vez animada por concepções nítidas acerca do bem e do mal, a luta passa a pertencer à esfera do direito; e, vista à luz das concepções positivas do poder divino, passa a pertencer ao domínio da fé. Todavia, o fenômeno fundamental em todos estes casos é o jogo[55].

Toda decisão a que se chega mediante as fórmulas rituais corretas é um 'juízo de Deus'. Só de maneira secundária a idéia técnica do ordálio é associada às provas concretas de poder milagroso. Para compreender estas associações, é necessário não nos deixarmos limitar por nossa divisão habitual entre o jurídico, o religioso e o político. Aquilo que chamamos 'direito' pode igualmente, em termos de pensamento primitivo, ser chamado 'poder' — no sentido de 'vontade dos deuses' ou de 'superioridade evidente'. Assim, um conflito armado é um modo

[53] HUIZINGA, Johan. *Homo ludens*: o jogo como elemento da cultura. Tradução João Paulo Monteiro. 4. ed. São Paulo: Perspectiva, 1996. p. 90.

[54] Verbete: ordálio [Do b.-lat. *ordalium* (pl. *ordalia*) < franco ordal, 'julgamento, juízo'.] S. m. 1. Prova judiciária sem combate, usada na Idade Média; prova. 2. Juízo de Deus [q. v.]. In: FERREIRA, [200-].

[55] HUIZINGA, 1996, p. 93-94.

de justiça, a igual título que a consulta de um oráculo ou um julgamento em tribunal. E por último, dado que a toda decisão está ligada uma significação sagrada, a própria guerra pode ser considerada uma forma de consulta aos oráculos[56].

Ainda para Huizinga, a cavalaria teria dado origem ao direito internacional, numa reflexão que nos lembra muito a posição nietzschiana, na discussão sobre os fortes e fracos (e é interessante que ambos se utilizam, nesses casos, de um arsenal filológico):

> O ideal primitivo da honra e da nobreza, que tem raízes no primeiro de todos os pecados, que é a Soberba, é substituído, nas fases mais adiantadas da civilização, pelo ideal da justiça, ou melhor, este ideal é ligado ao primeiro e, embora só raramente seja posto em prática, torna-se a partir daí a norma reconhecida e desejada da sociedade humana, a qual passou agora, de um amontoado de clãs e tribos, a uma associação de grandes nações e estados. A 'lei das nações' deriva da esfera agonística como a consciência, ou voz da consciência, que diz: 'Isto é contra a honra, é contra as regras'. A partir do momento em que se constitui um sistema integral de obrigações internacionais baseadas na ética, deixou de haver muito lugar para a intervenção do elemento agonístico nas relações entre os Estados, pois esse sistema procura sublimar o instinto de luta política num sentido autêntico da justiça e da eqüidade. Teoricamente, não há qualquer razão para ocorrerem guerras agonísticas entre os membros de uma comunidade de Estados ligados por um direito internacional universalmente reconhecido. Mas, mesmo nesse caso, a comunidade não perde todos os caracteres de uma comunidade lúdica. O princípio da reciprocidade dos direitos, as fórmulas diplomáticas, a obrigação recíproca de respeitar os tratados e, em caso de guerra, abolir oficialmente a paz, tudo isto apresenta uma semelhança formal com as regras lúdicas, na medida em que só é válido enquanto o próprio jogo (isto é, a necessidade de ordem na vida dos homens) é reconhecido. Num sentido puramente formal, poderíamos considerar toda a sociedade como um jogo, sem deixar de ter presente que esse jogo é o princípio vital de toda civilização[57].

Antes de apresentarmos o ângulo pouco comum pelo qual Foucault aborda o direito, podemos também citar o exercício de Miguel Reale para definir as características e o campo próprio da filosofia do direito:

[56] HUIZINGA, 1996, p. 103-104.

[57] Ibid., p. 113-114.

> Ora, a Filosofia do Direito, esclareça-se desde logo, não é disciplina jurídica, mas é a própria Filosofia enquanto voltada para uma ordem da realidade, que é a 'realidade jurídica'. Nem mesmo se pode afirmar que seja Filosofia especial, porque é a Filosofia, na sua totalidade, na medida em que se preocupa com algo que possui valor universal, a experiência histórica e social do direito.
>
> [...] Na Filosofia do Direito deve refletir-se, pois, a mesma necessidade de especulação do problema jurídico em suas raízes, independentemente de preocupações imediatas de ordem prática.
>
> Enquanto o jurista constrói a sua ciência partindo de certos pressupostos, que são fornecidos pela lei e pelos códigos, o filósofo do direito converte em problema o que para o jurista vale como resposta ou ponto assente e imperativo. Quando o advogado invoca o texto apropriado da lei, fica relativamente tranqüilo, porque a lei constitui ponto de partida seguro para o seu trabalho profissional; da mesma forma, quando um juiz prolata a sua sentença e a apóia cuidadosamente em textos legais, tem a certeza de estar cumprindo sua missão de ciência e de humanidade, porquanto assenta a sua convicção em pontos ou em cânones que devem ser reconhecidos como obrigatórios. O filósofo do direito, ao contrário, converte tais pontos de partida em problemas, perguntando: Por que o juiz deve apoiar-se na lei? Quais as razões lógicas e morais que levam o juiz a não se revoltar contra a lei, e a não criar solução sua para o caso que está apreciando, uma vez convencido da inutilidade, da inadequação ou da injustiça da lei vigente? Por que a lei obriga? Como obriga? Quais os limites lógicos da obrigatoriedade legal?
>
> A missão da Filosofia do Direito é, portanto, de *crítica da experiência jurídica, no sentido de determinar as suas condições transcendentais*, ou seja, aquelas condições que servem de fundamento à experiência, tornando-a possível. Que é que governa a vida jurídica? Que é que, logicamente, condiciona o trabalho do jurista? Quais as bases da Ciência do Direito e quais os títulos éticos da atividade do legislador? Eis aí exemplos da já apontada preocupação de buscar os pressupostos, as condições últimas, procurando partir de verdades evidentes, ou melhor, evidenciadas no processar-se da experiência histórico-social[58].

Feitas essas apresentações, podemos passar ao nosso último autor. *A verdade e as formas jurídicas* é o título de uma série de conferências que Michel Foucault proferiu na Pontifícia Universidade Católica do Rio de Janeiro, em 1973. Esse texto é, como quase todo texto de Foucault, provocador e genial. Aqui, vamos seguir as conferências passo a passo, parodiá-las e comentá-las, na própria seqüência em que estão estruturadas.

---

[58] REALE, 1996, p. 9-10.

Na primeira conferência, Foucault apresenta sua reflexão metodológica, partindo de três heranças ou eixos de pesquisa:

a) O estudo dos domínios do saber por meio das práticas sociais, sem o pré-conceito de um **sujeito do conhecimento** dado de antemão. O sujeito do conhecimento não é dado, tem uma história, a própria verdade tem uma história. No século XIX, por exemplo, formou-se um saber sobre a normalidade e anormalidade do indivíduo, que constrói não apenas um novo objeto, mas simultaneamente um novo sujeito do conhecimento.

b) Análise dos discursos. O discurso não é apenas um conjunto de "fatos lingüísticos" conectados por regras sintáticas: é um jogo estratégico e polêmico, jogo de dominação e de poder.

c) Reelaboração da teoria epistemológica do sujeito, principalmente sob a égide da psicanálise: "Atualmente, quando se faz história — história das idéias, do conhecimento ou simplesmente história — atemo-nos a esse sujeito de conhecimento, a esse sujeito da representação, como ponto de origem a partir do qual o conhecimento é possível e a verdade aparece. Seria interessante tentar ver como se dá, pela história, a constituição de um sujeito que não é dado definitivamente, que não é aquilo a partir do que a verdade se dá na história, mas de um sujeito que se constitui no interior mesmo da história, e que é a cada instante fundado e refundado pela história".

Assim, fundadas nesse tripé metodológico, as palestras de Foucault visam acompanhar a "constituição histórica de um sujeito de conhecimento por meio de um discurso tomado como um conjunto de estratégias que fazem parte das práticas sociais"[59]. E justamente nas práticas jurídicas ou judiciárias Foucault identificará a emergência de novas e complexas formas de subjetividade. Por meio dessas práticas, estabelecer-se-iam ricas relações entre o homem e a verdade. As complexas técnicas do **inquérito**, por exemplo, iniciadas na Idade Média como forma de pesquisa da verdade do ponto de vista jurídico, estende-se posteriormente ao campo da reflexão filosófica e científica. Já no século XIX, em função da estabilização da sociedade capitalista, surge o **exame**, outra forma de pesquisa da verdade, do ponto de vista jurídico, que teria dado origem à sociologia, à psicologia, à psicopatologia, à criminologia e à psicanálise.

[59] REALE, 1996, p. 7.

Citando Nietzsche, Foucault inicialmente realizará a desconstrução da noção de **conhecimento**. Não há adequação entre o sujeito, o conhecimento e o objeto. Esses conceitos são históricos, são construídos, destruídos e reconstruídos pelas práticas sociais:

> Nietzsche quer dizer que não há uma natureza do conhecimento, uma essência do conhecimento, condições universais para o conhecimento, mas que o conhecimento é, cada vez, o resultado histórico e pontual de condições que não são da ordem do conhecimento. O conhecimento é um efeito ou um acontecimento que pode ser colocado sob o signo do conhecer. O conhecimento não é uma faculdade nem uma estrutura universal. Mesmo quando utiliza um certo número de elementos que podem passar por universais, esse conhecimento será apenas da ordem do resultado, do acontecimento, do efeito[60].

É assim que Foucault procura fazer sua história da verdade — não do ponto de vista interno, como história de erros e acertos, mas do ponto de vista histórico, político e social, ressaltando a relação desses elementos com a constituição de determinadas verdades e de determinados saberes. Assim Foucault termina sua primeira conferência, retomando a questão metodológica e expondo o universo no qual irá se mover, nas próximas palestras:

> Retomo agora meu ponto de partida. Em uma certa concepção que o meio universitário faz do marxismo ou em uma certa concepção do marxismo que se impôs à universidade, há sempre no fundamento da análise a idéia de que as relações de força, as condições econômicas, as relações sociais são dadas previamente aos indivíduos, mas, ao mesmo tempo, se impõem a um sujeito de conhecimento que permanece idêntico salvo em relação a ideologias tomadas como erros.
>
> Chegamos assim a esta noção muito importante e ao mesmo tempo muito embaraçosa de ideologia. Nas análises marxistas tradicionais a ideologia é uma espécie de elemento negativo através do qual se traduz o fato de que a relação do sujeito com a verdade ou simplesmente a relação de conhecimento é perturbada, obscurecida, velada pelas condições de existência, por relações sociais ou por formas políticas que se impõem do exterior ao sujeito do conhecimento. A ideologia é a marca, o estigma dessas condições políticas ou econômicas de existência sobre um sujeito de conhecimento que, de direito, deveria estar aberto à verdade.

[60] REALE, 1996, p. 18-19.

> O que pretendo mostrar nestas conferências é como, de fato, as condições políticas, econômicas de existência não são um véu ou um obstáculo para o sujeito de conhecimento mas aquilo através do que se formam os sujeitos de conhecimento e, por conseguinte, as relações de verdade. Só pode haver certos tipos de sujeito de conhecimento, certas ordens de verdade, certos domínios de saber a partir de certas condições políticas que são o solo em que se forma o sujeito, os domínios de saber e as relações com a verdade. Só se desembaraçando desses grandes temas do sujeito do conhecimento, ao mesmo tempo originário e absoluto, utilizando eventualmente o modelo nietzschiano, poderemos fazer uma história da verdade.
>
> Apresentarei alguns esboços dessa história a partir das práticas judiciárias de onde nasceram os modelos de verdade que circulam ainda em nossa sociedade, se impõem ainda a ela e valem não somente no domínio da política, no domínio do comportamento quotidiano, mas até na ordem da ciência. Até na ciência encontramos modelos de verdade cuja formação releva das estruturas políticas que não se impõem do exterior ao sujeito de conhecimento mas que são, elas próprias, constitutivas do sujeito de conhecimento[61].

Na segunda palestra, Foucault estudará a peça *Édipo-Rei*, de Sófocles. Se na *Ilíada* encontramos um momento de exercício da busca da verdade, por meio do método da **prova** ou juramento, e na peça de Sófocles isso também ocorre, o método principal que leva à descoberta da verdade em *Édipo-Rei* é o do **inquérito**. Por meio de um jogo de metades, de encaixamento, chega-se à solução do enigma. E essa solução abrange três níveis: divino, da profecia (o oráculo e Tirésias); poder (Édipo e Jocasta); e terreno (os dois escravos). Foucault mostra que na peça de Sófocles, assim como posteriormente na filosofia de Platão, procura-se dissociar o poder do saber, numa crítica às figuras dos tiranos e dos próprios sofistas. Édipo seria o rei que, por saber demais, nada sabia. Saber e poder caminhariam, a partir de Sófocles, separadamente, e esse mito ocidental Nietzsche teria tentado destruir.

Na terceira conferência, Foucault retoma a diferenciação entre a **prova** e o **inquérito**. Na transição entre as duas formas de busca da verdade, na Grécia, teríamos uma revolução não apenas jurídica mas também cultural, que podemos aproximar da transição *myteos/lógos*:

[61] FOUCAULT, Michel. A verdade e as formas jurídicas. Tradução Roberto Cabral de Melo Macedo e Eduardo Jardim de Morais. In: *Cadernos da PUC/RJ*, Rio de Janeiro, n. 16, jun. 1974. p. 20-21.

> Primeiro, a elaboração do que se poderia chamar formas racionais da prova e da demonstração: como produzir a verdade, em que condições, que formas observar, que regras aplicar. São elas, a Filosofia, os sistemas racionais, os sistemas científicos. Em segundo lugar e mantendo uma relação com as formas anteriores desenvolve-se uma arte de persuadir, de convencer as pessoas da verdade do que se diz, de obter a vitória para a verdade ou, ainda, pela verdade. Tem-se aqui o problema da retórica grega. Em terceiro lugar há o desenvolvimento de um novo tipo de conhecimento: conhecimento por testemunho, por lembrança, por inquérito. Saber de inquérito que os historiadores, como Heródoto, pouco antes de Sófocles, os naturalistas, os botânicos, os geógrafos, os viajantes gregos vão desenvolver e Aristóteles vai totalizar e tornar enciclopédico[62].

Segundo Foucault, após a queda do Império Romano, o método do inquérito teria sido esquecido, voltando a ser utilizado apenas na Alta Idade Média, apesar de já revestido de caráter distinto. O direito germânico seria basicamente fundamentado no método da prova, e o sistema de inquérito praticamente não existia. Não havia ação pública (com exceção de casos de traição e homossexualismo), e uma ação penal era caracterizada basicamente por um duelo ou uma guerra particular. O direito seria apenas uma forma regulamentada dessa guerra se desenvolver, que poderia acabar em acordos econômicos, em que uma vingança podia ser resgatada por meio de determinada soma em dinheiro, definida por um árbitro escolhido de comum acordo. No direito feudal, também reinava o sistema de prova. Em alguns casos, o acusado podia ser substituído ou representado por outra pessoa, o que, segundo Foucault, dará origem à figura do advogado. Não transparece, nesses métodos, uma intenção de busca da verdade, de pesquisa da verdade. Nesse combate, há apenas a vitória ou a derrota — não existe, nesse momento, a idéia de uma sentença, como enunciação de um terceiro sobre quem teria dito a verdade ou a mentira. A autoridade, nesses casos, intervém simplesmente como aquela que acompanha o processo, para garantir que tudo se desenvolva dentro de certa regularidade. O mais forte deve vencer.

A partir do século XII, o inquérito ressurge. A circulação de bens, até esse momento, era marcada pela guerra, e entre a própria guerra e o direito não se estabeleciam fronteiras nítidas. Não havia poder

62 FOUCAULT, 1974, p. 42.

judiciário até o século XII. Ele se formará, segundo Foucault, paralelamente ao processo de acumulação de riqueza e do poder das armas, acompanhando a formação das monarquias. Foucault aponta então algumas características desse poder judiciário nascente: as regras para liquidação dos conflitos serão agora determinadas do alto; surge o personagem do procurador, representante do soberano; surge uma nova noção, de infração à ordem, ao Estado, à lei, à sociedade, à soberania, ao soberano; ainda outra invenção, a de que, com a infração, o soberano também teria sido lesado, então deve haver uma reparação, que se realizará com as multas e a confiscação; e surge também a sentença — já que o soberano ou o Estado, sentindo-se lesado, não poderiam se submeter ao combate com o acusado, nos moldes do direito germânico ou feudal, correndo o risco de perder a batalha — então a sentença estabelece-se em substituição ao modelo do flagrante delito. A sentença é, portanto, o resultado do inquérito; e todas essas práticas aparecem, ainda, associadas ao poder da Igreja, como herança de um procedimento já praticado por ela.

O inquérito teria tido, portanto, uma origem dupla, associada tanto ao surgimento do Estado quanto a uma herança religiosa. O inquérito terá, para Foucault, uma função de prolongar a realidade, de estender o presente:

> Se, com efeito, se consegue reunir pessoas que podem, sob juramento, garantir que viram, que sabem, que estão a par; se é possível estabelecer por meio delas que algo aconteceu realmente, ter-se-á indiretamente, através do inquérito, por intermédio das pessoas que sabem, o equivalente ao flagrante delito. E se poderá tratar de gestos, atos, delitos, crimes que não estão mais no campo da atualidade, como se fossem apreendidos em flagrante delito. Tem-se aí uma nova maneira de prorrogar a atualidade, de transferi-la de uma época para outra e de oferecê-la ao olhar, ao saber, como se ela ainda estivesse presente. Essa inserção do procedimento do inquérito reatualizando, tornando presente, sensível, imediato, verdadeiro, o que aconteceu, como se o estivéssemos presenciando, constitui uma descoberta capital[63].

Assim como na Grécia, associadas ao inquérito surgem novas formas de saber ou modificações substanciais nos métodos de saberes já existentes: economia política, estatística, geografia, astronomia, medicina, zoo-

[63] FOUCAULT, 1974, p. 56.

logia, botânica etc. Além de que, perdem o poder e a importância saberes associados ao método da prova: a alquimia e o método universitário da *disputatio*, em que dois adversários se enfrentavam numa disputa verbal e utilizando-se do apelo à autoridade.

Foucault conclui assim sua terceira conferência:

> [...] o inquérito não é absolutamente um conteúdo, mas uma forma de saber. Forma de saber situada na junção de um tipo de poder e de certo número de conteúdos de conhecimento. Aqueles que querem estabelecer uma relação entre o que é conhecido e as formas políticas, sociais ou econômicas que servem de contexto a esse conhecimento costumam estabelecer essa relação por intermédio da consciência ou do sujeito de conhecimento. Parece-me que a verdadeira junção entre processos econômico-políticos e conflitos de saber poderá ser encontrada nessas formas que são ao mesmo tempo modalidades de exercício de poder e modalidades de aquisição e transmissão do saber. O inquérito é precisamente uma forma política, uma forma de gestão, de exercício do poder que, por meio da instituição judiciária, veio a ser uma maneira, na cultura ocidental, de autenticar a verdade, de adquirir coisas que vão ser consideradas verdadeiras e de as transmitir. O inquérito é uma forma de saber-poder. É a análise dessas formas que nos deve conduzir à análise mais estrita das relações entre os conflitos de conhecimento e as determinações econômico-políticas[64].

Na quarta conferência, Foucault abordará o nascimento do que ele denomina "sociedade disciplinar", no final do século XVIII e início do século XIX. O crime passa a ser entendido como uma ruptura com a lei, e desvincula-se totalmente da falta religiosa ou moral. As leis jurídicas não procurariam mais reproduzir as leis naturais, morais ou religiosas, mas apenas determinar o que é útil à sociedade. E o crime teria perdido seu parentesco com o pecado e com a falta, passando a ser claramente definido como um dano social, uma perturbação — isso veremos quando tratarmos do caso de Pierre Rivière. Como para Rousseau, o criminoso seria aquele que tivesse rompido o pacto social, tornando-se um inimigo da sociedade. "Esta idéia do criminoso como inimigo interno, como indivíduo que no interior da sociedade rompeu o pacto que havia teoricamente estabelecido, é uma definição nova e capital na história da teoria do crime e da penalidade"[65].

---

64 FOUCAULT, 1974, p. 61.

65 Ibid., p. 64.

Dessa forma, a função da lei penal também se modifica amplamente com a grande Reforma do Sistema Penal. Não interessa agora administrar uma vingança, deve-se apenas reparar o mal e impedir que a sociedade seja prejudicada novamente. Surgem então quatro tipos de punição, associados a esses novos princípios: deportação; provocar a vergonha e humilhação no próprio corpo social[66]; o trabalho forçado; e a pena do talião.

Entretanto, curiosamente, as sociedades industriais em formação acabarão praticamente por ignorar essas formas teóricas, propostas pela reforma das leis, substituindo-as por uma nova forma, do aprisionamento e da prisão. "A prisão não pertence ao projeto teórico da reforma da penalidade do século XVIII. Surge no fim do século XIX, como uma instituição de fato, quase sem justificação teórica."[67] A própria lei transforma-se, de universal e moldada pela noção de utilidade à sociedade, em individual e centrada no indivíduo — daí a importância cada vez maior das circunstâncias atenuantes. A periculosidade e a virtualidade do indivíduo tornam-se mais importantes do que seus próprios atos. Para o controle do indivíduo, desenvolvem-se então, paralelamente ao poder judiciário, uma série de outras instituições: polícia, hospital psiquiátrico, asilo, instituições pedagógicas, escolas, casas de correção, entre outras.

Assim, o procedimento do exame e da vigilância substitui o procedimento do inquérito. À necessidade de determinar se algo se passou ou não, se alguém está falando a verdade ou não, surge a necessidade de saber se algo está progredindo dentro das normas — e aqui podemos lembrar de Kelsen. As ciências humanas, como a psiquiatria, a sociologia e a psicologia, seriam exemplos de saberes surgidos fundamentados nesse novo método jurídico. Foucault estudará, então, como esses mecanismos de controle constituíram-se, principalmente na Inglaterra e na França, e como se distribuíram para grande parte da sociedade. E relacionará esses novos mecanismos e saberes com as modificações introduzidas pela Revolução Industrial:

[66] O romance *The scarlet letter* (1850), de Nathaniel Hawthorne, transformado em filme há alguns anos, mostra muito bem esse procedimento nos Estados Unidos, quando Hester Prynne, acusada de adultério, é obrigada a mostrar-se face à sociedade com uma letra escarlate indicando seu crime.

[67] FOUCAULT, 1974, p. 66-67.

Para tanto é preciso levar em consideração um fenômeno importante: a nova forma assumida pela produção. O que está na origem do processo que procurei analisar é a forma de materialidade da riqueza. Na verdade, o que surge na Inglaterra do fim do século XVIII, muito mais aliás do que na França, é o fato de a fortuna, de a riqueza se investir cada vez mais no interior de um capital que não é mais pura e simplesmente monetário. A riqueza dos séculos XVI e XVII era essencialmente constituída pela fortuna de terras, por espécies monetárias ou eventualmente por letras de câmbio, que os indivíduos podiam trocar. No século XVIII aparece uma forma de riqueza que é agora investida no interior de um novo tipo de materialidade não mais monetária; que é investida em mercadorias, estoques, máquinas, oficinas, matérias-primas, mercadorias que estão para ser expedidas etc. E o nascimento do capitalismo ou a transformação e aceleração da instalação do capitalismo vai se traduzir nesse novo modo da fortuna se investir materialmente. Ora, essa fortuna constituída de estoques, matérias-primas, objetos importados, máquinas, oficinas etc., está diretamente exposta à depredação. Toda essa população de gente pobre, de desempregados, de pessoas que procuram trabalho tem agora uma espécie de contato direto, físico com a fortuna, com a riqueza. O roubo dos navios, a pilhagem dos armazéns e dos estoques, as depredações nas oficinas tornaram-se comuns no fim do século XVIII na Inglaterra. E justamente o grande problema do poder na Inglaterra nessa época é o de instaurar mecanismos de controle que permitam a proteção dessa nova forma material da fortuna. Daí se compreende porque o criador da polícia na Inglaterra, Colqunoun, era alguém que a princípio foi comerciante, sendo depois encarregado por uma companhia de navegação de organizar um sistema para vigiar as mercadorias armazenadas nas docas de Londres. A polícia de Londres nasceu da necessidade de proteger as docas, entrepostos, armazéns, estoques etc. Essa é a primeira razão, muito mais forte na Inglaterra do que na França, do aparecimento da necessidade absoluta desse controle. Em outras palavras, essa é a razão porque esse controle, com um funcionamento de base quase popular, foi retomado de cima em determinado momento.

A segunda razão é que, tanto na França quanto na Inglaterra a propriedade de terras vai mudar igualmente de forma, com a multiplicação da pequena propriedade, a divisão e delimitação das propriedades. O fato de não mais haver, a partir daí, grandes espaços desertos ou quase não cultivados nem terras comuns sobre as quais todos podem viver, vai dividir a propriedade, fragmentá-la, fechá-la em si mesma e expor cada proprietário a depredações.

E, sobretudo entre os franceses, haverá essa perpétua idéia fixa da pilhagem camponesa, da pilhagem da terra, desses vagabundos e trabalhadores agrícolas freqüentemente desempregados, na miséria, vivendo como podem, roubando

> cavalos, frutas, legumes etc. Um dos grandes problemas da Revolução Francesa foi o de fazer desaparecer esse tipo de rapina camponesa[68].

Em primeiro lugar, devemos ressaltar que essa transformação da riqueza em algo material, conforme indicada por Foucault, encontra na sociedade contemporânea uma inversão, um retorno a uma situação prévia, em que a riqueza começa a perder sua materialidade, assim como o próprio elemento monetário — com o uso crescente dos cartões de crédito e mais recentemente do *smart card*, com a importância crescente do conhecimento e da informática, com a filosofia de produção *just-in-time*, dentre outros exemplos que ainda teremos oportunidade de analisar. Com o nascimento da sociedade disciplinar, uma arquitetura de espetáculo, em que um espetáculo deve ser presenciado pelo maior número possível de pessoas (igreja, teatro etc.), é substituída por uma arquitetura de vigilância, em que um maior número de pessoas deve ser vigiado por apenas um indivíduo. Em outras palavras, uma comunidade espiritual e religiosa é substituída por uma sociedade estatal. A um olho deve ser dada a possibilidade de percorrer vários corpos, várias pessoas, várias mentes. Foucault estuda então a concretização desse modelo nas fábricas do início do século XIX. Um dos experimentos mais importantes e decisivos, na história do pensamento administrativo, é o da fábrica de Hawthorne, desenvolvido por Mayo e colaboradores, que dará origem à Escola das Relações Humanas. E o que se fez aqui, como em vários outros experimentos comuns na época? Isolam-se alguns funcionários de seu ambiente de trabalho e passa-se a observá-los, continuamente, constantemente, procurando medir os fatores que afetam sua produtividade. Mensurar a produtividade é uma ambição nascente da teoria da administração (e teremos oportunidade de avaliar esse assunto com mais profundidade mais à frente), e cabe aqui destacar, para ilustrar o raciocínio de Foucault, que essa ambição de mensurar a produtividade nasce associada com a idéia de **visualizar** a produção — e daí se explica toda a teoria sobre a supervisão e o controle, essencial para esse novo campo de conhecimento, a administração. E a análise de Foucault pode ser estendida para os asilos, as escolas, os hospitais psiquiátricos, as prisões etc. Essas formas de normalização dos indivíduos (a que Foucault

[68] FOUCAULT, 1974, p. 80-81.

batiza de 'instituições de seqüestro') teriam substituído as formas de reclusão do século XVIII. Foucault inclui entre essas instituições de seqüestro, por exemplo, as caixas econômicas. Forma-se na nossa sociedade uma interessante e dinâmica relação entre o poder, o saber e a produção. A própria concepção do homem como essencialmente ligado ao trabalho seria uma **invenção** dessa época, seria o resultado de um jogo de forças, de microrrelações de poder. Huizinga faz, acerca disso, uma observação extremamente interessante:

> Para Aristóteles, a preguiça ou ócio é o princípio do universo. É uma coisa preferível ao trabalho, e é, sem dúvida, o fim (teloz) de todo trabalho. Esta inversão de uma relação por nós bem conhecida pode parecer estranha para quem não souber que na Grécia o homem livre não precisava trabalhar para ganhar a vida, e, portanto, dispunha de tempo para dedicar-se a nobres ocupações de caráter educativo. Para ele, o problema era como ocupar seu scolh, seu tempo livre. Não deveria ser no jogo, porque nesse caso o jogo seria o fim último da existência e isso para Aristóteles era impossível, pois a paidia [educação] pura e simples não passa de brincadeira infantil. O jogo pode servir para descansar do trabalho, como uma espécie de tônico, na medida em que dá repouso à alma. Mas o lazer não parece conter toda a alegria nem todo o prazer da vida. Ora esta felicidade, ou seja, o fim da necessidade de lutar por aquilo que não se tem, é o *telos*. Mas nem todos os homens a encontram nas mesmas coisas, e aliás ela é superior quando aqueles que a gozam são melhores e quando suas aspirações são mais nobres. Portanto, fica claro que precisamos educar-nos para essa *diagoguê* e aprender certas coisas, mas não, note-se bem, em nome do trabalho, e sim em nome delas próprias. Era por este motivo que nossos antepassados recomendavam a música como *paideia*, como educação, cultura, como algo que não é necessário nem útil, como ler e escrever, mas serve simplesmente para gastar o tempo livre[69].

Teremos a oportunidade de retomar essas questões, principalmente a função do conhecimento, do trabalho e do lazer na sociedade contemporânea.

A obra de Foucault, *Eu, Pierre Rivière, que degolei minha mãe, minha irmã e meu irmão*, resultado de uma pesquisa em grupo, é um livro impressionante, daqueles que a leitura deixa-nos pasmos, assustados, surpresos. Podemos abordá-lo, pelo menos, de dois ângulos.

---

[69] HUIZINGA, 1996, p. 180.

Em primeiro lugar, o memorial, parte principal do texto, é arrepiante. Um camponês, em 1835, com cerca de 20 anos, que dizia não saber ler nem escrever, de dentro da prisão escreve um texto emocionante em que descreve as razões que o levaram a matar cruelmente sua mãe, grávida de sete meses, sua irmã de 18 anos e seu irmão de 7 anos. Ele morava com o pai, separado da mãe, e num certo dia se encaminha à sua casa e degola as três vítimas. Após o assassinato, passa a vagar por bosques e campos, alienado, alimentando-se de ervas, folhas e frutos selvagens. Quando é encontrado, após mais ou menos um mês, não resiste à prisão, confirma o assassinato e diz que sua mãe pecara diante de Deus, e seus irmãos também, por terem ficado a seu lado. Sem demonstrar emoção ou arrependimento pelo crime, afirma ter agido orientado por Deus.

Pode-se fazer uma pausa com Foucault, e traçar várias relações, para enriquecer a leitura de Pierre Rivière.

A novela *Páscoa feliz*, do português José Rodrigues Miguéis, mostra o desenvolvimento do relacionamento entre Renato Lima e seu chefe, Nogueira. Renato vai dia a dia, silenciosamente, desenvolvendo um ódio mortal por Nogueira, até este descobrir que Renato o roubava, quando é despedido. Nesse momento, ocorre um assassinato. Na magistral descrição do crime, fica evidente a inconsciência associada ao ato do criminoso, a idéia de um **outro Renato**, uma **outra personalidade** estar agindo como o verdadeiro assassino, a duplicação ou mesmo multiplicação do assassino em muitos (ao se identificar com um punhal, ao se destacar como observador da cena etc.):

> — Mas que quer você? Diga lá o que quer!
>
> Coloca-se ao meu lado. A minha mão alonga-se até à mesa... Agarro a faca e, não sei como, o Nogueira e eu estamos frente a frente.
>
> — Que deseja de mim? O que vem a ser isto?
>
> Não sei porque o faço. Tremo. Cerro os olhos — e *vejo*. Sorrio suavemente... Não sou eu, é um outro quem age... Não sei se lhe digo alguma coisa; mas nunca esquecerei o seu olhar de espanto, e o movimento da cabeça a dizer-me que não... Os meus dedos correm a delgada lâmina da faca. O frio do metal dá-me uma volúpia alegre, penetrante e doce. Os meus dedos seguem pelo gume fora, até à ponta, e tenho a impressão de que eu próprio assim sou — longo, delgado e cortante — todo eu sou um punhal... 'É tudo um sonho, eu estou a sonhar, isto é absurdo, absurdo!' Para que reagir? É um sonho. Uma curiosidade cruel... A ver. É mais uma a juntar aos outros pesadelos. Ouço um nome? É possível. Talvez o do meu filho, com que o velho me exorta pela última

vez. Tudo se apaga. 'Uma Páscoa Feliz... uma Páscoa feliz...'[70] Não tenho energia para pensar, nem ele tem tempo de dizer mais nada. Sou mudo, surdo, insensível. A faca e o vulto, nada mais. Deito-lhe a mão esquerda à gola do casaco, e ele segura-me o pulso com as duas mãos, a tremer, cerrando os olhos.

Com a mão direita firo-o rapidamente no pescoço, duas, três vezes — não sei ao certo. O sangue vermelho e vivo gorgoleja, alagando o casaco e a camisa. O velho fica de olhos cerrados, com um suspiro fundo, quase de bem-estar. Larga-me o braço. Não tem uma crispação. Serenamente, desliza ao longo da parede, até ficar sentado, a cabeça junto do cofre ainda aberto, e uma cascata de sangue a ensopar-lhe a roupa até correr no sobrado limpo e claro, onde se some nos interstícios das tábuas[71].

Consumado o crime, Renato se recompõe e passa a vaguear, sem destino, inconsciente de seu crime, como se o assassino já o tivesse abandonado:

Poiso a faca junto dele. Enxugo a uma toalha as mãos que o sangue nem sequer manchou, componho o chapéu, e com uma naturalidade que me surpreende, a calma de quem obedece a um comando irresistível, fecho a porta e a cancela sobre o corpo do Nogueira, sobre o meu passado, e desço vagarosamente. Um silêncio irreal... Que belo tempo! que sol! Seria bom ir passear no campo, estender os braços doridos na relva ainda fresca, e olhar o céu através da folhagem nova dos loureiros e dos choupos! Uma Páscoa feliz... Sinto-me *livre*. Começo a andar. Um véu desce sobre a minha consciência. Que vou eu fazer? Vagueio, não sei por onde, durante muitas horas[72].

Exprime-se aqui, logo após o crime, um desejo pelo passeio no campo, o que, como vimos, Pierre Rivière realizará. O crime parece aproximar o homem da natureza, como se ele retornasse, por algum tempo, a um estágio primitivo, **natural**, como se habitasse agora um mundo para lá das convenções sociais, como se se encontrasse, por alguns instantes, fora do espaço do pacto social.

Quando retorna à sociedade, a inconsciência do crime toma totalmente conta de Renato, como se ele realmente não o tivesse come-

---

[70] Nogueira havia desejado, momentos antes, uma Páscoa feliz para Renato, mesmo após ter descoberto tudo.

[71] MIGUÉIS, José Rodrigues. *Páscoa feliz*. 2.ed. Lisboa: Estúdios Cor, 1958. p. 146-147.

[72] Ibid., p. 147-148.

tido, e, mais ainda, como se ele não soubesse que houve um crime, como se o Nogueira ainda estivesse vivo, de forma que Renato pode agora sentir remorso, por exemplo, do roubo que vinha cometendo:

> Durante muitas horas. Até que, já tarde, experimento a necessidade imperiosa de ir ver o Nogueira, de explicar-lhe demoradamente como abusei da sua confiança. Quero pedir-lhe perdão, agradecer-lhe a sua bondade, as palavras finais, tão comovidas, que não podem sair-me dos ouvidos. Sinto, enfim, aquele remorso que me descobre o fundo humano do meu coração. Julgo-me quase feliz de sofrer, assim, com a ideia do mal que fiz aos outros.
>
> A última recordação... Exactamente. O momento em que *ele* fechou a porta. Depois... Mas eu preciso de lhe falar. A estas horas. Vou procurá-lo a casa, naturalmente[73].

Todos os momentos em que a tendência natural de externar uma energia, como reação a uma agressão, por exemplo, é bloqueada por algum motivo, formam-se os pequenos complexos. Quando, por exemplo, somos agredidos verbalmente numa situação social, mas não podemos reagir e temos de engolir nossa raiva. Renato sentia-se constantemente maltratado pelo chefe. O ego funciona, nesse sentido, justamente como catalisador, direcionando e ordenando a energia de todos esses complexos, a energia psíquica. Mas em muitos casos, alguns desses complexos passam a ser alimentados continuamente, iniciando uma competição com o ego pela função da administração psíquica. Pequenos gestos, pequenos detalhes, uma simples palavra, podem funcionar como detonadores de um **processo patológico**, em que esse complexo assume a direção das ações do indivíduo. Passado esse momento (quando não assume níveis de gravidade, como no caso de um xingamento, de um palavrão, de uma pequena agressão física, em que em geral dizemos: "Eu não fiz isso", "Não é possível que eu tenha dito isso"), paralelamente a uma sensação de alívio, como se um peso tivesse sido tirado de nosso corpo, como se um demônio tivesse sido expulso de nosso organismo, o ego retorna à sua função, muitas vezes inconsciente das ações que o próprio indivíduo cometeu, durante o tempo em que foi possuído pelo complexo. Eis um devaneio de Renato: "Tenho a

[73] MIGUÉIS, 1958, p. 149.

impressão de que saio duma longa embriaguez"[74]. Sua última lembrança é de quando o Nogueira fechou a porta — sua memória temporal só vai até um tempo anterior ao do crime, um tempo anterior àquele em que ele se torna possuído pelo demônio — os atos seguintes já não fazem parte de sua lembrança, não foi ele quem os cometeu, ele nem mesmo os presenciou. O crime não faz parte de sua personalidade.

Quando Renato chega à casa de Nogueira, procurando por ele, uma criada o atende e diz: "— Não, ainda não veio. Até estou em cuidado. Costuma chegar muito mais cedo. Mas não esteve com ele no escritório?"[75] Renato então desconversa e começa a chorar abruptamente. A pergunta como que remexe no complexo, na personalidade já abandonada, superada, que nesta altura se encontrava novamente escondida e domada, mas que ainda concentra uma poderosa carga emocional. A pergunta como que desloca o equilíbrio psíquico de Renato, ameaça a primazia do ego, o que o choro serve para recompor:

> — No escritório? Ah, sim! de manhã...
>
> A sua pergunta fez-me empalidecer. Por que não estive eu durante o dia no escritório?
>
> — Boa noite!
>
> A velha pergunta-me qualquer coisa que eu já não quero ouvir, e saio precipitadamente.
>
> O coração estala-me no peito. Volto à Baixa, enquanto as ruas e avenidas vão mergulhando numa sombra azulada. Corro e choro, não sei porquê. Tenho pressa. Pergunto a mim mesmo se é o remorso que me faz chorar. Não sei. Não sei nada! Alguma coisa que se estilhaçou cá dentro — e choro... As lágrimas aliviam, reconfortam, quase dão alegria. Este peso no peito e nas fontes desaparece aos poucos. A minha agitação decresce. Há quanto tempo não chorava assim![76]

É interessante notar que, em certo momento, o choro também tomará conta de Pierre Rivière. A patologia desses atos pode ser associada com a questão das múltiplas personalidades, e acaba determinando as decisões judiciais. Os complexos que se tornam muito podero-

[74] MIGUÉIS, 1958, p. 149.

[75] Ibid., p. 150.

[76] Ibid., p. 150-151.

sos passam a funcionar como outros **eus**, e então podemos nos perguntar: se não foi o indivíduo quem cometeu o crime, se não foi sua personalidade-mãe quem o moveu, naquele momento, quem deve ser condenado? Por isso, do ponto de vista legal, pode-se recomendar o tratamento psiquiátrico, em vez da condenação carcerária, pura e simples. Em alguns casos, como o da famosa Sybil, podem ser identificadas e descritas diversas personalidades na mesma pessoa, cada uma inconsciente da existência da outra. A obra de Graciliano Ramos é também repleta de exemplos em que os indivíduos se mostram muitos. O filme *Síndrome de Caim* é brilhante, desse ponto de vista, pois apresenta dois personagens, irmãos gêmeos, e o espectador só percebe com o decorrer do filme que se trata da representação de duas personalidades do mesmo indivíduo — só existe um personagem, na verdade. Em *O diário de Edith* (1983), dirigido por Hans W. Geissendörfer, com roteiro baseado no romance homônimo de Patrícia Highsmith, passamos a conviver com a personagem principal, Edith, por meio de seu diário, e com seu filho Chris, casado e que também tem um filho. Para o espectador, tudo flui normalmente — há cenas em que Edith aparece empurrando um carrinho de nenê e conversando com seu neto; outras em que ela escreve cartas para seu filho, perguntando sobre sua família; outras em que aparece conversando com alguém, comentando sobre a situação da família de seu filho. Até que, numa cena comum de jantar em que Edith pergunta a Chris algo sobre sua esposa, Chris estranha a pergunta e Edith desconversa (como fez Renato, quando a velha criada pergunta se ele não esteve de manhã com Nogueira), e o espectador começa a perceber que algo está errado. Na realidade, e isto descobrimos aos poucos, Chris não se havia casado, não tinha filho nenhum, não havia esposa. Como espectadores, percebemos, junto com Chris, que Edith encontra-se habitando um mundo ideal, um outro mundo, uma outra realidade. E, com um roteiro magistral, o filme nos fez, como espectadores, conviver com Edith em seu mundo, acreditando que aquela era a realidade. Tudo aquilo — a cena do carrinho, as cartas, as informações que Edith transmitia para as pessoas (e para nós, espectadores) sobre a família do filho, seu próprio diário, nada disso era real, tudo fazia parte da piração de Edith. Outro exemplo genial de roteiro é *Providence*, do francês Alain Resnais, em que quase todo o filme mostra, alternadamente, numa noite, um velho bebendo em seu quarto e bolando um livro, e as próprias cenas do livro, em que um dos personagens é pintado negativamente. Contudo, na curta cena final do filme, na manhã seguinte, os filhos reais vêm visitar o pai, e durante um café da manhã, por um simples detalhe, pela forma agressiva como o pai faz uma observação para seu filho, pela fisionomia do próprio filho e de sua esposa, em função do comentário, percebe-se que o filho do livro, pintado negativamente, não passava de projeção do pai-escritor, projeção de alguma energia aprisionada em um complexo, no sentido como o descrevemos, e que tem o poder tanto de deformar um personagem como de mediar negativamente a relação efetiva com seu filho. Como espectador, mais uma vez, fomos levados a viver outra realidade, uma outra personalidade, inconsciente de que estávamos embarcando numa figuração, num desvio. Vivemos, nesses filmes, a sensação de navegar no outro sem consciência de alteridade, crentes de que esse outro seja o real, que represente uma personalidade sadia, que seja uno, o único. No caso de *Providence*, toda a "patologia" projetada pelo pai em seu filho, nas cenas do livro, como que se desloca, pela rápida troca de olhares no café da manhã, para o próprio pai — podemos agora pensá-la como projeção, e, se se trata de projeção, é então projeção de conteúdos que não estão no filho, mas no pai. Por fim, não poderíamos deixar de citar outro filme, magistral no sentido de descrever uma pessoa (Catherine Deneuve) mergulhando pouco a pouco na loucura, perdendo pouco a pouco os laços de contato com a realidade, assumindo pouco a pouco uma personalidade doentia: *Repulsa ao sexo*, de Roman Polanski.

Mas voltemos agora a Foucault, pois o que ele pretende, com o caso de Rivière, é justamente mostrar o nascimento e a constituição de um saber, justamente o saber que nos permite, hoje, falar com tanta convicção sobre esses casos como falamos acima, saber que tem, contudo, raízes históricas e profundas, que só se estabelece como discurso e como verdade num determinado momento. No primeiro interrogatório, Pierre confirma que premeditara o crime quinze dias antes e que seu objetivo fora livrar seu pai dos apuros em que vivia — a história da aparição divina seria então mentira, ele confessa. Discursa metodicamente, por mais de duas horas, sobre toda a vida de sua família e os motivos que o levaram ao assassinato, e posteriormente, durante 11 dias, redige um memorial. Gostaríamos de destacar aqui apenas alguns momentos desse texto:

> Eu, Pierre Rivière, que degolei minha mãe, minha irmã e meu irmão, e querendo tornar conhecidos os motivos que me levaram a esta ação, escrevi toda a vida que meu pai e minha mãe levaram juntos durante seu casamento.
>
> [...]
>
> Meu irmão Jule tinha voltado da escola. Aproveitando essa oportunidade apanhei a foice, e entrei na casa de minha mãe e cometi esse crime horrível, começando pela minha mãe, e em seguida minha irmã e meu irmãozinho, depois disso redobrei os golpes [...]
>
> [...]
>
> Tomei pois esse caminho e joguei minha foice num trigal perto de la Faucterie. Enquanto ia, senti enfraquecer aquela coragem e aquela idéia de glória que me animavam, e quando me afastei mais e alcancei o bosque, recuperei completamente minha razão, ah, será possível?, perguntei-me, monstro que sou! desgraçadas vítimas! será possível que eu tenha feito isso, não, é apenas um sonho! ah, não, é demasiadamente real! Abismos, abram-se sob meus pés; terra, engula-me; chorei e me rolei no chão, deitei-me e examinei o local e os bosques, já tinha estado lá outras vezes[77].

Pierre discursa como um herói grego. É incrível a semelhança, até em termos de vocabulário, com a novela de Miguéis (como o trabalho de Foucault só foi publicado bem depois que a obra do novelista português, e presume-se que o texto de Pierre, apesar de mais antigo, não era de conhecimento público e não tenha sido lido nem influenciado por Miguéis, então as coincidências são ainda mais impressionantes). A importância do texto escrito pelo criminoso, nos dois casos, é um dos elementos que causa mais surpresa e espanto na comparação possível.

A equipe coordenada por Foucault analisa o caso também pela ótica das relações entre a psiquiatria e a justiça penal. Foucault identifica no caso o surgimento da psiquiatria como discurso aceito pela justiça para inocentar um criminoso. A psiquiatria seria então uma nova forma de controle, que começa a se imbricar com o poder judiciário; o caso de Pierre Rivière denunciaria justamente o início da relação entre esses dois saberes: direito e medicina. Pierre seria condenado à morte por seu crime, mas, diagnosticado como alienado mental, suas penas teriam sido comutadas para prisão perpétua. Ele acabaria se enforcando na prisão.

---

[77] FOUCAULT, Michel (Apres.). *Eu, Pierre Rivière, que degolei minha mãe, minha irmã e meu irmão...* um caso de parricídio do século XIX. Tradução Denize Lezan de Almeida. 5. ed. Rio de Janeiro: Graal, 1991. p. 51 et passim.

O caso apresenta uma batalha de discursos entre juízes, peritos e psiquiatras. Como, desde a Revolução Francesa, a Igreja e a justiça divina não servem mais de fundamento para as decisões da justiça humana, é preciso substituir seu espaço por outro saber — e é aqui que se insere a psiquiatria. O criminoso não seria mais pecador, mas sim louco — excluído, em um ou outro caso, do campo dos seres humanos civilizados, da ordem social. Pierre não pode ser classificado, seu crime e seu texto são extraordinários, mas é preciso entendê-lo, dominá-lo pela ordem da razão, pelo discurso, categorizá-lo, para que seja possível condená-lo. A linguagem jurídica precisa esforçar-se para construir um espaço conceitual, um terreno de significados em que Pierre possa ser incluído — nesse sentido, aceita, apesar da relutância, o auxílio da psiquiatria. A própria noção de sociedade, de pacto social, em um de seus fundamentos mais poderosos, a família, encontrava-se em perigo com o crime de Pierre. É preciso, portanto, restituir a ordem.

Uma série de atos, de comportamentos anteriores ao crime, é agora tomada pela justiça e pela psiquiatria como sintomas da loucura de Pierre, como sinais precursores de seu crime. Mas a indecisão que arrasta o julgamento do caso explica-se pela tentativa de dar sentido ao incômodo e indefinível espaço que existe entre o crime e seu relato: seria o texto confirmação da loucura e alienação do criminoso ou prova de sua lucidez, da lucidez que também teria presidido o crime?

Foucault destaca algumas relações entre o ato de escrever e de matar — afinal, o autor é o mesmo. Pierre é duplamente autor e planejara antes do crime seu texto explicativo — que poderia mesmo ter sido redigido antes do assassinato. Foucault destaca também a importância, na época, das famosas narrativas dos crimes. A memória de Pierre é impressionante — ele se lembra de todos detalhes dos documentos do casamento de seus pais, de toda sua infância, da forma como sua mãe maltratava seu pai etc. A semelhança com a novela e o personagem Renato é aqui espantosa, e a reflexão seguinte do assassino (na novela) enriquece muito a leitura de Foucault:

> O manuscrito que eu tinha na algibeira era a tentativa de explicação do meu procedimento. Não se riam. Não queria, com ele, atrair sobre mim a complacência do digno tribunal, mas provar que a natureza do meu crime era duma complexidade excepcional, que o punha fora e muito acima dos seus fáceis juízos. Escrevera-o à pressa, na cadeia, durante a instrução do meu processo, pensan-

do comovido no efeito que a sua leitura iria produzir no julgamento. Mas, na verdade, que importavam àqueles homens indiferentes as razões do meu crime e da minha serenidade, que eles por certo classificaram de cinismo?

Os cidadãos desejam que se lhes torne o mais leve possível o 'direito' de julgar. Teriam morrido de tédio, ter-se-iam talvez rido, ao escutar a verdade minuciosa dos meus estados de alma. A Verdade, para os cidadãos, é sempre cômica ou corrosiva: desperta o riso — ou reclama medidas de segurança. A que interessa aos tribunais é uma verdade formal, relativa, decalcada nos figurinos da Lei. No fundo, os jurados eram necessariamente estúpidos: a ordem psíquica e moral estava-lhes vedada. Factos! factos! — Eu seria para eles, apenas, *o homem que matou para roubar*[78].

Mas, no caso de Pierre, não há roubo, não há qualquer motivo evidente para o crime que facilite o julgamento e a classificação do criminoso. Como é muito difícil falar sobre o crime de Pierre Rivière, o direito pede ajuda à psiquiatria, com seu discurso crítico, discurso que deve dar conta de seu objeto. O que se discute, por todo o processo de Pierre Rivière, é se ele é culpado ou se, privado de suas faculdades racionais, classificado num espaço exterior à moral, deve ser então isolado — pois não compartilharia de nosso mundo. Outro dado interessante, no desenvolvimento do caso, é que a denominação de **doente mental** é aplicada a Pierre sem que se mencione qualquer possibilidade ou caminho para a cura. O título de **louco** serve, portanto, antes e principalmente para categorizar e classificar, para estampá-lo (num processo formalmente semelhante às técnicas de vergonha apontadas anteriormente), para restabelecer a ordem na sociedade, a primazia da razão — tanto que não interessa curá-lo, apenas nomeá-lo. Da mesma forma como se procura, em Kaspar Hauser, um defeito em seu cérebro para explicar aquele objeto do discurso tão difícil e tão complexo, tão diferente. Incomoda quando temos de falar do outro que não nós mesmos. O caso de Pierre Rivière caracteriza-se como uma disputa entre a justiça e a medicina legal: uma disputa pelo crime como seu campo de saber, pelo poder de julgar ou diagnosticar um objeto. Uma disputa entre dois discursos. Culpado ou louco? Veredicto ou diagnóstico? A psiquiatria constrói-se, até mesmo, como um saber mais gabaritado para lidar com o crime, como um saber que consegue não apenas diagnosticar o criminoso após o crime, mas também preveni-lo. Na

[78] MIGUÉIS, 1958, p. 16-17.

própria discordância entre os laudos médicos, as publicações na imprensa, as decisões da justiça, os interrogatórios, podemos observar a constituição de alguns saberes e o deslocamento de outros, ou seja, podemos visualizar a organização de formas de controle social, objeto primordial da filosofia de Foucault. Quem tem o poder, o direito de determinar a verdade? Isso pode ser estudado por meio do nascimento dos saberes "verdadeiros", da sua constituição histórica e social, dos jogos de poderes que os sustentam. Assim, pode-se reconstituir uma História da Loucura, uma História da Sexualidade, uma História do Corpo etc., levando-se em conta os saberes que falam, que podem falar, aos quais é permitido ou não falar, em cada instante da história desses objetos — e a própria construção desses objetos e dos sujeitos do seu conhecimento, como o quer Foucault.

Capítulo 6

FILOSOFIA DA ADMINISTRAÇÃO

6.1 Teoria Geral da Administração

> Este livro tem uma tese. Ela afirma que Administração é mais do que respostas aprendidas, técnicas bem escolhidas, ou um punhado de expedientes. Não chega a ser uma ciência e jamais deverá se tornar um método inflexível. É mais do que uma arte. É uma filosofia[1].

A teoria da administração nasceu muito recentemente. Encontramos embriões de uma ciência administrativa apenas a partir das obras de alguns economistas clássicos liberais, no século XIX. Surge assim, acanhadamente (e quase três milênios depois do surgimento da filosofia), um novo campo de conhecimento, que será explorado pelos **pensadores-administradores** que aparecerão logo a seguir.

Uma das facetas mais marcantes dos primeiros teóricos da administração em todo o mundo, e que pode ensejar uma profunda reflexão, é a sua relação estreita com os exércitos e com a guerra. Carl von Clausewitz (1780-1831), general prussiano, traçou aproximações entre a arte de administrar empresas e exércitos. Harrington Emerson, engenheiro, também prussiano, aplicou técnicas de organização dos exércitos à organização ferroviária. Frank Gilbreth (1868-1924), engenheiro que formou um notório casal com a professora de psicologia Lilian Gilbreth, ajudou o exército americano na Primeira Guerra. As idéias do engenheiro francês Henri Fayol (1841-1925) foram difundidas ao exército de seu país. Para James D. Mooney, engenheiro e executivo da General Motors, a organização militar é

---

[1] DIMOCK, Marshall E. *Filosofia da administração*. Tradução Diógenes Machado e Arnaldo Carneiro da Rocha Netto. Rio de Janeiro: Fundo de Cultura, 1967. p. 16.

o modelo ideal a ser seguido pelos administradores de empresas. Um dos primeiros divulgadores da importância das funções de *staff* em administração é um coronel, o inglês Lyndall Urwick.

É nesse sentido interessante a posição de Gerald R. Griffin, em seu livro *Maquiavel na administração*[2]. Segundo Griffin, as idéias políticas de Maquiavel aplicam-se às organizações empresariais do século XX! Maquiavel teria compreendido as organizações de forma profunda, e em seu livro Griffin propõe-se a traduzir suas idéias em modernos princípios de administração, por exemplo, comparando a atividade da administração com a guerra:

> Os gerentes de hoje fazem o que os generais de antigamente faziam. Planejamento, organização, direção e controle em todos os níveis administrativos são as mesmas atividades de criar e manter exércitos, sofrer certas perdas e conquistar o inimigo em nome do que o conquistador — o executivo — define como certo.
>
> A essência da conquista organizacional e do sucesso como líder, porém, é a mesma. Os elementos de liderança necessários para conduzir as legiões romanas são os mesmos necessários para conduzir um departamento, uma divisão ou uma empresa multinacional. Analisando e refletindo sobre o pensamento de Maquiavel, você pode conquistar sucesso administrativo no final do século XX que garanta seu futuro no alvorecer do século XXI.
>
> [...] Viver no mundo de grupos, clubes, sociedades e organizações multinacionais — sem este guia — é suicídio organizacional. [...]
>
> Como o pensamento de Maquiavel resistiu, porém, ao teste do tempo, ele encontra abrigo no coração de todo executivo ou pretendente. O príncipe que Maquiavel procurou ajudar e agradar não é diferente do presidente da empresa ou do supervisor que procura o sucesso todos os dias. Estados, exércitos e governos da França e da Itália do século XVI encontram sua analogia nas companhias, quadro de funcionários e grupos de trabalho deste século [XX].
>
> [...]
>
> Leia este livro, ponha-o de lado por algum tempo, e, então, leia-o de novo. Pegue as idéias fáceis e coloque em uso imediatamente. Pense a respeito das mais difíceis e aplique-as à medida que você adquirir mais compreensão e confiança em sua habilidade administrativa. Fazendo estas coisas, você se tornará um sucesso — e um extraordinário executivo. Na realidade, através da aplicação adequada das máximas você se tornará um líder[3].

---

2 GRIFFIN, Gerald R. *Maquiavel na administração*: como jogar e ganhar o jogo do poder na empresa. Tradução Geni G. Goldschmidt. São Paulo: Atlas, 1996.

3 Ibid., p. 14-19.

A análise dessas idéias fica por conta do leitor. Reproduziremos a idéia de liderança em Barnard, mais à frente, e o leitor terá melhores condições de optar. Mas Griffin continua a comparação em outros momentos de seu livro:

> As lutas e as guerras de vida e morte que ocorriam nos campos de batalha agora são travadas nas salas de reunião de diretoria. Os capitães de cavalaria foram substituídos por capitães da indústria. As decisões dos generais não são a respeito de tomar colinas e vales, mas sobre a conquista de novos mercados; não são decisões sobre o tratamento a ser dispensado aos prisioneiros de guerra, mas sobre como tratar as pessoas afetadas pela compra de uma empresa[4].

Enfim, por todo o livro parece que Griffin só consegue traçar analogias entre administração e guerra. A relação que referimos anteriormente, entre os primeiros teóricos da administração e as atividades beligerantes, serve para introduzir um interessante debate nesse sentido: afinal, quais os pontos em comum entre a guerra e a administração? Serão realmente pontos em comum ou a visão dos primeiros teóricos (assim como a de Griffin) estaria marcada por situações histórico-sociais concretas, por preconceitos que, na verdade, não corresponderiam às atividades administrativas contemporâneas? Afinal, já vimos e veremos várias outras posições sobre liderança e administração, que ressaltam a necessidade de coordenação, visão empresarial, liderança por meio da ascendência pessoal etc., que não se associam assim facilmente com as estratégias militares.

Outro elemento que, junto com a guerra, participa ainda ativamente das metáforas com administração, e mesmo como objeto importante nas pesquisas que servem às conclusões sobre as funções dos administradores, são as gangues. O papel desempenhado pelos líderes das gangues é freqüentemente comparado ao papel dos administradores. Exércitos e gangues são grupos onde sem dúvida se desenvolvem líderes, estratégias, competição e outras características *administrativas*. Contudo, utilizá-los como fontes de conhecimento para o terreno da administração contemporânea é no mínimo um desastre. O administrador desempenha um trabalho intelectual, pautado por diversas regras (jurídicas, mercadológicas, sociais, éticas etc.). As gangues e as guerras (utilizadas nas metáforas de Griffin)

4 GRIFFIN, 1996, p. 30.

fundam-se muito mais na violência física, na luta corporal, na idéia de eliminar o inimigo. Essa imagem para o campo da administração, se funcionava no início da Revolução Industrial, hoje se encontra totalmente superada.

A ciência da administração estabelece-se, inicialmente, como uma batalha teórica de princípios. Henry Varnum Poor (1812-1905), engenheiro ferroviário e editor da revista *American Railroad Journal*, apresenta três princípios básicos para a administração das empresas: organização, comunicação e informação. A empresa DuPont elabora seus próprios princípios administrativos, e, após a Primeira Guerra, um comitê traça um conjunto de critérios administrativos a serem seguidos pela empresa. A obra mais conhecida de Taylor, publicada em 1911, chama-se *Princípios da administração científica*. O livro mais famoso de Harrington Emerson, publicado um ano depois, tem o título de *The twelve principles of efficiency*. Fayol, por sua vez, propõe 14 princípios para a administração. James D. Mooney procura traçar, historicamente, os princípios da organização desde Aristóteles. Mary Parker Follett (1868-1933), que de alguma forma antecipa a escola de relações humanas, também elaborará quatro princípios de organização.

Não deixa de ser curioso, assim como a vinculação às operações militares, os primórdios da teoria da administração se fixarem com tanta intensidade na busca e definição de princípios. Um bom trabalho de análise poderia, além de comparar rigorosamente os princípios administrativos que surgem nesse período, procurar determinar o sentido da palavra **princípios** na época, para os diferentes autores, assim como a razão latente que teria levado um campo de conhecimento ainda tão novo a logo buscar seus princípios mais íntimos. A intenção dos pensadores-administradores seria a de determinar os princípios da ciência da administração? Acreditavam eles que seus princípios realmente esgotavam essa ciência? Qual a profundidade, o alcance e a capacidade de abarcar a totalidade da atividade de administração implicados com o uso do termo princípios? Cabe ressaltar que muitos desses teóricos tornaram-se logo professores, palestrantes e consultores, com o que a dúvida se reveste até mesmo de mais um elemento: as relações possíveis de traçar entre a crença de cada pensador em suas teorias e a preparação das teorias para o consumo do maior número de pessoas possível. Então, curiosamente, estaríamos aqui falando de **mercado**, ou ao menos de percepção mercadológica, por parte desses teóricos do pensamento administrativo, antes mesmo do que de competição entre produtos produzidos e comercializados pelas empresas de que eles falam. Ou seja, sugere-se uma interessante linha de pesquisa no sentido de determinar se a competição de idéias (de princípios) não teria sido, na história da administração de empresas, anterior à própria competição dos produtos materiais. A competição não teria sido antes *realidade no âmbito da produção teórica* do que *realidade no âmbito da produção industrial*? E cabe lembrar que a competição passa a ser tema sério em administração apenas a partir do momento em que se começa a falar de globalização da economia, ou seja, nas últimas décadas.

Outro aspecto que despertou o interesse dos primeiros engenheiros da administração é a questão da produção. Charles Babbage (1792-1871), matemático e cientista inglês cujos estudos foram de grande importância no desenvolvimento do método científico da administração, destaca-se como introdutor do R&D nas indústrias. A obra do engenheiro americano Frederick W. Taylor (1856-1915), como se sabe, insiste na especialização dos trabalhadores. Outro engenheiro americano, Henry L. Gantt (1861-1919), ficou mundialmente notório pelo seu gráfico de produção. A administração sistemática da empresa DuPont desenvolve-se, no início do século passado, principalmente no nível da produção. Ordway Tead é um dos popularizadores da psicologia industrial, que se centra, inicialmente, também na produção.

Começam a ocorrer, sem dúvida, algumas preocupações com as empresas como um todo, e não apenas com relação à produção. Mas esse todo da organização é ainda enxergado de forma muito tímida. O engenheiro ferroviário Henry Varnum Poor, por exemplo, destaca a importância do diretor profissional, da publicação de balanços, e discute algumas questões relativas aos organogramas. Já a DuPont, por sua vez, em suas primeiras décadas de existência, desenvolve a contabilidade gerencial.

Notamos apenas alguns casos excepcionais, antes da renomada escola das relações humanas, em que o pensamento administrativo se mostra mais profundo, e cabe ressaltá-los. Henry V. Poor, por exemplo, escapa um pouco do círculo dos pensadores-administrativos e acaba se relacionando com o movimento transcendentalista (e sendo por ele influenciado), do qual um dos expoentes é o escritor americano Ralph Waldo Emerson. A *administração sistemática* da DuPont procura dar ênfase ao elemento humano, além de pensar num 'processo' administrativo. Um dos principais interesses de Henry Gantt era o ser humano, o que o torna um dos precursores da *escola das relações humanas*.

Na teoria da administração, ao contrário da filosofia, obras e autores são muito rapidamente considerados ultrapassados e desatualizados.

Uma das características da história do pensamento administrativo, que a diferencia radicalmente da história da filosofia, é que rapidamente os pensadores-administradores passam a ser considerados ultrapassados, seus livros, trabalhos e idéias passam a ser considerados desatualizados pela comunidade científica, "fora de moda", sem outras contribuições a dar à administração moderna. Fechamse, emudecem — são lacrados e silenciados. Se isso, sem dúvida, tem uma justificativa bastante poderosa no fato de que a teoria da administração procura falar de um objeto em constante mutação, em constante desenvolvimento, marcado decisivamente pelo tempo e pela história (e nesse sentido o objeto de discurso filosófico seria, em boa parte, mais universal e por isso podemos ler ainda hoje Aristóteles ou Platão, e esses autores têm realmente, ainda, muita coisa a nos dizer), se isso serve para diferenciar a filosofia pura da filosofia da administração, também acaba por escamotear um sistema de modismos intelectuais muito bem organizado pelo sistema produtor de idéias e de livros, pelos consultores, pela mídia e mesmo pelo ambiente acadêmico, e por esconder idéias ainda hoje essenciais, enterrar autores tremendamente vivos e repetir, como se fossem a mais pura novidade a dar conta dos fenômenos nascentes no horizonte administrativo, conceitos estes que já foram sido sistematizados há muitos anos. Na história do pensamento administrativo, conceitos velhos são cosmeticados e lançados como se fossem absolutamente novos, criações dos modernos autores, capazes de explicar fenômenos também novos. Assim, uma exumação da teoria da administração se faz necessária (no mesmo sentido e com muito mais urgência e necessidade do que no Brasil os poetas concretos fizeram ao desenterrar a poesia de Sousândrade, Kilkerry e Pagu, mostrando toda a sua força, e do que os filósofos franceses fizeram com a obra do *nazista* Nietzsche, fazendo ver quanto de interesse ela ainda podia despertar, quanta riqueza estava escondida por trás do aproveitamento de seus textos pelos discursos de Hitler), para que fique claramente definido aquilo que já foi construído, como teoria, o que dessa construção ainda hoje nos serve, o que ainda não foi devidamente estudado — principalmente no caso dos profetas —, e evitar assim as apropriações indébitas.

Nesse sentido, três pensadores-administradores *antigos* e *mortos* ("matados" cairia muito bem aqui) nos interessam mais de perto, por sua incrível atualidade. Os três *outsiders*, gostaríamos de assim os chamar. Pode ser que existam mais *outsiders* enterrados na história da administração antiga, e fica aqui o campo aberto por essas primeiras escavações para outros exploradores. A história mais recente ainda está na memória de nossos ex-alunos e professores universitários, e a tarefa parece mais simples.

Um desses *outsiders* é o inglês Oliver Sheldon. Ele publica, em 1923, um livro intitulado *The philosophy of management*, em que destaca a responsabilidade social e comunitária das empresas e fala, talvez pela primeira vez, de forma decidida, da necessidade de uma filosofia para a administração. Nesse sentido, pode ser lido hoje como um visionário, como companheiro de nosso curso. As palavras seguintes são de seu prefácio:

Três importantes **filósofos da administração** são hoje praticamente esquecidos pela teoria da administração: Oliver Sheldon, Mary Parker Follett e Chester Barnard.

> O perigo da Administração é uma falta não de atividade, mas de plano de ação. No processo de desenvolvimento, há o perigo de que as árvores possam cegar-nos para a floresta. Administrar é elaborar sistemas de planejamento, departamentos de emprego, esquemas de assistência social, estudos de tempo, cursos de aperfeiçoamento para gerentes, sistemas de custos, organismos de pesquisa, e mil e um outros ramos de atividades. Com tal dispêndio de energia, é essencial que haja uma direção acompanhando essa energia para um alvo determinado e o desenvolvimento de um senso das causas subjacentes que tornam esses fenômenos, em última instância, explicáveis. É por essa razão que o termo 'filosofia' foi introduzido no título deste livro. Filosofia é a postulação de uma vasta pesquisa, que comparativamente transforma em nada os problemas das coisas do dia-a-dia. Ela nos pergunta se estamos conduzindo nossa prática de acordo com princípios ou leis ou meramente agarrando qualquer coisa que flutua e passa[5].

O mesmo podemos dizer de Mary Parker Follett, que, sendo mulher, podemos considerar ainda mais *outsider*. Estranhamente, ainda no início do século XXI não é comum as mulheres se destacarem como teóricas da administração, o que torna a obra de Mary Follett mais enigmática[6]. Ainda no início do século passado, Mary Follett fala de "conflitos construtivos", de integração, de *partnership*, de relações emocio-

[5] SHELDON, Oliver. *The philosophy of management*. New York: Pitman, 1965. p. XIII-XIV, tradução nossa.

[6] Há uma edição de suas palestras sobre administração, na década de 1920, denominada *Dynamic administration*, além da excelente edição recente de alguns de seus escritos, organizada por Pauline Graham, estudiosa da obra de Follett, com introdução de Peter Drucker e comentários de vários autores, como Warren Bennis e Henry Mintzberg, traduzida para o português. Ambos os textos encontram-se indicados na Bibliografia.

nais, do desenvolvimento necessário à administração para se tornar uma profissão, de responsabilidade, da influência da representatividade dos funcionários, de participação etc., e discute com profundidade as características de um líder, propondo sua famosa Lei da Situação: o esforço do líder deve ser feito no sentido de excluir da decisão motivações subjetivas, para que a situação indique o caminho a seguir. Peter Drucker chama de "a profeta da administração".

A terceira figura de destaque, que nos vem ajudando desde nosso prefácio, é Chester I. Barnard. Estudou em Harvard e trabalhou por quase 40 anos na AT&T, chegando a presidente da New Jersey Bell Telephone Company. Atuou paralelamente em serviços públicos e em diversas associações, sendo fundador da Bach Society de New Jersey. Barnard teve contato com os resultados do experimento de Hawthorne e escreveu *The functions of the executive* (1938) e *Organization and management* (1948). Barnard mostra-se interessado em temas como os objetivos da organização (e sua função coordenadora), as relações entre as organizações formais e informais, liderança, entre outros. A primeira parte do *The functions of the executive* apresenta a teoria da coordenação e das organizações, e a segunda parte mostra especificamente as relações entre as pessoas nas organizações e as funções do executivo. O que nos interessa neste momento, em Barnard, é o destaque dado à comunicação como uma das funções essenciais do administrador.

Na edição de 1968 de Harvard, comemorando três décadas do livro, há uma introdução de Kenneth R. Andrews, em que se afirma: "*As funções do executivo* permanece hoje, como tem sido desde a sua publicação, o livro mais provocador sobre organização e administração, do ponto de vista intelectual, já escrito por um executivo atuante"[7].

Reproduz-se a seguir uma série de citações para que se possa apreciar a riqueza da obra:

> Muitas vezes eu notei que os executivos são capazes de se entender com muito poucas palavras quando discutem problemas essenciais de organização, desde que as questões sejam colocadas independentemente das tecnologias de seus respectivos campos [...] Para mim, há tempo parece provável que existem características universais

[7] BARNARD, Chester Irving. *The functions of the executive*. Intr. Kenneth R. Andrews. 30th. anniversary ed. Cambridge: Harvard University Press, 1968. p. xxi. A tradução desta e de todas as passagens seguintes é nossa.

da organização, que são entendimentos ativos, avaliações e conceitos de homens habilidosos em *organizar* não apenas no presente mas também nas gerações passadas, que também foram percebidas por estudantes e observadores cuidadosos e astutos[8].

[...] as pessoas decidem se entrarão ou não em um sistema cooperativo determinado. Essa escolha será feita dependendo de (1) propósitos, desejos, impulsos do momento e (2) as alternativas externas ao indivíduo, reconhecidas por ele como disponíveis. A organização resulta da modificação da ação do indivíduo, por meio do controle ou da influência sobre uma dessas categorias. Deliberar um controle consciente e especializado sobre essas categorias é a essência das funções executivas[9].

De um lado, aquelas filosofias que explicam a conduta humana como uma apresentação de forças universais, que vêem o indivíduo como meramente responsivo, que negam o livre-arbítrio ou a liberdade de escolha, que fazem da organização e do socialismo a posição básica, percebemos estarem fundadas sobre fatos largamente observados e que governam o comportamento e o pensamento dos homens em situações sociais. De outro lado, aquelas filosofias que defendem o livre-arbítrio e a liberdade de escolha, que fazem do indivíduo uma entidade independente, que relegam o ambiente físico e social a um plano secundário e acessório, são também consistentes com outros fatos do comportamento e pensamento. Eu não vejo reconciliação possível na oposição dessas filosofias ou de quaisquer teorias científicas sobre as quais elas se fundamentem. No presente, pelo menos, o desenvolvimento de uma teoria coerente e útil dos sistemas cooperativos e da organização e um entendimento efetivo dos processos executivos requerem a aceitação de ambas as posições como aspectos descritivos do fenômeno social. O que é, portanto, necessário para nossos propósitos é estabelecer sob quais condições, em que conexões, ou para quais propósitos uma ou outra dessas posições podem ser adotadas de maneira mais útil e mostrar de que forma elas podem ser consideradas aplicáveis simultaneamente. A cooperação e a organização, da forma como são observadas e experienciadas, são sínteses concretas de fatos opostos e de pensamentos e sentimentos opostos de seres humanos. É precisamente a função do executivo facilitar a síntese, em ação concreta, das forças contraditórias, para reconciliar forças, instintos, interesses, condições, posições e ideais conflitantes[10].

5. A sobrevivência da cooperação, portanto, depende de duas classes de processos inter-relacionadas e interdependentes: (a) aquelas que se referem ao sistema de cooperação como um todo em relação ao ambiente e (b) aquelas que se referem à criação ou distribuição de satisfações entre indivíduos.

[8] BARNARD, 1968, p. xxvii-xxviii.
[9] Ibid., p. 17.
[10] Ibid., p. 21.

6. A instabilidade e os fracassos na cooperação surgem de defeitos em cada uma dessas classes de processos separadamente e de defeitos em sua combinação. As funções do executivo são aquelas que asseguram a adaptação efetiva desses processos[11].

É a hipótese central deste livro que o conceito mais útil, para a análise da experiência de sistemas cooperativos, está personificado na definição de uma organização formal como *um sistema de atividades ou forças, de duas ou mais pessoas, conscientemente coordenadas.* [...] É a suposição sobre a qual este ensaio se desenvolve que esse conceito está implícito no comportamento de líderes e administradores, explicando uniformidades observadas em sua conduta em empreendimentos cooperativos amplamente diversos, e que sua formulação explícita e seu desenvolvimento permitirão uma tradução útil da experiência de campos diferentes para termos comuns[12].

[...]

Inculcar a crença na existência real de um objetivo comum é uma função executiva essencial[13].

[...]

Numa organização industrial, o objetivo é a produção de bens materiais ou serviços.

O objetivo *não* é o lucro, apesar de homens de negócio, economistas, eclesiásticos, políticos e organizações de trabalhadores persistentemente equivocarem-se na sua formulação. Lucro pode ser essencial para manter um suprimento de incentivos para satisfazer os motivos daquela classe de colaboradores usualmente chamada proprietários ou investidores, cujas contribuições, por sua vez, são essenciais para o suprimento de incentivos para outras classes de colaboradores. As possibilidades de lucro e sua realização, em algum grau, são necessárias em algumas economias, como condições sob as quais um suprimento contínuo de incentivos é possível, mas a finalidade objetiva de nenhuma organização é lucro, mas serviços. Entre industriais isso tem sido bastante enfatizado pelo Sr. Ford e algumas organizações de assistência[14].

'[...] existe uma 'zona de indiferença' em cada indivíduo, dentro da qual ordens são aceitas sem questionamento consciente de sua autoridade [...].'[15]

[11] BARNARD, 1968, p. 60-61.
[12] Ibid., p. 73-74.
[13] Ibid., p. 87.
[14] Ibid., p. 154.
[15] Ibid., p. 167.

A expressão 'zona de indiferença' pode ser explanada como segue: se todas as ordens para ações razoavelmente praticáveis fossem classificadas na ordem de sua aceitação pela pessoa por elas afetada, pode-se conceber que há um número delas claramente inaceitáveis, isto é, que certamente não serão obedecidas; há outro grupo localizado mais ou menos na linha neutra, isto é, apenas aceitáveis ou apenas inaceitáveis; e há um terceiro grupo inquestionavelmente aceitável. Este último grupo encontra-se dentro da 'zona de indiferença'. A pessoa afetada aceitará ordens localizadas dentro dessa zona e é relativamente indiferente à própria ordem, assim como à questão de autoridade a ela associada[16].

À primeira vista, pode parecer que o elemento de comunicação numa organização está apenas em parte relacionado à autoridade; mas uma consideração mais completa leva à compreensão de que comunicação, autoridade, especialização e objetivo são todos aspectos compreendidos na coordenação. Toda comunicação está relacionada à formulação de objetivo e à transmissão de prescrições coordenadoras para a ação, e, portanto, funda-se sobre a habilidade para se comunicar com aqueles que queiram cooperar[17].

A fina arte da decisão executiva consiste em não decidir questões que agora não são pertinentes, em não decidir prematuramente, em não tomar uma decisão que não possa se tornar eficaz, e em não tomar decisões que outros deveriam tomar. Não decidir questões que não são pertinentes no momento é um bom senso incomum, embora levantá-las possa ser perspicácia incomum. Não decidir questões prematuramente é recusar comprometimento de atitude ou desenvolvimento de preconceito. Não tomar decisões que não possam se tornar eficazes é refrear a destruição da autoridade. Não tomar decisões que outros deveriam tomar é preservar a moral, desenvolver competência, fixar responsabilidade e preservar autoridade[18].

Na parte III ("Os elementos das organizações formais"), capítulo XIII ("O ambiente da decisão"), item III ("A natureza do ambiente"), Barnard indica que suas idéias foram derivadas ou influenciadas pela obra *Process and reality*, do filósofo A. N. Whitehead. Barnard discutirá, em 1938, questões como fatores estratégicos, o fato de as organizações influenciarem e modificarem o ambiente, processos de decisão, funções do executivo como aquele que mantém os propósitos das organizações, liderança, organização informal, todos temas tidos hoje como modernos. Já no final do livro:

16 BARNARD, 1968, p. 168-169.
17 Ibid., p. 184.
18 Ibid., p. 194.

> As funções executivas servem para manter um sistema de esforço cooperativo. Elas são impessoais. As funções não consistem em, como se diz tão freqüentemente, administrar um grupo de pessoas. Não me parece que uma compreensão do trabalho do executivo possa ser alcançada com essa concepção mais limitada, conveniente, mas, estritamente falando, errada. Não é até mesmo muito correto falar que as funções executivas consistem em administrar o sistema de esforços cooperativos. Como um todo o sistema é administrado por si mesmo, não pela organização executiva, que é uma parte dele. As funções a que nos referimos são como aquelas do sistema nervoso, incluindo o cérebro, em relação ao resto do corpo. O cérebro existe para manter o sistema corporal, por intermédio do direcionamento daquelas ações que são necessariamente mais eficazes para um ajustamento ao ambiente, mas dificilmente se pode dizer que ele (o cérebro) administra o corpo, sendo que uma grande parte das funções corporais são independentes do cérebro, que por sua vez depende do corpo[19].

Em 1988, na Universidade da Califórnia, Berkeley, realizou-se um seminário em que o livro de Barnard, *The functions of the executive*, foi utilizado como tema unificador. Cada palestrante foi solicitado a explicar a relação entre a sua área de pesquisa e a obra de Barnard. Esse material encontra-se publicado em *Organization theory: from Chester Barnard to the present and beyond*, Oxford University Press, 1995. Isso serve para ressaltar, mais uma vez, a importância desse autor.

Abandonamos agora nossos *outsiders*. Talvez a maior importância da escola das relações humanas, na história do pensamento administrativo, não seja nenhuma das duas que se lhe costuma determinar, hoje em dia: o impulso para o uso das ciências do comportamento em administração e os resultados obtidos na pesquisa da fábrica de Hawthorne, Chicago (1927-1932). George Elton Mayo, cientista social australiano emigrado para os Estados Unidos, é considerado o fundador do movimento das relações humanas e da sociologia industrial. Falecido em 1948, foi professor e diretor de pesquisas da Escola de Administração de Empresas da Universidade de Harvard e chefe do projeto de pesquisa em Hawthorne. Todavia, aquilo em que seus três livros (*The human problems of an industrial civilization*, 1933, *The social problems of an industrial civilization*, 1945, e *The political problems of an industrial civilization*, 1947) mostram-se mais significativos, em nossa **leitura filosófica** da teoria da administra-

[19] BARNARD, 1968, p. 216-217.

ção, é na importância do ser humano como objeto da teoria administrativa, que a sua escola firmou definitivamente. Houve muitas críticas posteriormente tanto ao experimento em Hawthorne como aos próprios fundamentos da teoria de Mayo. Seu abuso pelo público serviu, entretanto, para diluí-la, mundialmente e mesmo no Brasil, em uma série de preceitos e regras banais, empobrecendo o grau de reflexão alcançado pelo grupo inicial comandado pelo sociólogo australiano. Mas, a partir de suas obras, não foi mais possível pensar a administração sem incluir o ser humano, em seu sentido mais amplo, dentro do seu campo de pesquisa:

> Mayo produziu modificação radical na teoria da administração. A sua 'escola' passaria a ser a antítese da escola clássica. Para Taylor a motivação do empregado era a do *homo economicus*, preocupado em produzir o mais possível se as condições físicas assim o ajudassem. Para Mayo, os empregados eram pessoas motivadas pela necessidade de 'estar junto', de 'ser reconhecido', de receber uma boa comunicação. Taylor subiu na empresa através de um trabalho árduo e dedicado; ele acreditava que todos os empregados eram movidos como ele. Mayo era um sociólogo, vivendo no meio universitário; ele estava penalizado com as condições do operário de seu tempo no ângulo das necessidades psicológicas e sociais. Enquanto Taylor supunha que a organização eficiente por si só levaria à melhor produção, Mayo considerava-a incapaz se as necessidades psicológicas do trabalhador não fossem descobertas e satisfeitas.
>
> Em continuação a Mayo, o movimento das Relações Humanas foi tomando corpo. Kurt Lewin realizou experiências sobre mudança de comportamento em grupo e deu origem à Dinâmica de Grupo. Lippitt e White, discípulos de Lewin, realizaram experimentos com climas de liderança e deram desenvolvimento ao estudo desse novo tema. Coch e French realizaram estudos de mudança numa fábrica de confecção de roupas de Nova York e deram origem a estudos de comunicação e cultura grupal[20].

É justamente essa corrente (e não necessariamente apenas, nem mesmo primordialmente, o movimento behaviorista que lhe seguirá) que se estabelece após o nascimento da escola das relações humanas que a torna importante e essencial na história do pensamento

[20] LODI, João Bosco. *História da administração*. 9. ed. São Paulo: Pioneira, 1987. p. 70. Uma boa parte deste texto, nos últimos parágrafos, está baseada nessa obra.

administrativo. E perceba-se que (parece incrível!) estamos falando aqui da década de 1940 — apenas a partir da Segunda Guerra Mundial, o *homem* passa a ser compreendido como um elemento essencial na organização, pelo pensamento autorizado sobre administração. Sem dúvida surgem, a partir de então, as velhas questões não apenas filosóficas, mas também psicológicas, antropológicas, sociológicas etc. "Mas, afinal de contas, o que é o homem?", "Qual a essência do ser humano?", "De que ângulo devemos observá-lo para integrá-lo ao *corpus* da teoria da administração?" Afinal, como operário, robô, máquina, engrenagem, o homem era já pensado pela administração científica. Do ponto de vista psicológico, já era estudado como operário. Mas agora era necessário ampliar o campo de visão, entendê-lo de um ponto de vista mais amplo, filosófico, poderíamos assim dizer. O indivíduo, os grupos, a comunidade.

Esse é o verdadeiro valor da escola de Mayo, sua função de *push* nesse processo, apesar de ela própria se mostrar também limitada na observação do ser humano e ter até mesmo gerado campos de estudo que se mostraram, no mínimo, estéreis, tanto do ponto de vista puramente filosófico como do ponto de vista da eficiência e eficácia geradas no próprio trabalho administrativo. E a escola das relações humanas já é, há bastante tempo no ambiente da teoria administrativa, considerada enterrada e *démodé*. Além do que, a partir de então, muitos pensadores-administradores passarão a ser condenados por seu espírito de abstração (característica essencial aos filósofos) — como se toda a comunidade que reflete sobre a administração estabelecesse uma regra de exclusão: só valem, aqui, discursos que se apóiem em observações e experimentos concretos. Só se pode falar sobre administração estudando efetivamente situações administrativas. Não importa que o estudo seja feito em segunda mão e sobre grupos excessivamente heterogêneos, num horizonte de pesquisa extremamente reduzido (como o trabalho de George Homans, *The human group*, publicado em 1950) — a regra num passe de mágica deixa todos os cientistas satisfeitos e seguros, pode-se continuar a crescer nesse campo de conhecimento (crescer, é bem que se diga, no sentido que já indicamos anteriormente — matando todos os mestres e calando-os).

Dando um salto no tempo, em 1990, na École des Hautes Études Commeciales de Montréal (HEC), foi criado o Groupe

Humanisme et Gestion, preocupado justamente com as questões humanistas na administração, dando importância à filosofia, à formação generalista e às ciências humanas. O ser humano é colocado em posição central, no estudo da administração de empresas. Há uma tradução de diversas pesquisas realizadas pelo grupo, em dois volumes, em *O indivíduo na organização*: dimensões esquecidas.

Max Weber, sociólogo alemão, funda a corrente denominada Sociologia da Burocracia. Não é preciso ressaltar os aspectos negativos da burocracia, pois eles foram indicados e debatidos intensamente nos últimos anos em nosso país, principalmente quando se discutia a privatização e as dificuldades pelas quais passava o Estado brasileiro. Cabe apenas ressaltar que a corrente fundada por Weber deu importância demasiada à formalidade das organizações, esquecendo-se do papel essencial que a informalidade desempenha nas empresas. E informalidade é aqui tomada em alguns sentidos, que tivemos e ainda teremos oportunidade de discutir: linguagem não registrada por escrito, capacidade de ler emoções, linguagem não verbal etc. De qualquer forma, em defesa da sociedade burocrática concebida por Weber, devemos lembrar que estamos na época de sérios distúrbios sociais na Europa, culminando com a Primeira Guerra, e Max Weber desenvolve esse conceito em oposição ao que chama de sociedade carismática. Não é necessário ressaltar o perigo do carisma nas relações sociais, e a importância de a própria sociedade criar formas de controle para o seu descontrole — o que, em última instância, a teoria burocrática procuraria estabelecer.

Vários sociólogos trabalharam como continuadores da corrente inaugurada por Weber, chegando mesmo a ampliar seu campo de atuação e sua visão. Philip Selznick realizou um estudo que ficou bastante conhecido, sobre a empresa TVA, entre 1942 e 1943; Alvin W. Gouldner realizou um estudo numa fábrica de gesso, entre 1948 e 1951; Peter Blau e Richard Scott estudaram as organizações em geral. Todos esses estudos dão importância à questão da organização informal na burocracia (já vimos que a informalidade é tema da obra de Barnard), da missão e dos propósitos das empresas (que tivemos oportunidade de estudar e que também é essencial em Barnard) e principalmente às relações entre as organizações e seu meio ambiente (clientes, comunidade, Estado etc.).

Há também uma corrente chamada *escola behaviorista* na história do pensamento administrativo, na qual vários pensadores-administrativos se destacaram: Kurt Lewin, criador da dinâmica de grupo e preocupado com a reeducação do indivíduo por meio do grupo; George Homans, que aborda questões de cultura e equilíbrio grupal; Douglas McGregor[21], que discute os temas da liderança e da motivação; Rensis Likert, que indica modelos de supervisão e sistemas[22]; e outros. Existe um outro grupo que passou a estudar as questões relativas ao desenvolvimento e mudanças das organizações, partindo de estudos laboratoriais. Podemos ainda destacar como teóricos da motivação, mais recentes, os nomes de Frederick Herzberg, Abraham Maslow e Edgar Schein.

Paralelamente a essas correntes que fizeram história, alguns autores se destacam individualmente. James Burnham publica, em 1941, um livro chamado *The managerial revolution*, no qual expõe sua controvertida teoria da *revolução gerencial*, em que os gerentes aparecem como classe dominante em relação aos meios de produção, superando a oposição capitalismo-socialismo. Passa a haver, em alguns autores, certa preocupação com o estudo da influência das ideologias na administração. Peter Drucker, conhecido até hoje nos meios do pensamento-administrativo, começa a publicar alguns livros importantes, nos quais vai construindo sua teoria da *administração por objetivos*, também conhecida como *escola neoclássica*. Drucker passa também a expor a idéia da sociedade do conhecimento (que logo abordaremos). Victor A. Thompson e Amitai Etzioni[23] (considerados estruturalistas) apontam a dicotomia, nas organizações modernas, entre o especialista (ou a autoridade do conhecimento) e o administrador (ou a autoridade da hierarquia) — o que já observamos foi de alguma forma prenunciado por Barnard. Etzioni desenvolve, por meio dessa dicotomia, a diferenciação entre organizações não especializadas (por exemplo, empresas), especializadas (por exemplo, universidades e hospitais) e de serviço.

Outras correntes mais atuais na história do pensamento administrativo são a cibernética e a teoria de sistemas, que passam a estudar a introdução dos computadores nas organizações e a relação

---

21 Há uma publicação em português: McGREGOR, Douglas. *Lado humano da empresa*. São Paulo: Martins Fontes, 1980.

22 Existe uma tradução em português de seu *Novos padrões de administração*. Tradução Albertino Pinheiro Júnior e Ernesto d'Orsi. 2. ed. São Paulo: Pioneira, 1979.

23 Em português há o livro *Organizações modernas*. Tradução Miriam L. Moreira Leite. 8. ed. São Paulo: Pioneira, 1989. (Biblioteca Pioneira de Ciências Sociais. Sociologia).

entre as empresas e o meio em que estão envolvidas. Podemos citar aí nomes como Norbert Wiener, Stafford Beer, Ludwig von Bertalanffy, Herbert Simon, Paul Lawrence e Jay Lorsch, Daniel Katz e Robert Kahn, Fremont Kast e James Rosenzweig, entre outros.

Há conceitos distintos com os quais as organizações conduzem sua atividade de marketing, e a comparação entre cada um deles marcaria até fases históricas no desenvolvimento da teoria e prática empresarial:

a) conceito de produção: os clientes dão preferência aos produtos que podem ser amplamente encontrados e apresentam baixo custo. Organizações orientadas para a produção buscam atingir alta eficiência produtiva e ampla cobertura de distribuição;

b) conceito de produto: os clientes preferem os produtos que oferecerem melhor qualidade, desempenho e benefícios. Organizações orientadas para o produto enfatizam o esforço em produzir bons produtos e melhorá-los ao longo do tempo;

c) conceito de vendas: a empresa deve adotar um agressivo esforço de vendas e promoção, pois, se depender dos consumidores, eles simplesmente não irão comprar o suficiente dos produtos;

d) conceito de marketing: a chave para atingir os objetivos da organização é determinar as necessidades e os desejos dos mercados-alvo e satisfazê-los de modo mais eficaz e eficiente do que os concorrentes[24].

Hoje, a idéia que move o marketing já não é mais a identificação e o atendimento de necessidades, mas sim um conceito mais amplo, de marketing de relacionamento. Na comunicação, aparecem elementos distintos do modelo de Jakobson que estudamos: emissor, codificação, mensagem, veículos, decodificação, receptor, resposta, *feedback*, ruído:

> A tarefa do emissor é levar a sua mensagem até o receptor. Existe considerável ruído no ambiente — as pessoas estão diariamente expostas a muitas centenas de mensagens comerciais, além de outras mensagens que recebem em seu ambiente. A audiência pode não receber a mensagem pretendida por qualquer uma destas três razões. A primeira é a *atenção seletiva*, pela qual eles não percebem todos os

[24] KOTLER, Philip. *Administração de marketing*: análise, planejamento, implementação e controle. Tradução Ailton Bonfim Brandão. 3. ed. São Paulo: Atlas, 1993. p. 42-44, 46.

estímulos. A segunda é a *distorção seletiva*, pela qual eles distorcem a mensagem para ouvir o que querem ouvir. A terceira é a *retenção seletiva*, pela qual eles retêm na memória apenas uma pequena fração das mensagens que chegam a eles[25].

É ilustrativo um caso que ocorreu em nosso país: em 22 de setembro de 1996, um domingo, uma grande fabricante de eletroeletrônicos (aqui chamada de "empresa A") veiculou um texto como o descrito abaixo, na primeira página do jornal *Folha de S.Paulo*:

EMPRESA A
SENHOR CONSUMIDOR

A empresa A no Brasil informa que produtos com a marca A, tais como: aparelhos de telefonia móvel (celular), *videogame*, aparelhos de áudio, vídeo e informática, e outros produtos **importados por terceiros** ou **adquiridos diretamente no exterior** pelo consumidor, **não são garantidos** pela empresa A.

Dessa maneira, ao adquirir produtos da marca A, o consumidor deve certificar-se de sua **origem e procedência**, a fim de receber a garantia prevista no Código de Defesa do Consumidor.

A empresa A no Brasil reafirma seu compromisso com o nível de qualidade de seus produtos e, acima de tudo, com a satisfação de seus consumidores.

Emprea A Comércio e Indústria Ltda.
Emprea A da Amazônia Center Ltda.
Electronic Center Ltda.

[25] KOTLER, 1993, p. 652. Nos livros da área de marketing, encontram-se também os passos para o desenvolvimento da comunicação eficaz — identificação do público-alvo, determinação dos objetivos da comunicação, planejamento da mensagem, seleção de canais de comunicação etc.

O texto chamava atenção, pois tomava um quarto da primeira página do jornal, no canto inferior direito, vinha envolvido por duas molduras e tinha o nome da empresa e a chamada SENHOR CONSUMIDOR em caracteres grandes (conforme tentamos reproduzir).

Mas o texto era dúbio. Ao mesmo tempo que dizia que produtos da marca, adquiridos fora do país, não eram garantidos pela própria empresa, tentava compensar a força negativa dessa mensagem com vários artifícios:

a) procurava estabelecer um diálogo direto com o consumidor, desde o seu início;

b) chamava o consumidor de 'senhor';

c) organizava-se como um alerta ao consumidor, como se o estivesse 'auxiliando' a não errar nem ser enganado;

d) falava do Código de Defesa do Consumidor e lembrava o consumidor dos seus direitos;

e) o último parágrafo foi todo construído nesse sentido positivo; o termo **reafirma** significa que o compromisso com o nível de qualidade já havia sido assumido antes; fala-se em qualidade dos produtos e, acima de tudo, "satisfação do cliente".

O texto era muito bem construído. Afinal, conseguia passar uma mensagem negativa, até mesmo uma ameaça ("Não compre produtos da marca fora do Brasil, que nós, da própria marca, não lhe daremos garantia"), mas de forma leve, próxima do leitor, invertendo o sentido da mensagem ("A marca está prestando um favor a você, consumidor, que ela tanto preza, para que você não perca seu direito à garantia").

Enfim, apesar de bem construído, gerava certa sensação incômoda, a ameaça compensada com o favor. O leitor-consumidor era ameaçado pela marca, por meio de um favor dela própria: com esse paradoxo os publicitários teriam conseguido veicular sua mensagem.

Todavia, justamente por ser um paradoxo, o texto permitia-se ser explorado. Em 25 de setembro de 1996, uma quarta-feira seguinte, o principal concorrente (a partir de agora denominado empresa B) publicou o seguinte texto, na primeira página da *Folha de S.Paulo*, ocupando exatamente o mesmo espaço em que havia sido publicado o texto da marca A:

> **EMPRESA B**
>
> O Primeiro Mundo no Brasil.
>
> **Prezado Consumidor:**
>
> Quando você compra qualquer produto B está levando duas garantias. A primeira, que vem no certificado, é válida em qualquer lugar do mundo. E a outra, mais importante, já vem gravada no próprio aparelho: a marca B. E, se essa é a principal garantia que ela oferece, é porque, antes mesmo de pensar nos produtos, a empresa B já pensou nos seus consumidores.

Pode-se discutir quem realmente está falando a verdade, e se o texto desta marca é fidedigno. Contudo, é inegável sua riqueza, a incrível capacidade de comunicação que ele instaura com o texto da outra marca, o senso de oportunismo da marca e, principalmente, a sua beleza como peça de marketing. Vejamos as principais diferenças entre os dois textos.

Abaixo da marca, que introduz o texto, encontramos na publicidade da marca B a seguinte oração: "O Primeiro Mundo no Brasil". No texto da empresa anterior, não existe frase alguma. É claro que a oração da marca B já estabelece um diálogo com o texto da marca A. Denuncia que a publicidade da empresa A separa o Brasil do restante do mundo, pois aqui a sua garantia não é válida. Em resumo, diz: "O primeiro mundo de um lado e o Brasil, terceiro mundo, de outro". Isso em plena época de globalização. A marca B diz não só o contrário — "O Brasil também é primeiro mundo" — como diz ainda mais: "O Brasil **engole** o primeiro mundo", "O primeiro mundo está **no** Brasil", ou ainda "A empresa B **é** primeiro mundo".

As duas empresas chamam o consumidor por expressões diferentes: "prezado consumidor" e "senhor consumidor". Se "senhor consumidor" nos parecia respeitoso e educado numa primeira leitura isolada, quando comparado com "prezado consumidor" soa mais formal, mais pesado, mais mediatizado. Além disso, deve-se notar os dois traços que encapam a expressão, no texto da marca B, dando uma sensação de solidez.

A idéia de que há duas garantias, no caso da marca B, deixa claro que, no caso da marca A, somos informados de que a compra de seus produtos não dá nenhuma garantia. E a empresa B ainda brinca com essa comparação: além da garantia papel, há a própria garantia do nome — ou seja, a marca A, além de não fornecer uma garantia papel válida em qualquer lugar do mundo, não apresenta seu nome e sua marca automaticamente associados à garantia. Afinal, a marca A está negando a garantia não para quem faz contrabando ou para quem compra produtos falsificados, mas para qualquer um que compre produtos da sua marca!

A marca B utiliza "você" para se comunicar com o consumidor, enquanto a outra não adota, no texto, nenhuma expressão nesse sentido, usando apenas o impessoal "o consumidor", "seus consumidores".

E assim por diante. As comparações são infinitas — os dois traços que envolvem o texto da marca A e o traço único que envolve o da marca B; a assinatura de três empresas no texto da marca A (o que, no fundo, confunde ainda mais o consumidor) e a ausência de assinatura no texto da marca B; o tamanho das letras, o espaçamento entre caracteres e entre linhas etc.

Devemos ainda notar que, apesar de dialogar e criticar constantemente o texto da concorrente (até por estar colocada no mesmo espaço da folha do jornal), a publicidade da marca B em nenhum momento cita diretamente a outra empresa. A marca B, que não muito tempo antes utilizara-se de publicidades bastante agressivas em jornais (quando informava seu consumidor de que trazer aparelhos celulares do exterior sem declarar era ilegal), acabou, num lance de mestre, criticando e desmascarando, para o consumidor, a publicidade da marca A, assumindo seu lugar na mente do consumidor. Ainda, alguns dias depois, a empresa B fez anúncios em revistas mostrando lado a lado e comentando as duas publicidades dos jornais.

São bastante conhecidos os "4Ps" do marketing, de McCarthy: **p**roduto (incluindo também serviços), **p**reço, **p**raça (no sentido de distribuição) e **p**romoção. Hoje se fala em vários outros "Ps". Num artigo publicado em 1990, Robert F. Lauterborn propõe os "4Cs", numa tentativa de superar a visão dos "4Ps", centrada em produtos e na própria organização, voltando-se agora para o mercado e o cliente: clientes, custo, conveniência e comunicação.

Cada vez mais, portanto, comunicação e informação tornam-se essenciais na teoria da administração. Nadler utiliza-se, nesse sentido, de um interessante conceito, **arquitetura organizacional**, que define como:

> [...] a arte de modelar o espaço organizacional para satisfazer necessidades e aspirações humanas. Mas o que é o 'espaço' modelado pelos arquitetos organizacionais? Os arquitetos convencionais trabalham no espaço tridimensional no qual as pessoas se movimentam. Da mesma maneira, os arquitetos organizacionais trabalham no 'espaço comportamental' em que as pessoas atuam. A criação de oportunidades para a ação, que por vezes chamamos de *delegação de poder*, e a criação de limitações à ação são básicos para a tarefa do arquiteto organizacional.
>
> Os arquitetos físicos também projetam com a luz. A luz modela o espaço, as formas e revela a tessitura. Da mesma forma, podemos dizer que o arquiteto organizacional projeta o 'espaço de informação' da organização. A informação ilumina a organização, revelando o atual estado de suas atividades e o padrão histórico de transações, eventos e decisões. O espaço de informação pode ser visto também como encerrando o conhecimento e especialização da organização — isto é, o conhecimento que surge de sua experiência cumulativa de solução de problemas[26].

Por fim, hoje se pensa (o que também já era sugerido no livro de Barnard) nas organizações sendo capazes não apenas de se modificar de acordo com as mudanças do mercado, mas também de prever, controlar, reorganizar e criar o futuro de seu próprio setor, de seu próprio ambiente de trabalho.

6.2 Administração e Educação na Sociedade da Informação

Praticamente todas as áreas de atividade humana terão que ser repensadas e reanalisadas criticamente. As ciências humanas passarão por uma profunda transformação, em particular a Economia. A moeda perderá seu caráter material (ouro,

[26] NADLER, David A.; GERSTEIN, Marc S.; SHAW, Robert B. *Arquitetura organizacional*: a chave para a mudança empresarial. Tradução Waltensir Dutra. Rio de Janeiro: Campus, 1994. p. 6-7.

prata, papel), transformando-se em uma mensagem: é a moeda eletrônica. Os robôs substituirão os operários nas fábricas. Será instituída a universidade aberta[27].

A citação acima não é tão atual, não é uma previsão do futuro a partir de hoje: é retirada de um livro datado de 1982. Vivemos hoje a era da informação automática, ou informática. Da sociedade industrial, estudada por Foucault em seus primórdios, passamos à sociedade do conhecimento. Se, durante a revolução industrial, a força física do homem na produção foi substituída pela máquina, na revolução informacional, pela qual passamos agora, nossa força intelectual é substituída pelos computadores. A tecnologia intelectual substitui a tecnologia física. A informação digital é nossa mais nova mercadoria. A própria informação armazenada em papel perde sua importância, e os documentos tendem a se tornar digitais. Emergem como essenciais novos campos de conhecimento, como a teoria da informação e da comunicação, a cibernética. Adam Schaff fala da *tríade revolucionária* que marcará o século XXI: microeletrônica, microbiologia e energia nuclear[28]. Alvin Toffler, num best-seller dos anos 1980, previu a *terceira onda*: a primeira fora caracterizada pela revolução agrícola, há mais ou menos 10.000 anos, e a segunda pela revolução industrial, no final do século XVIII)[29]:

> O que torna a economia da Terceira Onda revolucionária é o fato de que enquanto terra, trabalho, matérias-primas e talvez até capital podem ser considerados recursos finitos, o conhecimento é, para todos os efeitos, inexaurível. Ao contrário de um único alto-forno ou de uma linha de montagem isolada, o conhecimento pode ser usado por duas companhias ao mesmo tempo. E elas podem usá-lo para gerar ainda mais conhecimento[30].

Podemos, então, estender o raciocínio de Foucault e perguntar: o que caracteriza essa nova sociedade? Que novas relações entre saber e poder ela funda? O que deve ser agora protegido? Quais as formas jurídicas que vemos aí surgir?

---

[27] MATTOS, João Metello de. *A sociedade do conhecimento*. Brasília: ESAF: Ed. Universidade de Brasília, 1982. p. 21.

[28] SCHAFF, Adam. *A sociedade informática*: as conseqüências sociais da segunda revolução industrial. Tradução Carlos Eduardo Jordão Mahado e Luiz Arturo Obojes. 4. ed. São Paulo: Editora Unesp: Brasiliense, 1995. p. 25.

[29] TOFFLER, Alvin. *A terceira onda*. Tradução João Távora. 13. ed. Rio de Janeiro: Record, 1993.

[30] TOFFLER, Alvin; TOFFLER, Heidi. *Criando uma nova civilização*: a política da terceira onda. Tradução Alberto Lopes. Rio de Janeiro: Record, 1995. p. 50-51.

Marshall McLuhan, já em 1962, afirmou que o mundo se transformaria em uma aldeia global, num retorno às tradições orais e tribais, com a conseqüente degradação do individualismo e da privacidade. O alfabeto fonético, de um lado, teria transformado a sensibilidade do homem, determinando os primórdios da civilização. Já a tipografia, por sua vez, teria efetivado uma cisão entre a visão e a audição, e mesmo entre razão e emoção:

> A ruptura entre a cabeça e o coração, que produziu a palavra impressa, é o traumatismo de que sofre a Europa desde Maquiavel até o presente.
>
> O impresso ao surgir, isolando o aspecto visual da palavra, provocou algo de estranho, senão de fantástico. Pareceu criar uma crônica hipocrisia, uma ruptura entre a cabeça e o coração, entre o espírito e o sentimento[31].

A sociedade da informação retomou a importância da audição como sentido essencial. Hoje, assistimos a um *boom* na literatura filosófica, médica e mesmo administrativa, em que a distinção entre emoção e razão é duramente criticada. *Inteligência emocional* (em complemento ao QI — quociente intelectual), *O erro de Descartes*[32] e *Um antropólogo em Marte*[33] são alguns dos títulos de *best-sellers* científicos recentes. Daniel Goleman fala, por exemplo, em alfabetização emocional:

> Sempre que as pessoas se reúnem para colaborar, seja numa reunião de planejamento executivo, seja como uma equipe trabalhando para chegar a um produto partilhado, têm num sentido muito concreto um QI de grupo, a soma total dos talentos e aptidões de todos os envolvidos. E a medida de como realizarão bem a sua tarefa será determinada pela altura desse QI. O elemento individual mais importante na inteligência de grupo, revela-se, não é o QI médio no sentido acadêmico, mas antes em termos de inteligência emocional. A chave para um alto QI de grupo é a harmonia social. É essa capacidade de harmonizar que, em igualdade de condições em tudo mais, tornará um grupo es-

[31] McLUHAN, Marshall. *A Galáxia de Gutenberg*: a formação do homem tipográfico. Tradução Leônidas Gontijo de Carvalho e Anísio Teixeira. 2. ed. São Paulo: Nacional, 1977. p. 235.

[32] DAMÁSIO, António R. *O erro de Descartes*: emoção, razão e o cérebro humano. Tradução Dora Vicente e Georgina Segurado. São Paulo: Companhia das Letras, 1996.

[33] SACKS, Oliver W. *Um antropólogo em Marte*: sete histórias paradoxais. Tradução Bernardo Carvalho. São Paulo: Companhia das Letras, 1995.

pecialmente talentoso, produtivo e bem-sucedido, e fará outro — com membros cujo talento e habilidade são iguais em outros aspectos — se sair mal[34].

Minha preocupação é com um conjunto fundamental dessas 'outras catacterísticas', a inteligência emocional: talentos como a capacidade de motivar-se e persistir diante de frustrações; controlar impulsos e adiar a satisfação; regular o próprio estado de espírito e impedir que a aflição invada a capacidade de pensar; criar empatia e esperar[35].

Howard Gardner vai ainda mais longe, identificando no ser humano pelo menos sete tipos de inteligências ou de formas de como o ser humano resolve problemas ou elabora produtos num determinado ambiente ou comunidade cultural: musical, corporal-cinestésica, lógico-matemática, lingüística, espacial, interpessoal e intrapessoal[36].

Para Howard Gardner, o ser humano possuiria sete **inteligências**: musical, corporal-cinestésica, lógico-matemática, lingüística, espacial, interpessoal e intrapessoal.

A cultura tipográfica, da palavra impressa, associa-se a um tipo de pensamento e de linguagem agora inadequados para lidar com a nova cultura que se forma a partir da eletricidade e da tecnologia:

> Com o alfabeto fonético, o conhecimento classificado tomou o lugar do conhecimento operacional de Homero e Hesíodo e da enciclopédia tribal. Desde então, a educação por dados classificados tem sido a linha programática no Ocidente.
>
> Hoje, no entanto, na era eletrônica, a classificação dos dados cede ao reconhecimento de estruturas e padrões, a frase-chave da IBM[37].

A escrita teria isolado um dos sentidos (o visual) e o teria congelado no papel. Nesse momento de congelamento, podemos dizer que os objetos representados pela escrita morrem: esses objetos existiam apenas como composição harmônica entre todos os sentidos. A informática de certa forma retoma essa possibilidade de abarcarmos o mundo com todos os sentidos. Segundo Pierre Lévy, a razão não seria "um atributo essencial e imutável da alma humana"[38], mas algo que teria nascido, historicamente, no espaço de intersecção entre o ser humano e as tecnologias por ele mesmo inventadas:

---

34 GOLEMAN, Daniel. *Inteligência emocional*: a teoria revolucionária que redefine o que é ser inteligente. Tradução Marcos Santarrita. Rio de Janeiro: Objetiva, 1996. p. 174-175.

35 Ibid., p. 46.

36 GARDNER, Howard. *Inteligências múltiplas*: a teoria na prática. Tradução Maria Adriana Veríssimo Veronese. Porto Alegre: Artes Médicas, 1995. p. 21.

37 McLUHAN, Marshall. *Os meios de comunicação como extensões do homem*. Tradução Décio Pignatari. 7. ed. São Paulo: Cultrix, 1993. p. 11.

38 LÉVY, Pierre. *As tecnologias da inteligência*: o futuro do pensamento na era da informática. Tradução Carlos Irineu da Costa. Rio de Janeiro: Ed. 34, 1993. p. 152.

> Uma boa parte daquilo a que chamamos de 'racionalidade', no sentido mais estrito do termo, equivale ao uso de um certo número de tecnologias intelectuais, auxílios à memória, sistemas de codificação gráfica e processos de cálculo que recorrem a dispositivos exteriores ao sistema cognitivo humano[39].

McLuhan, por sua vez, associa a racionalidade ocidental ao alfabeto fonético e à escrita:

> Para os ocidentais, há muito tempo, 'racional' naturalmente significa 'seqüência uniforme e contínua'. Em outras palavras, confundimos razão com instrução letrada e racionalismo com uma tecnologia isolada. Dessa forma, na era da eletricidade, o homem parece tornar-se irracional aos olhos do ocidental comum[40].

O sujeito construído longamente pela civilização ocidental, a partir de Descartes, encontra-se agora em xeque-mate. A cultura tipográfica, fundada no livro, está, segundo McLuhan, diretamente ligada ao individualismo da Idade Moderna. Já a eletricidade não tem fronteiras geográficas, políticas, culturais. Está também colocada em xeque a necessidade de habilidades para ler e escrever: as pessoas agora se comunicam com ícones e sons, sem a necessidade de palavras. No século XX surgiu uma nova cultura, revolucionária sob vários aspectos. Até mesmo uma nova forma de comunicação, com programas pensados para construção de conhecimento em grupo, em que a própria noção de público e autor desaparecem:

> Os hipertextos de auxílio à inteligência cooperativa garantem o desdobramento da rede de questões, posições e argumentos, ao invés de valorizar os discursos das pessoas tomados como um todo. A representação hipertextual faz romper a estrutura agonística das argumentações e contra-argumentações. A ligação das idéias a pessoas torna-se nebulosa. Em uma discussão comum, cada intervenção aparece como um microacontecimento, ao qual outros irão responder sucessivamente, como em um drama teatral. O mesmo ocorre quando dois ou mais autores discutem através de textos intercalados. Com os *groupwares*, o debate se dirige para a construção progressiva de uma rede de argumentação e documentação que está sempre presente aos olhos da comunidade, podendo ser manipulada a qualquer momento.

[39] LÉVY, 1993, p. 154.

[40] McLUHAN, 1993, p. 30.

Não é mais 'cada um na sua vez' ou 'um depois do outro', mas sim uma espécie de lenta escrita coletiva, dessincronizada, desdramatizada, expandida, como se crescesse por conta própria seguindo uma infinidade de linhas paralelas, e, portanto, sempre disponível, ordenada e objetivada sobre a tela. O *groupware* talvez tenha inaugurado uma nova geometria da comunicação[41].

Um tema interessante, que nos remete de volta à filosofia do direito, é a diferença que a noção de direito apresenta nas culturas orais e escritas. Uma sociedade da escrita — como a nossa, ocidental — é uma sociedade da abstração, e por conseqüência o que a interessa é o direito abstrato, a liberdade como pura possibilidade para todos. Já em uma sociedade oral, como na China, na Índia e na própria Rússia, o exercício do direito, a efetividade da liberdade, é o ponto de maior importância:

Alexander Inkeles, em seu livro *Public opinion in Russia* (Opinião pública na Rússia) (p. 137), mostra de forma clara como a tendência comum e inconsciente, mesmo dos grupos letrados russos, tem sentido completamente contrário a tudo que uma comunidade há muito alfabetizada consideraria 'natural'. A atitude russa, como a de qualquer sociedade oral, inverte nossa escala de valores:

'Nos Estados Unidos e Inglaterra, o que se preza é a liberdade de expressão, o próprio direito em abstrato. (...) Na União Soviética, pelo contrário, são os resultados de exercer a liberdade que estão à frente na atenção, sendo a preocupação pela liberdade propriamente dita secundária. É por essa razão que as discussões entre representantes soviéticos e anglo-americanos não chegam, caracteristicamente, a nenhum acordo nas propostas específicas, embora ambas as partes afirmem dever haver liberdade de imprensa. O americano geralmente fala em liberdade de *expressão*, no direito de dizer ou não dizer certas coisas, direito que alega existir nos Estados Unidos e não existir na União Soviética. O representante soviético geralmente fala sobre o *acesso aos meios de expressão*, não absolutamente sobre o direito de dizer coisas, e tal acesso, afirma ele, é negado a quase todos nos Estados Unidos e existe para quase todos na União Soviética'.

A preocupação dos soviéticos com os *resultados* dos meios de comunicação é natural em qualquer sociedade oral, onde a interdependência resulta da interação imediata de causa e efeito na estrutura total. Tal é o caráter de uma aldeia ou, desde o aparecimento dos meios de comunicação eletrônica, tal é o caráter da aldeia global. E é a comunidade da publicidade e das relações públicas (PR) que mais está a

41 LÉVY, 1993, p. 66-67.

> par dessa nova e básica dimensão de interdependência global. Como a União Soviética, estão os agentes de publicidade interessados no *acesso* aos meios de comunicação e nos *resultados*. Não têm qualquer interesse pela auto-expressão e ficariam chocados com qualquer tentativa de servir-se alguém, digamos, de um anúncio público de petróleo ou carvão para veículo de opinião particular ou de sentimento pessoal. Do mesmo modo, os burocratas letrados da União Soviética não podem conceber qualquer pessoa desejando servir-se dos meios de comunicação pública num sentido particular ou privado. E essa atitude nada absolutamente tem a ver com Marx, Lenine ou comunismo. É a atitude normal e tribal de qualquer sociedade oral [42].

Nos seus primórdios, dizia-se que o computador era solução para um problema ainda inexistente. Hoje, reconhece-se o computador como extensão de nosso sistema nervoso central. Sua utilização marca definitivamente os limites entre duas sociedades, a industrial e a da informação. Podemos até mesmo falar em segunda Revolução Industrial, a partir do uso dos computadores. A invenção do computador pessoal (*personal computer* — PC) é, nesta história, talvez um dos momentos mais importantes. Para Pierre Lévy, o PC seria "[...] a potência de cálculo arrancada do Estado, do exército, dos monstros burocráticos que são as grandes empresas e restituída, enfim, aos indivíduos" [43]. E os *softwares* também têm importância decisiva nessa revolução: "[...] a maior parte dos programas atuais desempenha um papel de *tecnologia intelectual*: eles reorganizam, de uma forma ou de outra, a visão de mundo de seus usuários e modificam seus reflexos mentais" [44].

Se a velocidade dos transportes diminuiu a distância entre dois pontos geográficos, a comunicação diminuiu o próprio mundo. O deslocamento humano é hoje substituído pela transferência de arquivos digitais. Temos agora a superinfovia, ou superestrada da informação. Espera-se que na mesma estrada estejam conectados telefones, televisões e computadores, o que dá origem a um novo termo, **telemática**. Podemos pensar também numa **telecomunidade**. *Hardware*, *software* e satélites de comunicação são o tripé básico dessa nova sociedade. Rádio, televisão, telefones, celulares, fax, computadores,

[42] McLUHAN, 1977, p. 44-45.

[43] LÉVY, 1993, p. 45.

[44] Ibid., p. 54.

a história de cada um desses produtos é a própria história de nossa sociedade contemporânea. Não é mais necessário o deslocamento do ser humano para o trabalho (aumenta espantosamente o número de pessoas que trabalham no próprio lar), para fazer compras (surge a telecompra), para as reuniões de negócios (surgem as videoconferências), para ensinar e aprender (surgem os programas educacionais e os cursos a distância, via computador) ou para fazer propaganda de produtos (surge o marketing via Internet).

Paralelamente, surgem também novas necessidades de controle: proteção a arquivos e a bancos de dados, luta contra vírus, taxar e tarifar o fluxo e/ou a posse da informação, controle da pornografia infantil digital, censura da Internet etc. Nos Estados Unidos, desenvolve-se uma batalha entre o governo, que defende a censura, e várias entidades que defendem a liberdade de expressão. Uma corte federal suspendeu há alguns anos a aplicação de uma lei que previa penas de dois anos de prisão e multas de US$ 250.000,00 para quem expusesse imagens ou palavras "indecentes" ou "patentemente ofensivas" na Internet ao alcance de menores de idade. O governo americano prometeu recorrer. Um dos principais pontos que se discutem nesse caso é se a Internet deveria ter as mesmas garantias constitucionais da imprensa ou ser submetida à legislação que rege a radiodifusão, para a qual existem leis proibindo a pornografia infantil. Os juízes que julgaram o caso consideraram que, por ser a forma de comunicação de massa mais participatória que existe, a Internet merece a mais alta proteção possível contra intrusões do Estado. É claro aqui que a sociedade começa a reconhecer um novo meio de comunicação e tenta, então, classificá-lo, definir seu estatuto e domá-lo. Com nossa nova sociedade nasceu também o cibercrime, ainda difícil de detectar e muito lucrativo. Para tentar contê-lo, o governo americano tem um projeto de adotar o *clipper chip*, que permitiria acesso à privacidade de qualquer mensagem. Isso se explica porque há uma ameaça de perda do controle, do próprio poder, por parte dos governos, com a superinfovia. Seu aparato atual de fiscalização tornar-se-ia, além de imensamente oneroso, inútil. As alfândegas, por exemplo, organizadas para fiscalizar as fronteiras, mostram-se totalmente incapazes de controlar a entrada e saída de informações e conhecimento entre os países.

Surge com a sociedade da informação um novo e acirrado debate sobre a liberdade de expressão. Nas sociedades orais, o próprio pensamento, do ponto de vista individual, assim como os desvios interiores, tem função mágica, perigosa, e deve ser controlado e até punido — talvez o retorno da importância do som, na era informática, traga uma modificação nas formas de controle, tais como expostas por Foucault[45]. As formas jurídicas ainda não conseguem acompanhar todos os desdobramentos dessa nova sociedade. Os próprios conceitos de cidade (hoje a televisão torna qualquer local tão cosmopolita quanto qualquer cidade, e da *polis* grega podemos pensar hoje numa cosmópolis), de nação (que nasce associado à cultura tipográfica[46] e, desde a proliferação das empresas multinacionais, já perdeu grande parte de seu poder de controle) e de identidade cultural tornam-se ameaçados:

> A tecnologia do manuscrito não teve a intensidade do poder de difusão necessário para criar *públicos* em escala nacional. As nações, como viemos a chamá-las nos séculos recentes, não precederam nem podiam preceder o advento da tecnologia de Gutenberg, do mesmo modo que não poderão sobreviver ao advento do circuito elétrico com o poder de envolver totalmente todo povo em todos os outros povos[47].

As estruturas de poder da sociedade têm sofrido grandes mudanças na nova era, mas há também problemas e dúvidas. Temos um desenvolvimento em direção a uma maior democracia ou a um totalitarismo poderoso? As funções do Estado também devem modificar-se. Provavelmente o Estado terá como principal função, a médio prazo, a coleta e centralização de informações, mas ao mesmo tempo tende a ocorrer uma descentralização das atividades públicas, facilitando a administração:

> Sob a forma de mercadoria informacional, indispensável à capacidade produtiva, o saber já é, e será, uma aposta maior, talvez a mais importante, na competição mundial pelo poder. Assim como os estados-nações se bateram para dominar os territórios, depois para dominar o acesso às e a exploração das matérias-primas e da mão-de-obra barata, é pensável que eles se baterão no futuro para dominar as informações. Encontra-se, assim, aberto um novo campo para as estratégias industriais e comerciais e para as estratégias militares e políticas[48].

---

45 Essa questão é discutida em McLUHAN, 1977, p. 43.

46 McLUHAN, 1977, p. 270-272.

47 Ibid., p. 15.

48 LYOTARD, Jean-François. *A condição pós-moderna*. Tradução José Bragança de Miranda. 2. ed. Lisboa: Gradiva, 1989. p. 19-20.

Na sociedade da informação, trabalha-se *menos* (pois economizamos tempo em transporte e deslocamentos, e haverá uma efetiva redução da jornada de trabalho) ou *mais* (pois temos o computador à mão, somos mais requisitados etc.)? Sabe-se que a idéia de trabalho registrado, fixo, tende a desaparecer — não haverá mais figuras como a do agricultor ou do operário[49]. Surge também a preocupação social de como lidar com um contingente de desempregados, que tendem a ser substituídos por máquinas. Na verdade, o próprio conceito de trabalho (no sentido da troca da capacidade produtiva por um salário) tende a desaparecer, substituído pela noção de atividade humana ou ocupação:

> É um fato, por exemplo, que a chamada automação plena (que já pode ser observada no Japão não como mero experimento, mas como prática industrial nas chamadas *unmanned factories*, nas quais o processo de produção se dá praticamente sem a participação do homem) eliminará inteiramente o trabalho humano, o que tem sido mais fácil de acontecer — como se tem podido constatar — nos serviços que na produção. É pois um fato que o trabalho, no sentido tradicional da palavra, desaparecerá paulatinamente e com ele o homem trabalhador, e, portanto, também a classe trabalhadora entendida como a totalidade dos trabalhadores[50].

McLuhan dá ainda uma outra versão para a discussão sobre o trabalho na era da informática:

> 'Trabalho' não existe no mundo não-letrado. O pescador, ou o caçador primitivos não trabalhavam mais do que o fazem o poeta, o pintor ou o pensador de nossos dias. Onde o homem global está envolvido, não há trabalho. O trabalho começa com a divisão do trabalho e com a especialização das funções e tarefas nas comunidades sedentárias agrícolas. Na era do computador, novamente nos envolvemos totalmente em nossos papéis. Na era da eletricidade, o 'emprego' cede à dedicação e ao empenho, como na tribo.
>
> [...] Na era da informação instantânea, o homem dá por findo o seu trabalho de especialização fragmentada e assume o papel de coletor de informa-

[49] Cf. RIFKIN, Jeremy. *O fim dos empregos*: o declínio dos níveis dos empregos e a redução da força global de trabalho. Tradução Ruth Gabriela Bahr. São Paulo: Makron Books, 1996. E também BRIDGES, William. *Um mundo sem empregos*. Tradução José Carlos Barbosa dos Santos. São Paulo: Makron Books, 1995.

[50] SCHAFF, 1995, p. 43.

ções. Hoje, a coleta de informação retoma o conceito inclusivo de 'cultura', exatamente como o primitivo coletor de alimentos trabalhava em perfeito equilíbrio com todo o seu meio ambiente. Hoje, neste mundo nômade e sem 'trabalho', nossa busca se volta para o conhecimento e a introvisão dos processos criativos da vida e da sociedade[51].

A própria noção de classes sociais tende também a se modificar. O trabalho deve se tornar mais criativo do que mecânico e repetitivo. Turismo, esportes e lazer são atividades que devem crescer bastante, em face do aumento do tempo livre.

O trabalho em casa deve substituir o trabalho nas grandes empresas ou nos escritórios. A sociedade passa a se centrar no lar[52]. O horário de trabalho flexível já substitui hoje o padrão de trabalho com horários fixos. Prevê-se também uma reformulação dos conceitos de trabalho produtivo e improdutivo:

> Supõe-se que um funcionário num escritório esteja trabalhando o tempo inteiro, mas o mesmo empregado em casa poderá ser pago (talvez com preço diferente) apenas pelo tempo em que estiver efetivamente trabalhando. Se o bebê começar a chorar, o pai ou a mãe clicarão 'Não disponível' e cuidarão da criança em minutos não pagos, longe do trabalho. Quando o empregado estiver novamente pronto para se concentrar no trabalho, assinalará que está disponível e a rede começará a entregar as tarefas que exigem atenção. O trabalho em tempo parcial e o emprego compartilhado assumirão novos significados[53].

As empresas têm-se adaptado a essa nova era. Reengenharia e programas de qualidade total são tentativas de reformular as organizações para enfrentar esse novo cenário. Observamos nos últimos anos, claramente, um achatamento nas estruturas das organizações. Daí a importância cada vez mais crescente das consultorias e de processos de terceirização e quarteirização. Uma nova forma de marketing surge: o marketing digital. Implica novas técnicas, novo mercado, novas formas de distribuição, novos produtos. A propaganda interativa dá ao próprio usuário a opção de acioná-la. Com o mercado eletrônico, a pesquisa de preços torna-se mais fácil e há uma tendência geral de diminuição de preços, devido à

[51] McLUHAN, 1993, p. 160-161.
[52] TOFFLER, 1993, p. 208-211.
[53] GATES, Bill; MYHRVOLD, Nathan; RINEARSON, Peter. *A estrada do futuro*. Tradução Beth Vieira et al. São Paulo: Companhia das Letras, 1995. p. 194.

maior competição. A própria figura do vendedor tende a desaparecer, e os custos de distribuição também devem cair.

Espera-se que, com tudo isso, tenhamos empresas mais eficazes e menores. Assistimos já hoje a um aumento de produtividade, à substituição de papéis (por intermédio do correio eletrônico), à redução do número de escritórios de uma empresa etc.

Mas o indivíduo, figura central da modernidade, tende a se diferenciar ou a se igualar aos outros? Terão os indivíduos maior liberdade de pensamento, decorrente das informações, ou poderão ser mais controlados, justamente pelo maior poder de conhecimento das autoridades?

Se, de um lado, alguns consideram que o lema dos *hippies*, "paz e amor" ou "fraternidade", tende a retornar com a nova Era da Informação, assistimos hoje, por outro lado, a casos de apego exagerado ao computador e à conseqüente ausência de capacidade afetiva e social associada à incapacidade de relacionamento por parte de muitos jovens. Tanto que o próprio sorriso tornou-se mercadoria na sociedade de consumo:

> A perda de relação humana (espontânea, recíproca e simbólica) é o fato fundamental das nossas sociedades. É com base nele que se assiste à reinjeção sistemática de relação humana — sob a forma de *signos* — no circuito social e ao consumo desta relação e deste calor humano *significados*. A hospedeira de recepção, a assistente social, o especialista em relações públicas, a *pin-up* publicitária, todos estes apóstolos funcionais têm como missão secular a gratificação, *a lubrificação das relações sociais por meio do sorriso institucional*. A publicidade vê-se por toda a parte a mimar os modos de comunicação imediatos, intimistas e pessoais. Procura falar à dona de casa a linguagem da dona de casa que mora em frente, esforça-se por falar ao quadro ou à secretária como o patrão ou a colega, empenha-se por se dirigir a cada um de nós como amigo, como superego, como voz interior, servindo-se do modo de confissão. Suscita assim intimidade, segundo um verdadeiro processo de simulação, onde ela não existe, quer entre os homens, quer entre estes e os produtos. Eis o que entre outras coisas (e talvez em primeiro lugar) se consome na publicidade[54].

De qualquer forma, parece inegável uma tendência de modificação das normas sociais, por meio da liberdade de opção dos jovens, por modelos variados e diferentes de vida. O prazer deve se tornar mais

---

[54] BAUDRILLARD, Jean. *A sociedade de consumo*. Tradução Artur Morão. Rio de Janeiro: Elfos, 1995. p. 171.

importante nesta nova sociedade, sendo "provável que todas estas transformações do estilo de vida venham a produzir o homem lúdico, ou o *homo ludens*. O *homo universalis* e o *homo ludens* constituirão as duas faces do homem na época iniciada com a atual revolução industrial" [55].

Já abordamos em algumas passagens de nosso trabalho a idéia do *homo ludens*. A idéia de homem universal está associada à educação. Prevê-se um acesso mais livre e contínuo ao conhecimento. Como afirma Lyotard, "não é o fim do saber que se anuncia, bem pelo contrário. A enciclopédia de amanhã serão os bancos de dados. Eles excedem a capacidade de cada utilizador e são a 'natureza' para o homem pós-moderno" [56]. A figura do professor tende a se tornar obsoleta. A tecnologia multimídia, pela interação lúdica que possibilita entre o estudante e o material de estudo, mostra-se um instrumento essencial numa concepção de pedagogia ativa:

> O primeiro impacto da nova tecnologia de aprendizado será sobre a educação universal. Através dos tempos as escolas, em sua maioria, gastaram horas intermináveis tentando ensinar coisas que eram melhor aprendidas do que ensinadas, isto é, coisas que são aprendidas de forma comportamental e através de exercícios, repetição e *feedback*. Pertencem a esta categoria todas as matérias ensinadas no primeiro grau, mas também muitas daquelas ensinadas em estágios posteriores do processo educacional. Essas matérias — seja ler e escrever, aritmética, ortografia, história, biologia, ou mesmo matérias avançadas como neurocirurgia, diagnóstico médico e a maior parte da engenharia — são melhor aprendidas através de programas de computador. O professor motiva, dirige, incentiva. Na verdade, ele passa a ser um líder e um recurso.
>
> Na escola de amanhã os estudantes serão seus próprios instrutores, com programas de computador como ferramentas. Na verdade, quanto mais jovens forem os estudantes, maior o apelo do computador para eles e maior o seu sucesso na sua orientação e instrução. Historicamente, a escola de primeiro grau tem sido totalmente intensiva da mão-de-obra. A escola de primeiro grau de amanhã será fortemente intensiva de capital.
>
> Contudo, apesar da tecnologia disponível, a educação universal apresenta tremendos desafios. Os conceitos tradicionais de educação não são mais suficientes. Ler, escrever e aritmética continuarão a ser necessários como hoje, mas a educação precisará ir muito além desses itens básicos. Ela irá exigir familiaridade com números e cálculos; uma compreensão básica de ciência e da dinâmica da tecnologia; conhe-

---

[55] SCHAFF, 1995, p. 138.

[56] LYOTARD, 1989, p. 105.

cimento de línguas estrangeiras. Também será necessário aprender a ser eficaz como membro de uma organização, como empregado[57].

Podemos também falar, com essa nova sociedade, de aprendizado organizacional, que na definição de Nadler "é a capacidade que uma organização tem de adquirir conhecimentos com sua experiência e a experiência de outros, e modificar sua forma de funcionar de acordo com esses conhecimentos"[58].

Normalmente, nas empresas a conseqüência de um erro é a punição de uma ou mais pessoas. Essa dinâmica indica, em geral, que a organização se encontra fechada para o aprendizado. *Culpar pessoas* significa reduzir as organizações a indivíduos e ignorar aspectos administrativos essenciais como a comunicação, a coordenação ou a missão. O erro, abordado do ponto de vista organizacional (e não apenas pessoal), deve ser encarado como *erro do grupo*. A primeira ação da empresa deve ser sempre a correção imediata do erro. Mas, em seguida, simplesmente punir um ou outro componente do grupo significa em geral abdicar de examinar profundamente o erro, suas causas e, o pior de tudo, deixar escapar a oportunidade de *aprender* com o ocorrido. Bill Gates afirma: "Em uma empresa, o modo de lidar com os erros é indicador de sua capacidade de revelar as melhores idéias e talentos de seu pessoal, bem como de sua capacidade efetiva de responder a mudanças".

Segundo Bill Gates, a mensagem que um administrador deveria transmitir é:

> Não culpo ninguém em particular por esse problema. O que me importa é nossa capacidade de reorganização para apresentar uma nova abordagem e resolvê-lo.
>
> [...]
>
> Quando os empregados sabem que os erros não vão levar a castigos, cria-se uma atmosfera na qual as pessoas se dispõem a apresentar idéias e a sugerir mudanças. Isso é importante para o sucesso de uma companhia a longo prazo. E extrair lições dos erros reduz a possibilidade de que eles se repitam ou sejam acobertados[59].

Mary Parker Follett, visionária da teoria da administração, já escrevia na década de 1920 sobre "despersonalizar o ato de dar ordens". É conhecida

[57] DRUCKER, Peter Ferdinand. *A sociedade pós-capitalista*. Tradução Nivaldo Montingelli Jr. 4. ed. São Paulo: Pioneira, 1993. p. 155.

[58] NADLER, 1994, p. 157.

[59] GATES, Bill. A importância de fazer erros. Tradução Lucia Boldrini. *Folha de S.Paulo*, São Paulo, 10 maio 1995. Informática, Caderno Informática.

sua famosa **Lei da Situação** — ordens não devem ser pessoais, não devem ser dadas por pessoas, mas pelas próprias situações. Numa palestra datada de 1925, ela expõe da seguinte forma sua lei:

> Minha solução é despersonalizar o ato de dar ordens, unir tudo o que estiver relacionado em um estudo da situação, descobrir a lei da situação e obedecê-la. Até que façamos isso eu não acho que possamos ter uma administração de empresas com sucesso. É isso o que ocorre, o que deve ocorrer, quando temos uma questão entre duas pessoas em posições de igual autoridade. O chefe do departamento de vendas não dá ordens para o chefe do departamento de produção, ou vice-versa. Cada um estuda o mercado, e a decisão final é tomada da forma como o mercado solicita.
>
> [...] Uma pessoa não deve dar ordens a outra pessoa, mas ambas devem concordar em retirar as suas ordens da situação. Se ordens são simplesmente parte da situação, a questão de alguém dar e alguém recebê-las não surge. Ambas aceitam as ordens dadas pela situação. O empregador aceita as ordens dadas pela situação; os empregados aceitam as ordens dadas pela situação [60].

Despersonalizar o erro significa identificá-lo, reparar seus efeitos negativos imediatos, procurar suas causas e tomar ações corretivas para que ele não volte a ocorrer, procurando evitar, em todos os momentos desse exercício, a tendência de associar o erro a uma pessoa.

Seguindo esse conceito, o verdadeiro líder não é aquele que dá ordens e consegue que elas sejam obedecidas, mas sim aquele que consegue mostrar que a ordem está de acordo com a situação, e que a ordem é um pedido e uma necessidade da própria situação. Contudo, o líder ideal para Mary Follett não é uma pessoa, mas um senso de missão compartilhado por um grupo. Uma missão comum funcionaria como um líder invisível para o grupo, com muito mais eficácia do que um líder pessoal[61].

Aproveitando a idéia de Miss Follett, sugerimos um novo conceito: o de **despersonalização do erro**. O que seria isso? Uma explicação natural para um erro pode ser associá-lo a alguém, identificar um culpado pelo erro. Achar uma pessoa. Mas isso seria, segundo nosso ponto de vista, e introduzindo outro novo conceito, **miopia de erro**. O desafio da organização, do ponto de vista do aprendizado e do crescimento, é descrever um erro, suas causas e as providências que podem ser tomadas para que ele não ocorra novamente, sem que se procure encontrar um culpado, sem associá-lo a al-

---

[60] FOLLETT, Mary Parker. *Dynamic administration*: the collected papers of Mary Parker Follett. Ed. Henry C. Metcalf, L. Urwick. New York: Harper & Brothers, [194-]. p. 58-59, tradução nossa.

[61] Ibid., p. 270-294.

guém. Sem reduzi-lo, enfim, a uma pessoa. Despersonalizando-o. Descrever o erro, estudá-lo, aprender por meio do erro. Quase sempre, quando assim procedemos, descobrimos que acabamos explicando um erro por questões de comunicação, de falta de definição de funções na empresa ou de coordenação falha. Ou seja, o erro se explica de forma mais ampla, revela uma falha estrutural na organização.

Em nossa empresa, utilizamos essa filosofia há bastante tempo. Criamos um formulário para registrar os erros, em que se deve simplesmente responder a quatro questões, seguir quatro passos:

a) identificar e descrever o erro — "Qual foi o erro?";

b) corrigir o erro — "O que deve ser feito, de imediato, para reparar o erro?";

c) identificar as causas do erro — "Por que ocorreu o erro?";

d) indicar as atitudes que podem ser tomadas para evitar que o erro se repita.

O processo de iniciar o preenchimento do formulário, o *start*, pode ser realizado por qualquer um que tenha maior ou menor (ou mesmo nenhuma) participação no erro. Repetimos sempre que nosso interesse é o erro, não as pessoas. As duas primeiras perguntas têm intenções claramente imediatistas, de preocupação com o cliente externo que possa ter sido prejudicado. Mas as duas outras questões têm intenções de gerar aprendizado a partir do erro para a própria organização.

Mas mesmo assim acontecem situações extremamente curiosas. Recebemos certa vez, de surpresa, a visita de um empresário sul-africano, e tivemos de programar de emergência algumas visitas a clientes, para aproveitar sua permanência no Brasil. Solicitei pessoalmente a um auxiliar de vendas que se comunicasse com a enfermeira-chefe de um desses clientes (hospitais), para confirmar a possibilidade de agendar uma visita. A enfermeira confirmou-a e pediu, então, que nosso funcionário enviasse um fax, que seria encaminhado à direção do hospital, para que se oficializasse a visita, o que foi feito. Quando nossa representante chegou ao hospital com o convidado sul-africano, recebeu a informação de que a visita havia sido cancelada. O fato pareceu-nos normal, num primeiro momento, pois hospitais têm constantemente imprevistos, e no dia seguinte o empresário sul-africano retornou a seu país. Em várias visitas posteriores ao hospital, nas semanas seguintes, nossa representante não foi recebida pela enfermeira, sem que para isso fosse dada qualquer justificativa, o que já não nos pareceu mais tão normal, pois a relação pessoal entre as duas era excelente, além do que outros representantes foram normalmente recebidos nesses dias. Pedi que ela insistisse para tentar descobrir o que estava havendo. Após sua insistência, conseguiu ser recebida pela enfermeira, que disse não estar mais disposta a comprar material de nossa empresa. Soubemos, assim, que o fax, enviado para confirmar a visita do empresário sul-africano, tinha sido considerado pouco educado pela enfermeira, e esse teria sido o motivo do cancelamento da visita. Ou seja: a imagem da empresa tinha sido manchada, um cliente perdido, e era preciso agora recuperá-lo. Nossa representante desculpou-se, explicou que o fax havia sido redigido por um auxiliar de vendas, que não teve intenção de ser mal-educado, e as desculpas foram aceitas, com a afirmação de que a enfermeira iria considerar que aquele fax realmente não provinha de nossa empresa, não tinha sido enviado por nossa empresa, porque não condizia com a imagem que ela tinha da empresa. Ou seja: um cliente, que considerava muito nossa organização, havia sido perdido, sem que a própria empresa ao menos tivesse consciência do fato.

Quando fui informado sobre o ocorrido, meu primeiro movimento foi ver o fax (que nossa própria representante não tinha visto, pois a enfermeira já o havia jogado fora), e procurei o auxiliar de vendas. Meu interesse era o fax, pois estávamos ainda na primeira das quatro fases (identificar o erro, para podermos passar à segunda fase e corrigi-lo). Eu queria desculpar-me pessoalmente com a enfermeira. E o que nosso auxiliar de vendas (que já sabia dos efeitos negativos de seu fax) me disse? Que não tinha mais o fax, que já o havia rasgado e jogado fora. O que estava por trás de sua resposta? Qual estava sendo a sua interpretação a respeito de minha atitude? O que guiava o seu julgamento? Ele se sentia culpado, sem dúvida, responsável pelo que havia acontecido, e procurava esconder as armas do crime. No mesmo dia em que a visita fora cancelada, a enfermeira havia ligado para a empresa e transmitido sua indignação ao auxiliar de vendas, com relação ao fax, além de sua intenção de não mais negociar com a nossa empresa. E ele escondeu essa informação de todos. Simplesmente rasgou o fax e passou a agir como se não soubesse de nada. Mas eu queria ver o fax para chegar à segunda fase de nosso processo. Então, lembrei-me de que todos os fax eram, antes de impressos, digitados no computador, e perguntei a ele se não havia um arquivo gravado. Ele respondeu que havia apagado o arquivo! Então, um *feeling* me iluminou, e eu pedi ao auxiliar de vendas para que parasse de trabalhar e redigisse um fax semelhante ao que ele havia redigido naquele dia. É claro que ele disse não se lembrar de quase nada, mas eu falei que ele teria todo o tempo necessário, pedi que fizesse um esforço. Eu senti que o arquivo ainda existia. E realmente existia — depois de alguns minutos, ele me mostrou um texto, que dizia mais ou menos o seguinte: "O sul-africano vai aí às 2 horas".

Acho até que o fax não estava endereçado a ninguém. Havia um erro de português grave no texto, de que eu não me recordo. No final do texto, acho que aparecia o nome do auxiliar de vendas. Pronto! Tudo começava a se esclarecer! Antes mesmo que eu ligasse para a enfermeira, as fases 3 e 4 já se delineavam — a empresa tinha cometido um erro grave ao deixar que uma pessoa, na realidade, incapaz de redigir um documento como o requisitado pelo cliente o tivesse redigido. Confiamos a um funcionário a responsabilidade de cumprir uma função para a qual ele não estava habilitado, para a qual não havia sido contratado — ninguém esperava que ele fosse capaz de escrever uma comunicação para o diretor de um hospital. Sem dúvida houve uma série de erros pessoais do funcionário, posteriormente (como esconder a informação e destruir o documento), mas sua intenção, ao redigir o fax, era cumprir uma função, ajudar a empresa, em última instância. O erro maior podia ser considerado um erro estrutural do grupo, não pessoal. Se quiséssemos resolvê-lo pondo a culpa em uma pessoa, essa pessoa deveria ser eu, que na época dirigia a empresa, e não havia pensado em como proceder nesse tipo de situação — não havia na empresa regra alguma estabelecida para redação desse tipo de comunicação externa. Com esse episódio, a organização pôde identificar um problema funcional que precisava ser corrigido e evitar futuros possíveis erros semelhantes. Pedi desculpas à enfermeira, assumindo a culpa pelo erro, além de elogiá-la e agradeci por sua postura, que, além de ter demonstrado o respeito que tinha por nossa organização (ao rejeitar uma comunicação que estava abaixo do nível da qualidade que ela identificava com o atendimento que sempre lhe havíamos prestado), tinha também nos ajudado bastante a descobrir uma falha interna. Ela nos tinha ajudado a aprender.

Em seguida, essa questão foi discutida em grupo, na empresa. Sempre que exponho uma situação para um grupo de pessoas ou para alunos e pergunto qual foi o erro, a maioria das explicações começa assim: "Ele não deveria ter...", "Ele errou porque...", "Ele escondeu as informações...". Seguindo a nossa proposta de despersonalização dos erros nas empresas, uma explicação ou causa de um erro não pode começar com "ele". Ele faz parte do paradigma dos pronomes pessoais, e, nesses casos, começar nossa explicação por um pronome pessoal significa, justamente, ceder à tendência e à facilidade de conectar um erro a uma pessoa. Que há componentes individuais nos erros não se discute. Mas o desafio das organizações é descrever um erro do ponto de vista estrutural — e na maior parte dos casos, é somente quando se consegue chegar a uma descrição e a uma explicação estrutural, sem envolver diretamente pessoas, que a empresa consegue aprender.

Bill Gates afirma que prefere trabalhar com pessoas que já tenham errado, que já tenham fracassado (desde que tenham aprendido com seus erros), pois essas pessoas estariam mais capacitadas a organizar e administrar:

> Falando francamente, um dos desafios enfrentados pela Microsoft é o fato de que muitos de seus empregados ainda não conhecem bem o fracasso. Alguns poucos nunca estiveram envolvidos em um projeto que não deu certo. O resultado é que podem passar a considerar o sucesso uma coisa garantida, o que é perigoso.
>
> Com isso em mente, deliberadamente recrutamos alguns administradores com experiência em companhias fracassadas. No final de 1992, por exemplo, contratei Craig Mundie para supervisionar boa parte de nossos esforços pelo desenvolvimento da superinfovia. Uma década antes, Mundie foi co-fundador da Alliant Computer Systems, que acabou saindo do negócio quando o mercado para supercomputadores secou.
>
> Mundie compreendeu seus erros e tirou deles lições profundas. Acho que essa é uma das razões pelas quais ele acabou mostrando-se um de nossos vice-presidentes mais hábeis. Se pudesse, contrataria outros dez iguais a ele.
>
> Alguém, ele ou ela, que já tenha dirigido uma operação que perdeu dinheiro, realmente teve de se perguntar: 'Ok, por que temos tantos engenheiros? Para quem estamos vendendo? A quem podemos nos aliar?'.
>
> Quando você está fracassando, é forçado a ser criativo, a ir mais fundo em suas buscas e a pensar muito, noite e dia.
>
> Toda empresa precisa de gente que passou por isso. Toda empresa precisa de gente que cometeu erros — e tirou o máximo deles[62].

Neste novo ambiente que se forma a partir do final do milênio, a escola deve atuar como uma parceira, no intuito de levar o estudante a aprender a aprender. "Nós estamos entrando na nova

[62] GATES, 1995, Caderno Informática.

era da educação, que passa a ser programada no sentido da descoberta, mais do que no sentido da instrução."[63]

O profissional formado seria também diferente: a formação generalista tende a substituir a formação especializada. Henry Mintzberg afirma que as atividades dos administradores caracterizam-se basicamente pela brevidade, variedade e fragmentação. O administrador deveria se tornar "proficiente na superficialidade", ou seja, deveria justamente aprimorar sua capacidade e habilidade de lidar com diversos assuntos, de mudar de um assunto para outro, de um nível da organização para outro etc. [64] Associada à idéia da visão do todo, também necessária ao administrador, e que já discutimos em nosso texto, chegamos a um aparente paradoxo na definição da atividade do executivo: ele deve ao mesmo tempo conseguir enxergar o todo e atuar de forma superficial em cada parte desse todo. Ou seja, no sentido de manter o controle do todo, o administrador não se deve perder em alguma atividade específica, em algum assunto determinado, em algum elemento desse todo. "A arte de sentir o todo" seria um *feeling* do executivo, que entretanto não poderia atuar diariamente sobre o todo, mas flutuar levemente sobre suas partes, sem abandonar esse *feeling*[65].

---

[63] McLUHAN, 1993, p. 13.

[64] MINTZBERG, Henry. *The nature of managerial work*. New York: Harper Collins, 1973. p. 31-35.

[65] O todo só se mostra por partes, mas justamente enquanto se mostra parcialmente, oculta-se enquanto a totalidade. A forma de se mostrar do todo dissimula a sua natureza de totalidade. O dilema executivo seria, então, o seguinte: lidar com cada parte, em que a totalidade tende a se dissimular (porque o executivo precisa efetivamente compreender as engrenagens da organização que administra), procurando manter a visão do todo. Na sua linguagem peculiar, com um vocabulário que não cabe aqui decifrar, Heidegger discute essa questão de uma forma muito interessante, quando estuda a essência da verdade: "O deixar-ser do ente que dispõe o ser-aí com o ente em sua totalidade penetra e precede todo o comportamento aberto que nele se desenvolve. O comportamento do homem é perpassado pela disposição de humor que se origina da revelação do ente em sua totalidade. Esta 'em sua totalidade' aparece, entretanto, à preocupação e ao cálculo cotidiano como o imprevisível e o inconcebível. Este 'em sua totalidade' jamais se deixa captar a partir do ente que se manifestou, pertença ele quer à natureza, quer à história. Ainda que este 'em sua totalidade' a tudo perpasse constantemente com sua disposição, permanece, contudo, o não-disposto (não-determinado) e o não-disponível (indisponível, indeterminável) e é, desta maneira, confundido, o mais das vezes, com o que é mais corrente e menos digno de nota. Aquilo que assim nos dispõe de maneira alguma é nada, mas uma dissimulação do ente em sua totalidade. Justamente, na medida em que o deixar-ser sempre deixa o ente, a que se refere, ser, em cada comportamento individual, e com isto o desoculta, dissimula ele o ente em sua totalidade. O deixar-ser é, em si mesmo, simultaneamente, uma dissimulação. Na liberdade ek-sistente do ser-aí acontece a dissimulação do ente em sua totalidade, é o velamento". HEIDEGGER, Martin. Sobre a essência da verdade. In: ______. *Conferência e escritos filosóficos*. Tradução Ernildo Stein. 2. ed. São Paulo: Abril Cultural, 1983. p. 140-141. (Os Pensadores).

A necessidade de especialização teria nascido paralelamente à intensificação do poder centralizado e exclusivo no príncipe, e à conseqüente delegação de poderes a indivíduos diferentes, a partir da Idade Moderna, além do surgimento da escrita tipográfica. A *oralização* da cultura, na era da informática, gera agora a necessidade da formação ampla e geral [66].

> [...] o que se entende por irracional e não-lógico, em muitos dos debates modernos, é simplesmente a redescoberta das trocas ordinárias entre o eu e o mundo, ou entre o sujeito e o objeto. Tais trocas pareceram haver desaparecido, sob os efeitos da alfabetização fonética no mundo grego. A alfabetização fizera do indivíduo esclarecido um sistema fechado, e criara um vazio entre a aparência e a realidade, vazio que as descobertas do gênero da corrente da consciência vieram preencher [67].

Adam Schaff, por exemplo, faz uma gigantesca proposta de modificação nas estruturas mais profundas de nossa educação. Educação permanente é o que ele propõe, retornando até mesmo à *República* de Platão. Teríamos assim um novo homem, o *homo studiosus*, ou universal:

> O homem universal, ou aquele que está munido de uma instrução completa e em condições de mudar de profissão e, portanto, também de posição no interior da organização social do trabalho, representou até hoje uma idéia utópica. Hoje ela se tornou realidade e, em certo sentido, uma necessidade. A realização desta idéia poderá ser alcançada graças à educação permanente e a técnicas de informação sempre mais eficientes. Estes dois fatores tornarão possível a realização de outras duas velhas idéias consideradas até hoje utópicas, bloqueando deste modo a formação do novo homem universal: a eliminação da diferença entre trabalho manual e trabalho intelectual e entre trabalho no campo e trabalho nas cidades [68].

Peter Drucker expõe da seguinte forma a concepção de uma nova escola:

---

66 Marshall McLuhan, em *A galáxia de Gutenberg*, p. 33, analisa a peça *Rei Lear*, de Shakespeare, sob essa ótica.

67 Ibid., p. 370.

68 SCHAFF, 1995, p. 125.

- A escola de que necessitamos deve prover uma educação universal de ordem superior — muito além do que 'educação' significa hoje.
- Ela precisa imbuir os estudantes de todos os níveis e de todas as idades de motivação para aprender e da disciplina do aprendizado permanente.
- Ela tem que ser um sistema aberto, acessível tanto a pessoas altamente educadas como a pessoas que, por qualquer razão, não tiveram acesso a uma educação avançada anteriormente.
- Ela precisa comunicar conhecimento como substância e também como processo — aquilo que os alemães chamam de *Wissen* e *Können*.
- Finalmente, o ensino não pode mais ser um monopólio das escolas. Na sociedade pós-capitalista, a educação precisa permear toda a sociedade. As organizações empregadoras de todos os tipos — empresas, agências governamentais, instituições sem fins lucrativos — também precisam se transformar em instituições de aprendizado e ensino. As escolas devem, cada vez mais, trabalhar em parceria com os empregadores e suas organizações[69].

Com a sociedade da informática, o trabalho manual deve desaparecer, já que a ciência se tornará sua principal força produtora, e o trabalho manual permanecerá, então, apenas como passatempo prazeroso ou exercício médico. Trabalhos com argila, por exemplo, já são utilizados com essa finalidade. Ensinar as pessoas a usar seu tempo livre deve ser uma tarefa essencial no futuro. O trabalho cansativo, fatigante, diminuirá significativamente:

> Permanecerão apenas as ocupações *criativas* (ainda que conservem a forma de trabalho); uso este termo para compreender não apenas qualquer atividade artística ou científica, mas também todas as outras atividades humanas em que o intelecto desempenha um papel determinante. Portanto, a atividade criativa não se refere apenas ao que faz o cientista que escreve seus livros, ao artista que pinta um quadro, ao escultor que esculpe uma estátua, ao músico que compõe ou interpreta uma peça musical, ao ator ou ao bailarino que entram em cena etc., mas também ao planejador econômico, ao construtor de máquinas, ao professor de todos os níveis, aos assistentes sociais etc. Pode-se compreender facilmen-

[69] DRUCKER, 1993, p. 154.

> te que aquilo que permanecerá do trabalho atual e tomará a forma das ocupações futuras assumirá a característica da criatividade. Isto não é uma utopia nem uma idealização do futuro, mas apenas uma conseqüência lógica — no contexto da ética do trabalho — daquilo que já podemos saber hoje com segurança em relação aos aspectos tecnológicos e econômicos fundamentais do futuro. Mesmo que soe hoje como uma frase banal, as ocupações (o trabalho) da sociedade do futuro serão para o homem uma fonte de alegria e satisfação, já que o caráter do trabalho se transformará e o trabalho como tal tornar-se-á uma mercadoria muito rara e, portanto, muito procurada[70].

Com a informação eletrônica, CD-ROMs, multimídia e jogos interativos, "teremos de repensar não apenas o significado do termo *documento*, mas também o de *autor*, *editor*, *escritório*, *sala de aula* e *livro*"[71]. E mais: jornais, revistas e dicionários devem alterar-se radicalmente como veículos de comunicação. A educação passará de educação de massa a educação individual, pela facilidade do acesso à informação, no momento desejado, da forma desejada. Uma sociedade desmassificada implica, além da produção personalizada, também uma educação personalizada.

O velho modelo de família tende a arruinar-se, assim como a dependência da mulher em relação ao chefe de família tende a desaparecer. Novos modelos, como o de "família ampliada"[72] (identificado, por exemplo, na ligação dos jovens em torno da música *pop*), a população de pessoas que vivem sós, sem a preocupação com formalidades legais ou sem filhos, a "família agregada"[73], e a maior liberdade sexual da mulher (com os anticoncepcionais, a autonomia econômica e a vida doméstica mais fácil) devem fixar-se, apesar das resistências da tradição e da igreja:

> Quando três psiquiatras — Kellam, Ensminger e Turner — tentaram mapear as 'variações de famílias', encontradas num único bairro negro pobre em Chicago, identificaram nada menos de 86 combinações diferentes de 'adultos', inclusive numerosas formas de famílias 'mãe-avó', famílias 'mãe-tia', famílias 'mãe-madrasta' e famílias 'mãe-outra'[74].

70 SCHAFF, 1995, p. 131-132.

71 GATES; MYHRVOLD; RINEARSON, 1995, p. 147.

72 SCHAFF, 1995, p. 110.

73 TOFFLER, 1993, p. 212-228.

74 Ibid., p. 218-219.

Alvin Toffler, analisando justamente a nova família na sociedade da terceira onda, prevê, com o aumento do trabalho em casa, a superação da dissociação entre trabalho e família, do ponto de vista das crianças — os grifos são nossos:

> Entrementes, as crianças provavelmente também cresceriam diferentemente na cabana eletrônica, se não por outra razão que pelo simples fato de *verem o trabalho ser realizado*. As crianças da Primeira Onda, desde o primeiro pestanejar da consciência, viam seus pais no trabalho. As crianças da Segunda Onda, diferentemente — pelo menos em gerações recentes — eram segregadas nas escolas e divorciadas da vida de trabalho real. A maioria tem apenas a mais vaga idéia do que seus pais fazem ou como vivem enquanto estão trabalhando.
>
> [...]
>
> O fato é que as crianças de hoje — especialmente as crianças prósperas — estão completamente divorciadas de uma das dimensões mais importantes da vida de seus pais. Numa cabana eletrônica, as crianças não só observam o trabalho, mas, depois de certa idade, poderão se empenhar nele elas mesmas.
>
> [...]
>
> A alienação do jovem atualmente flui em grande medida de ser forçado a aceitar um papel não produtivo na sociedade durante uma adolescência interminavelmente prolongada. A cabana eletrônica neutralizaria essa situação[75].

Novas formas de arte surgem com a nova sociedade — as artes digitais. E, associadas a elas, algumas dúvidas interessantes: as empresas que atuarão na superinfovia, por exemplo, fornecendo serviços *online*, devem ser classificadas como editoras ou serviços de transportes? Novas formas jurídicas devem provavelmente surgir e, por sua vez, constituir novos campos de saber e novas relações de poder, seguindo a lógica de Foucault. A própria noção de direitos autorais (que começa de fato a se constituir, juridicamente, apenas a partir do século XVIII) deverá ser revisitada:

> A estrada da informação permitirá inovações na maneira de licenciar a propriedade intelectual, tal como a de músicas ou programas de computador. As gravadoras, ou mesmo cada artista que grava, poderá escolher vender sua música de uma nova forma. Você, o consumidor, não precisará de CDs, fitas cassete ou qualquer outro tipo de objeto físico. A música será armazenada como bits de informação em um servidor da estrada. 'Comprar' uma música ou disco significará de fato com-

[75] TOFFLER, 1993, p. 223.

prar o direito de acesso a determinados bits. Você poderá ouvir em casa, no trabalho ou em viagem de férias, sem precisar carregar uma pilha de discos. Em qualquer lugar a que você vá onde existam caixas de som conectadas à estrada você poderá se identificar e usufruir de seus direitos. Você não terá permissão para alugar uma sala de concertos e tocar a gravação da música ou colocá-la em um anúncio. Mas, em qualquer situação não comercial, onde quer que vá você terá o direito de tocar a canção sem pagamento adicional ao detentor dos direitos de reprodução. Da mesma forma, a estrada poderia registrar se você comprou o direito de ler determinado livro ou ver um filme. Se assim for, você poderá chamá-lo a qualquer momento, de qualquer terminal, em qualquer lugar.

Essa compra pessoal de direitos para toda vida é semelhante ao que fazemos hoje quando compramos um disco ou livro, exceto que não há meio físico envolvido. Parece reconfortantemente familiar. Porém, há muitas outras maneiras de vender o prazer da música ou outra informação.

Uma canção, por exemplo, poderia ser colocada à disposição na base do pagamento por audição. Cada vez que você escutasse, sua conta debitaria uma pequena quantia, digamos cinco centavos. Com essa taxa, custaria sessenta centavos para ouvir um disco de doze faixas. Você teria de tocar todo o disco 25 vezes para gastar quinze dólares, o preço de um CD. Se você gostasse apenas de uma faixa do disco, poderia tocá-la trezentas vezes pelos seus quinze dólares. Uma vez que a informação digital é tão flexível, à medida que a qualidade de áudio progrida você não terá de pagar pela mesma música novamente, como aconteceu quando as pessoas tiveram de comprar CDs para substituir os LPs em suas discotecas[76].

[...]

Novas leis de direitos autorais serão necessárias para esclarecer os direitos do comprador sobre o conteúdo, sob diferentes arranjos. A estrada vai nos forçar a pensar mais explicitamente sobre que direitos os usuários têm à propriedade intelectual[77].

Para finalizar, no quadro seguinte, retirado de *As tecnologias da inteligência*, de Pierre Lévy[78], apresenta-se com muita propriedade uma comparação entre três estágios da humanidade, marcados essencialmente pela oralidade, escrita e informática[79]:

---

[76] GATES; MYHRVOLD; RINEARSON, 1995, p. 221-222.

[77] Ibid., p. 224.

[78] LÉVY, 1993, p. 127.

[79] É importante registrar que há várias outras leituras, bem menos otimistas e mais críticas, da nova sociedade que se forma acompanhando os progressos da informática. Dentre elas, podemos citar: LOJKINE, Jean. *A revolução informacional*. Tradução José Paulo Netto. São Paulo: Cortez, 1995 — utiliza-se de um arsenal teórico marxista para especular a sociedade da informação —; e BAUDRILLARD, 1995, que critica a função do consumo na sociedade contemporânea.

QUADRO 6.1 — OS TRÊS PÓLOS DO ESPÍRITO

	PÓLO DA ORALIDADE PRIMÁRIA	PÓLO DA ESCRITA	PÓLO INFORMÁTICO-MEDIÁTICO
Figuras do tempo	Círculos.	Linhas.	Segmentos, pontos.
Dinâmica cronológica	- Horizonte do eterno retorno. - Devir sem referencial nem vestígio.	- História, na perspectiva de uma realização. - Vestígios, acumulação.	- Velocidade pura sem horizonte. - Pluralidade de devires imediatos (a dinâmica fundamental do pólo informático-mediático permanece parcialmente indeterminada).
Referencial temporal da ação e de seus efeitos	- Inscrição em uma continuidade imemorial. - Imediatez.	- Retardo, ato de diferir. - Inscrição no tempo, com todos os riscos que isto implica.	- Tempo real. - A imediatez estendeu seu campo de ação e de retroação à medida da rede informático-mediática.
Pragmática da comunicação	Os parceiros da comunicação encontram-se mergulhados nas mesmas circunstâncias e compartilham hipertextos próximos.	A distância entre os hipertextos do autor e do leitor pode ser muito grande. Disto resulta uma pressão em direção à universalidade e à objetividade por parte do emissor, assim como a necessidade de uma atividade interpretativa explícita por parte do receptor.	Conectados à rede informático-mediática, os atores da comunicação dividem cada vez mais um mesmo hipertexto. A pressão em direção à objetividade e à universalidade diminui, as mensagens são cada vez menos produzidas de forma a durarem.
Distância do indivíduo em relação à memória social	A memória encontra-se encarnada em pessoas vivas e em grupos atuantes.	A memória está semi-objetivada no escrito: - possibilidade de uma crítica ligada a uma separação parcial do indivíduo e do saber; - exigência de verdade ligada à identificação parcial do indivíduo e do saber.	A memória social (em permanente transformação) encontra-se quase que totalmente objetivada em dispositivos técnicos: declínio da verdade e da crítica.
Formas canônicas do saber	- Narrativa. - Rito.	-Teoria (explicação, fundação, exposição sistemática). - Interpretação.	- Modelização operacional ou de previsão. - Simulação.
Critérios dominantes	- Permanência ou conservação. - Significação (com toda a dimensão emocional deste termo).	Verdade, de acordo com as modalidades da: - crítica, - objetividade, - universalidade.	- Eficácia. - Pertinência local. - Mudanças, novidade.

6.3 Ética na Administração: É Possível Ensinar Ética?

Apesar de a discussão sobre ética na filosofia ocidental ter se iniciado com Sócrates, a ética na administração e nos negócios é um ramo de estudos recente, que se configurou nas últimas décadas. Em faculdades de administração, tornou-se uma disciplina quase obrigatória, e mesmo em cursos de Filosofia constitui-se em uma profícua área de investigação. Como campo novo de investigação, propõe mais perguntas do que oferece respostas. Aliás, fazer as perguntas corretas e formulá-las adequadamente talvez seja seu grande desafio neste momento, assim como conseguir esboçar os contornos da discussão.

Existem hoje, no Brasil e no exterior, diversas entidades dedicadas ao tema, como o Centro de Estudos de Ética nos Negócios (Cene)[80], a Society for Business Ethics (SBE)[81], a European Business Ethics Network (Eben)[82] e a International Society of Business, Economics and Ethics (Isbee)[83], além de destacadas publicações como *Journal of Business Ethics*, *Business Ethics Quarterly*, *Business Ethics: European Review* e *Business and Professional Ethics Journal*.

Os manuais de ética na Administração em geral começam pela apresentação da distinção entre ética teleológica e deontológica. O utilitarismo ou conseqüencialismo, que prega que o certo ou errado de uma ação derivaria da sua conseqüência, tem em Jeremy Bentham (autor de *Introduction to the principles of morals and legislation*) e John Stuart Mill (autor de *Utilitarianism*) seus representantes mais destacados. Para Benthan, o prazer e a dor deveriam servir de guias éticos. A utilidade e o valor ético de uma ação deveriam ser medidos em função de sua capacidade de gerar prazer ou evitar a dor. Já para a ética deontológica, cujo representante de maior destaque seria o filósofo alemão Immanuel Kant, as ações teriam valores morais intrínsecos.

Uma grande variedade de temas é abordada sob a insígnia da Ética na Administração. Vejamos brevemente alguns deles.

Podemos discutir ética em relação a produtos. Pensemos, por exemplo, nos produtos que viciam ou fazem mal. São eticamente questionáveis as decisões de promover e vender produtos de segurança ou valor questionáveis para o consumidor, como cigarros, chicletes, balas, álcool etc. Deveríamos, nesse caso, respeitar a liberdade de mercado e de escolha individual do consumidor ou o governo deveria restringir o que pode ser comprado e vendido? E como deve-

80 CENE. Disponível em: <http://www.fgvsp.br/cene/>.

81 SOCIETY FOR BUSINESS ETHICS. Disponível em: <http://www.sba.luc.edu/centers/sbe/>.

82 EBEN — European Business Ethics Network. Disponível em: <http://www.eben.org/>.

83 ISBEE — International Society of Business, Economics and Ethics. Disponível em: <http://www.synethos.org/isbee/>.

mos encarar eticamente questões relativas ao *design* de produtos, como nos casos de obsolescência planejada?

Questões relativas a propaganda enganosa são também em geral abordadas em Ética da Administração. Se de um lado podemos encarar a propaganda como criadora de necessidades, de outro lado temos de reconhecer que a propaganda é também um veículo de informação para a sociedade.

Preços e margem de lucro são variáveis normalmente avaliadas eticamente. Geralmente ocorre, entretanto, uma confusão entre lucro líquido e lucro bruto: muitas vezes um lucro bruto percentualmente elevado (e eticamente indecente), quando se considera apenas o preço de compra e o preço de venda de um produto, imbute uma série de custos e despesas envolvidos em sua comercialização, como assistência técnica, garantia, custos de estoque e distribuição, promoção, treinamento envolvido na introdução do produto, salários e comissão de uma equipe de vendas qualificada, registros nos órgãos competentes, taxas e impostos etc., e quando tudo isso é levado em consideração, podemos chegar a um lucro líquido eticamente aceitável ou até mesmo ao prejuízo.

O processo de globalização instaurou também interessantes questões éticas. Como avaliar eticamente o enorme abismo existente entre países desenvolvidos e subdesenvolvidos ou em desenvolvimento? Não seria a globalização uma miragem ou uma teoria para mascarar essas desigualdades com um discurso de igualdade e liberdade? Como encarar, no cenário globalizado, a função, o papel e as obrigações das empresas multinacionais em países pobres?

Questões relativas ao tratamento da informação e à comunicação corporativa revestem-se também de cunho ético. Como encarar a honestidade na comunicação corporativa, interna e externa? Estaria o funcionamento efetivo das organizações dependente de relacionamentos baseados em respeito, honestidade, justiça e verdade? Informações constantes de relatórios, fraudes, manipulação da informação e da mídia são também interessantes, do ponto de vista ético. Quanto de suas informações sigilosas seriam as empresas obrigadas a compartilhar? Quando? Com quem?

O especulador financeiro é quase sempre condenado do ponto de vista ético, mas muitos defendem que ele sustenta o arcabouço das economias modernas. Nos mercados de ações encontramos um dos temas mais debatidos em ética administrativa, a ação dos *inside traders*, aqueles que se beneficiam de informações supostamente sigilosas para a especulação.

Tangenciamos alguns temas de interesse ético em Administração, observando, assim, uma avalanche de perguntas. Todas essas questões (e muitas outras) podem ser tratadas e desenvolvidas filosoficamente. Selecionamos a seguir alguns temas para tratamento mais específico: a ética do capitalismo, a responsabilidade das organizações, a concorrência, o trabalho, algumas questões de administração pública e as relações entre desenvolvimento e meio ambiente.

6.3.1 A Ética do Capitalismo

O capitalismo é uma teoria econômica baseada no capital, na propriedade e na competição em um mercado livre. Mesmo essa definição *lato sensu* do capitalismo já aponta uma questão (ou contradição) ética intrínseca ao próprio sistema: podem conviver harmoniosamente o espírito da ética e o espírito de competição defendido pelo capitalismo? Não haveria quase que uma razão inversa entre o comportamento virtuoso e a maximização do lucro? Ou seja, quanto mais ético um comportamento, menos lucro ele geraria, e quanto maior a riqueza, menos ética ela envolveria? [84]

Outra questão ética levantada pelo sistema capitalista envolve a relação entre distribuição de riqueza e direito à propriedade [85]. Em muitos países, particularmente no Brasil, é dramática a injustiça envolvida na distribuição de riqueza. Os dados do mais recente censo do IBGE são um bom exemplo.

Pode-se justificar a riqueza quando ela coexiste na mesma sociedade com a extrema pobreza? A riqueza deve ser limitada e/ou obrigada a investir em benefícios sociais? Isso poderia ocorrer sem a violação da liberdade individual e dos direitos de propriedade? Seria tal direito moralmente defensável? Deveria ele ser sujeito a alguma restrição? O capitalismo estaria baseado na maximização de nosso próprio interesse? Essa posição seria moralmente aceitável? Não incentivaria o egoísmo e a indiferença em relação aos outros?

Uma defesa comum do capitalismo contra esse tipo de acusação é que a pobreza decorre da preguiça e falta de vontade de trabalhar, do ponto de vista do indivíduo, e da falta de organização e corrupção, no caso de países subdesenvolvidos ou em desenvolvimento. Assim, seríamos terceiro mundo porque somos um país desorganizado, a pobreza

[84] The morality of business and capitalism. In: WHITE, Thomas I. *Business ethics*: a philosophical reader. Upper Saddler River: Prentice Hall, 1993. p. 29-78.

[85] Distributive justice. In: WHITE, 1993, p. 79-130.

seria nossa culpa e responsabilidade, nunca falha do sistema. Os países do terceiro mundo são experiências fracassadas e deveriam ser riscados do mapa da humanidade. Os indivíduos pobres são preguiçosos e têm o que merecem.

Por mais que se queira ser imparcial e procurar nessas posições alguma sabedoria e alguma coerência, isso é praticamente impossível. Dizer que uma criança que nasce em uma família (e, numa perspectiva mais ampla, em um país) que não consegue nem mesmo alimentá-la decentemente, que não tem condições de proporcionar-lhe um mínimo de educação, dizer que essa criança tem o que merece, pois, de mil indivíduos como esses, um conseguiu vencer na vida, é no mínimo sádico. Mesmo que considerássemos a propriedade como um critério justo para comparar pessoas ou países (critério cuja justiça, é bom que se diga, é bastante questionável), tal critério só teria sentido se as pessoas ou os países em consideração tivessem oportunidade justa e igual (ou ao menos próxima) de decidir por sua aquisição. Mas não é isso o que ocorre, pois tal tipo de justiça não é o pressuposto do sistema capitalista. Um sistema que assume a competição e a maximização de lucros como seus fundamentos básicos, e não coloca como seu fundamento básico a alimentação decente de sua população, não merece credibilidade. É claro que um país capitalista pode ser bem-sucedido em fornecer saúde, educação e alimentação em níveis mínimos de decência para sua população, como o são muitos, mas isso não significa que o fundamento teórico desse movimento seja ético, mesmo porque outros países também capitalistas não conseguem atingir esse mínimo de decência.

Joel Feinberg apresenta uma interessante discussão sobre cinco princípios que em geral entram em consideração quando se discute a distribuição da justiça: igualdade, necessidades, mérito ou realização, contribuição ou "retorno devido" e trabalho ou esforço [86]. Se pode parecer utópico imaginar uma sociedade em que toda a distribuição de renda e riqueza seja absolutamente equalitária, não deixa de ser um engenhoso exercício de imaginação defender que a desigualdade pode ser benéfica para a sociedade como um todo, porque, por exemplo, aumenta o bolo total e, então, todos receberão um quinhão maior do que receberiam sem as desigualdades. Também não deixa de ser fantasia imaginar que possamos traçar uma linha divisória entre as "necessidades" básicas dos seres humanos, a partir da qual a desigualdade seja

[86] *Social philosophy*. Englewood, NJ: Prentice Hall, 1973. Apud WHITE, 1993, p. 80-88.

eticamente aceita — o que chamar de "necessidades" seria um ato já ideológico, determinado inextricavelmente pela posição social do legislador-filósofo na sociedade.

É possível (e necessário) realizar uma comparação filosófica entre Capitalismo e Socialismo e criticar o pragmatismo que diz que o sistema socialista falhou (nas experiências do leste europeu e particularmente na Rússia) e que por isso não deve mais ser levado em consideração. As poucas chances e oportunidades para efetivamente testar o sistema na prática não servem de desqualificação de sua teoria e visão. Do ponto de vista ético, o socialismo parece desenhado como um sistema muito mais justo que o capitalismo.

6.3.2 A Responsabilidade das Empresas

Qual a responsabilidade dos dirigentes e administradores em relação às empresas e aos acionistas? Trata-se aqui de uma relação fiduciária ou de simples agente? Podem as empresas ser responsabilizadas? Devemos reconhecer que a separação cada vez mais comum entre propriedade e administração torna discutível a aplicação de leis morais às organizações.

Empresas não são simples agregados de indivíduos, como as multidões, já que se estruturam como sistemas de tomadas de decisões, de responsabilidades, compromissos, relacionamentos e objetivos, revestindo-se assim de características pessoais. Nesse sentido, podem ser consideradas agentes morais e avaliadas do ponto de vista ético.

Surge, entretanto, imediatamente uma questão: até onde se estende a responsabilidade social das empresas? Uma visão mais estreita defende que a empresa praticamente não tem responsabilidade social. Um artigo paradigmático dessa posição é "The social responsibility of business is to increase its profits", de Milton Friedman [87]. O critério de avaliação está aqui focado exclusivamente na maximização dos lucros, objetivo principal das organizações capitalistas. Assim, deveríamos pensar exclusivamente em responsabilidade fiduciária da empresa para com seus acionistas (*stockholders*).

Nas últimas décadas, constitui-se uma noção mais ampla de responsabilidade social das organizações capitalistas, que enfatiza os valores dos *stakeholders* [88], que incluiriam todo grupo ou indivíduo que podem

[87] *New York Times Magazine*, Sept. 13, 1970. Apud WHITE, op. cit., p. 162-167.

[88] Cabe registrar que Chester Barnard, mesmo sem utilizar a palavra, já pensava no início do século passado em redes de comunicação nas empresas que envolveriam seus *stakeholders* (empregados, administradores, fornecedores e clientes).

afetar ou são afetados pelas ações, decisões, práticas e objetivos da organização. Os *stakeholders* seriam, portanto, todos aqueles que tivessem algum tipo de *stake* (risco, participação ou interesse) naquilo que a organização faz e em seus resultados. Assim, a questão de para quem a empresa é tocada seria respondida não em função de uma visão restrita, apontando apenas para os acionistas (aqueles que possuem *stocks* — ações — da empresa), mas sim por meio de uma visão mais ampla da responsabilidade para com todos os *stakeholders*. As empresas teriam, então, responsabilidade social para com as comunidades e nações em que estão inseridas, com o meio ambiente, com seus clientes, com seus distribuidores, seus fornecedores, seus empregados e até mesmo com seus concorrentes. A noção de responsabilidade corporativa é aqui claramente expandida — as organizações não são responsáveis por proteger apenas seus acionistas, mas também os interesses de todos aqueles que com ela interagem e que são por ela afetados.

Sem dúvida, a relação e a responsabilidade direta dos administradores de empresas para com os investidores têm uma conotação diferente da relação dos administradores com os *stakeholders* da empresa, mas isso não significa que o administrador não tenha obrigações morais em relação aos *stakeholders*.

Enquanto os ***stockholders*** são aqueles que possuem ***stocks*** (ações) das empresas, os ***stakeholders*** possuem ***stake*** (interesse ou participação) nas empresas.

O filósofo Thomas Donaldson[89], por exemplo, desenvolve interessante conceito de contrato social para dar conta dessas obrigações indiretas das empresas. Assim como no caso do contrato político desenvolvido por Hobbes, Locke e Rousseau, poderíamos pensar em um contrato original dos negócios, uma espécie de contrato metafísico, um ideal ético e moral. Ele seria celebrado entre a sociedade e as empresas, e envolveria basicamente os consumidores dos produtos e serviços da empresa e seus empregados, trazendo vantagens e benefícios para todos, assim como obrigações, e baseando-se na cláusula máxima de justiça. Esse "contrato" serviria para avaliar o desempenho das empresas da perspectiva moral.

Interessante objeção que em geral se levanta em relação a posições como a de Donaldson é o que se costumou chamar de paradoxo do *stakeholder*. Afinal, como poderíamos lidar com situações em que o contrato social dos negócios, que acaba por ditar obrigações para os administradores de empresas, entra em conflito com a rela-

[89] DONALDSON, Thomas. *Corporations and morality*. Englewood Cliffs, NJ: Prentice Hall, 1982. passim.

ção entre os administradores e os acionistas? Como avaliar eticamente, por exemplo, uma situação em que toda a indústria em que a empresa está inserida trabalha causando poluição ambiental, e caso a minha empresa decida adotar medidas antipoluição, ela se tornará não-competitiva, reduzindo assim as margens de lucro dos acionistas?

Uma forma de pensar essa aparente contradição é que a empresa não é uma entidade autônoma que confronta um ambiente externo, mas antes uma rede de relações entre *stakeholders*. Administrar significa administrar para *stakeholders*, incluindo aqui os acionistas. Os *stakeholders* não podem ser pensados como sendo afetados pela empresa sem que sejam, entretanto, essenciais para a identidade básica da organização. A identidade básica da organização não é definida independentemente dos *stakeholders*. Assim como Ortega y Gasset afirma sobre o indivíduo "eu sou eu e minhas circunstâncias", poderíamos dizer que "a empresa é a empresa e seus *stakeholders*". Assim, o paradoxo dos *stakeholders* aponta para um conflito de interesses que, segundo a perspectiva ética, deve ser resolvido sem privilégios para nenhuma das partes.

Cabe concluir citando uma interessante teoria do Direito, a da desconsideração da personalidade jurídica[90]. Em algumas situações, as empresas podem ser utilizadas como instrumento de realização de fraude ou abuso de direito. Um juiz pode, nesse caso, ignorar a autonomia patrimonial da pessoa jurídica, imputando os atos ilícitos e fraudulentos às pessoas físicas responsáveis por eles. A teoria da desconsideração da personalidade jurídica, portanto, indica, com base na perspectiva estritamente legal, que não só as empresas, mas também seus administradores, podem ser responsabilizados por seus atos. A responsabilidade, portanto, não deve ser limitada à fachada jurídica da organização, e as cobranças podem ser feitas não apenas contra os recursos da empresa, mas também de seus sócios. Poderíamos nesse sentido dizer que o contrato social legal da empresa, que a define como personalidade jurídica, é desconsiderado em nome de um contrato social mais amplo, similar ao contrato de que Donaldson fala. Da mesma forma como a relação entre o administrador e os acionistas pode ser desconsiderada em nome de um contrato social mais amplo, entre a empresa e os *stakeholders*.

[90] Veja, por exemplo, COELHO, Fábio Ulhoa. Desconsideração da personalidade jurídica. In: ______. *Curso de direito comercial*. São Paulo: Saraiva, 1999. v. 2, p. 31-56.

6.3.3 Concorrência Desleal

A expressão concorrência desleal tem dois sentidos de certa forma distintos: macroeconômico, em que representa os atos decorrentes do abuso de poder econômico, e microeconômico, em que representa os atos praticados pela indústria ou comércio que prejudicam os concorrentes. Assim, enquanto as leis antitruste procuram garantir a liberdade de competição mediante o controle do abuso do poder econômico, as leis de concorrência desleal procuram garantir a justiça na competição.

As regras de concorrência desleal, tanto sob o aspecto macro quanto microeconômico, parecem, em princípio, caminhar contra o preceito de um mercado livre. Bernard Francq, com efeito, elenca quatro exceções à liberdade total de iniciativa: propriedade intelectual e industrial (direito de autor, marcas e patentes), concorrência desleal, o princípio de liberdade contratual (cláusulas restritivas de não concorrência, como de distribuição exclusiva) e a regulamentação de práticas restritivas[91].

Entretanto, mais uma vez podemos pensar a intromissão do Estado visando promover a justiça envolvida em contrato social original dos negócios, justiça baseada não numa visão restrita de liberdade, mas numa visão profunda, de acordo com os conceitos de liberdade propostos na história do pensamento político, ético e jurídico, conforme já estudamos.

No aspecto macroeconômico, a formação de cartéis ou trustes acaba impedindo a entrada de novos competidores no mercado, ou seja, inibindo a própria essência do sistema, a competição, prejudicando assim os consumidores e a sociedade como um todo, que fica condenada a arcar com altos custos para consumir certos bens e serviços. Pode-se condenar no mesmo sentido as situações em que concorrentes fazem acordos de cooperação, principalmente para majorar preços e/ou forjar licitações, já que nesse caso está sendo lesado o princípio da livre concorrência, e por conseqüência está sendo também lesada a sociedade como um todo. Assim, as normas de concorrência desleal macroeconômicas visam assegurar a livre iniciativa e a concorrência, proteger o consumidor e, em última instância, toda a sociedade, em função de um contrato social original como o proposto por Donaldson e em função de uma noção de liberdade distinta da idéia de liberdade natural, como as propostas por Rousseau, Montesquieu, Locke, Kant e Hegel.

---

[91] RAPPORTS entre la repression da la concurrence deloyale et la reglementation des pratiques restrictives: Europe. Bulletin de l'institut international de concurrence commerciale, Colloque des 5 et 6 mai 1980, numero special, p. 13-14.

No aspecto microeconômico, a Convenção de Paris para Proteção da Propriedade Industrial, em 1883, em seu artigo 10bis, formalizou a regra geral de que "constitui um ato de concorrência desleal todo ato de concorrência contrário às práticas honestas em matéria industrial ou comercial". Sem dúvida, a expressão "práticas honestas" tem um significado muito subjetivo e amplo, mas as legislações que a disciplinaram não conseguiram utilizar termos mais precisos: "princípios de boa-fé" (Espanha e Suíça), "correção profissional" (Itália), "boa moral" (Alemanha, Grécia e Polônia), "princípios da honestidade e transações justas" ou "moral do mercado da região" (Estados Unidos)[92]. A solução alcançada para precisar um pouco mais a definição foi listar os atos que caracterizam concorrência desleal. O artigo 10bis indica como atos de concorrência desleal: os que criem confusão entre concorrentes, os de falsa alegação contra concorrentes e os de indicação ou alegação que induza a erro o público quanto a produto, marca ou característica. Passaram também a ser considerados atos de concorrência desleal os de desvio de funcionários e de segredos industriais e comerciais. O desvio fraudulento de clientela e a atribuição, por meio de propaganda, de recompensa ou distinção falsas, são também considerados atos de concorrência desleal. Uma interessante espécie de concorrência desleal é a concorrência parasitária, em que ocorre imitação contínua e sistemática de nomes, marcas, produtos, embalagens, sistemas de vendas ou de distribuição, publicidade e sistemas de valores de um concorrente. É possível até mesmo pensar em concorrência desleal entre empresas, em princípio, não concorrentes, como no caso de fornecedor/fabricante e distribuidor, em contrato de distribuição, quando uma das partes age deslealmente[93].

Quando analisadas de uma perspectiva restrita, pode parecer que as leis de concorrência desleal microeconômicas visam proteger apenas o concorrente. Mas uma visão mais ampla nos mostra que, na verdade, o consumidor e a própria competição, como interesse da sociedade como um todo, estão sendo protegidos, da mesma forma como no caso de concorrência desleal macroeconômica.

---

[92] Cf. WORLD INTELLECTUAL PROPERTY ORGANIZATION. *Protection against unfair competition*: analysis of the present world situation. Genève, 1994. p. 23; e CERQUEIRA, João da Gama. *Tratado da propriedade industrial*. 2. ed. São Paulo: Revista dos Tribunais, 1982. v. 2, p. 1268.

[93] Cf. MONTAGNINI, Regina. *Concorrência desleal nos contratos de distribuição*. 2000. Dissertação (Mestrado em Direito) — Pontifícia Universidade Católica de São Paulo, São Paulo, 2000.

6.3.4 O Trabalho

Em recursos humanos encontramos inúmeras questões que merecem ser avaliadas por uma perspectiva ética.

Seriam as imensas diferenças entre salários justificáveis, do ponto de vista ético? É justo que uma faxineira, que dedica a semana toda de seu trabalho duro a uma empresa, ganhe 200 vezes menos que um executivo? Até onde vai a responsabilidade das empresas para com seus empregados, que dedicam boa parte de sua vida ao trabalho? Como encarar eticamente as demissões de mão-de-obra? Como julgar o caso de empresas que montam filiais em países em que os salários são menores dos que os do país em que estão estabelecidas para se aproveitarem do custo inferior? E o caso da eliminação de funções e posições de trabalho pela tecnologia? Afinal de contas, não pode a tecnologia também ser encarada de forma positiva, ao eliminar, por exemplo, trabalhos físicos pesados? Como devemos lidar com questões de privacidade e confidencialidade em relação ao uso de informações sobre os empregados por parte dos empregadores, como no caso de exames (drogas, Aids, psicológicos etc.)? Como julgar o "dedo-duro", aquele que denuncia comportamentos ou atitudes em sua empresa que ele considera eticamente errados? O assédio sexual no trabalho, por exemplo, tornou-se tema dominante nos últimos anos e reveste-se de conotações éticas, assim como a discriminação no ambiente de trabalho.

Ainda falando de trabalho, haveria razões eticamente defensáveis para considerar a prostituição ilegal? Não se trataria aqui de cerceamento do direito de trabalho, especificamente das mulheres? Por que é proibido "vender" o corpo e ter (e dar) prazer, mas é permitido vender o trabalho sem prazer, com extrema insatisfação e até mesmo sofrimento?

O trabalho é em geral encarado em nossa sociedade de dois pontos-de-vista até certo ponto antagônicos. De um lado, o trabalho nos auxilia a fugir do ócio, servindo de válvula de escape para nossos ímpetos competitivos, ajudando a nos manter sadios. Nossa autodefinição ocorre em grande parte pelo trabalho. Por meio dele as pessoas definem sua natureza, seu caráter e sua personalidade. O trabalho garante ao ser humano um lugar seguro na sociedade, o que determina seu reconhecimento social. Ser humano e trabalho estão inextricavelmente ligados.

De outro lado, sabemos que muitas pessoas trabalham por necessidade e são infelizes em seu trabalho. Muitos empregados gostariam de receber salários sem trabalhar, e boa parte dos empregadores preferiria ter resultados sem trabalhadores. Harry Braverman, por exemplo, discutiu em um clássico a degradação do trabalho no século XX, por meio da alienação do trabalhador e da exploração do capitalismo [94].

Parece fascinante e promissor lançar um olhar histórico sobre essa atividade humana. A noção de trabalho sofreu várias mudanças essenciais ao longo da história da humanidade. Na Grécia Antiga, o trabalho era visto como um fardo que brutalizava a mente, que devia ser evitado de todas as maneiras. Os hebreus antigos viam o trabalho como uma punição para o pecado. Apenas a partir do Renascimento o trabalho passa a ser encarado de modo positivo. Com a Revolução Industrial e a Reforma protestante, o trabalho passa a ser visto como a atividade mais importante na vida de uma pessoa. Em *A ética protestante e o espírito do capitalismo*, por exemplo, Max Weber discute as relações entre as crenças religiosas calvinistas e a mentalidade capitalista. Com o protestantismo, o trabalho passou a ser considerado algo bom em si mesmo. Ganhar mais daria prazer a Deus. O que anteriormente era visto, no máximo, como uma inclinação pessoal ou escolha, agora se tornou uma obrigação moral [95]. Nos anos 1970, assistimos a uma série de revoluções sociais, entre as quais uma rejeição a essa concepção de trabalho em favor da filosofia de gastos e fruição. Teríamos passado da economia de produção e poupança para uma economia consumista. Sem dúvida, a sociedade da informação e do conhecimento trouxe uma nova revolução em nossa relação com o trabalho, a ponto de se poder imaginar, num futuro não muito distante, o fim do trabalho como o entendemos ainda hoje.

Sempre me pareceu que a discussão sobre o trabalho nunca coloca em questão a estrutura semântica que criou um espaço para o conceito "trabalho", como se ela fosse a única possível de se imaginar, não

[94] BRAVERMAN, Harry. *Trabalho e capital monopolista*: a degradação do trabalho no século XX. Rio de Janeiro: Guanabara, 1987.

[95] ROSENTHAL, Sandra B.; BUCHHOLZ, Rogene A. *Rethinking business ethics*: a pragmatic approach. New York: Oxford University Press, 2000. p. 70; Id. *Business ethics*: the pragmatic path beyond principles to process. Upper Saddle River: Prentice Hall, 1998. p. 329-332.

podendo ser colocada em questão. A prática e o próprio conceito de trabalho são históricos — não se trabalhava, da forma como entendemos hoje o trabalho, até há poucos séculos. Em geral, fala-se de trabalho digno, exploração etc., mas quase nunca se discute se é sempre preciso pensar em trabalho dessa forma, até mesmo se é realmente preciso pensar em trabalho. Se não é possível imaginar uma sociedade sem trabalho, e por conseqüência (ou coincidência) eticamente mais justa. Parece que nessa questão há alguém nos enganando, uma energia invisível que nos ludibriou durante séculos, convencendo-nos de que o trabalho fazia parte de nossa identidade. É possível ser humano sem trabalhar — esse seria um dos desafios éticos do novo milênio.

6.3.5 Administração Pública

Interessantes questões éticas surgem no âmbito da administração pública. Um exemplo é a questão da dívida externa de países subdesenvolvidos ou em desenvolvimento. Em princípio, eticamente uma dívida é uma dívida, e deve ser paga. Mas em muitos casos, quando pensamos em dívidas de países pobres, surge um conflito entre a necessidade dos credores e as necessidades da própria população desses países. Em muitos casos, para conseguir pagar as dívidas e seus elevados juros, alguns governos passam a exigir sacrifícios imensos de sua população, por meio de políticas de manutenção dos juros internos altos e de elevação de impostos, deixando de investir em necessidades sociais básicas como saúde e educação. Tanto que essa questão é sempre retomada em época de eleições no Brasil, com as constantes ameaças de candidatos de esquerda de que promoverão um calote na dívida externa, supostamente (ou demagogicamente) em favor de investimentos para a população.

Outra questão importante é a dos direitos autorais e intelectuais. Em tese, países mais desenvolvidos têm mais estrutura e capital para registrar patentes, por exemplo, e isso os coloca em posição de vantagem em relação aos países mais pobres. O sistema de direitos autorais e intelectuais é injustamente vantajoso para os países mais desenvolvidos, fazendo com que a balança penda desproporcionalmente para seu lado. A propriedade intelectual e, especificamente, os direitos autorais sustentam internacionalmente a exploração da "matéria-prima" dos países subdesenvolvidos ou em desenvolvimento pelos países desenvolvidos:

> O curare, o batique, os mitos e a dança lambada fluem para fora dos países em desenvolvimento desprotegidos por direitos de propriedade intelectual, enquanto Prozac, Levis, Grisham e o filme *Lambada*! fluem para dentro — protegidos por uma suíte de leis de propriedade intelectual, que por sua vez são reforçadas pela ameaça de sanções comerciais. Há, é claro, muitas razões para esse desbalanceamento. Não é simplesmente o *design* de um sistema de propriedade intelectual ao redor da figura do autor que explica tais resultados. Disparidades em tecnologia e riqueza significam que, qualquer que seja o sistema de propriedade intelectual adotado, os países desenvolvidos serão mais capazes de explorar, comercializar e lucrar sobre os objetos de propriedade intelectual. Mas um sistema de propriedade intelectual baseado no ideal do criador original e transformador compõe essas tendências. Isso porque a vantagem competitiva tradicional dos países em desenvolvimento tem sido fornecer matéria-prima, e um regime autoral dá à matéria-prima para a produção de propriedade intelectual o valor de zero[96].

A questão que se coloca, então, é: por que defender os direitos intelectuais, de marcas, patentes e direitos do autor, contra o direito fundamental do acesso à informação por parte da população mundial que não tem condições de sustentar esse modelo?

Um caso que vivenciamos recentemente no Brasil é o das patentes de remédios. O governo brasileiro ameaçou quebrar as patentes de remédios para Aids, pois alegava estar gastando muito com esses medicamentos, que seriam fundamentais para frear uma situação de epidemia e calamidade pública. Os laboratórios multinacionais, é claro, reagiram, mas parece que no final um acordo garantiu preços mais baixos, e as patentes continuam respeitadas. A questão é complexa do ponto de vista ético. De um lado, é obviamente injusto estipular regras gerais em que os laboratórios acabam se baseando, investindo em pesquisa e desenvolvimento, produção e marketing, sendo que muitos projetos resultam em prejuízos astronômicos, já que não chegam nem mesmo à fase de produção e comercialização. Assim, o sucesso de alguns casos deveria estar protegido por regras, definidas de antemão, de propriedade intelectual, de forma a cobrir os gastos anteriores e o próprio risco do negócio. O sistema de propriedade intelectual, nesse sentido, seria o propulsor da pesquisa e do desenvolvimento de novas e poderosas soluções para a sociedade. Sem ele, não haveria investimentos, pois esses investi-

96 BOYLE, James. *Shamans, software, and spleens*: law and the construction of the information society. Cambridge: Harvard University Press, 1997. p. 125-126, tradução nossa.

mentos não estariam jamais garantidos. De outro lado, é no mínimo incômodo pensar que remédios, supostamente produzidos para salvar vidas, não possam ser consumidos pela grande parte da população mundial que não tem condições de pagar por seu uso. Nessa perspectiva, as regras de direitos intelectuais acabam impedindo o acesso da população (que em última instância deveria ser a beneficiada com a produção dos laboratórios) a sua própria salvação — a solução está disponível, mas a legislação acaba impedindo que vidas sejam salvas, que os necessitados tenham acesso a ela. O que teria sido produzido para salvar vidas, tragicamente, não pode ser consumido por boa parte daqueles que poderiam ter a vida salva.

Outra delicada questão de administração pública pela qual nosso país tem passado é a da reserva de quotas para negros no acesso às universidades. Mesmo que reconheçamos os crimes de escravidão, mesmo que reconheçamos que os negros tiveram menos oportunidades que os brancos em nossa sociedade, ainda assim seria uma decisão correta, do ponto de vista ético, continuar a praticar certo tipo de discriminação, reservando vagas em função da raça no acesso ao ensino público? Não estaríamos, sob o pretexto de corrigir um erro histórico, perpetuando o mesmo erro?

6.3.6 Desenvolvimento Econômico *versus* Poluição Ambiental

Outro impasse ético contemporâneo ocorre na combinação entre desenvolvimento econômico e poluição ambiental. Seria possível harmonizar os dois pólos? Seria possível implantar um projeto de desenvolvimento que incluísse responsabilidade ambiental?

Uma proposta prática internacional, encampada até pelo governo brasileiro, é denominada CDM — *clean development mecanism.* Afinal, não é justo que os países subdesenvolvidos ou em desenvolvimento sejam obrigados a não poluir e, por conseqüência, obrigados também a frear seu desenvolvimento, que poderia colocá-los num patamar mínimo de desenvolvimento, enquanto os países que se desenvolveram mais cedo tiveram liberdade de poluir durante as últimas décadas. O CDM pretende justamente contemplar essa questão, propondo que os países desenvolvidos, que já teriam poluído boa parte do planeta por causa de seu desenvolvimento, sejam obrigados a investir nos países mais pobres em programas de desenvolvimento com responsabilidade ambiental, ou seja, que esses países ajudem a sustentar, financeiramente, o desenvolvimento e ao mesmo tempo a proteção ambiental dos países mais pobres.

Sandra Rosenthal, por exemplo, defende que é necessária uma nova compreensão do crescimento. A separação do crescimento econômico do terreno moral (no qual o crescimento econômico encontra-se incrustado) gera a falsa necessidade de precisar escolher entre desenvolvimento econômico e natureza. Essa falsa dicotomia enxerga o crescimento econômico como excessivamente externo em relação a seu propósito moral. Nossa relação com a natureza é ao mesmo tempo econômica e moral. A proteção da natureza e o enriquecimento da qualidade de vida estão inextricavelmente unidos. O desenvolvimento da humanidade está ecologicamente conectado com seu mundo biológico, assim como seu mundo cultural. O "crescimento econômico" é uma abstração da realidade mais completa e rica do crescimento do ser humano. Bens econômicos são apenas positivos enquanto contribuem para o enriquecimento da existência humana. A falácia da falsa dicotomia entre desenvolvimento econômico *versus* preservação ambiental distorce a própria natureza da riqueza da realidade a que as duas alternativas deveriam no fundo servir[97]. A natureza não pode ser desumanizada nem podem os seres humanos serem desnaturalizados. A falsa dicotomia antropocentrismo *versus* biocentrismo deve ser superada em favor da visão ecocentrista.

Dentro dessa discussão, coloca-se a questão da internacionalização da Amazônia. A perspectiva patriótica natural seria defender a Amazônia como parte de nosso território. O que muitos argumentam, entretanto, é que a preservação do planeta é mais importante do que o respeito a fronteiras geopolíticas definidas nos últimos séculos, principalmente porque o Brasil não está conseguindo impedir o desmatamento da floresta Amazônica, o que em última instância acabaria condenando o mundo todo. Isso, portanto, numa visão ética mais ampla, justificaria a intervenção.

6.3.7 Liderança

Liderança e ética são temas estreitamente conectados. O líder determina o tom moral da organização, representando e reformulando seus valores. Já discutimos em vários momentos do texto diferen-

[97] ROSENTHAL; BUCHHOLZ, 2000, p. 77-81.

tes conceitos de liderança. Entretanto, gostaríamos de encerrar a discussão sobre Ética na Administração abordando especificamente esse tema. Há, sem dúvida, inúmeras construções do conceito de liderança, e exploraremos aqui, brevemente, apenas algumas perspectivas.

Chester Barnard foi um dos pioneiros na discussão sobre liderança na teoria da Administração. Ele destaca os aspectos não intelectuais envolvidos nas relações com os líderes, na recepção de ordens e nas situações de decisões:

> Os homens atribuem autoridade a comunicações de posições superiores, com a condição de que essas comunicações sejam razoavelmente consistentes com as vantagens de escopo e perspectiva que são creditadas a essas posições. Essa autoridade é, até um grau considerável, independente da habilidade pessoal do sujeito que ocupa a posição. É muitas vezes reconhecido que, embora esse sujeito possa ter habilidade pessoal limitada, sua recomendação deve ser superior pela simples razão da vantagem de posição. Essa é a *autoridade de posição.*
>
> Mas é óbvio que alguns homens têm habilidade superior. O seu conhecimento e a sua compreensão, independentemente da posição, geram respeito. Os homens atribuem autoridade ao que eles dizem, em uma organização, apenas por essa razão. Essa é a *autoridade de liderança*[98].

Na mesma direção, Mary Parker Follett, como já vimos, propõe a Lei da Situação, em que os líderes, na realidade, não dão ordens, mas ajudam a clarear uma situação para que ela própria possa indicar o caminho mais adequado a ser seguido. Quanto mais uma ordem emana da avaliação correta da situação, mais naturalmente ela será aceita e cumprida.

Também relacionando liderança e ética, William Hitt[99] identifica quatro estilos particulares de liderança, que corresponderiam a quatro sistemas éticos distintos: o **manipulador**, o **administrador burocrático**, o **administrador profissional** e o **transformador**. Vejamos as características principais de cada tipo.

William Hitt identifica quatro estilos de liderança em administração: **manipulador**, **burocrático**, **profissional** e **transformador**.

Para o manipulador, os meios justificam os fins. Alinhado com uma ética maquiavélica, preocupa-se meramente com resultados. Já vimos que esse é o mote do livro de Gerald R. Griffin, *Maquiavel na Administração*. A autoridade do líder manipulador está baseada

---

98 BARNARD, 1968, p. 173, tradução nossa.

99 HITT, William. *Ethics and leadership*: putting theory into practice. Columbus, Ohio: Battelle Press, 1990. p. 135-174.

no poder. Ele procura ao mesmo tempo traçar alianças e identificar claramente um inimigo, e seus subordinados devem ser passivos, dependentes e submissos.

A principal função do administrador burocrático é comunicar e fazer cumprir regras. Ele representa uma ética de regras, que tem como modelo o sociólogo alemão Max Weber, que racionalizou as funções de liderança e os princípios da administração. Para Weber, as organizações precisam de uma estrutura que transcenda o líder individual, garantindo dessa maneira estabilidade, independentemente do que ocorra com a pessoa do líder. Assim, as regras tornam-se a autoridade, em substituição ao líder individual. As organizações burocráticas têm descrições detalhadas de cargos e funções e devem continuar a funcionar normalmente e na mesma direção, independentemente da alteração em sua liderança.

Já o administrador profissional procura conseguir que as coisas sejam feitas com o propósito de atingir os objetivos da organização, numa função similar à do maestro. Numa orquestra, seu papel consiste em planejar, organizar, comunicar, motivar e mensurar os resultados. Ele enxerga seu trabalho como uma carreira e uma profissão, como um engenheiro ou um contador. Seus valores baseiam-se numa ética de contrato social, em que os recursos humanos e materiais devem ser utilizados com eficácia para alcançar objetivos, enquanto o administrador burocrático preocupa-se basicamente com a eficiência. Para diferenciar os dois termos, convém reproduzir uma brilhante passagem de Chester Barnard:

> Quando um determinado objetivo desejado é alcançado, podemos dizer que uma ação é 'eficaz'. Quando as conseqüências não visadas de uma ação são mais importantes do que o ato de alcançar o objetivo desejado, e são insatisfatórias, podemos dizer que a ação eficaz é 'ineficiente'. Quando as conseqüências não visadas são sem importância ou triviais, a ação é 'eficiente'. Além disso, às vezes ocorre que o objetivo visado não é alcançado, mas as conseqüências não visadas satisfazem os desejos ou motivos, não a 'causa' da ação. Devemos, então, considerar essa ação como eficiente mas não eficaz. Em forma de retrospecto, a ação nesse caso é justificada não pelos resultados visados, mas por aqueles não visados. Essas observações são objetos da experiência pessoal comum.
>
> Conseqüentemente, devemos dizer que uma ação é eficaz se ela alcança seu objetivo específico. Devemos também dizer que é eficiente se satisfaz os motivos desse objetivo, seja eficaz ou não, e o processo não gera insatisfações inesperadas. Devemos dizer que uma ação é ineficiente se os motivos não são

satisfeitos ou ocorrem insatisfações inesperadas, mesmo se ela é eficaz. Isso geralmente ocorre; descobrimos que não queremos o que pensávamos que queríamos [100].

Por fim, o líder transformador, por meio da motivação, procura retirar o melhor de cada pessoa. Para ele a liderança é menos um atributo ou uma função e mais uma relação entre líderes e colaboradores. O líder transformador enxerga o potencial das pessoas e tem prazer no seu crescimento. Ele é um bom treinador e ajuda os outros a se tornarem líderes. O líder transformador está, portanto, baseado em uma ética personalística.

Já Rosenthal e Buchholz [101] vão um pouco mais além ao proporem o conceito de "liderança participativa": o líder não se posiciona à parte de um grupo de seguidores nem é um organizador de idéias, mas, antes, por sua própria natureza, encontra-se em interação dinâmica com o grupo; ambos permanecem em um processo de contínua transformação por causa dessa interação. O líder não deveria ser compreendido, portanto, numa posição externa em relação aos membros do grupo. A organização deveria ser entendida como uma comunidade, e não um simples aglomerado de indivíduos e alguns líderes, e nesse sentido seria por natureza ética e moral.

6.4 Filosofia, Visão e Missão das Empresas

6.4.1 Conceitos

Pretendemos agora abordar alguns conceitos essenciais em administração, e veremos como há incríveis variações no significado desses conceitos, em diferentes autores. Aproveitando o estudo de filosofia da linguagem já realizado, podemos dizer que **filosofia**, **cultura**, **valores**, **visão** e **missão** das empresas são cinco significantes que, na verdade, não possuem um significado definido a eles associado. Trabalharemos agora no terreno de fronteiras conceituais movediças e seremos capazes de demonstrar como um esforço de definição conceitual rigorosa, como o fizemos neste livro com alguns conceitos filosóficos, é também essencial em teoria da administração para definir um código comum que possibilite a comunicação.

[100] BARNARD, 1968, p. 19-20, tradução nossa.

[101] ROSENTHAL; BUCHHOLZ, 2000, p. 191-198; Id., 1998, p. 415-432.

Começaremos por um conceito com o qual, nesta altura, deveríamos sentir-nos familiarizados — o de **filosofia** de uma empresa. Como estamos estudando filosofia já há algum tempo, tentando traçar até algumas relações com o campo da administração, deveria ser relativamente fácil, portanto, definir o conceito de filosofia empresarial.

Iniciaremos essa discussão observando duas definições de filosofia administrativa, de autores distintos:

> Definimos a filosofia de uma empresa como o conjunto de princípios e forças diretivos e de atitudes que ajudam a comunicar as metas, os planos e as regras para todos os empregados, e que são reforçados pelo comportamento, consciente e inconsciente, em todos os níveis da organização [102].

> Embora seja desejável, nem sempre a empresa declara sua filosofia de negócio de uma forma explícita e clara para conhecimento de seus gerentes, empregados e outros interessados. Geralmente, ela só é percebida através do tempo, pelas atitudes assumidas por seus principais executivos, quando tomam decisões.
>
> Embora seja diferente de uma empresa para outra, e até mesmo na própria empresa, em função do tempo ou da evolução dos ideais, crenças e valores de seus principais executivos ou proprietário(s), sua filosofia deveria ser explicitada claramente, em termos de missão e finalidades ou propósitos básicos [103].

Uma primeira dúvida surge pelo cotejo das duas definições: a filosofia de negócios de uma empresa deve ser declarada? Deve ser escrita, comunicada a seus funcionários, aos seus clientes, compartilhada com todos os *stakeholders*? Se na primeira definição essa idéia faz parte do próprio conceito de filosofia empresarial, na segunda definição Nakagawa levanta a questão de que, embora ideal, não ocorre sempre a declaração e o compartilhamento da filosofia empresarial com os funcionários ou outros *stakeholders*.

A filosofia de uma empresa tem relação direta com sua cultura. A cultura de uma empresa implica seus padrões de comportamento, as idéias centrais transmitidas por suas ações e o conjunto de seus valores primordiais. Ela pode ser notada nas preferências que a empresa revela, na importância que dedica a determinados assun-

---

[102] HAYES, Robert H.; WHEELWRIGHT, Steven C. Restoring our competitive edge: competing through manufacturing. New York: Wiley, [ca. 1984]. p. 24, tradução nossa.

[103] NAKAGAWA, Masayuki. *Introdução à controladoria*: conceitos, sistemas, implementação. São Paulo: Atlas, 1993. p. 24-25.

tos e no significado que projeta nos mais diversos acontecimentos. Os valores, por sua vez, representam as convicções claras e fundamentais que a empresa defende. Nakagawa diferencia assim valor de crença: "Crença é a aceitação como verdade, de fatos, declarações ou um conjunto de circunstâncias. Valor é o prêmio que se atribui às crenças, quando estas são adequadamente claras para se fazerem escolhas entre diversas alternativas possíveis" [104].

Entretanto, os conceitos de valor, filosofia e cultura empresarial não podem ser, sem certa dificuldade, isolados e diferenciados uns dos outros. E isso ocorre também, por exemplo, quando abordamos especificamente os conceitos de missão e visão empresarial, em que os problemas de definição e delimitação são bem maiores. Em alguns casos, pensa-se os dois conceitos intimamente associados: "Muitos executivos preferem combinar o enunciado de visão e de missão num único enunciado a ter dois enunciados separados" [105].

Tentemos realizar um exercício para diferenciá-los. Uma visão, em termos genéricos, implica um ponto de vista, uma maneira de compreender determinada situação. Está em alguns casos associada à idéia de revelação. Empresarialmente, a visão indicaria o que uma empresa aspira ser, "uma *imagem* daquilo que o pessoal da empresa aspira a que ela seja ou se torne" [106]. Está associada com a figuração e a imaginação: "Deve ser algo que você possa descrever e que as pessoas possam imaginar. É um quadro mental da empresa, funcionando num ambiente, desempenhando de acordo com algum critério de excelência e sendo apreciado pelas contribuições que oferece" [107].

Uma imagem clara e ao mesmo tempo possível de se tornar realidade deve caracterizar o enunciado da visão. Ele deve ser realista, claro, conciso, simples e fácil de memorizar. Deve também ter o poder de motivar os *stakeholders* da empresa, atendendo dentro do possível a suas necessidades e gerando comprometimento. A visão precisa ser compatível com os valores, a cultura e a filosofia da empresa, e procurar representar as metas e aspirações de seus membros, caso contrário haverá dissociação entre a imagem futura projetada e a imagem atual. Mas,

---

[104] NAKAGAWA, 1993, p. 26.

[105] ALBRECHT, Karl. *Programando o futuro*: o trem da linha norte. Tradução Maria Lúcia G. L. Rosa. São Paulo: Makron Books, 1994. p. 139.

[106] ALBRECHT, 1994, p. 139, grifo nosso.

[107] Ibid., p. 140.

ao mesmo tempo, com o objetivo de motivar, a visão deve projetar uma imagem distinta e melhor da empresa em relação à imagem presente, para gerar um desafio. Um bom enunciado de visão trabalha, portanto, num espaço praticamente inexistente (constrói esse espaço, poderíamos dizer), entre o difícil e o impossível; a visão deve construir, portanto, uma imagem difícil de se concretizar, mas que possa ser, ao mesmo tempo, sentida como viável. Deve, enfim, servir de inspiração e de guia para o destino da empresa, ajudando-a a suportar as mudanças de sua cultura corporativa e do ambiente. A visão deve ser direta como uma seta, capaz de focar a atenção da organização. Visão é sinônimo de direção. Precisa ser, também, reforçada e repensada freqüentemente, e sempre apoiada pela alta gerência.

Nesse sentido, a definição seguinte é bastante apropriada e interessante: "Uma imagem viva de um estado futuro ambicioso e desejável, relacionado com o cliente, e superior, em algum aspecto importante, ao estado atual" [108].

A idéia de visão está, portanto, associada com o futuro. Visão de uma empresa é a visão que ela tem de seu futuro. Algumas perguntas importantes devem ser, portanto, respondidas ao se estabelecer uma visão futura:

- Em que a empresa deseja se tornar?
- O que a empresa quer que as pessoas falem como resultado do trabalho?
- De que modo a visão representa os interesses dos clientes e os valores que a empresa deve preservar?
- Qual o papel de cada pessoa na visão de futuro? [109]

Vejamos agora uma definição que amplia em alguns pontos o conceito que temos construído até agora:

> Visão é uma percepção mental do tipo de ambiente que um indivíduo, ou uma organização, aspira criar dentro de um horizonte de tempo, e as condições subjacentes para a atualização dessa percepção. É a 'descrição de algo (uma organização, uma cultura corporativa, um negócio, uma tecnologia, uma ativi-

[108] WHITELEY, Richard C. *A empresa totalmente voltada para o cliente*. Tradução Ivo Korytowski. Rio de Janeiro: Campus, 1992.

[109] COMO descobrir qual a missão da empresa. *Folha de S.Paulo*, São Paulo, 03 abr. 1994. Caderno Especial Qualidade Total, fasc., p. 4-5.

> dade) no futuro'. Pode ser também 'um conceito para uma realidade futura, nova e desejável, que pode ser comunicado por toda a organização'.
>
> [...]
>
> Uma visão é formulada identificando-se, explicitamente, um domínio para um comportamento competitivo, ou arena, um conjunto de forças competitivas e um planejamento de recursos [110].

As citações acima ampliam os limites do conceito que vínhamos construindo, principalmente quando introduzem a noção de *condições*. Será função da visão indicar as condições de sua realização? Não deveriam essas condições estar presentes no enunciado de missão, ou, mais ainda, não seria função da enunciação dos objetivos, ou antes das estratégias traçadas para se alcançar esses objetivos, criar as condições para atingir uma visão? O campo de batalha, as forças e os recursos devem ser enunciados por uma visão? Isso não tira a característica de "imagem" da visão? "Competição" também já não é uma palavra que deve fazer parte de enunciados mais específicos e menos gerais do planejamento de uma empresa?

Mas podemos complicar ainda mais o exercício. Como o conceito de **missão** se diferencia efetivamente do de **visão**?

O próprio Quigley, já citado, pensa num conceito de visão global, em que se incluam os valores, a missão e os objetivos da empresa. Campbell, por sua vez, entendendo que estes conceitos não estão inteiramente relacionados, procura diferenciá-los: enquanto a *visão* diz respeito a uma situação futura, "uma condição que é melhor... do que aquela que atualmente existe" e, assim, à uma meta, a *missão* refere-se ao presente, à forma de nos comportarmos [111].

Se essa tentativa de diferenciação funciona a princípio, pois associa a visão com o futuro e uma meta, è a missão com o presente e uma estrutura, cria também, por outro lado, uma nova confusão, pois o conceito de missão, no senso comum e mesmo na teoria administrativa, não está reduzido ao presente nem a uma estrutura, mas envolve também a idéia de futuro e de meta.

Campbell reconhece que o conceito de missão tenha perdido seu valor, que se tenha tornado um significante sem significado (ou com tantos significados que o próprio signo se arruína): "De fato,

[110] EL-NAMAKI, M. S. S. Creating a corporate vision. *Long range planning*, Great Britain, v. 25, n. 6, p. 25, 1992, tradução nossa.

[111] CAMPBELL, Andrew; DEVINE, Marion; YOUNG, David. *Sentido de missão*. Tradução Jacqueline Medeiros. Lisboa: Cetop, 1993. p. 41.

um dos maiores problemas é que a palavra missão transformou-se numa palavra sem sentido — não existem dois acadêmicos ou gestores que possuam a mesma definição" [112], e propõe uma definição de missão que englobe quatro elementos: **finalidade** (a razão de existir da empresa), **estratégia** (a posição competitiva e a competência distinta), **valores** (aquilo em que a empresa acredita) e **padrões e comportamentos** (que suportem a competência distinta e os valores). Mas aqui surgem novos problemas. Finalidade é um conceito que está intimamente associado à idéia de missão, e podemos até dizer que não é um requisito do conceito de visão que construímos — uma imagem não implica a enunciação de sua finalidade. Finalidade, assim, tem um sentido mais filosófico e mesmo moral, que parece associado com a idéia de missão. Mas estratégia, conforme já discutimos, não faria parte de outro estrato do planejamento estratégico? A missão não deveria ser mais geral do que as estratégias, e mesmo do que padrões e comportamentos? O que dizer, então, dos valores? Afinal, os valores se confundem com a missão?

Em sentido geral, a idéia de missão está associada à idéia de encargo, incumbência, obrigação, compromisso, dever a cumprir. Poderíamos pensar, então, em uma função especial de que a empresa está incumbida no seu meio de atuação. A missão indicaria, então, a maneira como a empresa deveria fazer os negócios:

> Em contraste com o enunciado de visão, que apresenta uma imagem do que aspiramos a ser ou nos tornar, o enunciado de missão indica como faremos negócios para realizar a visão. A visão é o lugar aonde queremos chegar ou a viagem que desejamos fazer; a missão são os meios para se viajar [113].

Complementando a distinção anterior, poderíamos dizer que a visão é a imagem à qual a organização deseja chegar, e a missão é o desafio a que a organização se lança, de justamente se deslocar para se transformar nessa imagem. A visão seria uma imagem, e a missão, o desafio de transformar essa imagem em realidade.

Para Albrecht, é necessário separar as etapas de "bolação da missão" (raciocínio) da "produção do texto" (redação) [114]. O que torna efetivo o enunciado de missão, para o autor, é a definição de pelo menos

[112] CAMPBELL, 1993, p. 19.

[113] ALBRECHT, 1994, p. 142.

[114] Ibid., p. 138-139.

três aspectos: o cliente (premissa de necessidade básica), a premissa de valor (o valor fundamental) e o que torna especial esse valor (o meio especial para criar valor) [115]. Aqui começamos novamente a progredir na construção conceitual. Pensar a missão é diferente de escrever a missão. E a necessidade do cliente (podemos até mesmo ampliar a idéia de *cliente* para *stakeholders* — "Uma boa definição de missão deve contemplar clientes finais, intermediários e internos, fornecedores, a sociedade e outros setores envolvidos com as atividades da empresa" [116]), de um valor oferecido para suprir essa necessidade e de um diferencial na produção desse valor são critérios gerais que devem constar da missão, sem que assim a missão invada o campo de generalidade da visão (na imagem do futuro esses critérios não precisam estar incluídos) nem da especificidade das estratégias (pois é apenas a partir da identificação das necessidades, de um valor e de um diferencial que devem ser traçadas as estratégias).

Essa noção de missão pode ser ampliada, contemplando-se também a história, as intenções atuais, os fatores ambientais, os recursos da empresa e as competências distintas. Isso ocorre, pois as definições de mercado são mais amplas do que as do produto, já que se deve considerar todo negócio como o **processo de satisfazer o cliente** e não como o **processo de fabricar produtos** (enquanto os produtos duram pouco, as necessidades básicas e os grupos de clientes continuam a existir) [117]. Assim, deve-se evitar falar em produtos no enunciado da missão, e procurar tratar de necessidades, valores e diferenciais, como já afirmamos.

Mas, afinal de contas, com todo esse exercício excessivamente abstrato e filosófico de definição, eu não entendo uma coisa: qual é a verdadeira função de uma missão?

A missão "orienta e delimita a ação da empresa, definindo a que ela se propõe". É ela quem exprime a razão de existência da organização [118]. Contudo, "exprimir a razão da existência da empresa" não era algo que esperávamos constar da missão da empresa, e a noção de orientação era uma das funções primordiais na definição de vi-

[115] ALBRECHT, 1994, p. 142.

[116] COMO descobrir qual a missão da empresa. *Folha de S.Paulo*, São Paulo, 3 abr. 1994. Caderno Especial Qualidade Total, fasc. 4, p. 4-5.

[117] KOTLER, 1993, p. 67.

[118] COMO descobrir qual a missão da empresa. *Folha de S.Paulo*, São Paulo, 3 abr. 1994. Caderno Especial Qualidade Total, fasc. 4, p. 4-5.

são. Então, temos uma nova confusão? O que é preciso para construirmos a missão de uma empresa? Para Krajewski e Ritzman, determinar a missão de uma organização exige respostas a algumas questões fundamentais, como: em que negócio estamos? onde estaremos daqui a dez anos? quem são nossos clientes? quais são nossos conceitos e crenças básicos? quais são os objetivos-chave de *performance*, como crescimento ou lucro, pelos quais nós medimos nosso sucesso? [119]

Aqui a confusão aumenta. Definir o negócio faz parte da missão? "Onde devemos estar daqui a dez anos" não é, quase que exatamente, uma imagem de futuro como a que a visão deve indicar? "Clientes" não é um termo muito pobre, quando confrontado com *stakeholders*? Conceitos não diferem de crenças, como já vimos, e da própria idéia de missão? Lucro, crescimento e critérios de mensuração devem fazer parte de um enunciado geral de missão? Não faz mais sentido imaginá-los como derivados desse enunciado geral, na construção dos objetivos e estratégias da empresa?

O consenso conceitual parece difícil, talvez por causa do espírito filosófico da discussão. Mas, afinal, é realmente importante para uma empresa possuir uma missão?

> "A missão é a razão de ser da empresa. Nesse ponto procura-se determinar qual o 'negócio' da empresa, por que ela existe, ou ainda em que tipos de atividades a empresa deverá concentrar-se no futuro. Aqui procura-se responder à pergunta básica: 'Onde se quer chegar com a empresa?'" [120]

Mas a pergunta "Onde se quer chegar com a empresa" não é exatamente a pergunta que cabe à visão responder?

Muitos autores insistem em que cabe à missão definir qual será o jogo, e em que campo será jogado. As regras do jogo seriam definidas depois. A missão representaria, portanto, um horizonte. Aqui seria possível fazer uma interessante diferenciação entre os dois conceitos: a visão seria uma imagem do futuro, e a missão um horizonte onde o deslocamento até essa imagem deveria se realizar.

Para trazer novamente incerteza, na definição seguinte podemos perceber com clareza a indiferenciação entre os conceitos de

[119] KRAJEWSKI, Lee J.; RITZMAN, Larry P. *Operations management*: strategy and analysis. 2. ed. Reading, Mass.: Addison-Wesley, [ca. 1990]. p. 21, tradução nossa.

[120] OLIVEIRA, Djalma de Pinho Rebouças de. *Planejamento estratégico*: conceitos, metodologia e prática. São Paulo: Atlas, 1986. p. 96.

missão e de visão, como se ambos se referissem à mesma coisa: "A empresa bem-sucedida tem uma visão do que pretende, e essa visão constitui a missão que fornece à empresa o seu impulso e sua direção" [121].

Nesse caso a missão funcionaria como uma bússola — mas essa era exatamente a função da visão! Seus critérios deveriam ser: específica, focalizada na satisfação das necessidades do cliente, refletir as habilidades essenciais da empresa, entendível, atingível, flexível e motivadora — muitos critérios que constavam da definição de visão. De qualquer forma, parece que temos uma ajuda importante: A missão que estabelece uma satisfação genérica do ambiente, sem indicar os produtos e/ou serviços, chama-se **missão aberta**. A missão que indica o produto ou serviço em que a empresa atua é chamada **missão fechada** [122]. Assim, dentro dos nossos critérios, preferimos as missões abertas às fechadas.

Diz-se que a missão não deve apenas se prender ao presente (o que se faz hoje), mas sim buscar amplidão, com definições nem muito curtas nem longas demais, além de não procurar estabelecer uma frase definitiva. Contudo, isso aproxima as idéias de missão e de visão, novamente, e destrói uma das distinções expostas anteriormente, de que a missão está associada ao presente, e a visão, ao futuro. O que a empresa é hoje e o que deseja ser, isso a missão deveria indicar — mas aqui teríamos novamente os dois conceitos fundidos. E, se podemos falar em missão expandida, as perguntas seguintes podem, então, orientar o enunciado de missão: Como poderemos concretizar as aspirações de nossa empresa? Qual é a nossa estratégia de crescimento externo? Qual é o nosso objetivo financeiro a longo prazo? Mas essas perguntas parecem mais adequadamente respondidas, como já afirmamos, em níveis mais específicos e menos gerais do que aquele a que pertence o enunciado de missão.

Podemos perceber na citação seguinte, novamente, uma confusão entre os conceitos de visão e missão: "A missão da empresa responde à segunda pergunta colocada na definição da visão: o que somos hoje? Quais são nossas aspirações para o futuro? Os objetivos respondem à pergunta: o que a empresa se pro-

[121] OLIVEIRA, 1986, p. 98.

[122] Ibid., p. 99.

põe a alcançar? Eles também estabelecem o rumo da empresa a longo prazo"[123]. Mas, afinal, de que se está falando aqui? A visão faz uma pergunta, e a missão responde?

Quigley, entretanto, afirma algo que, apesar de constar das exigências para um bom enunciado de missão, é possível de ser pensado, sem qualquer confusão, também como exigência para um bom enunciado de visão: A missão da empresa deve ser coerente com seus valores compartilhados[124].

Afinal, espera-se que os valores, a filosofia e a cultura da empresa determinem não apenas sua visão, como também sua missão, objetivos, estratégias, metas etc.

Podemos fazer outras perguntas: É possível pensar numa missão principal, e em outra(s) secundária(s)? Algo como: O que somos hoje? O que desejamos ser? Qual é a nossa principal habilidade?

Vejamos a definição seguinte de Nakagawa, que serve para embaralhar tudo de novo:

A missão de uma empresa é sua razão de ser e pode ser expressa em diversos níveis de abstração. Por exemplo, algumas empresas afirmam que:

- Nosso negócio é serviço.
- Melhores produtos e serviços para melhor qualidade de vida através da química.
- Desejamos ser a melhor organização de serviços do mundo.
- Satisfação pública com nosso serviço.

A missão pode ser, ainda, expressa em termos de uma necessidade existente de produtos. Por exemplo:

- Somos fabricantes de aviões.
- Somos fabricantes de aparelhos de ar-condicionado para veículos de transporte[125].

Mas, afinal, já não vimos que a definição de produtos, na missão, acaba gerando miopia mercadológica?

Abandonemos nosso esforço e tentemos falar, por último, dos objetivos das empresas. Os objetivos podem aqui ser igualados à

[123] QUIGLEY, Joseph V. *Visão*: como os líderes a desenvolvem, compartilham e mantêm. Tradução Lenke Peres Alves de Araújo. São Paulo: Makron Books, 1994. p. 30.

[124] Ibid., p. 31.

[125] NAKAGAWA, 1993, p. 25.

idéia de metas, alvo, mira ou desígnio que se pretende atingir. Propósito ou intuito com o que a organização está comprometida e para onde está indo. Já podemos pensar, nesse plano, em critérios de medição e aferição, medidas para a performance e o desempenho, e, em um plano imediatamente inferior, em estratégias. Poderíamos, assim, estruturar esses conceitos em uma ordem de hierarquia:

FIGURA 6.1

Mais importante, de qualquer forma, do que a própria definição da filosofia, visão ou missão da empresa, é aquilo que podemos chamar de sentido de missão. Um sentido de missão é um compromisso emocional e surge quando existe uma compatibilidade entre os valores de uma empresa e os de um indivíduo [126]. O sentido de missão implica lealdade e empenho por parte dos *stakeholders*.

O que importa, no fundo, é o senso de missão. Campbell também defende que a declaração da missão não serve para motivar aqueles que não se identificam com os valores da empresa. Devemos pensar, antes, na atividade de gerir uma missão. Essa tarefa consiste na demonstração de empenho em relação aos padrões comportamentais e valores, liderança visível, socialização, em moldar os comportamentos e descobrir maneiras de eliminar aqueles gestores e empregados cujos valores são tão diferentes que o seu comportamento nunca se conseguirá adaptar o suficiente [127]. Nesse sentido, ações são mais importantes que palavras:

[126] CAMPBELL, 1993, p. 38.

[127] Ibid., p. 97.

As declarações de missão são úteis para aqueles que já se converteram à missão como lista de verificação e de chamada de atenção para aquilo que a missão é. São também úteis para comunicar com pessoas estranhas à empresa e com aquelas que não estão familiarizadas com a mesma. Mas as declarações de missão não são úteis como método de motivação dos empregados ou de alteração do comportamento daqueles que não possuem uma afinidade natural com os novos princípios. A motivação e a mudança de comportamento só podem ser obtidas através de uma administração e liderança frente-a-frente, através do treino e dos exemplos.

A maioria dos administradores julgam que precisam de formular uma missão completa antes de começarem a gerir os princípios. O nosso comentário é que isso só resulta quando os comportamentos associados com a nova missão são parecidos com os comportamentos e valores já existentes. Quando é necessário fazer uma grande mudança, descobrimos que é melhor começar por efetuar com base em um ou dois princípios centrais e permitir que a missão se desenvolva à volta desse núcleo [128].

6.4.2 Algumas Missões

A seguir, citamos uma série de missões, levantadas em diferentes empresas e por meio de fontes diversas, para avaliação e discussão. Algumas são longas, outras bastante curtas; umas se propõem a definir a visão, a missão, os objetivos, os valores, a cultura e a filosofia empresarial; outras se propõem simplesmente como missões. Fica a sugestão, como exercício, de tentar classificar e estudar esses enunciados. Cada um pode, após nossa longa discussão conceitual, escolher os critérios que considera mais importantes para a avaliação dos enunciados listados a seguir. Deve-se lembrar de que, como não conhecemos, em geral, a cultura e os valores dessas empresas, torna-se impossível determinar se os enunciados estão de acordo, o que seria um dos critérios essenciais para julgar se se trata, nos enunciados, de meras palavras ou se essas palavras efetivamente representam algo como um sentido de missão. Após a lista dos enunciados, proporemos os nossos critérios de análise e comentaremos algumas missões específicas que consideramos muito boas. Não estamos aqui, por toda a discussão já apresentada, preocupados em diferenciar os conceitos de missão e visão. Alguns textos estão em inglês, e preferimos conservá-los no original.

---

[128] CAMPBELL, 1993, p. 122.

1. Collis P. Huntington, fundador da **Newport News Shipbuilding and Dry Dock Company**, 1886 [129]
Construiremos aqui bons navios. Com lucro — se pudermos. Com prejuízo — se preciso. Mas sempre bons navios.

2. **Johnson & Johnson** [130]
Acreditamos que nossa principal responsabilidade é em relação aos doutores, às enfermeiras e aos pacientes, às mães e a todos os demais que usam nossos produtos e serviços.

3. **Federal Express** [131]
Geraremos retornos financeiros fantásticos oferecendo um transporte terrestre e aéreo global totalmente confiável e competitivamente superior de produtos e documentos de alta prioridade, exigindo uma expedição rápida e em tempo... O controle de cada pacote será mantido por meio de sistemas de acompanhamento eletrônicos em tempo real. Um registro completo de cada expedição e entrega será apresentado junto com nossa conta. Seremos prestativos, corteses e profissionais entre nós e com o público. Lutaremos para termos um cliente totalmente satisfeito no final de cada transação.

4. Ray Kroc, fundador da **McDonald's** [132]
Qualidade, serviço, limpeza, valor.

5. **Kowloon-Canton Railway** (com sede em Hong Kong) [133]
Nossa missão é fornecer transporte e serviços relacionados de qualidade em Hong Kong e na China de uma maneira segura, confiável, cuidadosa, efetiva em termos de custos e responsável em relação ao ambiente.

6. **Rodale Press** (editor de livros de saúde e de auto-ajuda) [134]
Nossa missão é mostrar às pessoas como elas podem usar seu poder mental e físico para melhorar suas vidas. 'Você é capaz de fazer isso', dizemos em cada página de nossas revistas e livros.

[129] WHITELEY, 1992.
[130] Ibid.
[131] Ibid.
[132] WHITELEY, 1992.
[133] ALBRECHT, 1994, p. 145.
[134] Ibid, p. 146.

7. **ECT**

Prestar serviços de correios convencionais e avançados, transporte de encomendas e atendimentos especiais, de forma empresarial, com competitividade e lucratividade, de acordo com a qualidade exigida pelos diversos segmentos de mercado, bem como atrair, desenvolver e motivar pessoas para garantir a excelência desses serviços.

8. **Ford**

Atender às necessidades de transporte dos clientes, aprimorando os produtos e serviços, prosperando como empresa e propiciando retorno aos acionistas.

9. **Coelba**

Assegurar o fornecimento de energia em quantidade e qualidade necessárias ao mercado consumidor, promovendo a oportunidade de desenvolvimento econômico no Estado da Bahia.

10. **Cobra**

Contribuir para a informatização da sociedade, mediante o domínio e a difusão da tecnologia, ofertando soluções para a realidade brasileira.

11. **Posto de Saúde de Pembrokeshire**

Servir o povo de Pembrokeshire segundo os mais altos padrões profissionais e técnicos. Promover estilos de vida saudáveis na comunidade. Atender de forma rápida e sensível às mudanças nas necessidades de cuidados de saúde. Ser eficiente e criativo ao operar, gerenciar e comercializar os serviços. Criar um ambiente de trabalho agradável, onde os funcionários possam pôr em prática todo o seu potencial.

12. **Fibras**

Devemos alcançar a excelência em tudo o que fizermos, desde pesquisas, produção e vendas até a entrega final ao cliente. A excelência é a chave para uma vantagem competitiva e uma melhor qualidade de vida para todos. Teremos sucesso apenas se cumprirmos a promessa em todos os momentos.

13. **BIC**[135]

Produzir e comercializar produtos descartáveis.

[135] OLIVEIRA, 1986, p. 99.

14. AT&T[136]

O grande sonho estabelecido sem equívocos, uma rede mundial de telefones, que sirva a todos de maneira considerada barata, rápida e boa.

15. Brasimet

VALORES

Seriedade

A seriedade nos nossos propósitos, a ética na nossa forma de atuação e o comprometimento com os nossos valores são fundamentais para a preservação de nossa imagem, reputação e credibilidade.

Tecnologia

O domínio da tecnologia tem sido a essência do nosso negócio, desde o início de nossas atividades, o que nos tem permitido oferecer as melhores soluções aos nossos Clientes.

Qualidade

A percepção dos Clientes acerca do nosso forte compromisso em fornecer produtos e serviços que excedam suas expectativas e da nossa busca contínua do aperfeiçoamento da Qualidade de todas as atividades nos tem diferenciado da concorrência.

Tradição

A confiabilidade transmitida pelo nome Brasimet resulta de nossa experiência no negócio e de nossa sólida posição de liderança no mercado. Esse é um dos valores dos quais mais nos orgulhamos.

Pessoas

A capacitação técnica, a criatividade, o espírito de equipe, a fidelidade, a participação nas decisões e o desempenho de nosso pessoal são fundamentais para o nosso sucesso. Reconhecemos isso mediante remuneração e benefícios justos, de um ambiente seguro e harmonioso, de possibilidades de desenvolvimento e evolução profissional.

136 OLIVEIRA, 1986, p. 101.

Clientes

Os Clientes são o foco de todas as nossas atenções. Temos a consciência plena de que a continuidade da empresa depende, principalmente, da confiança por eles adquirida e do estabelecimento de relacionamentos duradouros de parceria. É um dos nossos valores essenciais.

Fornecedores

A parceria com os nossos fornecedores, baseada no relacionamento profissional ético, na confiança mútua e nas estratégias compatíveis de longo prazo, é vital para o nosso negócio.

Acionistas

A adequada remuneração do capital investido é o fator determinante do crescimento da empresa e a garantia da continuidade dos negócios.

VISÃO

Queremos garantir a Brasimet como líder absoluta do mercado e em permanente crescimento, com segurança e solidez, proporcionando maiores oportunidades de desenvolvimento profissional aos colaboradores.

Como empresa de visão global, atuaremos no mercado internacional e estaremos sempre abertos a novas oportunidades de investimento.

Seremos referencial de excelência na gestão das operações, nos produtos e serviços e em tecnologia.

MISSÃO

Ser líder em tecnologia, atuando nos mercados de equipamentos, acessórios, produtos químicos e na prestação de serviços do ramo metalúrgico, visando exceder as expectativas dos clientes, dos colaboradores, dos acionistas e das comunidades onde atua.

16. **Proconsult**

MISSÃO E PRINCÍPIOS

A Proconsult é uma organização cujo principal objetivo é oferecer ao mercado serviços e produtos orientados para a solução de problemas empresariais, caracterizados, basicamente, por alta qualidade e confiabilidade. Para tanto, atua de forma integrada, utilizando Recursos Humanos, Equipamentos e Tecnologias que possibilitam a seus clientes o encontro de alternativas para o aumento de competitividade e produtividade.

Sua missão é regida pelos seguintes princípios:

PRINCÍPIOS SOBRE O CLIENTE

O atendimento às necessidades do cliente é a principal prioridade da Proconsult e, para isso, ela se esforça continuamente no aperfeiçoamento, qualidade e confiabilidade de seus produtos e serviços, os quais são desenvolvidos com a participação do cliente.

Tem, ainda, por objetivo, zelar pela boa imagem e tradição de bons serviços.

PRINCÍPIOS SOBRE O MERCADO

A Proconsult acredita na livre concorrência e na economia de mercado, está atenta às suas mutações e especificidades e procura desenvolver-se com o objetivo de melhorar continuamente sua posição no mercado.

PRINCÍPIOS SOBRE A QUALIDADE E O PRODUTO

A Proconsult, em seu esforço de sempre atender bem ao mercado, atualiza constantemente suas tecnologias de produtos e processos de trabalho, visando alcançar a qualidade relevante, a confiabilidade e a eficiência operacional.

PRINCÍPIOS SOBRE OS RECURSOS HUMANOS DA EMPRESA

A Proconsult considera seus Recursos Humanos como fator essencial de seu crescimento, proporcionando condições de desenvolvimento, progresso e estabilidade.

Fomenta o autodesenvolvimento e estimula a criatividade de seu pessoal, conduzindo-o a ações que elevem a qualidade nos serviços e em seu mecanismo de produção.

A Proconsult considera que a atitude dos administradores em relação ao pessoal é mais importante que detalhes dos programas de Recursos Humanos. No entanto, está sempre atenta em modernizar seus programas de Pessoal.

Oferece ao pessoal a oportunidade de compartilhar do sucesso da empresa por meio do plano de participação nos resultados.

17. **Arthur Young** — a member of Arthur Young International

OUR MISSION

Our primary mission is to build a distinguished management consulting practice. We aspire to be the most respected and successful management consulting firm in the world by providing unsurpassed personal service to our clients, by achieving high quality in everything we do, by enabling each individual to achieve excellence and fulfillment while pursuing firm goals, and by achieving superior growth and profitability. We view our mission as an integral part of the mission, goals and strategies of the firm as a whole.

We are a market driven organization. Our goal is to provide clients with solutions to management problems to help them implement their own strategies. We offer intensely personal service of superior quality. We encourage innovation, and we strive to serve our clients and manage our business with creativity and imagination.

We achieve these objectives by attracting, developing, and rewarding high performance people. Working as a team, our skilled and motivated professionals are dedicated to superior client service.

18. **The Management Consulting Group**

WORDS WE LIVE BY

Personalized Client Service: identifying in a personal way with each client's needs and goals; managing *relationships* as carefully as the project; building, establishing and sustaining ongoing relationships.

Superior Quality: providing high-quality services of enduring value; building quality directly into products and services.

Innovation: grasping and utilizing emerging ideas; encouraging and rewarding thought leaders; spurring open and candid communication.

Commitment to High Performance People: providing growth-oriented surroundings; presenting challeging opportunities for personal and professional satisfaction.

Leadership: striving to motivate and inspire others; providing a compelling vision to attract and enroll others; evolving into better creators and communicators of ideas.

Teamwork: solving multi-dimensional problems using the full spectrum of knowledge; drawing on colleagues to reach a common goal for the firm; accomplishing the goals of the organization.

19. **Owens-Corning Fiberglas Corporation**

MISSÃO

A Owens-corning fiberglas corporation é a líder mundial na tecnologia que aprimora o desempenho de milhares de produtos e materiais fabricados de suas matérias-primas. A **MISSÃO** das Operações Brasileiras é expandir a liderança e apoiar o crescimento sustentado da Owens-corning fiberglas corporation, pela busca constante de elevados níveis de **EXCELÊNCIA** e notáveis padrões de **QUALIDADE** em todas as suas atividades.

EXCELÊNCIA EM QUALIDADE, para os nossos **clientes**, significa prevermos e atendermos a suas necessidades com produtos e serviços adequados e de elevada qualidade, apoiando sistematicamente o desenvolvimento de seus mercados e promovendo a valorização de suas empresas.

EXCELÊNCIA EM QUALIDADE, para nossos **funcionários**, significa nossa responsabilidade em estabelecer claramente seus objetivos em um ambiente propício à criatividade, que ofereça oportunidades de crescimento profissional, valorize o trabalho em equipe e reconheça suas contribuições individuais à empresa. Nossos funcionários são o nosso recurso mais importante e, como tal, com mútuo respeito, devem ser valorizados.

EXCELÊNCIA EM QUALIDADE, para as **comunidades** onde atuamos, significa contribuirmos decididamente para o seu desenvolvimento cultural e social, e respeitarmos o meio ambiente e os recursos naturais das áreas onde operamos.

EXCELÊNCIA EM QUALIDADE, para os nossos **acionistas**, significa a busca de lucros crescentes e retorno adequado do capital investido, recompensando assim sua confiança e assegurando os recursos necessários para a garantia do futuro de nossa Empresa. A competitividade do mundo atual exige o melhor de nossos esforços. Estamos numa competição que só conseguiremos vencer pela EXCELÊNCIA EM QUALIDADE.

20. **Ecolab**

OUR MISSION

Our business is to be a leading innovator, developer and marketer of global services, specialty products and systems, which provide superior value to our customers while conserving and providing a fair profit for our shareholders.

21. **Andersen Consulting**

A Andersen Consulting tem como missão promover o êxito dos seus clientes, apoiando em parceria seus processos de mudança. Com uma visão de negócios em estratégias, processos, tecnologia e pessoas[137].

22. **Goodyear**

Constante melhoria em pessoas, produtos e serviços, buscando a satisfação dos nossos clientes, prosperidade da Goodyear e do seu pessoal.

23. **PPG** (Institucional)

PPG Industries' mission is to serve customers through effective use of our resources, to provide a fulfilling workplace for our employees, to be recognized as an outstanding corporate citizen, and to generate superior returns to our shareholders. In achieving this mission, our enterprise will be publicly owned, diversified and global in operation.

In achieving our mission, we will adhere to these shared values: dedication to the customer; respect for the dignity, rights and contributions of employees; recognition of the concerns and needs of society; commitment to integrity and high ethical standars; supplier relationships; responsibility to shareholders.

To manufacture superior quality components for the satisfaction of the identified needs of our customers through the effective integration of diverse talents of people, modern technology, and progressive business systems.

24. **AP Technoglass Kentucky** (institucional)

Operating Philosophy: The operating philosophy of D & A Technology, Inc. is a declaration of basic principles which provides the foundation for maximizing excellence in long-term satisfaction. To meet our customer's needs. To meet our associate's needs. To meet our supplier'needs.

The mission of the Kentucky plant, AP Technoglass Corporation, is to manufacture superior quality automotive glass components for the satisfaction of the identified needs of our customers through effective integration of diverse talents of people, modern technology, and progressive business systems.

[137] REVISTA EXAME. São Paulo: Abril, 577, ano 27, n. 4, 15 fev. 1995.

25. Asahi Glass Company (institucional)

Customer Service First (CS No. 1) as World Wide Supplier. Accomplish Customer Service First at Each Area in the World.

26. AP Tenntech Mission

The AP Tenntech Corporation, an automotive supplier of glass and glass assemblies, is dedicated to producing and delivering on a just-in-time basis to our customers, the highest quality product in the most cost effective manner.

27. PGSI

Group Mission

The primary objectives of PGSI are...

to retain leadership of the Southern African glass and board industries;

to be the world leader in the repair and replacement of automotive glass;

to be globally competitive in response to the increasingly open economies in which it operates.

28. Belron International (grupo PGSI)

To be the global leader in the repair and replacement of automotive glass. To enter new markets where an acceptable returns is likely to be generated over a reasonable time period.

29. Glass S.A. (grupo PGSI)

To maintain leadership of the S.A. building and automotive glass industries. To pursue aggresively growth in exports particularly of automotive replacement glass. To be globally competitive.

30. Newmed Importadora Ltda. (importadora e distribuidora de produtos médicos especializados)

Valorizar a saúde
com qualidade e inovação,
treinamento intensivo
e atendimento personalizado.

31. TBA Informática (Microsoft Solution Provider)[138]

[138] Quadro exposto na empresa TBA, em São Paulo.

POLÍTICA DA QUALIDADE

VISÃO

Ser modelo de empresa fornecedora de soluções em informática.

MISSÃO

Atendimento personalizado com o compromisso da satisfação do cliente interno e externo.

VALORES

Atualização no negócio da TBA
Treinamento e autodesenvolvimento
Parceria com ética
Não-convivência com problemas
Agressividade comercial
Reconhecimento mútuo

32. Fundação Getulio Vargas [139]

MISSÃO

Avançar nas fronteiras do conhecimento nas áreas das ciências sociais e afins, produzindo e transmitindo idéias, dados e informações, além de conservá-las e sistematizá-las, de modo a contribuir para o desenvolvimento socioeconômico do país, para a melhoria dos padrões éticos nacionais, para uma governança responsável e compartilhada e para a inserção do país no cenário internacional.

FILOSOFIA

Permanente compromisso com a ética e os seguintes valores:

- conhecimento inter e multidisciplinar;
- qualidade;
- inovação;
- independência intelectual;
- pluralismo de idéias;
- administração participativa.

[139] Quadro localizado entre dois elevadores, na entrada da Fundação Getulio Vargas — Escola de Administração de Empresas de São Paulo, que fica na avenida Nove de Julho, 2.029, na cidade de São Paulo. A reprodução visual não está de acordo com o original.

VISÃO

A FGV objetivará:

- autonomia e integração das diferentes unidades;
- estratégias ativas, como novas clientelas, produtos e serviços, estabilidade financeira e atualização tecnológica;
- atuação em rede nacional e inserção internacional;
- pessoal motivado, qualificado e adequadamente remunerado.

FUNDAÇÃO GETULIO VARGAS

6.4.3 Critérios Propostos para Avaliação

Quais os critérios que podemos adotar, na avaliação de uma missão? Propomos a seguir o nosso modelo. Preferimos antes listar várias missões para que o leitor pudesse avaliá-las pela sua experiência e segundo os seus critérios. A seguir avaliaremos algumas missões que consideramos satisfazer nossos critérios. O leitor pode facilmente realizar o exercício de reler as missões reproduzidas anteriormente para identificar aquelas que não satisfazem esses critérios.

6.4.3.1 Critérios

- **Negócio**

  A missão deve definir o negócio, as necessidades do mercado em que a empresa atua e suas competências essenciais. Não deve definir o produto, pois isso se constituiria em miopia de marketing e estreitaria os horizontes da missão.

- **Simplicidade**

  A missão deve ser clara, simples, concisa, fácil de memorizar e capaz de motivar os *stakeholders*. Não deve conter clichês nem conceitos extremamente genéricos.

- **Legitimidade**

  A missão deve ser compatível com a cultura, os valores e a visão da empresa, e deve projetar um horizonte fértil para objetivos, metas e estratégias a serem criados ou reformulados. Não deve conter objetivos e metas financeiras (lucrar x ou y) ou mercadológicos (ser o número z do mercado, abocanhar w% do mercado), pois esses dados devem constar de um nível de planejamento inferior ao planejamento estratégico, de objetivos e metas.

- ***Stakeholders***

  A missão deve contemplar os *stakeholders* mais importantes da organização.

6.4.4 Breve Avaliação de Algumas Missões

1. O grande sonho estabelecido sem equívocos — uma rede mundial de telefones, que sirva a todos de maneira considerada barata, rápida e boa (AT&T)[140].

Essa missão nos parece fantástica. Define seu negócio (a telefonia) de forma sutil, indica as necessidades do mercado (preço, rapidez e qualidade), possui como competência a capacidade de atender ao mercado mundial (globalização) e evita descrever produtos. Sua simplicidade, pelo número mínimo de palavras utilizadas, é incrível. É muito bem redigida, e é possível memorizá-la, além de ser extremamente motivadora, principalmente pela primeira frase: "O grande sonho estabelecido sem equívocos". O adjetivo "grande" dá ao sonho, que tem caráter abstrato, uma qualidade física e concreta — tamanho. O uso do artigo definido "o" também cria um efeito interessante — o artigo definido implica que o substantivo que o segue seja de conhecimento prévio do emissor e receptor da mensagem; no caso específico, esse uso do artigo traz o leitor para dentro da missão, torna-a automaticamente compartilhada, como se o leitor já conhecesse o sonho. A expressão "estabelecido sem equívocos" dá ainda ao sonho um sentido de realidade — aparente contradição que acaba por criar um efeito poético bastante interessante. Portanto, o enunciado acima consegue indicar uma imagem futura, à qual se queira chegar, e ao mesmo tempo tornar essa imagem tão real e próxima, transmitir tanta certeza na capacidade de atingi-la, que acaba funcionando como ânimo para cumprir um desafio. A missão inclui ainda, num golpe de sutileza, todos os *stakeholders* da empresa, com o uso de todos.

[140] OLIVEIRA, 1986, p. 101.

2. Nossa missão é mostrar às pessoas como elas podem usar seu poder mental e físico para melhorar suas vidas. "Você é capaz de fazer isso", dizemos em cada página de nossas revistas e livros (Rodale Press, editora de livros de saúde e de auto-ajuda) [141].

A missão também parece muito boa. O negócio está definido de forma ampla — não é a editoria, mas o fato de transmitir confiança, o que identifica uma necessidade e automaticamente já a atende, a necessidade de as pessoas desenvolverem autoconfiança. A competência da empresa parece ser justamente identificada como a capacidade de convencer as pessoas. Apesar da simplicidade, não é fácil decorá-la. A missão é extremamente motivadora, e os *stakeholders* podem ser todas as pessoas.

3. Servir o povo de Pembrokeshire segundo os mais altos padrões profissionais e técnicos. Promover estilos de vida saudáveis na comunidade. Atender de forma rápida e sensível às mudanças nas necessidades de cuidados de saúde. Ser eficiente e criativo ao operar, gerenciar e comercializar os serviços. Criar um ambiente de trabalho agradável, no qual os funcionários possam pôr em prática todo o seu potencial (Posto de Saúde de Pembrokeshire).

Essa missão também parece extremamente bem montada. O negócio é a saúde. As necessidades e a competência estão muito bem definidas. Apesar de longa, é extremamente motivadora. Aponta uma abertura de horizontes. Os *stakeholders* também estão definidos satisfatoriamente.

4. Nossa missão é fornecer transporte e serviços relacionados de qualidade em Hong Kong e na China de uma maneira segura, confiável, cuidadosa, efetiva em termos de custos e responsável em relação ao ambiente (Kowloon-Canton Railway, cuja sede é em Hong Kong) [142].

Também nos parece uma missão muito bem construída. O negócio, a necessidade e a competência estão bem definidos. Tem simplicidade e legitimidade. Fica uma dúvida apenas no sentido da identificação dos *stakeholders*.

---

[141] ALBRECHT, 1994, p. 146.

[142] Ibid., p. 145.

5. Qualidade, serviço, limpeza, valor (Ray Kroc, fundador da McDonald's)[143].

Essa missão parece-nos muito boa. O negócio é serviço. As necessidades são qualidade, limpeza e valor. Fica uma dúvida quanto à competência e aos *stakeholders*. Um de seus pontos fortes é a simplicidade e a facilidade de memorizá-la. Pelo que conhecemos da empresa, parece responder também ao critério de legitimidade.

[143] WHITELEY, 1992.

Bibliografia

ALBRECHT, Karl. *Programando o futuro*: o trem da linha norte. Tradução Maria Lúcia G. L. Rosa. São Paulo: Makron, 1994.

ANDRADE, Rachel Gazolla de. *Platão*: o cosmo, o homem e a cidade. Petrópolis: Vozes, 1993.

ARISTÓTELES. *Ética a nicômacos*. Tradução Mário da Gama Kury. 2. ed. Brasília: Editora Universidade de Brasília, 1992.

______. *Organon*. Tradução Pinharanda Gomes. Lisboa: Guimarães, 1985. v. 1.

ARRIVÉ, Michel. *Lingüística e psicanálise*: Freud, Saussure, Hjelmslev, Lacan e os outros. Tradução Mário Laranjeira e Alain Mouzat. São Paulo: Edusp, 1994.

ASSIS, Jesus Eugênio de Paula. Lógica. In: MATOS, Olgária et al. *Primeira filosofia*: tópicos de filosofia geral. 8. ed. São Paulo: Brasiliense, 1990. p. 11-30.

ASSOUN, Paul-Laurent. *Freud*: a filosofia e os filósofos. Tradução Hilton Japiassu. Rio de Janeiro: F. Alves, 1978.

BACHELARD, Gaston. *A formação do espírito científico*: contribuição para uma psicanálise do conhecimento. Tradução Estela dos Santos Abreu. Rio de Janeiro: Contraponto, 1996.

BAKTIN, Mikhail. *Marxismo e filosofia da linguagem*: problemas fundamentais do método sociológico na ciência da linguagem. Tradução Michel Lahud e Yara Frateschi Vieira. 3. ed. São Paulo: Hucitec, 1986.

BARNARD, Chester Irving. *The functions of the executive*. Introdução de Kenneth R. Andrews. 30th. anniversary ed. Cambridge: Harvard University Press, 1968.

BAUDRILLARD, Jean. *A sociedade de consumo*. Tradução Artur Morão. Rio de Janeiro: Elfos, 1995. (Coleção Ciência e Sociedade, 3).

BENJAMIN, Walter. *Magia e técnica, arte e política*: ensaios sobre literatura e história da cultura. Tradução Sergio Paulo Rouanet. 7. ed. São Paulo: Brasiliense, 1994. (Obras escolhidas, v. 1).

BERKELEY, George. *Tratado sobre os princípios do conhecimento humano*. Tradução Antonio Sérgio. São Paulo: Abril Cultural, 1973. (Os Pensadores, XXIII, obras de George Berkeley e David Hume).

BIGNOTTO, Newton. As fronteiras da ética: Maquiavel. In: NOVAES, Adauto (Org.). *Ética*. São Paulo: Companhia das Letras: Secretaria Municipal de Cultura, 1992. p. 113-125.

BLIKSTEIN, Isidoro. *Kaspar Hauser ou a fabricação da realidade*. 4. ed. São Paulo: Cultrix, 1995.

BOATRIGHT, John Raymond. *Ethics and the conduct of business*. 3rd ed. Upper Saddle River: Prentice-Hall, 1999.

BONNARD, A. *A civilização grega*. Lisboa: Ed. 70, 1980.

BOYLE, James. *Shamans, software, and spleens*: law and the construction of the information society. Cambridge: Harvard University Press, 1997.

BRAVERMAN, Harry. *Trabalho e capital monopolista*: a degradação do trabalho no século XX. Rio de Janeiro: Guanabara, 1987.

BRÉHIER, Émile. *História da filosofia*. Tradução Eduardo Sucupira Filho. São Paulo: Mestre Jou, 1977-1981. 2 t., 7 fasc.

BRIDGES, William. *Um mundo sem empregos*. Tradução José Carlos Barbosa dos Santos. São Paulo: Makron Books, 1995.

BROWN, Marvin T. *Ética nos negócios*. Tradução Flavio Denny Steffen. São Paulo: Makron, 1993.

BRUN, Jean. *Os pré-socráticos*. Tradução Armindo Rodrigues. Lisboa: Ed. 70, 1968. (Biblioteca Básica de Filosofia, 1).

BUCHHOLZ, Rogene A.; ROSENTHAL, Sandra B. *Business ethics*: the pragmatic path beyond principles to process. Upper Saddle River: Prentice-Hall, 1998.

BURNS, Edward McNall. *História da civilização ocidental*. Tradução Lourival Gomes Machado, Lourdes Santos Machado e Leonel Vallandro. 2. ed. Rio de Janeiro: Globo, 1966. 2 v.

CABRAL DE MELO NETO, João. *Poesias completas*. 3. ed. Rio de Janeiro: J. Olympio, 1979.

CAMPBELL, Andrew; DEVINE, Marion; YOUNG, David. *Sentido de missão*. Tradução Jacqueline Medeiros. Lisboa: Cetop, 1993. (Coleção Pensar a gestão, 3).

CARRAHER, David William. *Senso crítico*: do dia-a-dia às ciências humanas. 2. ed. São Paulo: Pioneira, 1993. (Manuais de estudo).

CARVALHO, Fábio Romeu de. *Lógica paraconsistente anotada no auxílio às tomadas de decisão na administração de uma universidade*. 2000. Dissertação (Mestrado) — Faculdade de Filosofia, Letras e Ciências Humanas, Universidade de São Paulo, São Paulo, 2000.

CERQUEIRA, João da Gama. *Tratado da propriedade industrial*. 2. ed. São Paulo: Revista dos Tribunais, 1982. v. 2.

CHANLAT, Jean-François (Coord.). *O indivíduo na organização*: dimensões esquecidas. Tradução Aracky Martins Rodrigues, Luciano dos Santos Gaino, Mauro Tapias Gomes e Ofélia de Lanna Sette Tôrres. 3. ed. São Paulo: Atlas, 1996. v. 1.

______. *O indivíduo na organização*: dimensões esquecidas. Tradução Christina T. Costa, Maria Helena C. V. Trylinski e Ofélia de Lanna Sette Tôrres. São Paulo: Atlas, 1996. v. 3.

CHARBONNEAU, Paul-Eugène. *Curso de filosofia*: lógica e metodologia. São Paulo: EPU, 1986.

CHÂTELET, François (Dir.). *História da filosofia*: idéias, doutrinas. Tradução Maria José de Almeida et al. Rio de Janeiro: Zahar, 1973-1974. 8 v.

______. *Platão*. Tradução Sousa Dias. Porto: Rés, [19--].

______; DUHAMEL, Olivier; PISIER-KOUCHNER, Évelyne. *História das idéias políticas*. Tradução Carlos Nelson Coutinho. Rio de Janeiro: J. Zahar, 1985.

CHAUI, Marilena de Souza. *Convite à filosofia*. 6. ed. São Paulo: Ática, 1995.

______. *Introdução à história da filosofia*: dos pré-socráticos a Aristóteles. São Paulo: Brasiliense, 1994. v. 1.

______. *A nervura do real*: imanência e liberdade em Spinoza. São Paulo: Companhia das Letras, 1999.

CHIAVENATO, Idalberto. *Teoria geral da administração*: abordagens prescritivas e normativas da administração. 4. ed. São Paulo: McGraw-Hill, 1993. v. 1.

CINTRA, Marcos. Em boca calada não entra mosquito. *Folha de S.Paulo*, São Paulo, 17 set. 1995. Caderno Dinheiro, p. 2-8.

COELHO, Fábio Ulhoa. *Curso de direito comercial.* São Paulo: Saraiva, 1999. v. 2.

COGNITIO: Revista de Filosofia do Centro de Estudos do Pragmatismo da Pontifícia Universidade Católica de São Paulo. São Paulo: Educ: Editora Angra, n. 2, 2001.

COMO descobrir qual a missão da empresa. *Folha de S.Paulo*, São Paulo, 3 abr. 1994. Caderno Especial Qualidade Total, fasc. 4, p. 4-5.

COPI, Irving Marmer. *Introdução à lógica.* Tradução Álvaro Cabral. 3. ed. São Paulo: Mestre Jou, 1981.

COSERIU, Eugenio. *Teoria da linguagem e lingüística geral*: cinco estudos. Tradução Agostinho Dias Carneiro. Rio de Janeiro: Presença, 1979. (Linguagem, 3).

COSTA, Newton Carneiro Afonso da. *Ensaio sobre os fundamentos da lógica.* 2. ed. São Paulo: Hucitec, 1994.

______. *Introdução aos fundamentos da matemática.* 3. ed. São Paulo: Hucitec, 1992.

______. *Lógica indutiva e probabilidade.* 2. ed. São Paulo: Hucitec, 1993.

DAMÁSIO, António R. *O erro de Descartes*: emoção, razão e o cérebro humano. Tradução Dora Vicente e Georgina Segurado. São Paulo: Companhia das Letras, 1996.

DELEUZE, Gilles. *Nietzsche e a filosofia.* Tradução Edmundo Fernandes Dias e Ruth Joffily Dias. Rio de Janeiro: Ed. Rio, 1976. (Semeion, 4).

______. Pensamento nômade. Tradução Milton Nascimento. In: MARTON, Scarlett (Org.). *Nietzsche hoje?* colóquio de Cerisy. São Paulo: Brasiliense, 1985. p. 56-76.

______; GUATTARI, Félix. *O que é a filosofia?* Tradução Bento Prado Jr. e Alberto Alonso Muñoz. Rio de Janeiro: Ed. 34, 1992.

DERRIDA, Jacques. *Gramatologia.* Tradução Miriam Schnaiderman e Renato Janini Ribeiro. São Paulo: Perspectiva, 1973. (Estudos, 16).

DESCARTES, René. *Discurso do método. Meditações.* [e outras obras de Descartes]. Tradução J. Guinsburg e Bento Prado Júnior. São Paulo: Abril Cultural, 1973. (Os Pensadores, XV).

DIMOCK, Marshall E. *Filosofia da administração.* Tradução Diógenes Machado e Arnaldo Carneiro da Rocha Netto. Rio de Janeiro: Fundo de Cultura, 1967.

DONALDSON, Thomas. *Corporations and morality.* Englewood Cliffs, NJ: Prentice Hall, 1982.

______; WERHANE, Patricia H. (Ed.). *Ethical issues in business*: a philosophical approach. 5th ed. Upper Saddle River: Prentice-Hall, 1996.

DONDIS, Donis A. *Sintaxe da linguagem visual.* Tradução Jefferson Luiz Camargo. São Paulo: Martins Fontes, 1991. (Coleção A).

DRUCKER, Peter Ferdinand. *A sociedade pós-capitalista.* Tradução Nivaldo Montingelli Jr. 4. ed. São Paulo: Pioneira, 1993.

EL-NAMAKI, M. S. S. Creating a corporate vision. *Long range planning*, Great Britain, v. 25, n. 6, p. 25-29, 1992.

FERREIRA, Aurélio Buarque de Holanda. *Novo Aurélio*: o dicionário da língua portuguesa — século XXI. Dicionário eletrônico. Versão 3.0. São Paulo: Nova Fronteira, [200-]. 1 CD-ROM.

FOLLETT, Mary Parker. *Dynamic administration*: the collected papers of Mary Parker Follett. Ed. Henry C. Metcalf, L. Urwick. New York: Harper & Brothers, [194-].

______. O processo de controle. In: GRAHAM, Pauline (Org.). *Mary Parker Follett*: profeta do gerenciamento. Tradução Eliana Chiocheti e Maria Luiza de Abreu Lima. Rio de Janeiro: Qualitymark, 1997. p. 227-241.

FONTRODONA, Juan. *Pragmatism and management inquiry*: insights from the thought of Charles S. Peirce. Westport: Quorum Books, 2002.

FOUCAULT, Michel (Apres.). *Eu, Pierre Rivière, que degolei minha mãe, minha irmã e meu irmão...* um caso de parricídio do século XIX. Tradução Denize Lezan de Almeida. 5. ed. Rio de Janeiro: Graal, 1991. (Biblioteca de Filosofia e História das Ciências, 1).

______. A verdade e as formas jurídicas. Tradução Roberto Cabral de Melo Machado e Eduardo Jardim de Morais. In: *Cadernos da PUC/RJ*, Rio de Janeiro, n. 16, jun. 1974.

FRANCO JÚNIOR, Hilário. *A Eva barbada*: ensaios de mitologia medieval. São Paulo: Edusp, 1996.

FREGE, Gottlob. *Lógica e filosofia da linguagem.* São Paulo: Cultrix, 1978.

FREUD, Sigmund. Psicologia de grupo e análise do ego. Tradução Christiano Monteiro Oiticica. p. 125. In: ______. *Além do princípio do prazer, Psicologia de grupo e outros trabalhos*. Rio de Janeiro: Imago, 1976. (Obras psicológicas completas de Sigmund Freud, 18).

______. O ego e o id. Tradução Jayme Salomão. p. 52. In: ______. *O ego e o id e outros trabalhos*. Rio de Janeiro: Imago, 1976. (Obras psicológicas completas de Sigmund Freud, 19).

GAARDER, Jostein. *O mundo de Sofia*: romance da história da filosofia. Tradução João Azenha Jr. São Paulo: Companhia das Letras, 1995.

GARAUDY, Roger. *Para conhecer o pensamento de Hegel*. Tradução Suely Bastos. Porto Alegre: L&PM, 1983.

GARDNER, Howard. *Inteligências múltiplas*: a teoria na prática. Tradução Maria Adriana Veríssimo Veronese. Porto Alegre: Artes Médicas, 1995.

GATES, Bill. A importância de fazer erros. Tradução Lucia Boldrini. *Folha de S.Paulo*, São Paulo, 10 maio 1995. Informática, Caderno Informática.

______; MYHRVOLD, Nathan; RINEARSON, Peter. *A estrada do futuro*. Tradução Beth Vieira et al. São Paulo: Companhia das Letras, 1995.

GILES, Thomas Ransom. *Curso de iniciação à filosofia*. São Paulo: EPU, 1995. v. 1.

GOLEMAN, Daniel. *Inteligência emocional*: a teoria revolucionária que redefine o que é ser inteligente. Tradução Marcos Santarrita. Rio de Janeiro: Objetiva, 1996.

GRAHAM, Pauline (Org.). *Mary Parker Follett*: profeta do gerenciamento. Tradução Eliana Chiocheti e Maria Luiza de Abreu Lima. Rio de Janeiro: Qualitymark, 1997.

GRIFFIN, Gerald R. *Maquiavel na administração*: como jogar e ganhar o jogo do poder na empresa. Tradução Geni G. Goldschmidt. São Paulo: Atlas, 1996.

HAGÈGE, Claude. *O homem dialogal*: contribuição lingüística para as Ciências Humanas. Tradução Isabel St. Aubyn. Lisboa: Ed. 70, 1990.

HAUSER, Arnold. *História social da literatura e da arte*. Tradução Walter H. Geenen. São Paulo: Mestre Jou, 1972-1982. t. 1 (4. ed., 1982); t. 2 (2. ed., 1972).

HAYES, Robert H.; WHEELWRIGHT, Steven C. *Restoring our competitive edge*: competing through manufacturing. New York: Wiley, [ca. 1984].

HEGEL, Georg Wilhelm Friedrich. *A fenomenologia do espírito.* Tradução Henrique Cláudio de Lima Vaz. 2. ed. São Paulo: Abril Cultural, 1980. (Os Pensadores).

______. *Fenomenologia do espírito.* Tradução Paulo Meneses. 2. ed. Petrópolis: Vozes, 1992. parte I.

______. *Princípios da filosofia do direito.* Tradução Orlando Vitorino. 4. ed. Lisboa: Guimarães Editora, 1990. (Filosofia e ensaios).

HEIDEGGER, Martin. Sobre a essência da verdade. In: ______. *Conferência e escritos filosóficos.* Tradução Ernildo Stein. 2. ed. São Paulo: Abril Cultural, 1983. p. 127-145. (Os Pensadores).

HESÍODO. *Teogonia*: a origem dos deuses. Estudo e tradução Jaa Torrano. 3. ed. São Paulo: Iluminuras, 1995.

HITT, William. *Ethics and leadership*: putting theory into practice. Columbus, Ohio: Battelle Press, 1990.

HONDERICH, Ted (Ed.). *The Oxford companion to philosophy.* Oxford: Oxford University Press, 1995.

HORNBLOWER, Simon; SPAWFORTH, Antony. *The Oxford classical dictionary.* 3rd ed. Oxford: Oxford University Press, 1996.

HUIZINGA, Johan. *Homo ludens*: o jogo como elemento da cultura. Tradução João Paulo Monteiro. 4. ed. São Paulo: Perspectiva, 1996. (Coleção Estudos, 4).

HUME, David. *Investigação sobre o entendimento humano.* Tradução Leonel Vallandro. São Paulo: Abril Cultural, 1973. (Os Pensadores, XXIII, obras de George Berkeley e David Hume).

IDE, Pascal. *A arte de pensar.* Tradução Paulo Neves. São Paulo: Martins Fontes, 1995.

JAEGER, Werner Wilhelm. *Paidéia*: a formação do homem grego. Tradução Artur M. Parreira. 2. ed. São Paulo: Martins Fontes, 1989.

JAKOBSON, Roman. *Lingüística e comunicação.* Tradução Isidoro Blikstein e José Paulo Paes. 10. ed. São Paulo: Cultrix, [19--].

JUNG, Carl Gustav. *O eu e o inconsciente.* Tradução Dora Ferreira da Silva. 4. ed. Petrópolis: Vozes, 1984.

______. *Psicologia e religião oriental.* Tradução Pe. Dom Mateus Ramalho Rocha. 2. ed. Petrópolis: Vozes, 1982.

KANT, Immanuel. *Crítica da razão pura.* Tradução Valerio Rohden e Udo Baldur Moosburger. 3. ed. São Paulo: Nova Cultural, 1987-1988. 2 v. (Os Pensadores).

______. Fundamentação da metafísica dos costumes. Tradução Paulo Quintela. In: ______. *Crítica da razão pura e outros textos filosóficos.* Seleção Marilena de Souza Chaui Berlinck. São Paulo: Abril Cultural, 1974. (Os Pensadores, XXV).

KELLY, Louise. *An existential-systems approach to managing organizations.* Westport: Quorum Books, 1998.

KELSEN, Hans. *Teoria pura do direito.* Tradução João Baptista Machado. São Paulo: Martins Fontes, 1985.

KLEIN, Sherwin. *Business ethics*: reflections from a Platonic point of view. New York: Peter Lang, 1993.

KNEALE, William; KNEALE, Martha. *O desenvolvimento da lógica.* Tradução M. S. Lourenço. 3. ed. Lisboa: Fundação Calouste Gulbenkian, 1991.

KOTLER, Philip. *Administração de marketing*: análise, planejamento, implementação e controle. Tradução Ailton Bonfim Brandão. 3. ed. São Paulo: Atlas, 1993.

KRAJEWSKI, Lee J.; RITZMAN, Larry P. *Operations management*: strategy and analysis. 2. ed. Reading, Mass.: Addison-Wesley [ca. 1990].

KUHN, Thomas S. *A estrutura das revoluções científicas.* Tradução Beatriz Vianna Boeira e Nelson Boeira. 4. ed. São Paulo: Perspectiva, 1996. (Coleção Debates, 115).

LAUSCHNER, S. J. Roque. *Lógica formal*: técnicas de desenvolvimento do raciocínio. 2. ed. Porto Alegre: Sulina, 1971.

LÉVY, Pierre. *As tecnologias da inteligência*: o futuro do pensamento na era da informática. Tradução Carlos Irineu da Costa. Rio de Janeiro: Ed. 34, 1993.

LOCKE, John. *Segundo tratado sobre o governo. Ensaio acerca do entendimento humano.* Tradução Anoar Aiex. 3. ed. São Paulo: Abril Cultural, 1983. (Os Pensadores).

LODI, João Bosco. *História da administração.* 9. ed. São Paulo: Pioneira, 1987. (Biblioteca Pioneira de administração e negócios).

LOJKINE, Jean. *A revolução informacional.* Tradução José Paulo Netto. São Paulo: Cortez, 1995.

LOPES, Edward. *Fundamentos da lingüística contemporânea.* 6. ed. São Paulo: Cultrix, 1982.

______. *Metáfora*: da retórica à semiótica. 2. ed. São Paulo: Atual, 1987. (Série Documentos).

LYOTARD, Jean-François. *A condição pós-moderna.* Tradução José Bragança de Miranda. 2. ed. Lisboa: Gradiva, 1989. (Trajectos, 3).

MAGALHÃES-VILHENA, Vasco de. *O problema de Sócrates*: o Sócrates histórico e o Sócrates de Platão. Lisboa: Fundação Calouste-Gulbenkian, 1984.

MALMBERG, Bertil. *A língua e o homem*: introdução aos problemas gerais da lingüística. Tradução M. Lopes. Rio de Janeiro: Nórdica, 1976.

MAQUIAVEL, Nicolau. *O príncipe.* Tradução Maria Júlia Goldwasser. São Paulo: Martins Fontes, 1995. (Clássicos).

MARTINS, Wilson. *A palavra escrita*: história do livro, da imprensa e da biblioteca. 2. ed. il. rev. e atual. São Paulo: Ática, 1996.

MARX, Karl. Teses contra Feuerbach. Tradução José Arthur Giannotti. In: ______. *Manuscritos econômico-filosóficos e outros textos escolhidos.* Seleção de textos José Arthur Giannotti. Tradução José Carlos Bruni et al. 2. ed. São Paulo: Abril Cultural, 1978. p. 50-53. (Os Pensadores).

MATOS, Olgária et al. *Primeira filosofia*: tópicos de filosofia geral. 8. ed. São Paulo: Brasiliense, 1990.

MÁTTAR NETO, João Augusto. *Metodologia científica na era da informática.* São Paulo: Saraiva, 2002.

______. Pensamento, linguagem, lógica e realidade. In: *Estudos Acadêmicos Unibero*, Faculdade Ibero-Americana, São Paulo, ano II, n. 4, p. 9-20, ago. 1996.

MATTOS, João Metello de. *A sociedade do conhecimento*: da teoria de sistemas à telemática. Brasília: ESAF: Editora Universidade de Brasília, 1982. (Cadernos da UnB).

MCKINLAY, Alan; STARKEY, Ken (Ed.). *Foucault, management and organization theory*: from panopticon to technologies of self. London: Sage, 1998.

McLUHAN, Marshall. *A galáxia de Gutenberg*: a formação do homem tipográfico. Tradução Leônidas Gontijo de Carvalho e Anísio Teixeira. 2. ed. São Paulo: Nacional, 1977. (Biblioteca universitária, série 5.ª — Letras e lingüística, v. 12).

______. *Os meios de comunicação como extensões do homem.* Tradução Décio Pignatari. 7. ed. São Paulo: Cultrix, 1993.

MELLO E SOUZA, Roberto de. *O executivo filósofo.* São Paulo: Duas Cidades, 1992.

MENDONÇA, Eduardo Prado de. *O mundo precisa de filosofia.* 11. ed. Rio de Janeiro: Agir, 1996.

MIGUÉIS, José Rodrigues. *Páscoa feliz.* 2. ed. Lisboa: Estúdios Cor, 1958. (Coleção Latitude, 30).

MINTZBERG, Henry. *The nature of managerial work.* New York: Harper Collins, 1973.

MONDIN, Batista. *Curso de filosofia.* Tradução Bênoni Lemos. São Paulo: Paulus, 1981. 3 v.

MONTAGNINI, Regina. *Concorrência desleal nos contratos de distribuição.* 2000. Dissertação (Mestrado em Direito) — Pontifícia Universidade Católica de São Paulo, São Paulo, 2000.

MONTESQUIEU, Charles Louis Secondat, baron de la Brède et de. *O espírito das leis.* Tradução Fernando Henrique Cardoso e Leôncio Martins Rodrigues. 2. ed. rev. Brasília: Editora Universidade de Brasília, 1995.

NADLER, David A.; GERSTEIN, Marc S.; SHAW, Robert B. *Arquitetura organizacional*: a chave para a mudança empresarial. Tradução Waltensir Dutra. Rio de Janeiro: Campus, 1994.

NAKAGAWA, Masayuki. *Introdução à controladoria*: conceitos, sistemas, implementação. São Paulo: Atlas, 1993. (Série Gecon).

NASCIMENTO, Carlos Arthur Ribeiro do. A querela dos universais revisitada. In: *Cadernos PUC.* São Paulo: Educ, [19--]. p. 37-73. n. 13, Filosofia.

______. *O que é filosofia medieval.* São Paulo: Brasiliense, 1992. (Coleção Primeiros Passos, 261).

NASHER, F. Byron. *Learning to read the signs*: reclaiming pragmatism in business. Boston: Butterworth-Heinemann, 1997.

NIETZSCHE, Friedrich. *Obras incompletas.* Tradução Rubens Rodrigues Torres Filho. 3. ed. São Paulo: Abril Cultural, 1983. (Os Pensadores).

NOZICK, Robert. *Anarquia, estado e utopia.* Tradução Ruy Jungmann. São Paulo: J. Zahar, 1991.

OLIVEIRA, Djalma de Pinho Rebouças de. *Planejamento estratégico*: conceitos, metodologia e prática. São Paulo: Atlas, 1986.

PEIRCE, Charles Sanders. *Semiótica e filosofia.* Introdução, seleção e tradução Octanny Silveira da Mota e Leonidas Hegenberg. 3. ed. São Paulo: Cultrix, 1984.

______. *Semiótica.* Tradução José Teixeira Coelho Neto. São Paulo: Perspectiva, 1977. (Estudos, 46).

______; FREGE, Gottlob. *Escritos coligidos* (Peirce); *Sobre a justificação científica de uma conceitografia* (Frege); *Os fundamentos da aritmética* (Frege). 2. ed. São Paulo: Abril Cultural, 1980. (Os Pensadores).

PEREIRA, Maria Helena da Rocha. *Estudos de história da cultura clássica.* 5. ed. Lisboa: Fundação Calouste Gulbenkian, 1980.

PESSANHA, José Américo Motta (Seleção de textos). *Sócrates.* Tradução Jaime Bruna, Líbero Rangel de Andrade e Gilda Maria Reale Starzynski. 2. ed. São Paulo: Abril Cultural, 1980. (Os Pensadores).

PESSOA, Fernando. *Poemas de Alberto Caieiro.* Lisboa: Ática, 1952.

PLATÃO. *A República.* Tradução e notas de Maria Helena da Rocha Pereira. 4. ed. Lisboa: Fundação Calouste Gulbenkian, 1983.

______. *Defesa de Sócrates.* Tradução Jaime Bruna. In: PESSANHA, José Américo Motta (Seleção de textos). *Sócrates.* 2. ed. São Paulo: Abril Cultural, 1980. p. 4-27. (Os Pensadores).

______. *Diálogos.* Tradução José Cavalcante de Souza, Jorge Paleikat e João Cruz Costa. 2. ed. São Paulo: Abril Cultural, 1983. (Os Pensadores).

PRADO JR., Caio. *O que é filosofia.* 23. ed. São Paulo: Brasiliense, 1995. (Primeiros Passos, 37).

QUIGLEY, Joseph V. *Visão*: como os líderes a desenvolvem, compartilham e mantêm. Tradução Lenke Peres Alves de Araújo. São Paulo: Makron Books, 1994.

RAPPORTS entre la repression da la concurrence deloyale et la reglementation des pratiques restrictives: Europe. Bulletin de l'institut international de concurrence commerciale, Colloque des 5 et 6 mai 1980, numero special.

RAWLS, John. *Uma teoria da justiça*. 3. ed. São Paulo: Martins Fontes, 2000.

REALE, Miguel. *Filosofia do direito*. 17. ed. São Paulo: Saraiva, 1996.

RIFKIN, Jeremy. *O fim dos empregos*: o declínio dos níveis dos empregos e a redução da força global de trabalho. Tradução Ruth Gabriela Bahr. São Paulo: Makron, 1996.

ROSENTHAL, Sandra B.; BUCHHOLZ, Rogene A. *Rethinking business ethics*: a pragmatic approach. New York: Oxford University Press, 2000.

ROUSSEAU, Jean Jacques. *Do contrato social*. Tradução Lourdes Santos Machado. 3. ed. São Paulo: Abril Cultural, 1983. (Os Pensadores).

SACKS, Oliver W. *Um antropólogo em Marte*: sete histórias paradoxais. Tradução Bernardo Carvalho. São Paulo: Companhia das Letras, 1995.

SARTRE. Jean Paul. *A imaginação*. Tradução Luiz Roberto Salinas Fortes. São Paulo: Abril Cultural, 1978. (Os Pensadores).

SAUSSURE, Ferdinand de. *Curso de lingüística geral*. Tradução Antônio Chelini, José Paulo Paes e Izidoro Blikstein. 17. ed. São Paulo: Cultrix, 1993.

SCHAFF, Adam. *A sociedade informática*: as conseqüências sociais da segunda revolução industrial. Tradução Carlos Eduardo Jordão Machado e Luiz Arturo Obojes. 4. ed. São Paulo: Editora Unesp: Brasiliense, 1995.

SHELDON, Oliver. *The philosophy of management*. New York: Pitman, 1965.

SHELDRAKE, John. *Management theory*: from taylorism to japanization. London: International Thomson Business Press, 1996.

SILVEIRA, Nise da. *O mundo das imagens*. São Paulo: Ática, 1992.

SOLOMON, Robert C. Corporate roles, personal virtues: an aristotelean approach to business ethics. In: DONALDSON, Thomas; WERHANE, Patricia H. (Ed.). *Ethical issues in business*: a philosophical approach. 5th ed. Upper Saddle River: Prentice-Hall, 1996. p. 45-59.

SOUZA, José Cavalcante de (Seleção de textos e supervisão). *Os pré-socráticos*: fragmentos, doxografia e comentários. 2. ed. São Paulo: Abril Cultural, 1978. (Os Pensadores).

TOFFLER, Alvin. *A terceira onda.* Tradução João Távora. 13. ed. Rio de Janeiro: Record, 1993.

______; TOFFLER, Heidi. *Criando uma nova civilização*: a política da terceira onda. Tradução Alberto Lopes. Rio de Janeiro: Record, 1995.

VANOYE, Francis. *Usos da linguagem*: problemas e técnicas na produção oral e escrita. Tradução Clarisse Madureira Sabóia et al. 2. ed. São Paulo: Martins Fontes, 1981. (Ensino superior).

VERNANT, Jean-Pierre. *As origens do pensamento grego.* Tradução Ísis Borges B. da Fonseca. 3. ed. São Paulo: Difel, 1981.

______. *Mito e pensamento entre os gregos*: estudos de psicologia histórica. Tradução Haiganuch Sarian. Rio de Janeiro: Paz e Terra, 1990.

WASSERMAN, Jacob. *Kaspar Hauser*: ou a indolência do coração. Tradução Adonias Filho. Rio de Janeiro: Top Books, 1966.

WHITE, Thomas I. *Business ethics*: a philosophical reader. Upper Saddle River: Prentice-Hall, 1993.

WHITELEY, Richard C. *A empresa totalmente voltada para o cliente.* Tradução Ivo Korytowski. Rio de Janeiro: Campus, 1992.

WITTGENSTEIN, Ludwig. *Tractatus logico-philosophicus.* Tradução, apresentação e estudo introdutório de Luiz Henrique Lopes dos Santos. 2. ed. rev. ampl. São Paulo: Edusp, 1994.

WORLD INTELLECTUAL PROPERTY ORGANIZATION. *Protection against unfair competition*: analysis of the present world situation. Genève, 1994. (WIPO Publication, 725E).

Índice Remissivo

A

B

C

D

E

F

G

H

I

J

K

L

M

N

O

P

Q

R

S

Impressão e Acabamento:
Ferrari Editora e Artes Gráficas